Carmen Korn

TÖCHTER EINER NEUEN ZEIT

Roman

Rowohlt Taschenbuch Verlag

20. Auflage Juni 2018

Veröffentlicht im Rowohlt Taschenbuch Verlag,
Reinbek bei Hamburg, Juli 2017

Abbildung in der vorderen Klappe Laurits Regner Tuxen (1853–1927),
View of the Inner Alster Lake, 1894 (oil on canvas)/Hamburger Kunsthalle,
Hamburg, Germany/Bridgeman Images
Karte in der hinteren Klappe © Peter Palm
Umschlaggestaltung any.way, Barbara Hanke/Cordula Schmidt
Umschlagabbildung ullstein bild; Greenery/Shutterstock.com
Satz aus der Dolly PostScript, InDesign
Gesamtherstellung CPI books GmbH, Leck, Germany
ISBN 978 3 499 27213 4

TÖCHTER
EINER NEUEN ZEIT

MÄRZ 1919

Henny hob den Kopf und lauschte. Ein Sehnsuchtsgeräusch, das aus dem Hof zu ihr hoch in den zweiten Stock fand, Sehnsuchtsgeräusch wie Glockenklang und der Gesang einer Amsel. Die Sonnabende ihrer Kindheit kamen ihr in den Sinn. Sommersonnabende. Das Glitzern im Wasser der Regentonne. Die weißen Johannisbeeren, die sie von den Sträuchern an der hinteren Mauer des Hofes pflücken durfte. Der Duft des Kuchens, den ihre Mutter für den Sonntag im Ofen hatte. Ihr Vater, der aus dem Kontor gekommen war und leise pfiff, während er die Krawatte löste, den Kragen des Hemdes abknöpfte.

Henny ging zum Fenster, öffnete es und lauschte dem Geräusch, das ihr all diese Bilder herbeiholte. Das Quietschen der alten Schaukel.

Es war noch längst nicht Sommer. Der kleine Junge auf der Schaukel unten trug Gamaschen aus grobem Strick und einen kurzen Mantel, der Himmel über ihm war grau, die Sträucher waren noch kahl. Doch an der Weide sprossen erste Kätzchen, Märzenbecher standen am Rand der Wiese, und auch das Licht schien hoffnungsvoller zu sein als noch vor Tagen. Die dunklen Monate des Winters waren vorbei und mit ihnen die dunklen Jahre des Krieges.

«Du bist ja noch immer im Hemd, Kind, und stehst in der kalten Luft.» Henny drehte sich zu ihrer Mutter um, die in die Küche gekommen war und nun zu ihr ans Fenster trat.

«Keine acht Uhr, und die Lüdersche lässt schon den Kleinen in den Hof.» Else Godhusen schüttelte den Kopf. «Und du komm mal in die Gänge. Ich hab noch Heißwasser im Kessel, das geb ich dir in die Schüssel.»

Der Kleine glitt von der Schaukel und verschwand aus Hennys Blick. Vermutlich war er durch den Keller ins Haus gegangen. Eine Weile schwang die Schaukel noch. Henny wandte sich vom Fenster ab und dem Spülbecken zu, ließ kaltes Wasser zum heißen aus dem Kessel in die Emailleschüssel laufen und zog an dem Vorhang aus fester weißer Baumwolle, dessen Lochstickerei sich einen Finger breit über dem Linoleum des Fußbodens verschwendete. Die Vorhangringe glitten an der Eisenstange entlang, die weiße Baumwolle schloss sich mitten in der Küche zu einem kleinen Séparée.

Die Eisenstange hatte ihr Vater angebracht, kurz nach Hennys zwölftem Geburtstag. «Die Deern entwickelt sich», hatte Heinrich Godhusen gesagt. «Das geht nicht länger, dass sie am Handstein steht und wir ihr beim Waschen zugucken.» Gestern war Henny neunzehn geworden und ihr Vater schon Jahre tot. Gefallen im Großen Krieg.

Henny zog das Hemd aus und griff nach der Veilchenseife, die in der Schale lag. Keine kratzige Kriegsseife, die kaum Fett enthielt und in der bis hin zur Ziegelerde ziemlich alles vermahlen worden war, was sich fand. Sie tauchte die kostbare Seife kurz in das Wasser und ließ sie andächtig von einer Hand in die andere gleiten, bis ein kleiner Schaum entstand. Dann fing Henny an, sich von Kopf bis Fuß zu waschen.

«Das duftet ja in der ganzen Küche», sagte ihre Mutter mit dem Stolz der Schenkenden. Die Veilchenseife hatte auf dem Gabentisch gelegen. Daneben ein Hebammenkoffer, gebraucht gekauft, doch noch gut erhalten. Else Godhusen hatte von der Margarine geopfert, um das dunkle Leder zum Glänzen zu bringen. «Der zukünftigen Hebamme», hatte sie gesagt. «Das ist noch schöner als Krankenschwester. Wie stolz dein Vater wäre.»

Mutter und Tochter hatten ihn abhalten wollen, voreilig und freiwillig in den Krieg zu ziehen mit seinen achtunddreißig Jahren. «Spiel mir nicht den Helden», hatte Else gesagt. Doch da war Heinrich Godhusen schon fortgerissen worden vom vaterländischen Taumel des August 1914. Hatte den Hut geschwenkt. Nicht den steifen. Den leichten Strohhut, der sich so heiter schwenken ließ. *Hoch lebe Deutschland. Hoch lebe der Kaiser.* Die Blaskapelle spielte, in den Gewehrläufen steckten Blumen.

Ausgezogen in den Krieg, gestorben, in masurischer Erde begraben. Das zweite Bataillon des Landwehrregiments hatte schon im September an der Ostfront gestanden. «Der Krieg ist die Hölle», hatte Heinrich an Else geschrieben. Doch davon wusste Henny nichts.

«Bisschen neidisch auf deinen Koffer schien mir Käthe schon gewesen zu sein», sagte Else Godhusen. «Bin gespannt, mit welchem Büdel sie in der Finkenau erscheint. Dass die Käthe überhaupt genommen haben, sie ist doch oft nachlässig mit sich. Ist mir gleich aufgefallen, dass ihre Nägel nicht ganz sauber waren.»

«Mama, hör auf», sagte Henny hinter ihrem Vorhang. Ihre liebste Kindheitsfreundin hatte gezögert, sich ebenfalls um eine Lehrstelle zu bewerben. Hebamme an der Finkenau, die seit fünf Jahren als eine der besten Entbindungsanstalten im ganzen Lande galt, das schien der Wohlfahrtshelferin Käthe viel zu ambitioniert.

«Du kennst Käthe, seit sie sechs war, doch manchmal

denke ich, du kannst sie gar nicht leiden.» Sie griff nach dem Hemd, das sie über die Stange gelegt hatte.

«Du kannst ruhig nackig herauskommen. Vor deiner Mutter wirst du dich ja wohl nicht genieren, und die Küche ist gut warm.»

Henny schob den Vorhang zur Seite und stand im Hemde. «Hast du gehört, was ich gesagt habe?»

«Hab ich nicht Vaters letzte Flasche Rheinwein aus dem Keller geholt, um ihn mit dir und Käthe zu trinken?»

«Kannst du sie nun leiden?»

Hennys Mutter ließ sich Zeit mit der Antwort. «Ich kann Käthe leiden», sagte sie schließlich, «doch du bist einfach das feinere Kind.»

«Deine Mutter hat einen höheren Fimmel», hatte Käthe gestern Abend gesagt, als sie sich an der Haustür von Henny verabschiedete. «Zu ihrer politischen Verbohrtheit sag ich gar nicht erst was.»

Am Anfang war es ein heiterer Geburtstagsabend gewesen. Sie hatten den Oppenheimer Krötenbrunnen von 1912 geleert und Sekt getrunken, der schon zu alt und dunkel vom Firn gewesen war. Die Gläser hatten sie auf Henny gehoben und ihren Vater, dass er in Frieden ruhe, dann wurde auf die Zukunft angestoßen und die Hebammerei. Dazu hatten sie Brote mit gehackten Zwiebeln gegessen und eingelegte Essiggurken, das Glas hatte Else zwischen leeren Einmachgläsern gefunden.

«Einmal haben Heinrich und ich Kraftbrühe mit echten Goldblättchen bestellt», hatte sie geschwelgt. «In Cölln's Austernstuben. Austern mochte dein Vater nicht, die waren ihm zu fischig.»

«Gold in der Suppe.» Käthe hatte den Kopf geschüttelt.

«Im Hotel Reichshof gibt es kleine französische Kuchen mit rosa Glasur und gezuckerten Mandeln. Die glitzern auch. Geht aber nur ohne Marken.»

«Du warst ja schon immer gierig auf Kuchen.» Hennys Mutter hatte beleidigt geklungen, sie hätte gerne länger im Glanz der Vorkriegszeit verweilt. «Dass es schon wieder Petits Fours geben darf, wo wir gerade noch mit den Franzosen im Krieg gestanden haben. Wie kommst *du* überhaupt in den Reichshof, Käthe?»

«Nachher gibt es Marmorkuchen», hatte Henny schnell gesagt, um das Gespräch aus der Gefahrenzone zu holen.

«Nur ein kleiner Kuchen. Die Zutaten reichten nicht für die große Form. Das ist bei Käthe für den hohlen Zahn.»

«Dann rühren wir den lieber nicht an», hatte Käthe gesagt. «Der kann einem ja sonst leidtun, der Kleine.»

Vielleicht hatte Else Godhusen den Sekt nicht vertragen. Henny war willens, es darauf zu schieben, dass ihre Mutter dieses Lied anstimmte.

Sie sollen ihn nicht haben, den freien deutschen Rhein.

Ob sie wie gier'ge Raben sich heiser danach schrein.

«Der Krieg war ein Verbrechen», hatte Käthe in die zweite Zeile hineingesprochen. «Zum Schaden aller Völker. Und der Kaiser ist ein Lump.»

«Vieles war doch auch von hohem Mute. In meiner Küche hältst du keine kommunistischen Reden, Käthe.»

Das war der Moment, in dem der Abend kippte.

Als Käthe dann die paar Schritte zur Wohnung in der Humboldtstraße ging, in der sie allein mit ihren Eltern lebte, seit die kleinen Brüder gestorben waren, hatte Henny sich einen Augenblick lang den Traum erlaubt, ein eigenes Zimmer zu haben. Ein Zimmer ohne die Allgegenwärtigkeit ihrer Mutter.

Das Haus der anderen im Blick, so waren sie und Käthe aufgewachsen. Hennys Eltern waren kurz vor Hennys Einschulung in das vierstöckige Eckhaus im östlichen Uhlenhorst nahe Barmbeck gezogen. Sie hatte das Kind mit den schwarzen Zöpfen und der schiefen Schürze schon auf dem ersten Weg zur Schule gesehen. Käthe hatte eine Zuckertüte in der Hand gehalten wie Henny. Aus ihren Tornistern hatten Lappen gehangen, mit denen die Schiefertafeln gewischt wurden. Lappen wehten. Zöpfe wehten. Schwarze Zöpfe. Blonde Zöpfe. Ein stürmischer Tag.

«Guck dir an, wie schlampig die Schürze gebunden ist», hatte Else Godhusen gesagt. Der scharfe Blick, damals schon, und diese Ungnädigkeit mit den anderen.

Vor dem Zubettgehen gestern hatte ihre Mutter noch drei laute lange Strophen des vermaledeiten Liedes gesungen, Henny zum Trotze, die von der letzten Zeile noch im Schlaf verfolgt worden war.

Bis eine Flut begraben des letzten Manns Gebein.

Gnadenlos hatte sie in ihr nachgehallt und war erst vom Quietschen der Schaukel endgültig verdrängt worden.

Henny zog das hellgraue Kostüm aus Kammgarn an, das Else ihr aus einem Anzug des Vaters geschneidert hatte, die weiße Bluse mit den Biesen, stieg in die Knopfstiefel und schnürte sie.

«Machst dich stadtfein», sagte Else. «Dann genieß noch mal die Freiheit. Zu Mittag bist du aber wieder da.»

Henny drückte einen kleinen Kuss auf Elses Wange und zog die Tür hinter sich zu. Unten auf der Straße blieb sie stehen und guckte zum zweiten Stock hoch, winkte Else zu, die wie immer am Fenster stand. Dann bückte sie sich und schnürte einen ihrer schwarzen Stiefel neu.

Im Schaufenster von Salamander hatte sie Pumps gesehen. Weiches Wildleder. Vielleicht gönnte sie sich die, um ihre Lehre in der Finkenau zu beginnen. Leichtfüßig in ein neues Leben laufen. Weg von Else.

«Alles auf Anfang», hatte Käthe gestern Abend gesagt und die geballte Faust gehoben, während Henny in der Haustür stand und ihr nachblickte. Sechs bis acht große Sprünge hatten sie als Kinder gebraucht, um von Hennys Haus an der Ecke Schubertstraße zu Käthes in der Humboldt zu kommen, das genau gegenüberlag. Käthe hatte die wilderen Sprünge gewagt.

Ein eigenes Zimmer. Eine Tür, die sich abschließen ließe. Von ihrem Lohn als Krankenschwester hätte sie das finanzieren können. Doch Else hatte sie nicht ziehen lassen wollen, und schon der Auszug aus dem elterlichen Schlafzimmer, wo sie seit Kriegsbeginn auf Vaters Bettseite schlief statt im Klappbett ihrer Kindheit, war zu einer Kraftprobe geworden.

Henny hatte das kleine Wohnzimmer okkupiert, das blank geputzt auf höhere Anlässe wartete, und ihr Lager auf der Chaiselongue bereitet, bis ihre Mutter endlich erlaubte, das Klappbett vom Dachboden ins Wohnzimmer zu tragen. Im vergangenen Winter war das gewesen, und seitdem war der Schlüssel zur Tür des Zimmers unauffindbar.

Am Morgen, als sie der Schaukel gelauscht hatte, war ihr noch eine andere Erinnerung gekommen. An die tote Hummel, die sie einmal im Hof gefunden hatte. Die kleine Henny war erstaunt gewesen, dass Hummeln im Sommer sterben können. Ihr Vater hatte die Hummel aufgehoben, in seine große Hand gelegt, dann war sie von ihm zur Weide getragen und dort begraben worden.

Der sanfte Vater, der in den Wahnsinn dieses Krieges gezogen war. *Eine feste Burg ist unser Gott*, hatte er vor dem

Rasierspiegel gesungen an seinem letzten Tag zu Hause. Wie sehr Heinrich Godhusen seiner Tochter fehlte.

«Da wirst du dir die Pfoten ordentlich bürsten müssen, wenn du erst mal auf Hebamme lernst», sagte Karl Laboe und guckte den Rücken seiner Tochter an.

«Das krieg ich hin», sagte Käthe, «saubere Pfoten.» Sie schöpfte mit den Händen Wasser und warf es sich ins Gesicht. Alles andere würde sie auf später verschieben, wenn der Alte um die Ecken ging.

«Sieht mir aber nach Katzenwäsche aus.»

«Ich gehe lieber in die Badeanstalt, als deine lüsternen Blicke auf dem Körper kleben zu haben.»

«Werd nich kiebich, Käthe. Noch stellst du deine Füße unter meinen Tisch, und das wird ja wohl auch noch ne Weile so bleiben, wo du dir die Hebammenlehre antust.» Karl Laboe legte die Hände auf den Küchentisch und stemmte sich vom Kanapee hoch. Sein Bein war steif, seit dem Arbeitsunfall auf der Werft, doch das steife Bein hatte ihn vor dem Kriegsdienst bewahrt. Obwohl das Leben hier an der Heimatfront auch kein Zuckerschlecken gewesen war. Nüscht zu freten und die beiden Weiber an der Backe.

«Deine Mutter kommt spät. Hat ne neue Putzstelle. Feine Pinkel in der Fährstraße. Bei denen macht sie die Mudder Wisch.»

«Ist bekannt. Geh du mal los.»

«Alter Mann is kein D-Zug», sagte Karl Laboe und nahm den Stock, der an der Tischkante lehnte.

Käthe atmete tief durch, als sie die Wohnungstür endlich ins Schloss fallen hörte. Wenn sie in die Fabrik ginge, könnte sie sich schneller was Eigenes leisten. Nun würde die Lehre endlose zwei Jahre dauern. Egal. Henny hatte recht.

Wann wollte sie was wagen, wenn nicht jetzt mit neunzehn? Warum ihr Vater nur so dagegen war, dass aus seinem einzig verbliebenen Kind was wurde?

Sie zog den Unterrock aus und fing noch mal mit dem Waschen an. Das Wasser in der Schüssel war längst kalt, die Seife rau, als bewegte Käthe einen Bimsstein in den Händen.

«Gut, dass du was aus dir machen willst», hatte Rudi gesagt, der Junge, den sie im Januar in der Arbeiterjugend kennengelernt hatte. Rudi mit den dunklen Locken, der beim *Hamburger Echo* eine Setzerlehre machte. Ein halbes Jahr jünger als sie. Dauernd las er ihr Gedichte vor. Na, nicht dauernd. Doch in den zwei Monaten seit Januar waren es wenigstens vier gewesen. Könnte gut sein, dass er ihr heute ein fünftes vorlesen würde, während sie einen der kleinen viereckigen Kuchen aß im Café des Reichshofs. Sie hatte noch nicht gefragt, woher Rudi das Geld für diese Extravaganz nahm.

Lina holte das große Leintuch aus dem Schrank, in das die Initialen ihrer Mutter eingestickt waren. Eines der wenigen guten Stücke, die nicht zum Schwarzmarkt getragen worden waren, und doch hatte es nicht gereicht, um sie alle vier zu retten im elenden Steckrübenwinter. Vater war zwei Tage vor Weihnachten 1916 gestorben, Mutter dann im Januar. Auf die Totenscheine hatte der alte Hausarzt *Herzschwäche* geschrieben, und das war ein großer Euphemismus. Die Verzweiflung von Lud, der damals gerade fünfzehn Jahre alt gewesen war, die erst verdrängte Erkenntnis, dass die Eltern verhungert waren, um ihren Kindern das Überleben zu sichern.

Die Peters' hatten viele Jahre auf Kinder gewartet, sie waren schon über vierzig gewesen, als Lina 1899 geboren worden war, dann kam Lud zwei Jahre später. Vater und Mutter hatten Karoline und Ludwig über alles geliebt und sich für sie geopfert. Ein Gedanke, der kaum zu ertragen war. Lud litt daran noch viel mehr als sie.

Lina schüttelte sich, als ob das von den Gedanken befreien könnte, und öffnete die Tür zu der kleinen Kammer neben der Küche, in die ihr Bruder eine Brause eingebaut hatte. Er war geschickt. Vielleicht hätte er besser etwas mit seinen Händen tun sollen, statt eine Kaufmannslehre anzufangen. Lud hatte Kaufmann werden wollen, weil der Vater einer gewesen war. All das Bemühen, etwas zu bewahren. Wozu? Das waren doch nur Zitate aus einer vergangenen Zeit.

Sie zog sich aus, legte die Kleider auf den Schemel und stellte sich unter den Brausekopf. Am Anfang tröpfelte es immer nur. Lud hatte die Wasserleitung der Küche angezapft, Wand an Wand mit der einstigen Speisekammer. Keine ideale Lösung, doch viel besser als nur obenrum und untenrum am Spülbecken, und Speisen gab es für die Kammer längst keine mehr. Das bisschen Essen, das sie vorrätig hatten, fand im Küchenschrank Platz und auf der Fensterbank.

Die Seife kratzte, dafür floss das Wasser jetzt. Lina wusch ihre Gänsehaut und rieb sich trocken, bis die Haut gerötet war. Ihr Blick fiel auf die Kleider. Albern, ein Korsett zu besitzen, wenn man jede einzelne Rippe am Körper zählen konnte. Es genügte völlig, das lose Kleid mit dem Gürtel zu schnüren.

Im zweiten Kriegssommer hatte ihr Zeichenlehrer seine Schülerinnen aufgefordert, sich nicht mehr länger in die engen Kleider zwängen zu lassen, die jeden Schritt behinderten. *Fischbeinstäbchen* sprach er aus wie ein unsittliches Wort. Verehrer von Alfred Lichtwark und Anhänger der Reformpädagogik war er und die sechzehnjährige Lina endlos verliebt in den jungen Zeichenlehrer. Später hörte sie dann, dass er in Frankreich gefallen war, dem Land, in dem er hatte leben wollen.

Geblieben war ihr diese Ahnung von Liebe zu einem Mann und der Plan, das Seminar für die Höhere Lehrerinnenprüfung zu absolvieren, um später einmal etwas zu verändern an den Schulen dieses Landes. War es denn vermessen zu denken, dass auch die alte Pädagogik Schuld trug an dem schrecklichen Krieg? Ein Heer von Untertanen war herangezogen worden.

Noch in den letzten Tagen des Krieges hatte sie gebangt, dass Lud zu den Soldaten geholt werden würde. Doch der kaufmännische Lehrling von Nagel und Kaemp, Hersteller von Schiffs- und Hafenkränen, war verschont geblieben und nicht mehr in die Schlacht geworfen worden. Lina hatte ihrer Mutter versprochen, auf den Jungen aufzupassen. Wenigstens das war gelungen.

Sie zog ihre Kleider an und trug das Korsett in die Küche. Wenn das scharfe Messer auch lange nichts zu schneiden gehabt hatte, durch das Korsett glitt es wie durch Butter. Nahezu Lust, die Lina dabei empfand. In Erinnerung an einen Zeichenlehrer.

Ida rief. Sie konnte selbst die Gereiztheit in ihrer Stimme hören, setzte noch mal an und rief kreidiger. Ob Mia sich endlich bequemen würde? Dieses neue Mädchen war ein bockiges Schaf. Nun kam schon das Wasser heiß aus der Leitung, und keiner von den Dienstboten wurde in den Keller geschickt, um Kohlen hochzutragen und Öfen anzuheizen, und dennoch ließ man sie hier stehen und elend lang auf ihr Badewasser warten.

Sie betrachtete ihre rosa Zehen, die aus dem bodenlangen weichen Frottémantel hervorlugten und deren Nägel schimmerten. Alles war rosa an ihr und siebzehn Jahre alt.

Der Krieg war schlimm gewesen. Es gab nicht alles zu essen, und die herrlichen Kleiderstoffe aus Paris und London hatte es bald auch nicht mehr gegeben. Sie kannte Leute, deren Söhne gefallen waren. Doch ansonsten hatten sie kaum gelitten, nicht einmal an Hunger. Die Bunges verfügten über beste Verbindungen.

Dieser Friedrich Campmann, der bei Berenberg zum Bankier ausgebildet worden war, hatte den Krieg heil überstanden. Ihr Vater sähe es gerne, wenn sie wohlwollend mit Campmanns Avancen umginge. Bedeutete er ihr was?

Ida schob das mit einer knappen Kopfbewegung beiseite, auch wenn es keiner sah. Doch. Da kam das bockige Schaf und blickte sie an.

«Ich warte auf das Badewasser», sagte Ida. «Gut warm. Gib reichlich von dem Fichtenöl hinein.»

«Können Sie das nicht selber? Ich hab *reichlich* zu tun.»

Ida Bunge schnappte nach Luft. Seit diesen Revolutionstagen waren sie alle unverschämt. Die ganze Bagage. Ein Fingerschnippen von ihr, und Maman würde diese Mia entlassen. Dieser Gedanke schien dem Schaf nun auch zu kommen, es knickste kurz, hantierte dann eifrig mit den Wasserhähnen und beugte sich über das Wasser, das dampfend in die Wanne floss.

«Lass das», sagte Ida. «Tu deine andere Arbeit. Du hast ja schon jetzt einen knallroten Kopf. Wieso bist du überhaupt so kräftig? Habt ihr so viel zu essen?»

Mia sah sehr verlegen aus. Sie knickste noch einmal und zog ab. Wie alt war sie wohl? Sicher nicht älter als Ida selbst.

Ida drehte den Hahn für das heiße Wasser zurück und

gab mehr von dem kalten dazu. Heißes Wasser ließ die Haut schneller altern, hatte Maman gesagt. Ida griff nach dem Flakon mit dem Fichtenöl und tat einen Schwall davon in die Wanne. Sie schloss die Tür, bevor sie den Bademantel abwarf und sich einen langen Blick in den Spiegel gönnte. Was sie sah, war viel zu schade für den steifen Stock Campmann, wenn ihm Vater auch eine große Zukunft verhieß. Das Fräulein Bunge löste sich aus seiner Betrachtung und stieg in das tiefgrüne Wasser, das duftete wie zwei Hektar Fichtenwälder.

Eine Weile lag sie nur da und dachte darüber nach, wie es wäre, vieles selbst in die Hand zu nehmen. Es würde wahrscheinlich sogar Freude bereiten und diese grässliche Langeweile vertreiben.

Henny stand lange unter der Markise von Salamander am Jungfernstieg und blickte in das Schaufenster. Die Schuhe, an denen sie schon seit Wochen herumträumte, waren nicht mehr in der Auslage, alle anderen noch teurer. Sie zögerte, in das Geschäft hineinzugehen und nach den weinroten Pumps aus weichem Wildleder zu fragen. Sie sollte das Geld lieber zusammenhalten für kleine Freiheiten.

Der Frühling war kaum da, und sie freute sich schon auf den Sommer. Viel Vergnügen fürs Geld gab es da, wenn man der Alster so nah war. Ein Kanu mieten mit Käthe. Schwimmen im Freibad am Schwanenwik. Den letzten frohen Sommer hatte sie mit dreizehn Jahren erlebt. Der folgende trug schon die Angst um den Frieden in sich.

Ihre Lehre im Lohmühlenkrankenhaus hatte sie kaum abgeschlossen gehabt, da war ihr die Arbeit im Lazarett zugewiesen worden, das im Haus der Blindenschule in der Finkenau 42 untergebracht war.

Henny erinnerte sich an den Tag, an dem die Krankenschwestern die gehfähigen der verwundeten Soldaten nach draußen begleiteten, um sie für ein Gruppenfoto aufzustellen. Ganz wenige von ihnen hatten Uniform angelegt, die meisten trugen die weißen Lazarettkittel und dazu ihre Krätzchen, die Feldmützen der einfachen Soldaten.

Henny hatte hinter dem Fotografen gestanden und über die Gruppe hinweggeblickt zur Entbindungsanstalt auf der gegenüberliegenden Straßenseite, eine Frau war gerade aus dem Portal der Finkenau gekommen und hatte ein kleines Bündel Mensch im Arm gehalten.

In dem Augenblick war Henny klar gewesen, da drüben gehörte sie hin. Keine Krankenschwester, eine Hebamme wollte sie sein. Sie trug eine große Sehnsucht nach neuem Leben in sich, zu viel Elend und Leid, das sie im Lazarett täglich vor Augen gehabt hatte.

Dann war im vergangenen November endlich der Krieg zu Ende gegangen, und sie hatte sich in der Finkenau um eine Lehrstelle beworben. Else unterstützte ihr Vorhaben, auch wenn Hennys Lohn der Haushaltskasse nun fehlte.

Henny wartete Kutschen und Kraftdroschken ab und zwei Karren, bevor es ihr gelang, den Jungfernstieg zu überqueren und zur Alster zu gehen. Die kleinen Bäume, die auf dieser Seite die Straße säumten, zeigten erstes Grün, der graue Himmel war aufgerissen und gab Blau dazu, in den Bäumen krakeelten die Spatzen.

Einen Spaziergang machen. Elses Eintopf essen. Dann zu Käthe hinübergehen und gucken, wie die einen der letzten freien Tage verbrachte. Doch hatte Käthe nicht gesagt, dass sie sich in Rudis Mittagspause mit ihm träfe?

Henny brannte darauf, ihn kennenzulernen. Käthe schien er sehr zu gefallen, dieser Junge, den sie seit Januar kannte.

Sie ließ sich viel Zeit damit, ihren Prinzen vorzustellen. *Sich verlieben.* Das stand auch noch auf Hennys Wunschliste.

Silberne Perlen verzierten das weiße Petit Four, das Käthe aussuchte, sie hätte zu gern noch eines von den lindgrünen genommen, auf denen kleine Veilchen aus Zucker waren. Doch Rudi schien ganz zappelig zu werden, vielleicht hatte er nicht genügend Geld in der Tasche.

Sie setzten sich unter einen der großen Lüster, die das Café des Reichshofs in Glanz lullten. Wie gut tat es, auf der hellen Seite des Lebens zu sein, mit einer Kuchengabel in der Hand, doch Käthe legte sie noch einmal zur Seite, pflückte ein Silberperlchen vom Zuckerguss und legte es auf ihre Zunge. Den Genuss verlängern.

Rudi trank einen Schluck Tee und griff in die Tasche seines Sakkos. Das Gedicht zum Kuchen. Käthe versuchte, interessiert zu gucken, doch die Zeilen des Gedichtes liefen an ihr vorbei, die Gedanken drifteten ab zu ihrer Mutter, die heute eine hochherrschaftliche Putzstelle angetreten hatte. War Anna nicht die Ernährerin der Familie und würde es nun noch mehr sein, wo Käthes Geld fehlte? Ihr Vater war vierunddreißig Jahre alt gewesen, als der Unfall auf der Werft geschehen war, die Invalidenrente klein.

Und sie saß hier mit Rudi unter Lüstern. Zwei junge Leute, deren Herzen links schlugen und die dennoch den Glanz liebten. Widersprach sich das?

Obwohl Rudi Gedichte noch höher schätzte als Glanz. Wie er sich über das Blatt beugte, ihm eine Locke ins Gesicht fiel, die Geste, mit der er sie aus der Stirn strich. Schmale lange Hände hatte er. Rudi war der hübscheste Junge, der ihr je begegnet war. Sie hätte ihn jetzt gerne geküsst mit der ganzen Süße des Perlchens auf der Zunge.

Käthe vergaß bei all diesen Gedanken völlig, mit ihrem Küchlein in großer Langsamkeit umzugehen. Aus und vorbei. Auch das Gedicht.

Rudi faltete das Blatt Papier und steckte es ein. Er blickte auf Käthes leeren Teller und bedauerte, ihr kein zweites Küchlein kaufen zu können.

Er nahm Käthes Hand, legte eine letzte kleine Zuckerperle hinein, die vom Teller gefallen war, und küsste Hand und Perle.

Idas Vater saß im Dämmer seines Arbeitszimmers, sorgte sich um die Geschäfte und ganz besonders um den Kautschuk vom Amazonas.

Kein Gummi auf dem Markt. Sogar Fahrradreifen waren während des Krieges beschlagnahmt worden, um den Bedarf des Heeres zu decken, weil das synthetische Zeugs doch nur bedingt taugte. Fahrradreifen gab es nun auch keine mehr, und er kam noch immer nicht an seinen guten brasilianischen Kautschuk heran.

Die Seeblockade deutscher Häfen war noch nicht aufgehoben, die Globalisierung, die die Hamburger Kaufleute reich gemacht hatte, perdu. Was war nur aus Deutschland geworden. Allein der Verlust von Ballin. Der Kaiser sucht das Weite, und Albert Ballin nimmt am selben Tag Gift, weil er sein Lebenswerk zerstört sieht. Dabei waren sie für den Kaiser doch alle nur Krämer gewesen. Keiner annähernd auf Augenhöhe mit Majestät, wohl nicht mal Ballin. Was hatte er gleich zu Anfang gesagt, der große Reeder, der seine Hapag zur größten Schifffahrtslinie der Welt gemacht und sie alle in ferne Lande geschippert hatte?

Krieg ist Dummheit, die explodiert.

Das durfte er Netty nicht anvertrauen, dass er so dachte.

Sie trauerte dem Kaiser nach. Er nicht. Er trauerte nur um die guten alten Zeiten. Wie leicht das Geld in der Welt zu verdienen gewesen war.

Nun hatte Netty noch ein zweites Dienstmädchen angestellt und eine Zugehfrau, weil die beiden Hühnchen mit der Pflege all des Krimskrams angeblich viel zu ausgelastet waren, um Eimer mit Wischwasser zu schleppen. Carl Christian Bunge schüttelte den Kopf. Eine Köchin. Zwei Mädchen. Eine Zugehfrau. Und der Gärtner. Der Chauffeur zählte nicht. Der war unverzichtbar. Sollte er den *Adler* etwa selber steuern?

Ida musste sich mit Campmann verloben. Der roch nach Erfolg und Geld, dafür hatte Bunge eine Nase. Dann wäre sein anspruchsvolles Fräulein Tochter versorgt, und er hätte nur noch Netty auf Rosen zu betten. Netty war eine entzückende Gemahlin, doch sie hatte so viel Verstand wie ein Eichhörnchen. Die waren auch putzig.

Seine Tochter war ein anderer Fall. Die hatte Verstand, einen sehr hellen. Doch seit sie die Bildungsanstalt von Fräulein Steenbock abgeschlossen hatte, tat Ida gar nichts mehr. Völlig unterfordert war sie und verwöhnt. Viel zu verwöhnt. Doch daran hatte auch er seinen Anteil.

Vielleicht sollte er sich ein weiteres Standbein schaffen. Kiep machte nun in Spirituosen. Darüber ließe sich nachdenken. Die Franzosen würden über kurz oder lang auch wieder dabei sein.

Sie sollten demnächst mal wieder dinieren, Kiep und er. Das letzte Mal lag schon eine Weile zurück, da hatten sie im Hotel Atlantic gegessen und eine Flasche Feist Feldgrau getrunken, obwohl er Sekt eigentlich gar nicht schätzte. Jüdische Patrioten, diese Feists aus dem Rheingau. Wie der Hamburger Ballin einer gewesen war. Schade drum.

Das Eichhörnchen, das auf den Namen Antoinette getauft war, trieb gerade die neue Putzfrau vor sich her. Ob das was werden würde, mit dieser Laboe? Zum zweiten Mal hatte sie Flecken auf den Böden übersehen, diesmal war es der Terrazzo im Wintergarten.

Netty Bunge zeigte in eine der Ecken, in denen vielfarbige Ornamente den schwarz-weißen Terrazzo zierten. Neben einem Topf mit Palme war ein Fleck zu erkennen, der aussah, als habe ein Glas Kirschmarmelade dort gestanden und klebrige Spuren hinterlassen.

«Ich erwarte mehr Sorgfalt. Mit Schludern kommen Sie bei mir nicht durch», sagte sie, ihre Stimme vorwurfsvoll wie ihr Zeigefinger.

Anna Laboe hätte schwören können, dass kein Fleck dort gewesen war, als sie sich vor einer Viertelstunde aus dem Wintergarten geputzt hatte. Doch zum Widersprechen war sie nicht in den Dienst genommen worden. Sie erlaubte sich den Seufzer erst, nachdem die Gnädige gegangen war. Man musste nur einen Tag im Hause Bunge arbeiten, um Käthes Ansichten zu teilen, auch wenn das Kind selbst Karl zu links geworden war. Der glaubte noch immer an seine Sozialdemokraten, obwohl die ganz schnell eingeknickt waren vor Kaiser und Vaterland.

Wie die wohl abschneiden würden bei den Wahlen? Ihre Tochter ärgerte sich mächtig, dass sie noch kein Kreuzchen machen durfte, wo doch zum ersten Mal die Frauen dabei waren. Anna Laboe würde es sich jedenfalls nicht nehmen lassen, mit Karl ins Wahllokal zu gehen und zu wählen. Mit seiner Angetrauten am Arm fand er nachher auch besser nach Hause.

Sie kniete auf dem Terrazzo, wischte den roten Fleck weg und hatte keine Erklärung für diesen Klebkram, der ihr bestimmt aufgefallen wäre. Kirschmarmelade war das keine.

Stunden später saß sie am Küchentisch und hatte weder ihren Mantel ausgezogen noch den kleinen flachen Hut abgelegt. Vor ihr lagen zwei Papiertüten, aus denen kümmerliche Kartoffeln und Zwiebeln kullerten, die Anna Laboe müde anguckte, als habe sie keine Ahnung, was damit zu tun sei. Dabei wurde es Zeit fürs Abendbrot.

«Das Arbeitszimmer vom gnädigen Herrn ist so unheimlich grün, dass du denkst, gleich ersäufst du in einem tiefen Waldsee», sagte sie, ohne sich Käthe zuzuwenden, die in die Küche gekommen war und das Licht der Gaslampe heller drehte.

«Dunkelgrüner Rupfen an den Wänden, sieht wie Modder aus. Dazu lauter Pötte mit Farnen, die auf Säulen stehen. Mia sagt, das sei sehr vornehm. Sie ist eines der Dienstmädchen und auch noch neu. Staubt ab und poliert die Möbel. Da lassen sie mich nicht dran. Ich war nur im Arbeitszimmer, weil die Vase umgekippt ist. Alles nass. Dafür bin ich da, für die Böden und die Klos und die Badewanne, in der das gnädige Fräulein Stunden liegt.»

Käthe guckte auf die Küchenuhr. Sechs Uhr. Von ihrem Vater noch keine Spur. Er brachte es auch am helllichten Tage fertig, in Kneipen zu versacken. «Warst du zehn Stunden bei denen?», fragte sie.

«Ich bin noch zu Heilbuth gegangen und hab mir einen neuen Kittel gekauft. Kam mir so schäbig vor. Und dann zum Grünhöker, Kartoffeln kaufen.»

«Waldsee», sagte Käthe. Doch ihre Gedanken hielten sich an der Wanne fest, in der das gnädige Fräulein aufweichte. «Sehen die Zimmer alle so aus? Modder und Farne?»

«Nur das Zimmer vom gnädigen Herrn. Die Köchin sagt, vor dem Krieg hat er sein Geld mit Kautschuk in Südamerika gemacht. Vielleicht ist ihm das Grünzeug da ans Herz gewachsen. Wo ist denn Vater?»

«Den hab ich seit Vormittag nicht mehr gesehen. Ich war aber auch kaum hier.»

«Wenn er nur nicht wieder getrunken hat. Er kommt bis heute nicht drüber weg, dass ihm die Kleinen gestorben sind. Dann noch das Bein.»

«Und wie kommst du drüber weg?»

Anna Laboe machte eine schlaffe Handbewegung. «Ich bin froh über deine Lehre in der Entbindungsanstalt. Das musst du wissen, Käthe. Auch wenn es für dich bedeutet, die Enge hier noch länger zu ertragen.»

«Hast du das Fräulein im Bade gesehen?»

«Einen kurzen Blick habe ich geworfen. Aber da war sie vom Kragen bis zu den Knöcheln in weißem Batist. Ida heißt sie.»

«Und was macht man sonst so als gnädiges Fräulein?»

Ihre Mutter hob die Schultern. «Wo warst du denn den ganzen Tag? Hast dich mit dem Jungen getroffen? Ist der nicht zu jung für dich?»

«Wir sind im selben Jahr geboren. Ich im Januar und er im Juli.»

«Hauptsache, er ist ein guter Junge», sagte Anna Laboe.

Käthe setzte sich auf einen Stuhl und fing an, die Hände ihrer Mutter zu streicheln. Sie vergaß völlig, ihren eigenen Mantel auszuziehen.

«Was ist denn hier los?», fragte Karl Laboe. «Sitzt in euren Plünnen und blast Trübsal, und Essen is auch noch nich auf dem Tisch.»

«Du riechst nach Schnaps», sagte Käthe.

«Geht dich gar nichts an.»

«Zankt euch nicht», sagte ihre Mutter und stand auf, um zwei Messer aus der Schublade zu holen. Eines legte sie vor Käthe hin.

«Zieht doch endlich mal die Mäntel aus», sagte Karl Laboe und ließ sich auf einem der Küchenstühle nieder. «Oder gehst du noch mit der Kanne los und holst Bier, Käthe? Zur Feier des Tages, weil deine Mutter nu so feine Herrschaften hat.»

«Darauf hast du heute doch schon reichlich getrunken», sagte Käthe und nahm ihrer Mutter den Mantel ab, um damit in den Flur zu gehen.

«Wie war's denn bei den feinen Pinkeln, Annsche?», hörte sie ihren Vater fragen. *Annsche.* Das hatte sie lange nicht von ihm gehört. Das zweite Wunder erwartete sie, als sie zurück in die Küche trat. Karl Laboe hatte sich eines der Messer gegriffen und angefangen, die Kartoffeln zu schälen. «Damit dat noch wat wird mit die Bratkartoffel», sagte er.

Die Nachlässigkeit, die Hennys Mutter an Käthe tadelte, nannte Rudi Odefey lasziv, und ihm gefiel das enorm. Wenn ihn überhaupt was an Käthe störte, dann, dass sie seine Liebe zu den Wörtern nicht teilte.

Er hatte ihr ein Gedicht von Anna Achmatowa vorgelesen. *Wir alle sind um hundert Jahre älter. Nur eine Stunde hat's dazu gebraucht. Der Sommer überlässt dem Herbst die Felder. Das Land, von Pflügen aufgebrochen, raucht.*

Bei keinem einzigen Wort hatte Käthe Ergriffenheit gezeigt, sich nur an dem Küchlein mit den silbernen Zuckerperlen gütlich getan, das ihn wieder ein Vermögen gekostet hatte.

«Das Gedicht trägt den Titel *1. August 1914*», hatte er gesagt. «Doch geschrieben wurde es erst 1916. Die Dichterin ist aus St. Petersburg.»

Käthe hatte genickt und sich die Lippen geleckt in der Hoffnung auf einen weiteren Happen Süßes. Dennoch liebte er Käthe wie keinen anderen Menschen außer vielleicht seiner Mutter, die die Liebe zum gedichteten Wort leider auch nicht teilte.

Rudi schüttelte die dunklen Locken, die viel zu lang waren, um dem alten Hansen zu gefallen, von dem er das Handwerk des Setzers lernte. Doch meistens lachte Hansen dröhnend über die Dinge hinweg, die sein Missfallen erregten. Viel Gelächter in der Druckerei.

Das *Hamburger Echo* war eines der ersten Organe der hiesigen Arbeiterschaft gewesen, auch wenn es sich zu Beginn des Krieges heftig verbogen hatte und geliebedienert vor Kaiser und Vaterland. Doch einen besseren Platz hätte Rudi nicht finden können, um zu lernen. Dort war er den Wörtern ganz nah.

Von wem er diese Leidenschaft wohl hatte? Von seiner Mutter sicher nicht. Vielleicht von dem Mann, dessen vergoldete Krawattennadel er gerade zum Leihhaus trug, um flüssiger zu sein. Die Uhrkette war schon verpfändet. Hoffentlich konnte er diese Erbstücke, die ihm seine Mutter zur Konfirmation übergeben hatte, eines Tages auslösen.

Sein Vater war ihm schon vor der Geburt abhandengekommen. Ein einziges Foto zeigte einen passablen jungen Mann mit Hut und Gehrock vor einem aufgemalten Alpenpanorama im Fotoatelier.

Als Kind schon hatte er herausgefunden, unehelich geboren worden zu sein, denn er kramte oft in der Schublade, in der seine Mutter alles Schriftliche aufbewahrte, und las, was ihm in die Hände kam. Viel mehr zu lesen gab es nicht. Als einziges Buch bot der Haushalt Rudolf Herzogs *Lebenslied*, das er als Zehnjähriger schon auswendig kannte.

«Die Hochzeit fand dann nicht mehr statt», hatte seine Mutter gesagt, ihm die Zigarrenkiste mit Uhrkette, Krawattennadel und Fotografie in die Hände gedrückt und offen gelassen, ob der Bräutigam gestorben war. Sie war ihm so verlegen erschienen, dass es grausam gewesen wäre, die Wahrheit aus ihr zu pressen. Dabei war es geblieben. Sie hatten das Thema nicht mehr angesprochen.

Rudi stieg die ausgetretenen Stufen der Holztreppe hoch, blieb im ersten Stock vor einer Tür mit geätzten Glasscheiben stehen und nahm das Filzsäckchen aus der Tasche seines Sakkos. Nicht viel Gold dran an der Krawattennadel. Er setzte seine Hoffnung auf die große Perle, doch wahrscheinlich war sie nur aus Wachs.

Er vertraute dem alten Pfandleiher. Für die Uhrkette hatte er mehr bekommen als erhofft. Damit finanzierte er nicht nur Käthes Kuchen, sondern hatte für seine Mutter ein Tuch aus echter Baumwolle gekauft und einen Band mit Gedichten von Heinrich Heine für sich selbst.

Der Alte hinter dem Tresen setzte die Lupe ins Auge und prüfte das Erbstück des unbekannten Vaters. «Eine Nadel aus Doublé mit einer Orientperle. Erstaunlich, diese Materialien zu verhochzeiten. Woher haben Sie das Teil?»

«Ein Erbstück», sagte Rudi, «wie die Uhrkette, die ich Ihnen gebracht habe.» Vielleicht tat er gut daran zu erinnern, dass sie längst in einer erfolgreichen Geschäftsbeziehung standen.

«Vor dem Krieg hat es in Hamburg einige Hehler gegeben, die gerne die gestohlenen Stücke umgestalteten.»

Rudi schoss das Blut in den Kopf. Sein Vater ein Hehler?

«Der Schmuck ist vor neunzehn Jahren in den Besitz meiner Mutter gekommen», sagte er und klang steif.

Der Alte sah ihn an. «Ich verdächtige Sie nicht, junger Mann. Was einer in meiner Profession dringend nötig hat, ist genaue Kenntnis von den Preziosen *und* den Menschen.»

Rudi blickte auf den Schein mit dem Aufdruck *Zwanzig Reichsmark*, den der Alte auf den Tresen gelegt hatte. Auch diesmal mehr als erhofft. Vielleicht gelänge es ihm, Käthe vom Reichshof fernzuhalten und in die Bäckerei Mordhorst zu locken. Die bot unter dem Tisch und ohne Marken Franzbrötchen an. Was Käthe da an Franzbrötchen futtern könnte statt eines einzigen französischen Küchleins.

Und dabei war sie so dünn. Seine Gedanken verloren sich einen Augenblick lang in der Erinnerung an Käthes kleine Brüste, die sie ihn hatte berühren lassen. Zimperlich war sie nicht.

«Wollen Sie nun die zwanzig Mark?

Zum zweiten Mal wurde Rudi rot im Gesicht. Er nickte und streckte die Hand nach dem Schein aus. Nun waren die Schätze des Hauses Odefey dahingegangen.

Da war diese Erinnerung, wie Mutter ihm den Lebertran einlöffelte. Es hatte scheußlich geschmeckt, und dennoch glaubte er, sich an ein Wohlgefühl zu erinnern, und der Löffel voll des öligen Trans war für ihn längst ein Symbol von Liebe und Geborgenheit.

Lud Peters sehnte sich danach, wieder eine Familie zu haben. Vater, Mutter, Kinder. So wie es gewesen war, kaum länger als zwei Jahre her. Seine Schwester Lina würde keine eigene Familie gründen, wenn sie das Lehrerinnenseminar absolvierte. Das war ihr verschlossen, als ginge sie ins Kloster. Lehrerinnen war es nicht gestattet zu heiraten, und widersetzten sie sich dem, verloren sie den Anspruch auf Stellung und Pension. Lud schüttelte den Kopf, wenn er nur daran dachte.

An ihm blieb es also hängen, die Peters' als Familie erstarken zu lassen. Die einzige noch lebende nahe Verwandte war eine schon sehr betagte Schwester seines Vaters, die ihren Lebensabend in einem Stift in Lübeck verbrachte. Doch wo eine Frau finden, die er liebte und die bereit war, eine Familie mit ihm zu gründen? Lina hatte ihn nicht ernst genommen, als er dieses Kümmernis vortrug, und auf seine siebzehn Jahre verwiesen. Hatten seine Eltern nicht viel zu spät angefangen und waren dann früh am Ende ihrer Kraft gewesen?

Lud blickte auf den Osterbeckkanal, in dessen Wasser sich die letzten Strahlen der Abendsonne fingen. Frühling in der Luft. Endlich. Auf der anderen Seite des Kanals stand die Fabrik von *Nagel und Kaemp*, in der er heute wieder einen Tag seines Lebens verschwendet hatte. Vielleicht stimmte, was Lina sagte, und das Kaufmännische lag ihm nicht. Doch wenn er Frau und Kinder haben wollte, musste er durchhalten und ein festes Fundament legen.

Er ging an der Gasanstalt vorbei und tiefer nach Barmbeck hinein, wollte noch nicht zu Hause ankommen, auch wenn Lina vielleicht mit dem Abendbrot wartete. Sie ging ihm auf die Nerven, lachte seine Sehnsüchte weg und wollte ihm ausreden, dass er Schuld trug.

Doch wie konnte es nur sein, dass er gegessen hatte, was Mutter und Vater ihm täglich auf den Teller taten, ohne sich klarzuwerden, dass sie *nichts* aßen, sondern verhungerten für ihn und Lina?

Bis in den alten Schützenhof ging er und dachte an den Abend, als er hier an dieser Ecke an Vaters Hand gegangen war und gesehen hatte, wie ein Schutzmann aus der Kneipe geprügelt wurde. Eine seiner ersten Erinnerungen: sicher an Vaters Hand zu sein und der Schutzmann ein lächerlicher Mann.

Auf dem Winterhuder Weg kam ihm ein junges Paar entgegen. Das Mädchen biss in ein Gebäck, und ihr gelang dennoch, den Jungen zu küssen, der sich dann mit der Zunge über die eigenen Lippen fuhr. Ob er dem Kuss nachschmeckte oder doch nur der klebrigen Süße des Franzbrötchens? Ein Franzbrötchen. Wo gab es die denn? Lina aß sie gern, hatte sie gerne gegessen vor dem Krieg. Beinah hätte er sich überwunden und das Pärchen gefragt nach dem Ursprungsort des Franzbrötchens. Doch ihm wurde auf einmal kühl, und er fing an, große Schritte zu machen, um der Kühle und der Einsamkeit davonzulaufen, und Lud lief, bis er vor der elterlichen Wohnung in der Canalstraße stand, wo er mit Lina lebte.

Der Hebammenkoffer, den ihr die Mutter zum Geburtstag geschenkt hatte, war leer gewesen bis auf einen Spiritusflakon, ein Einlaufgefäß und die Waschschalen aus Emaille, die in den Lederschlaufen auf dem Boden des Koffers befestigt waren. Es hätte sie auch verlegen gemacht, ihre Ausbildung mit kompletter Ausrüstung, doch ohne nennenswerte Kenntnisse anzufangen. Morgen war der 1. April, dann begann ein neues Leben. Käthe wurde täglich aufgeregter, dabei kriegte sie in letzter Zeit genügend Zucker für ihre Nerven.

Henny mochte Rudi. Gestern hatte sie ihn endlich kennengelernt. Er hatte Käthe und sie in das Kaffeehaus Vaterland eingeladen auf einen Kakao, der keiner gewesen war, nur ein heißes süßes braunes Getränk, doch die Gedichte von Heine, die Rudi vorgelesen hatte, waren von ganzer

Güte. Die letzten Zeilen von *Leise zieht durch mein Gemüt* hatte sie mitgesprochen, was ihn lächeln ließ und Käthe die Stirn runzeln.

Wenn du eine Rose schaust,
Sag, ich lass sie grüßen.

Vor dem Krieg war sie mit dem Vater in das Café am Alsterdamm gegangen, da hatte es noch Belvedere geheißen. Zu Kriegsbeginn konnte der Wirt die *Entwelschung* nicht schnell genug umsetzen, an allen Ecken vaterlandete es. Doch alles hatten sich die Hamburger nicht nehmen lassen, selbst Else sagte noch Trottoir statt Gehsteig.

Ehrensache, sich nicht in Rudi zu vergucken. Bisher hatte Henny kein anderer gefallen, nur ein Mal kurz ein Junge im Lazarett, der nach der Genesung wieder zurück in den Krieg geschickt worden war und von dessen Schicksal sie nichts wusste.

Ein Mann, der Gedichte las. Nicht einmal ihr Vater hatte das getan. Henny fürchtete, schon entschieden zu lange über Käthes Freund nachgedacht zu haben, während sie durch die Finkenau ging, als ob sie den Weg abstecken müsste.

«Den Büdel willst du morgen mitnehmen?», fragte Karl Laboe. «Haben wir nix Besseres als dat olle Ding?»

Käthe hob die alte Stofftasche ihrer Mutter hoch und betrachtete sie.

«Die ist doch ganz ausgebeult von all den Rüben und Kohlköppen, die deine Mutter darin angeschleppt hat.»

Käthe staunte. Sorgte er sich um das Bild, das seine Tochter abgab am ersten Tag in der Finkenau? «Die hat wenigstens einen Klemmverschluss», sagte sie.

«Mal gucken, ob ich nix Besseres find.» Karl Laboe stand auf und hinkte aus der Küche. Käthe hörte ihn im Schlafzimmer Schubladen aufziehen. Als er zurückkam, hielt er seine alte Aktentasche vor die Brust, als sei sie ein Schutzschild.

«Mit der bin ich jeden Tag in aller Frühe auf die Werft gegangen.»

Karl Laboe hörte sich heiser an.

«Ich weiß, Papa.» Käthe betrachtete ihren Vater nahezu liebevoll. Viel mehr als Butterbrote hatte er nicht transportiert in der Tasche aus genarbtem braunen Leder. Dennoch rührte sie gerade etwas sehr.

«Bisschen abgeschabt is sie. Aber da mach ich was dran. Muss nur mal in den Krümel Schuhwichse spucken, den ich noch hab.»

Hatte ihre Mutter mit ihm gesprochen? Gesagt, er solle sie ermutigen? Dass ihr als einzigem Kind, das die Diphtherie überlebt hatte, nun die ganze elterliche Fürsorge gehörte?

Ihr Vater fing an, in seiner Schusterkiste zu kramen. War ihm wohl schon wieder zu viel Gefühl in der Luft.

Sie war als erstes der Kinder erkrankt. Zehn Jahre alt und ihre Brüder sechs und vier. Die beiden waren nicht die Einzigen im Viertel, die an der Diphterie starben, doch Käthe hatte nie das Gefühl verlassen, schuldig am Tod der Kleinen gewesen zu sein, weil sie die Krankheit in die Familie eingeschleppt hatte. War ihr das vom Vater vermittelt worden? Nahm er ihr übel, dass sie die Robustere gewesen war? Karl Laboe trauerte noch immer um die Söhne, auf die er lange gewartet hatte, und er war oft barsch in seiner Trauer.

«Guck mal, Käthe, wat dat Leder für nen schönen Schimmer kriegt.»

Karl Laboe hauchte die Tasche an und wischte weiter mit dem Lappen aus seiner Kiste, an dem noch Fett aus früheren Tagen war.

Die Aktentasche war schon bei ihrer Anschaffung vor vielen Jahren kein Prachtstück gewesen, doch Käthe gelang es, sie wie einen Schatz entgegenzunehmen. Eine Liebeserklärung ihres Vaters.

Else Godhusen war schlechter Laune. Gestern am heiligen Sonntag hatte sie den ganzen Tag in der Waschküche gestanden und die Kochwäsche gemacht, weil ihr zu spät eingefallen war, dass Henny die Tracht tragen sollte an ihrem ersten Tag.

Die Lauge hatte wieder wie Hölle gespritzt, als das Wasser im Kessel heiß wurde und die Wäsche den Deckel hochdrückte. Da war sie gar nicht gegen angekommen mit dem Holzlöffel, rote Flecken auf den Händen, wo die Lauge sie verbrüht hatte, und nun wollte das Kind die frisch geplättete Schwesterntracht nicht mal anziehen morgen.

«Wenigstens die weiße Schürze», sagte Else, «und die Bluse. Musst die Haube ja nicht aufstecken.»

«Ich geh da in Zivil hin», sagte Henny. «Die anderen Frauen werden auch keine Tracht tragen. Ich kann ja die Schürze in den Koffer tun.»

Ihre Mutter war anderer Meinung. Es war doch immer gut, sich gleich am Anfang hervorzuheben. Der Professor und die Herren Ärzte sollten ruhig aufmerksam werden auf ihre Tochter und erkennen, dass sie vom Fach war. Henny hob die Brauen, als sie dieses Argument vortrug. «Nun siehst du aus wie dein Vater», sagte Else vorwurfsvoll.

Henny lächelte. Sie sah ihren Vater vor sich, die Augenbrauen hebend, genervt auf einen Dünkel seiner Frau reagierend, doch stets liebevoll.

Verklärte sie ihren Vater? Vielleicht hatte derjenige, der nicht mehr anwesend war, eine größere Chance, vorbehaltlos geliebt zu werden. Vielleicht war sie auch immer schon eine Vatertochter gewesen.

«Holst du Käthe morgen früh ab, oder kommt sie her?»

«Ich hol sie ab.»

«Hätt ja gern einen Blick auf sie geworfen. Na, sie wird wohl auch anständig zurechtgemacht sein», sagte Else Godhusen und hatte nach der Enttäuschung doch das Gefühl, das letzte Wort gehabt zu haben.

Ida hielt es für einen verfrühten Aprilscherz, dass ihr Vater nicht nur dauernd von Campmann sprach, sondern auch das Wort Verlobung einflocht. Im August wurde sie erst achtzehn, was drängte er so? Sicher würde es bald wieder Bälle geben, auf denen sie sich zeigen konnte. Campmann würde nicht der Einzige bleiben, der um ihre Hand anhielt. Vater tat ja, als sei sie dringend an den Mann zu bringen.

Diese Sorgen hatte das Schaf Mia sicher nicht. Ida stand still und leise oben an der großen Treppe und beobachtete das Dienstmädchen, das unten in der Halle gerade dabei war, Tulpen in Vasen zu füllen. Sah aus wie eine Schlachterstochter. Immer gut durchblutet.

Ida beugte sich über das Geländer. Da unten ging es gerade um was anderes als Tulpen und Vasen. Mia hatte nun eine Flasche in der Hand, woher auch immer. Sie setzte den Flaschenhals an die Lippen.

Ein erster Impuls zu rufen. Als habe sie Mia vor etwas zu warnen. Doch Ida schwieg. Mia trank unten, und sie sah es von oben. Was sagte Maman immer? *Wer weiß, wozu es gut ist.* Ida sah der Szene zu und zog dann ihr Taschentuch aus dem Seidenärmel. Auch das Tuch von bester Qualität und mit ihren Initialen versehen. *I. B.*

Sie ließ es fallen, und das Taschentuch fiel ganz sachte in

die Halle hinunter und dem Dienstmädchen vor die Füße. Als das Schaf Mia den Kopf hob, war nichts mehr zu sehen vom gnädigen Fräulein. Doch Mia wusste ja, wem das Tuch gehörte, das sie da aufhob, und verstand dessen Botschaft ganz richtig als Drohung.

Das war das Glück, dachte Rudi, dieser Augenblick. Hand in Hand mit Käthe, das vorsichtige Grün der Bäume, der Himmel blau. Festhalten, dachte Rudi, Ewigkeit. Warum hatten seine Eltern nicht geheiratet? War die Liebe zu klein gewesen?

«Willst du mich heiraten, Käthe?»

Käthe ließ seine Hand los und blieb stehen. «Was für'n Quatsch, Rudi, geht doch gerade erst mit der Lehre los. Quatsch. Quatsch. Überhaupt. Ich dachte, du bist ein Revolutionär. Das brauchen wir doch nicht.»

«Das Wort *Quatsch* scheint dir zu gefallen.»

«*Du* gefällst mir. Das mit dem Heiraten vergiss erst mal.»

Ihm lag auf der Zunge zu fragen, warum. Doch er schwieg. War wohl die eigene Familiengeschichte, die ihn drängen ließ.

«Nicht, dass du Henny noch mal so süß anlächelst, nur weil sie ein Gedicht auswendig kann.»

«Du bist eifersüchtig, Käthe. Was ist das denn für ein revolutionäres Gefühl?» Rudi grinste. Dankbar, dass der hehre Anspruch aus diesem Augenblick raus war. Vielleicht war es wirklich zu früh.

«Lass uns da auf die Bank setzen», sagte Käthe. Am Morgen der Vater mit seiner Tasche. Am Abend ein Heiratsantrag. Und nun pflückte Rudi auch noch eine kleine Blume, die im Büschel Gras neben der Bank wuchs, und gab sie ihr. Keine Ahnung, was das für eine war.

AUGUST 1919

Die Weißkittel fielen in den Saal ein wie eine Schar Heuschrecken, hektisch hüpften sie von Bett zu Bett, wenn sie es auch ein wenig langsamer taten als an den anderen Tagen. Es war heiß in Hamburg. Henny stand neben einem Bett am Fenster, ausreichend weit entfernt von Professor und Ärzten, der Oberschwester, der leitenden Hebamme, um einen guten Blick auf das zu haben, was sich im Saal tat.

Die kleine Frau Klünder in einem der vorderen Betten hob vergeblich die Hand, ihr gelang nicht, auf sich aufmerksam zu machen. Seit einer Woche kamen bei ihr die Wehen und brachen jäh wieder ab, sie sorgte sich, das Kind zu übertragen.

Die weiße Schar war schon vorbei. Wenige Worte zu den Frauen, die in ihren Betten lagen und angespannt warteten, ob etwas zu ihrem Fall gesagt werden würde. Die Oberschwester gab den Ton an, sie trug den Ärzten vor. Nur einer der Ärzte traute sich ab und zu, den Ablauf zu ändern und Patientinnen in das Gespräch einzubeziehen. Der junge Dr. Unger. Doch heute schwieg er und eilte mit.

Eine der Hebammen hatte ihr erzählt, wie anders es in den Zimmern der Privatstation zuging. Da wurde sich Zeit genommen. Der Professor drückte auch mal höchstpersönlich auf einem Bauch herum, horchte mit dem Stethoskop nach den Herztönen des Kindes, setzte sich auf den Rand eines Bettes, streichelte Hände und sprach väterliche

Worte. Käthe sah rot, wenn sie das Wort Privatstation hörte.

Henny hatte den leichteren Start gehabt. Vielleicht, weil sie in Langmut geübt war durch das tagtägliche Leben mit ihrer Mutter. Käthe konnte kaum etwas hinnehmen. «Das wandelnde Widerwort», nannte Dr. Unger sie. Doch er kam gut aus mit ihr, und auch die Hebammen erkannten an, dass Käthe beherzt war, sich vor nichts scheute, kein Schwindel oder Ekel sie packte, wenn Blut floss und noch ganz andere Flüssigkeiten aufgewischt werden mussten.

Das Katheterisieren oder Darmeinläufe waren Käthe allemal lieber als Unterricht in *Allgemeiner Krankheitslehre* oder *Bau und Berichtungen des menschlichen Körpers, insbesondere des weiblichen.* Henny mochte die Theorie, auch wenn die Krankheitslehre sie eher unterforderte, doch trotz ihres Diploms war ihr nicht gestattet, fernzubleiben und sich anderen Aufgaben zu widmen.

«Is nich recht, dass die Dokters nur fix durchlöpen», sagte eine der Frauen. Zustimmendes Gemurmel. Einige blickten zu Henny hin, die als Einzige vom medizinischen Personal noch im Saal verblieben war. Doch Henny traute sich nicht, die Meinung der Frauen öffentlich zu teilen. Das tat sie nur in den Gesprächen mit Käthe.

So strich sie verlegen über die Matratze des Bettes, auf der nur eine Gummimatte lag. Die Wäsche hatte sie selbst vorgestern abgezogen, noch war das Bett nicht neu belegt.

Es wurde still im Saal, vielleicht weil sie an diesem Bett stand, obwohl Bertha Abicht nicht darin gestorben war, sondern unten im Kreißsaal. Vor Ausstoß der Nachgeburt war sie verblutet, Folge einer Wehenschwäche. Henny hatte es von den beiden Hebammen gehört, die gemeinsam mit dem Arzt die Mutter des gerade geborenen Kindes zu retten versuchten. Doch ihnen gelang nicht, die lebenswichtige Wehe zu erzeugen, weder durch Massage noch durch das Entleeren der Blase. Der Lehrstoff zum Thema *Blutungen in der Nachgeburtsphase* hatte eine dramatische Anschauung erfahren.

Das Neugeborene war noch in Obhut der Kinderschwestern, doch bald würde Bertha Abichts Mann mit der ältesten Tochter kommen, um das jüngste Kind nach Hause zu holen. Das achte.

«Zu viele zu kurz hintereinander», hatte Dr. Landmann gesagt, «völlig verantwortungslos von dem Mann.» Er hatte vor dem Einsetzen der Geburt an Bertha Abichts Bett gesessen und ihr zugehört. Ihn betrübte jeder Tod, doch dieser machte ihn obendrein zornig.

Henny versuchte, beim Verlassen des Saals allen elf Frauen zuzulächeln. Bei der kleinen Frau Klünder blieb sie kurz stehen. «Ich werde Dr. Unger bitten, noch mal zu Ihnen zu kommen», sagte sie. Zu ihm hatte Henny großes Vertrauen, doch sie ahnte, was er sagen würde. Die junge Frau, die ihr erstes Kind erwartete, war völlig unterernährt und viel zu zart. Der eigene Körper schien ihr die Geburt noch ersparen zu wollen. Doch wenn der Hausarzt richtig gerechnet hatte, näherte sie sich der zweiundvierzigsten Woche der Schwangerschaft.

Als Käthe und Henny am Abend aus der Klinik kamen, stand Rudi vor der Tür und strahlte sie beide an. «Uhlenhorster Fährhaus», sagte er. «Diesen Sommerabend werden wir drei uns nicht entgehen lassen.»

War Käthe begeistert? Vermutlich hielt sie das Fährhaus für einen konspirativen Ort des Hamburger Bürgertums. Wahrscheinlich wäre sie viel lieber allein mit Rudi losgezogen, doch er schien es nicht zu merken, wollte nur den Augenblick pflücken. Rudi Odefey hatte einen großen Hunger auf das Leben.

«Unger ist hingerissen von dir», sagte Käthe, als sie zur Alster gingen. Am besten gleich das Terrain abstecken.

«Wer ist Unger?», fragte Rudi und zog die beiden mit sich in Richtung Uferbogen zum Fährhaus hin.

«Ein Arzt, der dabei ist, sich in Henny zu vergucken.»

Henny betrachtete verlegen ihre Schuhe, die noch immer nicht die weichen aus Wildleder waren, doch wenigstens auch keine Knopfstiefel bei dem heißen Wetter, sondern halbhohe weiße Sandalen aus Stoff, die ihre Mutter in friedlichen Sommern am Timmendorfer Strand getragen hatte. «Quatsch», sagte sie. Doch sie wurde rot dabei.

«Ich liebe dieses Wort aus deinem und Käthes Mund», sagte Rudi. Ein Einhalt gebietender Blick von Käthe, ein fragender von Henny. Keiner klärte Henny auf.

Rudi, der Unbefangene. Ging in ihrer Mitte, hakte die Mädchen unter und machte einen ausgelassenen Tanzschritt, kaum dass die drei Türme des Fährhauses in Sicht waren. Am Himmel schon die Ahnung von Röte des nahen Sonnenuntergangs, Musik scholl aus der Konzertmuschel, in der Bucht vor der Halbinsel lagen Dutzende Kanus und Paddelboote. Das kühle Hamburg geriet bei warmer Witterung in einen großen Jubel zum Lob des Sommers.

«Ich hätte zu Hause Bescheid sagen sollen», sagte Henny.

«Quatsch», sagte Rudi und lachte.

«Mach dich mal endlich von deiner Mutter los», sagte Käthe.

Sie fanden Plätze im Garten des Fährhauses gleich am Geländer zum Wasser hin und zu den Booten, voll besetzt von heiteren Menschen, die ihre Getränke mitgebracht hatten und der Musik lauschten, ohne dafür bezahlen zu müssen. Ein weiter Blick über die Alster, an deren anderem Ende die Lombardsbrücke und der Jungfernstieg lagen. Rudi bestellte Wein. Irgendein Geld war noch in seinen Taschen.

«Der Wirt vom Fährhaus soll Wilhelm mal das Fleisch klein geschnitten haben. War ja unbeholfen mit seinem lahmen Arm», sagte Käthe. «Das haben wir heute im Unterricht gehabt. Armplexus-Lähmung nach einer Steißgeburt.»

«Wem das Fleisch geschnitten?», fragte Henny.

«Dem Kaiser», sagte Rudi, «der war doch hier. Nicht hier unten beim Volk. Oben im ersten Stock, wo sie die *Diners Dansants* geben. Das ist aber lange her, dass Wilhelm hier war.»

«Was ist denn das fürn Dings, das sie geben?», fragte Käthe.

«Da kannst du fein futtern und nebenbei tanzen», sagte Rudi.

Was er alles wusste. Käthe labte sich an ihrem Rudi.

«Du sprichst französisch?», fragte Henny.

Rudi lachte und schüttelte den Kopf. «Du glaubst gar nicht, was du alles nebenbei lernst, wenn du eine Zeitung setzt.»

Er hob das Glas mit dem Rheinwein. Ein Rest Sonne funkelte im braunen Fuß des Römers.

Da war auf einmal ein Glück in Henny. Sie lachte. Lachte Rudi an. Er lachte zurück. Unbefangener Rudi.

«Nu ist Schluss», sagte Käthe. «Mach meinem Jungen keine schönen Augen.» Sie funkelte wie das Glas.

«Natürlich nicht», sagte Henny nach einer kleinen Weile. «Was denkst du denn von mir?»

«Käthe, lass uns einfach Freude haben. Du weißt doch, dass du das Glück meines Lebens bist.»

«Kann sich alles schnell umkehren mit dem Glück», sagte Käthe.

«Quatsch», sagte Rudi zum zweiten Mal an diesem Abend. Er strich Käthe eine lose Haarsträhne hinters Ohr. Zärtlich.

Die Abendröte plumpste in die Alster, es fing an, dunkel zu werden.

Campmann hörte nicht auf, von dicken Poularden, Sahnesoßen und Brüsseler Weintrauben zu schwatzen, während diese armen Scheibchen Fleisch auf ihren Tellern lagen. Die Flasche Bernkasteler Doctor stand im silbernen Kühler, Friedrich Campmann schenkte eifrig nach, als hoffe er auf Idas Trunkenheit, die Kellner waren überfordert bei diesem Andrang auf den Terrassen und Veranden und dem Garten des Fährhauses.

Er sah gut aus, hochgewachsen, blondes welliges Haar, ein dichter Schnurrbart, er war von Haus aus vermögend, und die Dresdner Bank hatte vor, ihn zu einem ihrer jüngsten Direktoren zu machen. Dies ließ sich also zu seinen Gunsten sagen. Ihrem Vater schien das alles viel zu bedeuten, einem anderen hätte er kaum erlaubt, sein achtzehnjähriges Töchterlein auszuführen, ohne Ida einen Anstandswauwau an die Seite zu stellen. Einen Augenblick lang ging ihr durch den Kopf, ob Vater vielleicht in geschäftlichen Kalamitäten war.

Ida langweilte sich, was nicht daran lag, dass Campmann zehn Jahre älter war als sie. Das einzig Charmante an ihm war, dass er ganz und gar hingerissen zu sein schien von ihr. Seine Elogen waren wesentlich unterhaltsamer als seine Erinnerungen an die Antwerpener Privatbank, bei der er vor dem Krieg begonnen hatte. Dennoch ließ Ida den Blick über die Menge schweifen, statt an seinen Lippen zu hängen.

Der Junge dort drüben mit den dunklen Locken, der gefiel

ihr, gleich zwei Frauen schmachteten ihn an. Wer wohl zu ihm gehörte? Die Blonde in der braven weißen Bluse oder die Schwarzhaarige? Beide trugen keine Hüte und hatten ihre Haare hochgesteckt, doch bei der mit dem schwarzen Haar lösten sich einzelne Strähnen.

Sie schienen sich köstlich zu amüsieren mit diesem Jungen. Ida sah zu Campmann, achtundzwanzig Jahre alt, auch noch kein Greis, doch im Vergleich zu dem Dunkelgelockten wirkte er wie hundert in seiner steifen Wichtigkeit.

Die Schwarzhaarige gehörte zu ihm. Ida sah, wie der Junge ihr eine der losen Strähnen hinter das Ohr strich. Ein Gefühl von Neid in Ida.

«Ida. Hören Sie mir noch zu?», fragte Campmann.

Ohne Hüte, dachte Ida. Maman würde ihr nicht erlauben, ohne Hut aus dem Haus zu gehen. Es sei denn, sie ginge zu einem Ball und trüge ein Diadem. Sie zupfte an ihrem Strohhut mit den künstlichen Kirschen.

«Ein sehr eleganter Hut», fühlte Campmann sich verpflichtet zu sagen.

Es wurde nun schon früh dunkel, die Kellner eilten umher, zündeten die Lichter in den Lampions an. Noch war Helligkeit im Himmel, wenn auch mit tiefroten Rändern. Vor Dunkelheit sollte Campmann sie nach Hause führen, darauf hatte ihre Mutter bestanden, es war nur ein kurzer Weg zur elterlichen Villa.

Unten an einem der Tische nahe dem Geländer glaubte sie, Mia zu erkennen. Das Uhlenhorster Fährhaus öffnete sich doch einem sehr breiten Publikum. Ida hob die Schultern in Abwehr. Ein zweiter Blick zu den unteren Tischen hin. Nein. Nicht Mia.

«Ist Ihnen kühl?», fragte Campmann.

Ida ignorierte die Frage, weil ihr gerade durch den Kopf

ging, dass Mia vorgab, ihr Gesinde-Dienstbuch verloren zu haben. Sie hatte Maman danach gefragt, nachdem sie Mia mit der Flasche am Hals gesehen hatte und Vater kurz darauf den hohen Verbrauch an Portwein im Haushalt beklagte.

«Fräulein Grämlich hat sie empfohlen», hatte Maman gesagt. Diese Referenz schien ihr zu genügen. Jeder wusste doch, dass das alte Fräulein ein Herz für die Verlorenen der Gesellschaft hatte und auch nicht vor der Rehabilitierung von Missetätern zurückscheute.

«Hüte dich vor Dünkel, Ida», hatte Vater an ihrem Geburtstag gesagt, der leider doch nicht groß gefeiert worden war, nur ein Essen im kleinen Kreis bei Pfordte im Hotel Atlantic. Stattdessen gab es diesen als guten Rat verkleideten Tadel. Hatte sich das auf Campmann bezogen? Oder weil sie abfällig über Dienstboten gesprochen hatte?

Ihre Beobachtungen in Sachen Mia verschwieg sie seit jenem Tag im März. Warum teilte sie ihr Wissen nicht? Womit könnte Mia ihr zu Diensten sein neben ihren häuslichen Aufgaben? Das Bereiten des Bades und diese ganze Kammerzoferei gehörten nicht mehr dazu.

Das Taschentuch mit ihren Initialen hatte damals gewaschen, gebügelt und sorgsam gefaltet auf ihrer Frisierkommode gelegen. Daneben eine kleine Vase mit ersten Stiefmütterchen in Weiß und Lila. Ein Gruß von Mia mit einer stummen Bitte. Oder was hätte es sonst bedeuten sollen?

«Sicher wollen Sie wissen, welche Aufgaben bei der Dresdner Bank auf mich warten», sagte Campmann. «Es ist in der Tat außerordentlich, dass mir diese Position in so frühen Jahren anvertraut wird.»

Ida sah ihn erstaunt an. Vater würde verstehen, warum es nicht ginge mit ihr und Friedrich Campmann. Die Schilderung vom Verlauf dieses Abends genügte wohl.

«Vielleicht sollten wir an einen baldigen Aufbruch denken, es wird bereits dunkel», sagte sie und dachte, dass sie schon genauso gestelzt sprach wie Campmann. «Sie wollen Maman sicher nicht verärgern.»

«Maman?», fragte er.

Wenn er von dicken Poularden und Brüsseler Trauben schwärmte, dann war doch wohl wieder ein wenig Französisch erlaubt. Klang einfach eleganter. Ida lächelte über Campmanns Kopf hinweg.

«Du bist ein großer Spaziergänger geworden», sagte Lina. «Kommst zu spät zum Abendbrot und erzählst mir, du seiest in der Gegend herumgelaufen.» Lud und sie saßen an diesem Sommerabend auf dem kleinen Balkon im ersten Stock des Hauses in der Canalstraße und tranken Himbeerwasser. Ein Rest Sirup hatte sich in einem Marmeladenglas in der tiefsten Ecke des Küchenschrankes gefunden.

Lud drehte sein Glas in den Händen und guckte auf die dunkle Straße. «Spurensuche», sagte er, «all die Orte, wo wir mal glücklich waren.»

«Du bist ein Masochist, Lud.»

«Das verstehst du nicht. Du bist immer so tüchtig, Lina, auch mit deinen Gefühlen. Alles gut geordnet.»

«Ich weiß, was ich will», sagte sie leise.

«Ein Fräulein Lehrerin werden. Oder von mir aus auch ein Fräulein Studienrat. Du verschenkst doch dein Leben.»

Warum sagte sie ihm nicht, dass die Sozialdemokraten das Zölibat für Lehrerinnen aufheben wollten? Im Seminar wurde kaum noch über was anderes geredet. Noch war die Weimarer Verfassung nicht in Kraft.

«Du wirkst verloren auf mich, Bruder.»

«Ich hab doch dich, Lina.» Lud grinste. Ein schiefes Grinsen. «Denk nur, du und ich blieben allein. Ein ältliches Geschwisterpaar.»

Lina nahm einen großen Schluck Himbeerwasser und wünschte, es wäre Schnaps. Lud hatte doch keine Ahnung von ihrer gelegentlichen Lust, der Wirklichkeit davonzulaufen, sich zu betäuben, ehe sie von traurigen Wahrheiten eingeholt wurde. «Das ist lächerlich, Lud», sagte sie. «Ich bin zwanzig, und du wirst im November achtzehn. Von ältlich sind wir noch Lichtjahre entfernt.» Hoffentlich stimmte, was sie da sagte. *Lichtjahre entfernt.* Eigentlich war sie nur einen kurzen Kriegssommer lang wirklich jung gewesen.

«Hoffentlich», sagte Lud. Er guckte eher trübsinnig auf das eiserne Geländer und die leeren Blumenkästen. «Mutter hatte immer Fuchsien», sagte er, «leuchtend rot.»

Lina seufzte. «Vielleicht treibe ich ein paar Chrysanthemen auf», sagte sie. «Von denen hätten wir auch im Herbst noch was.»

«Chrysanthemen gehören auf Gräber.»

Ein kleines Geräusch, das sich kaum unterdrücken ließ. Lud hob den Kopf und sah seine Schwester an. Lina weinte.

Bertha Abichts Mann war ein strenger Mensch, der das nötige Geld nach Hause trug, es sparsam verwaltete, an den Abenden und an Sonntagen in der Bibel las und Kinder zeugte. Er hatte keinen Zweifel, dass das Gottes Wille war. Die Mutter seiner acht Kinder war in Ausübung ihrer Pflicht gestorben. Auch das Gottes Wille.

Der Arzt, der alles versucht hatte, die noch junge Frau zu retten, sah den schwarz gekleideten Mann mit seiner Tochter eintreten und hätte ihn gern geschlagen für die Selbstgerechtigkeit, die er zur Schau trug. Doch stattdessen sah Dr. Kurt Landmann zu, wie die Kinderschwester den Säugling in den Kinderwagen legte, dessen Griff das Mädchen mit der Trauerschleife am Ärmel umklammerte.

Sollte er noch einige Worte sagen? Oder sie besser brüllen? In das blasse Gesicht des Mannes mit den hochgezogenen Brauen hinein?

Er ließ Bertha Abichts Mann ziehen. Mit der ältesten und der jüngsten Tochter. Dr. Landmann drehte sich um und lief mit schnellen Schritten den Flur entlang, bis er auf einen Kollegen stieß.

«Sie waren doch auch im Feld, Unger», sagte er. «Hat uns da in den Lazaretten nicht die Verzweiflung angefallen ob des Gemetzels? Haben wir nicht auf eine bessere Welt mit mehr Verstand gehofft, wenn das sinnlose Schlachten denn dann endlich vorbei wäre?»

Theo Unger sah ihn überrascht an. Vielleicht fand er hier einen Bruder im Geiste, wo er es nicht geahnt hatte. Die Ärzte, die er im Kasino beim Mittagstisch traf, schienen vor allem alte Militärköpfe zu sein, die an Dolchstöße glaubten und dem Kaiserreich nachtrauerten.

«Warum gerade jetzt dieser Gedanke?», fragte Unger.

«Der Fall Abicht», sagte Dr. Landmann. «Dieser Mann hat seine Frau zu Tode geschwängert, und wenn ich mich nicht irre, glaubt er auch noch, er habe Gottes Werk vollbracht und nicht das des Teufels.»

«Vielleicht sollten Sie und ich mal ein Glas miteinander trinken?»

«Ihnen lugt schon eine Flasche aus der Tasche. Haben Sie den Weinkeller Ihres Vaters geplündert?»

«In der Tasche ist auch noch eine Spanschachtel voll frischer Eier. Aus dem Hühnerstall meiner Mutter.»

«Was haben Sie vor, werter Kollege?»

«Rotwein mit Ei und Zucker. Meine Mutter schwört auf dieses Stärkungsmittel. Nur der Zucker fehlt noch.»

«Und wen wollen Sie stärken?»

«Die kleine Klünder. Längst überfällig, die Geburt.»

«Der Wein wird die junge Frau auf jeden Fall lockern. Dann überlässt sie sich vielleicht den Wehen und versucht nicht länger, die Kontrolle zu behalten.»

«Sie ist unterernährt», sagte Unger.

Landmann nickte. «Den Zucker hole ich Ihnen aus der Küche der Privatstation», sagte er, «und dem Chef sagen wir nichts.»

«Kaiserschnitt, wenn es nicht klappt?»

«In dem Falle assistiere ich Ihnen», sagte Landmann.

«Gefällt er dir denn gar nicht?»

«Versuch nicht, mich zu verkuppeln, Käthe. Ich komme deinem Rudi nicht zu nahe. Hast du denn eine derart geringe Meinung von mir?»

«Er steht im Labor und rührt Rotwein mit Eigelb und Zucker zusammen. Unger ist wirklich ein feiner Mensch.»

Henny legte die letzte der Scheren zurück in die Schublade und schloss sie. «Dr. Unger rührt Rotwein mit Ei und Zucker? Im Labor? Warum das denn?»

«Er will es der Klünder einflößen. Um sie zu stärken und damit sie die Geburt nun mal zulässt.»

«So hat er das gesagt?»

«Nicht ganz, aber fast. Es tut mir leid, dass ich so eifersüchtig bin, Henny. Ich lieb Rudi nur so und hab eine Heidenangst, ihn zu verlieren. Du kennst Gedichte und hast vornehme Manieren.»

Henny machte sich vor Verlegenheit an ihrem Haarknoten zu schaffen, an dem jede Klammer saß. «Und dein Rudi ist der Prinz von Arkadien?»

«Ja», sagte Käthe.

«Ich dachte, er sei Kommunist.»

«Er hat ein linkes Herz. Doch in der Partei ist er noch nicht.»

«Du glaubst doch nicht, dass er auf dich herabsehen würde? Hast du nicht erzählt, er käme aus kleinen Verhältnissen und seine Mutter sei ledig und er kenne seinen Vater gar nicht?»

«Macht das was?» Käthe schnaubte sich schon wieder in einen Zorn hinein. «Du hörst dich an wie Else Godhusen persönlich.»

«Du bist noch gereizter als sonst. Wenn ich es nicht besser wüsste, würde ich sagen, du bist schwanger.»

«Und weißt du's besser?»

Henny ließ sich auf einen der kleinen Schemel sinken, die vor den Schränken mit den medizinischen Instrumenten standen. «Um Himmels willen, Käthe. Und was nun?»

«Da hab ich dir einen Schrecken eingejagt. Keine Bange, Rudi passt jetzt auf. Er hat diese *Fromms*.»

«Ihr habt schon miteinander geschlafen?»

«Meinst du, er denkt nun schlecht von mir? Dass ich so eine bin, die leicht zu haben ist?»

«Ich staune über all deine Zweifel. Rudi betet dich doch an, auch wenn du keine Gedichte kennst.»

«Kenn ich doch. Eines lern ich gerade auswendig. Ist von Goethe. Das ist doch einer von den Großen.»

«Lass hören», sagte Henny.

«Über allen Gipfeln ist Ruh», sagte Käthe, «in allen Wipfeln hörest du kaum einen Laut.»

«Spürest du kaum einen Hauch», korrigierte Henny und

schämte sich in der nächsten Sekunde für ihre Kleinlichkeit.

«Klar», sagte Käthe, «muss sich ja auf *auch* reimen.» Sie ging aus dem Raum und schmiss die Tür hinter sich zu.

Der kleine Klünder kam am Ende der Nacht auf die Welt und wurde nicht nur vom Vater bejubelt, der auf der harten Bank im Gang vor dem Kreißsaal ausgeharrt hatte, sondern auch von den beiden Herren, die ihm auf die Welt halfen. Die Mutter schlief erschöpft.

Unger und Landmann schlugen sich gegenseitig auf die Schulter, während die Hebamme den neugeborenen Jungen versorgte.

«Das lösen wir jetzt öfter mit Rotwein und Ei», sagte Landmann, der sich die Assistenz nicht hatte nehmen lassen, auch wenn es kein Kaiserschnitt geworden war. «Lockert doch enorm.»

«Diese Lösung sollten wir den Studenten nicht vorenthalten», sagte Unger, dessen Stimmung glauben ließ, er selbst habe in den letzten zwölf Stunden vor allem Rotwein mit Ei zu sich genommen. «Ich freue mich darauf zu hören, was der Chef dazu sagt.»

«Schweigen», sagte Landmann, «ich fordere Sie zum Schweigen auf. Wir wollen ihm doch nicht unsere Trümpfe auf den Tisch legen. Bin auch gar nicht sicher, ob er dem positiv gegenüberstünde. Er kann humorlos sein. Wenn nicht schon der Morgen graute, würde ich Sie gern zu einem Getränk in mein Ordinationszimmer einladen. Ich hüte eine letzte Flasche Armagnac.»

Theo Unger winkte ab. «Ich bin genügend berauscht, lieber Kollege. Eher brauche ich eine Mütze Schlaf. Muss in einigen Stunden schon wieder den Notdienst übernehmen.»

«Dann sollten Sie allerdings ausgeschlafen sein.»

«Waren Sie während des Krieges an der Westfront?»

«Zuletzt in Lothringen. Aufgerieben von den Amerikanern.»

Theo Unger nickte. «Vielleicht bringen Sie die Flasche mal mit zu mir. Ich habe eine kleine Wohnung nicht weit von hier. Die mütterlichen Hühner steuern sicher Eier für Omelettes bei.»

«Sie sind auf dem Land aufgewachsen?»

«In den Walddörfern. Mein Vater ist dort Arzt. Zwei Hühner und ein Hahn waren das Geschenk eines dankbaren Patienten. Das war kurz vor dem Krieg. Unser aller Glück, dass meine Mutter ihren Ziergarten freigegeben hat und sich fortan der Geflügelzucht widmete.»

«Geben Sie mir ein Zeichen, wann es passt, Unger, und ich trage den Armagnac zu Ihnen», sagte Dr. Landmann, als sie gemeinsam aus dem Portal traten. Jenseits des nahen Eilbeckkanals ging gerade die Sonne auf. Ein südlicher Sonntag kündete sich an. Der letzte Tag des Augusts.

Ida lag auf einer der Korbliegen, die auf der Terrasse standen, und hörte dem Gezeter ihrer Mutter zu, die noch immer glaubte, dass der Teint einer Dame blass zu sein habe und nicht die zarteste Bräunung vertrage. In manchen Dingen war Maman hoffnungslos altmodisch. Dass Ida sich nun hochrekelte, hatte wenig mit töchterlichem Gehorsam zu tun, sie war durstig, und beide Dienstmädchen hatten am Sonntag ihren freien Nachmittag. Keiner, der ihr eine Limonade in den Garten trug.

Ida trat in die kühle Küche und war erstaunt, Mia vorzufinden und dabei zu ertappen, wie sie gerade ein Stück der gefüllten Sandtorte verdrückte. Da stand sie in ihrem Sonntagsstaat, ausgehbereit, doch anscheinend noch hungrig. Mia verschluckte sich und fing an zu husten, als ihr die Tragweite des Augenblicks bewusst wurde.

Ida hatte lange darüber nachgedacht, wie sie Macht walten lassen könnte über Mia, Macht, die ihr das Wissen von diesen Diebstählen gab. Portwein aus Vaters Vorräten. Leckereien aus der Speisekammer. Rosig und rund trank und aß sie sich.

Etwas, das sehr seltsam aussah zu Mias weißer Bluse mit dem hohen Kragen, irritierte Ida. Ein kleines seidenes Tuch, exotisch anmutend, das sich das Mädchen um den Hals geschlungen hatte.

«Was ist das?», fragte sie.

«Sandtorte», sagte Mia noch hustend.

«Ich meine das rotgoldene Ding um deinen Hals.»

«Ein chinesisches Tüchlein. Ling hat es mir geschenkt.»

«Wer ist Ling?»

«Meine Freundin. Sie arbeitet in einer Garküche.»

«Und was ist eine Garküche?»

«Ein chinesisches Esslokal.»

«Ist Ling Chinesin?»

Mia nickte und hatte noch keine Ahnung, wohin dieser Dialog sie führte. Zur direkten Entlassung wahrscheinlich.

«Du kennst also Chinesen», sagte Ida und klang nachdenklich.

«Die Garküche gehört Lings Vater. In der Schmuckstraße.»

«Nie gehört. Wo ist denn die?»

«Auf St. Pauli. Nahe der Reeperbahn.» Davon würde das gnädige Fräulein ja wohl schon mal gehört haben.

«Du kennst also Chinesen, die nahe der Reeperbahn ein Lokal haben», repetierte Ida. «Und da verbringst du deine freien Tage?»

«Nicht immer. Manchmal spazieren wir auch am Hafen längs oder fahren mit der Dampfbarkasse.»

«Besuchst du deine Familie nicht?»

«Doch. Auch. Meine Schwester. Aber da muss ich mit der Eisenbahn bis Glückstadt fahren und dann noch mit der Fähre.»

«Hör mal, Mia. Dir ist klar, dass ich dich beim Stehlen erwischt habe, und nicht zum ersten Mal. Wenn ich meiner Mutter davon erzähle, dann fliegst du.»

Mia nickte nochmals und ließ das Kinn auf das Tüchlein sinken.

«Aber ich habe eine andere Idee.»

Mia sah auf.

«Du nimmst mich mit bei deinen Ausflügen. Nicht heute. Das muss vorbereitet sein. Ich kann kaum in den Garten rufen, dass ich unser Dienstmädchen nach St. Pauli begleite. Ich brauche Ausreden.»

Mia war schlau. Sie begriff. Dass sie gerettet war und was Ida von ihr wollte. «Sie möchten mal was erleben», sagte sie.

«Wir schließen ein Geschäft auf gegenseitiges Schweigen ab, und du zeigst mir die Chinesen, den Hafen und alles andere.»

«Was wollen Sie denn der Herrschaft sagen, wohin Sie gehen? Wenn das rauskommt, dass ich Sie mitschleppe, dann fliege ich erst recht.»

Was sagte Carl Christian Bunge gelegentlich? *Wir müssen einen Schlachtplan machen, an dem auch der alte Blücher Gefallen fände.*

«Wichtig ist, dass du den Mund hältst, Mia. Lass mich alles andere machen. Mir fällt schon was ein. Und nun geh los zu deiner Ling.»

Mia wischte sich den letzten Krümel Sandtorte aus dem

Gesicht und verschwand. Ida nahm die Limonadenkaraffe, füllte eines der Gläser, die auf einem Tablett bereitstanden, und wartete, bis sie die schwere Haustür ins Schloss fallen hörte.

Erst dann ging sie zurück in den Garten, um sich in den Schatten zu setzen und Pläne zu schmieden, an denen auch der alte Feldmarschall Blücher Gefallen gefunden hätte.

JANUAR 1921

Bunge stand am Fenster seines Arbeitszimmers und blickte in den winterlichen Garten. Das Birnenspalier sah aus, als ob es im nächsten Augenblick unter der Last der Eiszapfen zusammenbräche. Das Holz war brüchig geworden, da musste dringend was getan werden im kommenden Frühling. Alles ging kaputt im und am Haus. Hatte ja im nächsten Jahr auch schon seine fünfzig Jahre auf dem Buckel.

Verrücktes Wetter. Eben schlug der Januar noch Kapriolen mit seinen warmen Temperaturen, und von einem Tag zum anderen lag die Stadt unter einer Eisschicht. Der *Adler* war nicht angesprungen, eine Kraftdroschke unmöglich zu kriegen, er hatte Kiep und Lange abgesagt, keiner würde wohl von ihm erwarten, dass er zu Fuß zur Station der Ringbahn rutschte. War ihm ganz recht, die Absage. Die glänzenden Geschäfte der beiden verdarben ihm nur die Laune.

Er hätte in den Spirituosenhandel einsteigen sollen. Zu optimistisch war er im Sommer 1919 gewesen, als die Seeblockade aufgehoben wurde, hatte ganz auf neue große Zeiten für den Kautschuk gesetzt, nur leider dümpelten die Preise noch immer vor sich hin. Doch alle Welt soff. Sekt und Kognak und Liköre. Und tanzte Foxtrott dazu. Verrückt.

Dass Ida ihm das Versprechen abgerungen hatte, Campmann nicht vor ihrem zwanzigsten Geburtstag heiraten zu müssen, machte die Sache auch nicht leichter. Nun ja. Der

August würde kommen und mit ihm der Geburtstag, und dann ginge es schnurstracks vor den Traualtar.

Was hieß hier überhaupt *müssen.*

Vielleicht fehlte Campmann ja ein wenig Funkeln und Leuchten und Leidenschaft. Doch es ging hier um einen gut betuchten Schwiegersohn und nicht um den Tenor aus einer Wiener Operette. Überhaupt Ida.

Das Kind war doch sehr undurchsichtig geworden. Diese angeblich so geniale Klavierlehrerin Claire Müller, zu der Ida seit dem November des vorvergangenen Jahres sein Geld trug, ohne dass seine Ohren eine grandiose Verbesserung von Idas Klavierspiel wahrnehmen konnten, kam ihm doch etwas verdächtig vor.

Netty behauptete, die Etüden perlten nur so, und Idas Interpretation von Griegs *Hochzeit auf Troldhaugen* sei ein Glanzstück. Sah sich wohl schon als Virtuosinnenmutter in der ersten Reihe der Laeiszhalle sitzen. Na. Er glaubte nicht daran.

Nur ein Mal war er Claire Müllers angesichtig geworden, bei einem weihnachtlichen Vorspielen im Salon des Fräuleins. Warum kam sie denn nicht zu ihnen ins Haus, um am trefflichen Flügel zu spielen? Warum ging Ida wenigstens zweimal in der Woche in die Colonnaden, um das Fräulein aufzusuchen? Doch verglichen mit all den Orten, die man in dieser spelunkenreichen Stadt aufsuchen konnte, war gegen die Wohnung eines klavierspielenden Fräuleins wenig zu sagen.

Hochzeit auf Troldhaugen. Die einzige Hochzeit, die ihn interessierte, war eine in St. Gertrud mit anschließendem Festessen im Fährhaus. Er würde sich nicht lumpen lassen, und auch Campmann täte bestimmt einen Batzen dazu.

Carl Christian Bunge drehte sich um, als die Tür des Arbeitszimmers aufging. «Nun, Netty?», fragte er. Das liebe Eichhörnchen war schmaler geworden, obwohl es nun ganz gut zu essen gab. Doch es stand ihr, Nettys Bewegungen hatten wieder die Leichtigkeit der Jugendzeit.

«Guck, was ich in Idas Zimmer gefunden habe.»

Bunge guckte und erkannte zwei reichverzierte Lackstäbchen.

«Was sagst du?», fragte Netty.

«Chinesische Essstäbchen.»

«Und was will Ida damit? Haben wir nicht genügend Silber im Haus?»

«Vermutlich wird sie uns erzählen, Claire Müller habe chinesische Wurzeln und schlage mit den Stäbchen den Takt.»

«Sei ernst, Carl Christian.»

«Es wird allerhöchste Zeit, dass sie Frau Campmann wird.»

«Werden wir das Haus vor der Hochzeit renovieren?»

«Nichts da. Trauung in der Kirche und dann Empfang und Festessen im Fährhaus. Campmann soll sich bald um eine Beletage kümmern, die Wohnung in der Büschstraße ist zu klein. Am besten hier in der Nähe.»

«Wirst du sie ansprechen auf diese Stäbchen?»

«Werde ich wohl», sagte Bunge. Er seufzte.

Henny fiel ihm direkt in die Arme, die Straße war eine einzige Glitsche. Theo Unger lachte, und Henny versuchte, sich schnell zu befreien aus seinen Armen. Käthe hob erst den einen, dann den anderen Fuß, um die groben Stricksocken zu zeigen, die sie über ihre Stiefel gezogen hatte. «Kann mir nicht passieren», sagte sie. «Schade eigentlich.»

«Wenn der Kuhmühlenteich zugefroren ist, gehen wir

Schlittschuh laufen», sagte Unger, «und anschließend trinken wir Punsch.»

«Wer ist wir?», fragte Käthe.

«Sie und Ihr Freund, der Sie immer abholt, und Henny und ich.»

«Aha», sagte Käthe. Sie warf Henny einen Blick zu.

«Wie lange willst du ihn noch zappeln lassen?», würde sie später sagen, als sie dabei waren, sich für den Kreißsaal umzuziehen.

«Ich lasse ihn nicht zappeln», sagte Henny. «Er ist sehr nett, doch ich habe nicht die Absicht, was mit einem unserer Ärzte anzufangen. Das ist genau das, wovor die Leitende uns gewarnt hat.»

«Er verzehrt sich seit mindestens anderthalb Jahren nach dir.»

«Das findet nur in deinem Kopf statt, Käthe.»

«Im März wirst du schon einundzwanzig.»

«Und du wirst es übermorgen. Höchste Zeit also, dass du Rudi heiratest. Ihr seid schließlich seit zwei Jahren zusammen.»

«Er will ja.»

«Und du nicht?»

«Das ist mir zu bürgerlich», sagte Käthe.

Ihre Mutter wäre kollabiert bei dieser Antwort, dachte Henny. Und würde Else ahnen, dass ein Arzt ihre Tochter umwarb, ließe sie ihr keine ruhige Minute mehr. Dann stünde am nächsten Geburtstag ein Klappaltar auf dem Gabentisch, um nach dem Antrag nicht zu viel Zeit zu verlieren.

«Soll in den nächsten Tagen wieder tauen», sagte Käthe, «dann ist eh nix mit Schlittschuhlaufen.»

Henny hatte das Thema schon abgehakt. Ein anderes lag ihr mehr am Herzen. «Hast du schon mal darüber nachgedacht, was du machst, wenn die Prüfungen hinter uns liegen?», fragte sie.

«Ich hoffe doch, dass die uns übernehmen.»

«Und dann hätten wir ein Einkommen. Du willst doch nicht ewig auf dem Kanapee in der Küche schlafen.»

«Rudi und ich haben schon drüber gesprochen, dass wir uns Zimmer und Küche nehmen.»

«Ich dachte, du willst nicht heiraten.»

«Du bist die komplette Spießerin», sagte Käthe.

«Wer will mich denn mit Dr. Unger verkuppeln?»

«Geht doch nicht um heiraten. Einfach mal mit ihm schlafen», sagte Käthe in dem Moment, als die Tür zum Sanitärraum aufgestoßen wurde.

«Den Eindruck habe ich auch, dass ihr hier schlaft», sagte die leitende Hebamme. «Im Kreißsaal ist alle Hände voll zu tun. Erst Frühlingsgefühle und dann im kalten Januar die Kinder. Wollen die Damen sich bitte in die Säle bewegen und den Kolleginnen helfen?»

Mit Unger schlafen. Welch eine Schnapsidee. Henny schickte Käthe einen beunruhigten Blick nach, ehe die in dem ersten der Kreißsäle verschwand. Spätes Mädchen, hatte Else sie gestern genannt, weil Henny keine Lust hatte, am Sonntag zum Tanzen in den Lübschen Baum zu gehen. Schon gar nicht in Begleitung ihrer Mutter. *Hockst immer nur bei den Büchern, du wirst noch ein spätes Mädchen.*

Und schon uralt. Einundzwanzig. Komplette Spießerin. Eigentlich sollte sie es Else und Käthe zeigen. Hinein ins Lotterleben. Kennst du schon die Präservative von Fromms, liebe Mutter?

Henny sah wild entschlossen aus, als sie den großen Kreißsaal betrat. Dr. Unger stand über einer der Gebärenden gebeugt und hielt deren Hand. Verflixt ja. Er gefiel ihr. Gut sah er aus, und er war einfach ein feiner Mensch. Da hatte Käthe recht. Rührte sich da was heftig in ihrem Herzen? Sie schüttelte den Kopf, dass sich der Dutt unter der Haube lockerte. Vielleicht hatte Unger Lust auf den Lübschen Baum.

Der Himmel hing grau und schwer und versprach Schnee. Den hatte Lud lieber als das Eis, er war schon als Kind gern im Schnee gestapft, statt über Glitschen zu schlittern. «Der Junge ist eine Bangbüx», hatte sein Vater gesagt, als sie vom Gang über die zugefrorene Alster nach Hause gekommen waren und er sich nur an Vaters Mantel festgekrallt hatte.

Lina fand Vergnügen an vereisten Bahnen, Schwung nehmen und schlittern, das tat sie noch immer. Darum durfte sie nun mit einer dick geschwollenen Lippe für das Examen pauken. Voll auf die Schnauze. Lud schämte sich, dass ihn das erheiterte.

Zum Geburtstag hatte er Lina einen Zwicker geschenkt, den er im Laden von Jaffe gefunden hatte. Auch das ein Spaß. Keine scharfen Gläser, doch passend für so eine Lehrerinnennase. Ein Zufallsfund, der Zwicker, betreten hatte er Jaffes Laden, um den violetten Amethyst zu kaufen, der im Fenster auslag und sich zur Zierde des Medaillons aus Lindenholz eignete, das er für Lina geschnitzt hatte. Nun hing es an einem schmalen Samtband um ihren Hals, und Lud freute sich daran, dass der Amethyst zu Linas Augen passte.

Ein Plakat der Kammerspiele hing da von der Litfaßsäule. Schnitzlers *Reigen*. Längst vergangene Premiere. Ganze Plakatschichten blätterten ab, vielleicht löste sich der Leim durch den Frost. Die Farben im Plakat für das Kostümfest im Lübschen Baum am kommenden Sonntag waren verlaufen und die Schrift kaum noch zu lesen.

Beim *Reigen* hatte es im letzten Jahr Tumulte vor dem

Haus am Besenbinderhof gegeben. Der Ordnungsmann einer Matrosenbar war zum Schutz engagiert worden, um die Menge davon abzuhalten, die Vorstellung zu stören. Lud würde gern mal ins Theater gehen, in eine der Matrosenbars auf St. Pauli, vielleicht zu einem Tumult. Sich trauen. Schließlich war er im November neunzehn geworden.

Vier Jahre waren sie nun schon tot. Der Todestag der Mutter hatte sich Anfang Januar gejährt, kurz vor Linas Geburtstag, der vom Vater am 22. Dezember. Diese Jahrestage hatten ihn aufgewühlt, und doch war die Trauer erträglicher geworden. Wenn er den Eltern etwas schuldete, dann, dass er eine Familie gründete zu ihrem Gedenken. Seine Spaziergänge waren nicht länger eine Suche nach verlorenem Glück. Ein hoffnungsvoller Spaziergänger war er geworden, doch noch gedankenschwer und unaufmerksam auf glatten Straßen.

Er rutschte aus und fing sich gerade noch, doch das Päckchen mit der Krawatte, die er beim Herrenausstatter in der Hamburger Straße gekauft hatte, fiel auf den Boden. Preussner, da war schon sein Vater Kunde gewesen. Schottisches Karo, die Krawatte. Das Marineblau überwog, nicht gerade gewagt, doch die erste eigene. Sie würde zu dem dunklen Anzug passen, der für ihn geändert worden war. Lud bückte sich nach dem Päckchen, und als er aufsah, blickte er in das Gesicht einer jungen Frau, die an ihren kinnlangen blonden Haaren zog.

«Sie sind der Erste, der es sieht, doch dass Sie gleich erschrecken und alles fallen lassen», sagte sie.

Lud wäre gerne weniger verlegen gewesen. Vor allem hatte er keine Ahnung, wovon sie sprach. So stand er wortlos und staunte.

«Ich habe mir gerade die Haare kurz schneiden lassen.»

«Sie sollten eine Mütze anziehen.»

«Ist es so schlimm?»

Endlich gelang ihm ein Lächeln. «Der Kälte wegen», sagte er.

«Dann wollen wir mal weitergehen. Der Kälte wegen.»

Lud griff die Krempe des Homburgs und hob den Hut zum Gruß. Einige Momente später hieß er sich einen Vollidioten. Er hätte sich vorstellen sollen, sie hätte ihm vielleicht ihren Namen genannt. Lud drehte sich um und blickte den Winterhuder Weg entlang, doch die junge Frau mit den kurzen blonden Haaren war nicht mehr zu sehen.

Ein feiner Aal war das. Hein hatte ihm den verkauft, da liefen immer noch Drähte zu den Fischern, die die Aale selbst räucherten drüben in Finkenwerder und sie dann auf die andere Elbseite, nach Övelgönne, brachten.

Hein war in einem der Häuschen an der Elbe aufgewachsen, guter Kollege, auch wenn sie lange nicht mehr auf der Werft arbeiteten, sie beide.

Karl Laboe legte den in Zeitungspapier gewickelten Aal draußen auf das Fenstersims und sicherte das lange schmale Päckchen mit einem Stück Schnur, das er an dem Haken für die Wäscheleine befestigte. Da würde Käthe sich freuen, die mochte sonst ja vor allem Kuchen, aber Aal, der schmeckte ihr.

Anna kam in die Küche mit ihrem Stoffbeutel voller Einkäufe, gab ja doch wieder mehr zu kaufen. «Was liegt denn da draußen auf dem Sims?», fragte sie. Das Weib hatte scharfe Augen.

«Nen Aal für Käthe. Zum Geburtstag. Ist doch der einundzwanzigste.»

«Und da hast du dich zum Aalessen eingeladen.»

«Ist ein dicker Kerl. Kriegen wir alle was von ab.»

«Unser Schwiegersohn in spe kommt auch», sagte Anna Laboe. «Zu Kaffee und Kuchen. Ich will noch backen.»

«Wenn das nun mal endlich was werden würde mit den beiden. Du und ich waren doch auf dem Standesamt, kaum dass wir uns kannten.»

«Aber schwanger war ich da schon», sagte Anna Laboe und lächelte. «Wo hast du den Aal denn her? Von Hein? Mit deinem Bein ganz nach Övelgönne auf den glatten Straßen?»

«Er war hier in der Gegend. Und du hast freigekriegt für morgen?»

«Für den Nachmittag. Das war aber nett von Hein.»

«Denkst du, dass Käthe und Rudi sich heiraten?»

«Wenn es nach seinem Kopf geht, schon.»

Laboe seufzte. «Geht doch immer nach Käthes Kopf», sagte er. «Das war früher auch anders, da waren die Weiber ganz wild aufs Heiraten.»

«Unsere Käthe ist da speziell.»

«Ich hab den Jung gern», sagte Karl Laboe.

«Ist noch Milch in der Kammer?»

«Nich, dass ich wüsst.» Laboe betrachtete die Einkäufe seiner Frau, die auf dem Küchentisch lagen. «Nur zwei Eier?»

«Für den Mürbeteig brauche ich bloß eins. Ein Blech Kirschkuchen, die Köchin hat mir eingemachte Sauerkirschen mitgegeben.»

«Das ist ja ne Liebe zwischen euch.»

«Der gnädigen Frau waren die Kirschen nicht mehr rot genug. Sie hat sie gern richtig rot.»

«Aha», sagte Karl Laboe und nickte. «Richtig rot. Und was machst du nu ohne Milch?»

«Ich tu stattdessen einen Löffel Essig rein.»

Anna Laboe hatte das große Holzbrett auf die Wachsdecke des Küchentisches gelegt, Mehl aufgehäuft und darin eine Mulde gedrückt.

Das Stückchen Butter in kleine Würfel, das Eigelb, der Zucker, der Löffel Essig. Im Nu hatte sie einen glatten Teig geknetet.

«Hast immer noch flinke Finger, Annsche.»

«Der muss jetzt zu deinem Aal auf das Sims.»

«Wird ein Gedränge geben da draußen.»

Anna hatte den Teig bereits in ein Tuch eingeschlagen und öffnete nun das Fenster. «Im Schlafzimmer ist das Sims zu schmal», sagte sie und platzierte das Päckchen in die linke Ecke.

«Tu lieber den Topfdeckel drauf. Nich, dass er noch nem Schlingel vor die Füße fällt, dein schöner Teig.»

«Der gusseiserne Deckel wird den Schlingel dann ganz schön platt machen, und wir haben den Schutzmann im Haus», sagte Anna Laboe. «Eine halbe Stunde. Dann geht's weiter mit dem Teig.»

«Is wohl kein Platz für ne Geburtstagskerze auf'm Blech Kuchen», sagte Laboe. Er kramte in einer der Schubladen im Küchenschrank und holte eine kurze weiße Kerze hervor. «Die hab ich vom Seifenhöker.»

«Du wirst auf deine alten Tage noch ne ganz liebe Snuut», sagte Anna Laboe und legte den Lappen weg, mit dem sie gerade den Küchentisch gewischt hatte. «Komm mal her.» Sie drehte sich zu Karl um, drückte ihm einen Kuss ins Gesicht und wandte sich dann wieder dem Säubern der Wachsdecke zu.

«Dass du mir das antust, Kind.»

«Nun beruhige dich mal. Es sind doch nur Haare.»

«Welcher Verbrecher hat das auf dem Gewissen? Dein schöner Dutt.»

«Das ist ein Bubikopf, und er ist gut geschnitten.»

«Dein goldenes Haar», klagte Else Godhusen und war den Tränen nahe. «Dich nimmt doch nun keiner mehr mit der Frisur. Und ich hab Plätze reservieren lassen für das Kostümfest im Lübschen Baum.»

Wäre ihre Mutter nicht schon durch den Wind gewesen, Henny hätte einen Sturm entfacht. Über ihren Kopf hinweg reservieren. Wer sollte zum Tanz gehen? Else und sie?

«Und wer soll dahin?»

«Dass du nicht an deine alte Mutter denkst, ist schon klar. Obwohl mir ein Kavalier auch mal guttun könnte.»

Konnte Else was von Unger ahnen?

«Ich dachte an dich und Käthe. Die hat doch morgen Geburtstag.»

«Und Rudi? Käthe geht doch nicht ohne ihn zum Tanzen.»

«Ich kenn den ja gar nicht.»

Doch. Else kannte ihn. Käthe hatte ihn schon mal mit zu ihnen gebracht. Er hatte sich gut benommen und war liebenswürdig gewesen zu Hennys Mutter. Wusste der Himmel, welche Vorurteile sie gegen ihn hegte. Vielleicht, weil er beim sozialdemokratischen *Hamburger Echo* arbeitete, das Else für ein linkes Kampfblatt hielt. Bei ihnen wurden die deutschnationalen *Hamburger Nachrichten* gelesen.

«Gut, dass kaltes Wetter ist. Dann kannst du eine Mütze anziehen, und bei der Arbeit hast du die Haube. Doch was ist mit dem Kostümfest?»

«Ich könnte als Frau Holle gehen, die hat auch eine Haube.»

Else Godhusen nickte, bis sie in Hennys Gesicht sah. «Du nimmst das alles nicht ernst. Ich hab an eine Krone gedacht, die du dir aufs Haar tust, auf das hochgesteckte. Da warst du noch gar nicht auf der Welt, da hab ich die gekauft und nur ein Mal tragen können.»

«Eigentlich willst du eine Prinzessin zur Tochter.»

«Ja», sagte Else, «und selbst die Königin sein. Nun bin ich eine Witwe und hab eine Tochter mit Bubikopf, und bald bin ich ganz allein. Ich hätte gern was Besseres haben gewollt.»

Es war mit großer Wahrhaftigkeit gesprochen und voller Bängnis.

«Es tut mir leid, Mama.»

«Die wachsen ja wohl wieder, die Haare.»

«Ich spreche nicht von den Haaren. Dass du dir dein Leben anders erhofft hast und Papa tot ist. Doch allein wirst du nicht sein, du hast ja mich, Mama.»

«Da wird wohl einer kommen, den du heiratest.»

«Ich dachte, mich nimmt nun keiner mehr.» Hennys Lachen klang nicht ganz heiter. «Doch wenn ich heirate, wird die Familie größer und nicht kleiner», sagte sie.

Ihre Mutter nickte. «Und Kinder willst du ja wohl auch kriegen.»

Sollte Henny sagen, das habe keine Priorität? Ihr gefiel es sehr gut, anderer Leute Babys auf die Welt zu bringen. Sie hatte nicht vor, Schwangerschaft und Geburt auf sich zu nehmen und Kinder großzuziehen. Leitende Hebamme zu werden, schien ihr verlockender. Doch Henny schwieg. Else war schon genügend geschockt worden für einen Tag.

«Ist Rudi der mit den Locken?»

«Du erinnerst dich also doch an ihn.»

«Geht mal ihr drei. Wird noch Platz am Tisch sein für diesen Rudi.»

«Vielleicht auch für vier. Ich frag noch jemanden aus der

Finkenau. Der Friseur nannte das goldene Haar übrigens ein helles Aschblond.»

«Da gibt es doch nette Kolleginnen bei euch», sagte Else Godhusen. Sie war nicht bereit, das Gold in Zweifel zu ziehen.

Die erstaunlichste Begegnung in der Garküche von Lings Vater war die mit Fräulein Grämlich gewesen. Ida hatte keine Ahnung gehabt, dass das alte Fräulein nicht nur für Hamburgs gestrauchelte Dienstmädchen Sorge trug, sondern auch den chinesischen Seeleuten zur Seite stand, die in der Stadt gestrandet waren und eine Existenz suchten.

Das Grinsen in Fräulein Grämlichs Gesicht, als sie im Dampf der Küche Antoinette Bunges Tochter erkannte, die ihr sonst nur bei feinen Teegesellschaften in den Villen rund um die Alster begegnete, ließ Ida noch in der Erinnerung verlegen sein. Das Fräulein durchschaute gleich, dass Bunges nichts ahnten von den Ausflügen ihrer Tochter in das Chinesenviertel St. Paulis.

Die nächste Überraschung war gewesen, dass Fräulein Grämlich großes Verständnis für Idas Abenteuerlust hatte. Das Fräulein war nicht nur bereit zu schweigen, es hatte auch Claire Müller als Alibigeberin in Idas Leben eingeführt.

Bis dahin hatte sie sich nur höchstens zwei Stunden von zu Hause entfernen können, Spaziergänge vorgetäuscht, einen Einkauf in der Galanterieabteilung des Kaufhauses Tietz am Jungfernstieg, die Begleitung ihrer Mutter oder einer genehmen Freundin abgewimmelt. Doch die ewig in Geldnöten befindliche Klavierlehrerin, auch sie ein Schützling der Grämlich, war Retterin in der Not geworden.

Ida hatte den Radius ihrer Recherchen längst vergrößert, Filme in den Lichtspielen am Hauptbahnhof gesehen und sich im roten Gängeviertel in eine Kneipe getraut. Doch weder bei Bauke in den Kohlhöfen noch in der Trattoria Italiana auf der Davidstraße war sie unbegleitet gewesen. Dass dieser Begleiter ihre Eltern in noch hellere Aufregung versetzt hätte als die Lokale, die sie aufsuchten, war Ida Bunge klar. Doch sie ahnten ja zum Glück nichts von Tian, Lings Bruder.

Nur Ling wusste von den Abenteuern, und Ling hatte geschworen zu schweigen. Vor ihrer Freundin Mia und den Eltern Lings und Tians, die Idas gelegentlicher Anwesenheit in ihrer Garküche scheu begegneten. Wäre Fräulein Grämlich nicht gewesen, die Fürbitte für die höhere Tochter leistete, sie hätten Ida gebeten, nicht wieder in die Schmuckstraße zu kommen.

Tian war kaum älter als Ida, doch sie fühlte sich an seiner Seite sicher und behütet. O ja. Sie war verliebt in den großen blendend aussehenden Jungen, der genauso neugierig auf das Leben war wie sie.

Doch ihr Schicksal hieß Campmann, da hegte Ida keine Illusionen. Carl Christian Bunge würde ihr nie erlauben, einen jungen Chinesen zu heiraten, dessen Vater als Heizer auf einem Schiff des Norddeutschen Lloyds nach Hamburg gekommen war. Er ließe ihn keinen Schritt an seine kostbare Tochter heran. Nicht einmal, wenn er erführe, dass Tian dabei war, in einem angesehenen Kaffeekontor die Lehre zum Kaufmann abzuschließen.

Die Lackstäbchen hatte Mia auf ihre Kappe genommen. Die kleine Schildkröte aus weißer Jade war Maman Gott sei Dank nicht in die Hände gefallen. Ein Geschenk von Tian zu ihrem neunzehnten Geburtstag im vergangenen Jahr und Ida viel lieber als der schwere silberne Brieföffner, den Campmann geschenkt hatte.

Nein. Campmann bekam kein Bein auf den Boden bei ihr.

Ida hatte vor, jeden Tag mit Tian zu genießen, der ihnen gegeben war. In gut einem halben Jahr würde sie zwanzig werden, dann war die Heirat unaufhaltbar, und wenn sie sich auch Tagträume erlaubte, die Tian eine Rolle in ihrem Leben trotz Campmann gaben, der junge Chinese würde kaum mit einem Betrug leben wollen, dafür war er viel zu geradlinig.

Der abschätzende Blick des Chauffeurs, als sie am Jungfernstieg in eine Kraftdroschke stieg und als Ziel die Schmuckstraße nannte. Hielt er sie für eines dieser Hürchen, die auf St. Pauli an den Straßenecken standen und ihre Körper verkauften? Mia hatte ihr davon erzählt und mit dem Finger auf eine gezeigt.

Doch der Fahrer wurde freundlicher, nachdem er sie im Rückspiegel betrachtet hatte. Alles an ihr sah nach Tochter aus gutem Hause aus – bis hin zu dem kleinen Karton, den sie am Schleifenband hielt und der ein Stück Rosenseife von Tietz für Tians Mutter enthielt.

Eine Freundlichkeit und ein kleiner Bestechungsversuch. Herr und Frau Yan waren wenig entzückt davon, dass sich Tian in eine vornehme junge Dame verliebt hatte. Das entsprach nicht dem Stand. Weder Idas noch Tians. Die Yans achteten darauf, dass es zu keiner Gelegenheit kam, bei der sich ihr Sohn und Ida allein in der Stube neben der Garküche aufhielten. Hätten sie geahnt, dass Ling ihnen gelegentlich ihr Zimmerchen unter dem Dach für kleine Augenblicke der Liebkosungen überließ, Ida wäre das Haus verboten worden.

Tian hatte Ida gebeten, zu einem kleinen Essen in das Lokal der Eltern zu kommen, bevor sie ins Lessing-Theater gingen, um sich den Film eines Regisseurs anzusehen, dessen Name in aller Munde war. Ernst Lubitsch. Tian liebte die Filmkunst.

Doch was versprach er sich von diesem Essen? Dass die

Eltern ihre Freundschaft guthießen, wenn sie Ida besser kennenlernten? Und wenn die Yans es täten, die Bunges wären bestimmt nicht bereit, Tian mit offenen Armen zu empfangen.

Es hatte Vorbereitung in der Fährstraße bedurft, um einzufädeln, dass sie vom frühen Mittag bis zum Abend aushäusig sein durfte. Vater hatte sie im *Adler* in die Colonnaden chauffieren lassen und ganz sicher seinen Fahrer instruiert, mit Argusaugen zu verfolgen, ob Ida in das Haus der Klavierpädagogin Müller ginge.

Ida hatte Franz Schuberts *Winterreise* genannt, um einen guten Grund zu haben, so lange fernzubleiben. «Ein Zyklus von vierundzwanzig Liedern, das dauert», hatte sie gesagt. «Für Singstimme und Klavier. Ich begleite die Sängerin, so was will geübt sein.» Sie hoffte nur, dass ihre Eltern nie und nimmer nach der Aufführung dieser Übung fragten.

Tian war schon an der Droschke, kaum dass die gehalten hatte. Er hielt Ida die Tür auf und bestand darauf, den Chauffeur zu bezahlen, der neugierig guckte. Tian sah nicht nach Schmuckstraße aus in seinem dreiteiligen Flanellanzug, den er auch im Kontor trug, doch er war ohne Zweifel ein Chinese.

«Bitte sei nicht enttäuscht», sagte er. «Sie haben nur für uns zwei gedeckt, es sei unpassend, sich als Familie zu Tisch zu setzen. Du und ich sitzen in der Wohnstube, Ling soll servieren. Doch vor allem ist sie die Sittenwächterin.»

War Ida nicht sogar erleichtert, obwohl sie eine Schnute zog?

«Aber du kriegst Vaters knusprige Ente zu essen. Mit Bambus, Bohnen und Pilzen. Das ist das Beste auf der Karte.»

«Dann haben du und ich Zeit für uns», sagte sie. «Vor Ling müssen wir uns nicht verstellen.»

«Ich freu mich, dass du das Gute darin siehst.» Tian lächelte.

«Begrüßen darf ich deine Eltern doch wohl? Ich habe ein kleines Geschenk für deine Mutter.»

«Das wird sie sehr verlegen machen.»

«Ihr Chinesen seid ziemlich kompliziert», sagte Ida. O wie gern hätte sie Tian geküsst, doch schon jetzt hatte sie das Gefühl, dass aller Augen auf sie gerichtet waren.

Als Ida einige Stunden später aus dem Lessing-Theater kam und auf den Gänsemarkt trat, lebte sie noch in der Welt der *Madame Dubarry*, die Lubitsch auf die Leinwand gebracht hatte. War sie nicht die Hutmacherin Jeanne, die den Studenten Armand liebte, doch von dem älteren Don Diego den Hof gemacht bekam?

Tian und Ida hielten sich an den Händen, als Don Diego vor ihnen stand. Campmanns Blick war erst ungläubig, dann kalt.

Ida wurde heiß. Kein Fitzelchen Schuldgefühl in ihr, als Friedrich Campmann sich umdrehte und festen Schrittes der Büschstraße zustrebte, nur die große Hoffnung, er würde nicht länger auf Einlösung des Heiratsversprechens bestehen.

Bunge ließ den Hörer auf die Gabel des Telefons sinken. Der zweite Apparat stand in Nettys Salon, sie hätte mithören können, doch ihre Schneiderin war soeben eingetroffen, da hatte sie anderes im Sinn, als zu lauschen, neugierig war sie ja. Sonst hätte sie kaum in Idas Zimmer geschnüffelt und die Lackstäbchen gefunden. Ein Glück, dass sie nicht mitgehört hatte. Netty hätte sich in eine große Aufregung hineingesteigert und einen ihrer Hustenanfälle bekommen, die sich häuften und ihm Sorge bereiteten. Er musste den Medizinalrat um einen Besuch bitten, eine Arztpraxis suchte das Eichhörnchen nicht auf. Aber was machte ihm keine Sorgen zurzeit?

Wenn er Campmann richtig verstanden hatte, dann war Ida an der Hand eines Chinesen aus einer Opiumhöhle gekommen. Oder war es doch das Lessing-Theater gewesen? Nun. Sie würde eine Erklärung abgeben müssen. Wie auch immer. *Winterreise. Schubert.* Bunge schüttelte empört den Kopf ob dieser Schwindeleien.

Er schritt die Maße seines Arbeitszimmers ab. Auf einmal bedrückten ihn das dunkle Grün der Wände und die Struktur der Tapeten. Vielleicht, weil Opiumhöhlen im Raume standen. Vielleicht auch, weil nur er und Campmann wussten, dass der Bankier dem künftigen Schwiegervater eine hohe Summe Geld geliehen hatte.

Wer auch immer der Chinese war, Campmann wurde gebraucht, da konnte keine Rücksicht auf Idas Gefühle genommen werden. Wenn die Damen auch nur ahnten, wie schlecht die Geschäfte gingen, würden sie ihre Pflichten kennen. Pflicht zu sparen. Pflicht zu heiraten.

Bunge trat ans Fenster und blickte auf den Garten mit der großen Terrasse, den Rosenrabatten, den alten Bäumen. Das durfte nicht verlorengehen. Nicht einmal das marode Birnenspalier.

Hatte er doch vor einiger Zeit den Duft von Ingwer und anderen exotischen Gewürzen an Ida wahrgenommen und ihn für ein sehr besonderes Parfüm gehalten. Dabei haftete der Geruch eines chinesischen Krämerladens an ihr.

Na warte, Fräulein, dachte er. Doch etwas fehlte. Was es war, ging Bunge auf, als er sich an den Schreibtisch setzte. Es fehlte der Zorn.

Henny hatte die Krone aufs Haar gesetzt und einen Hermelinkragen um den Hals gelegt. Der Kragen hatte ihrer väterlichen Großmutter gehört, ein Duft von Naphthalin ging von ihm aus, doch Else Godhusen fand beide Accessoires einer Prinzessin würdig und Hennys wadenlanges Taftkleid ohne diese Insignien viel zu schlicht. Else Godhusen war eine Anhängerin von Schärpen, Schleifen und Schleppen.

Henny legte das Hermelinchen ab und schob es in ihre Manteltasche, kaum dass Else nicht länger winkend am Fenster stand, zog auch die altmodischen weißen Spitzenhandschuhe mit den Perlmuttknöpfen aus, die Else ihr noch im Flur aufgenötigt hatte.

Käthe und Rudi warteten vor dem Haus in der Humboldtstraße, und Henny fühlte sich nicht länger unterkostümiert, als sie die beiden sah. Rudi ging als Rudi, und Käthe trug große Ohrringe aus Goldblech, hatte rote Lippen und alle Haarklammern aus ihren dunklen Haaren gelöst. Unter dem halblangen Mantel war das Konfirmationskleid zu erkennen, das jeden Eindruck von Zigeunerin konterkarierte.

«Treffen wir Unger im Lübschen Baum?», fragte Käthe.

Rudi sah Henny an, als übe er sich im Gedankenlesen.

«Ja», sagte Henny, «er kommt direkt dorthin.» Es hatte sie große Überwindung gekostet, den Arzt zu fragen, ob er Lust habe, mit ihr eine rauchige Tanzerei zu besuchen, statt an frischer Luft Schlittschuh zu laufen. Als führe diese Frage direkt in das Unger'sche Bett.

Sie gingen schnellen Schrittes über die Hamburger Straße und ins Lerchenfeld hinein zur Lübecker. Hatten sich untergehakt, obwohl die Straßen nicht länger glatt waren. Drei Freunde. Käthe hatte sich nicht einmal über die Krone lustig gemacht.

Viele der kleinen runden Tische waren bereits besetzt im

Saal des Lübschen Baums, der seine Anfänge als Zollstation am Stadttor nach Lübeck genommen hatte und längst einer der beliebtesten Tanzböden der Stadt war, Eheschmiede seit Generationen.

Auf der Bühne nahm gerade die Tanzkapelle Platz, doch die Luft vibrierte schon ohne Musik, der Lärmpegel lag hoch. Endlich fanden sie ihren Tisch, die Kellner schwirrten zu schnell, um Fragen zu hören, gar Antworten zu geben. Von Unger keine Spur.

Er war eine Stunde später noch immer nicht da, als Henny sich in den Armen eines jungen Husaren wiederfand, der ihr vage bekannt vorkam, einen Walzer tanzend, sich dem Takt hingebend, an das rote Samt der Husarenjacke lehnend, enorm verletzt, dass Herr Dr. Theo Unger nicht gekommen war. Die Krone hatte sie längst vom Kopf genommen.

Du sollst der Kaiser meiner Seele sein spielte die Tanzkapelle.

«Es wird einen Notfall in der Klinik gegeben haben», hatte Käthe nach einer halben Stunde gesagt. Doch hatte Unger nicht verkündet, er habe am Sonntag keinen Dienst und habe vor, einen großen Bogen um die Finkenau zu machen, damit er nicht gekapert werden könne?

Der Husar führte sie zum Tresen, sie tranken Sekt, hoben die Gläser, prosteten einander zu. Henny war schon ein wenig beschwipst vom Wein und einem Bols Brandy, von dem Rudi eine Runde ausgegeben hatte, als Unger sich nicht blicken ließ. «Die Dame an Ihrem Tisch wird nicht erfreut sein, wenn wir noch länger tanzen», sagte sie.

Der junge Husar wurde rot wie seine Samtjacke. «O doch», sagte er. «Ich versichere Ihnen, sie ist sehr erfreut.»

Henny stellte das Sektglas ab und betrachtete ihn. Ein Junge zum Liebhaben, dachte sie. «Sie sind es. Der mir zur

Mütze geraten hat, als ich mir gerade die Haare hatte kurz schneiden lassen.»

«Dem das Päckchen mit der Krawatte auf den Boden fiel.»

«Auf die haben Sie aber heute verzichtet.» Henny strich über eine goldene Litze der Husarenjacke.

Zum Glück, dachte Lud und lächelte. Die Husarenjacke aus dem alten Schrank auf dem Dachboden hatte ihm die nötige Courage verliehen, sich zu verbeugen vor der hübschen jungen Frau, die so rein aussah und rosig und gut, und sie um einen Tanz zu bitten. Das Schicksal hatte sie ihm noch einmal beschert, nachdem er stoffelig gewesen war und die Gelegenheit auf dem Winterhuder Weg nicht wahrgenommen hatte.

«Die Dame ist meine Schwester. Darf ich sie Ihnen vorstellen?»

War es Hennys Verletztheit, die sie willig sein ließ? Diesem Jungen so zugetan, der wahrscheinlich jünger war als sie selbst? Doch war Rudi nicht auch jünger als Käthe?

Sie tanzten noch zum Vilja-Lied. Tanzten an Käthe und Rudi vorbei, die ihr zuzwinkerten. Oder irrte Henny da?

Vilja, oh Vilja, du Waldmägdelein, fass mich und lass mich dein Trautliebster sein.

Ein alberner Text, dachte Henny und wunderte sich, dass es dem Sänger gelang, den ernsten Gesichtes vorzutragen. Und dann traten sie an den Ecktisch, und Lud Peters stellte Henny Godhusen seiner Schwester Lina vor.

Theo Unger lag auf Landmanns Sofa und versuchte, die Erinnerungen an den gestrigen Tag einzufangen. Der Vormittag des Sonntags hatte mit Niesen und Kopfweh begonnen, dennoch war er zum Bahnhof gefahren, um eine alte Freundin seiner Mutter abzuholen und sie nach Duvenstedt zu begleiten. Er hatte die Dame verpasst, vielleicht war sie gar nicht im Zug gewesen.

Danach war er zu Nagels Bodega hinübergegangen, hatte ein Glas Wasser verlangt, um ein Aspirin zu nehmen, doch er war auch eingekehrt, um den Fernsprecher zu benutzen und nach Duvenstedt zu telefonieren.

Dann hatte Landmann dort gesessen, ein großes Bier vor sich und einen Teller mit einem Schnitzel, das überlappte. Unger hatte kein Schnitzel gegessen, doch ein großes Bier getrunken, mehrere Kümmel dazu, die Landmann für ein empfehlenswertes Therapeutikum gegen Erkältung hielt.

Und nun war er aufgewacht in dieser Wohnung, von der er wusste, dass sie in der Bremer Reihe lag. Gleich am Hauptbahnhof und unweit von Nagels Bodega. Landmanns Sofa darin. Ungers Kopf tat schrecklich weh, und eigentlich hätte er genau jetzt in der Finkenau sein sollen und gestern im Lübschen Baum.

«Verdammt. Verdammt. Verdammt», sagte Unger laut, doch ihn hörte keiner. Er war allein in der Wohnung.

Landmann stand schon am OP-Tisch in der Finkenau. Er hatte den Kollegen Unger entschuldigt. Eine heftige Erkältung. Landmann fiel auf, dass die angehende Hebamme Henny Godhusen ihn lange ansah, als er davon sprach. Unger war da nicht chancenlos, er hatte schon länger beobachtet, dass dem die kleine Godhusen gefiel. Doch davon ahnte Unger nichts auf Landmanns Sofa in der Bremer Reihe.

«Verdammt», sagte Theo Unger leiser. Er hatte es vermasselt. All die Blicke, die er an Henny ausgesandt hatte. Wohlwollende. Bewundernde. Zärtliche waren auch dabei gewesen. Eine Wöchnerinnenstation war leider kein Buchsbaum-Labyrinth und eignete sich nur begrenzt für Liebeswerben. Vielleicht war überhaupt ein Kreißsaal dafür der am wenigsten geeignete Ort auf der Welt.

Er hätte Henny im heißen Sommer des vergangenen Jahres in den elterlichen Garten einladen sollen, die Hühner zeigen, die Hasen, die Apfelbäume, heile Welt. Seine Solidität beweisen. Dass Landmann und er zwar Freizeit teilten, doch nicht den lockeren Ruf.

«Lass dich bloß nicht mit einem Arzt ein», hatte er eine der jungen Hebammen sagen hören, «die tändeln mit dir herum, und nachher heiraten sie die Tochter vom Chef.»

Wusste er denn, dass er mehr von Henny Godhusen wollte als ein wenig Tändelei? Er brauchte endlich eine Gelegenheit, diese Frage nachhaltig zu klären. Hoffentlich war sie nicht der nachtragende Typ.

Unger erhob sich vorsichtig. Ein trüber Tag vor dem Fenster. Trüb traf zu. Er konnte ja alles erklären. Vielleicht kriegte er eine zweite Chance.

In Landmanns Küche lag ein Zettel auf dem Tisch. *Kurier dich aus. Werde Helbings Kümmel von der Arzneiliste streichen.*

Theo Unger ließ einen Gruß zurück, zog die Tür hinter sich zu und ging zum Hauptbahnhof hinüber, um in Richtung Walddörfer zu fahren, sich von seiner Mutter ein paar Spiegeleier braten zu lassen und zu hören, warum die alte Dame, die diese unglückselige Ereigniskette ausgelöst hatte, nicht im Zug gewesen war.

NOVEMBER 1921

Es wäre Nettys Tod gewesen. Carl Christian Bunge stand am Anleger Schwanenwik, wartete auf den Dampfer, der ihn über die Alster zur Alten Rabenstraße bringen sollte, und hing den Gedanken nach. Wurde er wunderlich und hatte gerade gedacht, dass es Nettys Tod gewesen wäre? Er war doch kein Mann, der verdrängte.

Viel zu schnell war alles gegangen in den Monaten seit Januar. Er hätte Netty dem Arzt viel früher zuführen müssen. Eine hartnäckige Bronchitis hatte er für möglich gehalten, vielleicht an schlimmeren Tagen an eine Tuberkulose gedacht und den Aufenthalt in einem Sanatorium in Davos ins Auge gefasst. Doch da hatte eine noch gierigere Bestie gelauert und ihnen Netty genommen.

Er sah, wie sich das Dampfschiff *Neptun* vom Hotel Atlantic her näherte, und trat an den Steg heran. Ein klarer Tag und nicht einmal kalt, obwohl die wärmende Wolkendecke fehlte.

Er hätte Ida nicht zur Heirat mit Campmann zwingen dürfen. Sie litt in ihrer Etagenvilla im Hofweg-Palais. Eben hatte er sie besucht, und ihm war das Herz kaum leichter geworden auf seinem Gang vom Hofweg zum Schwanenwik. Wo war sein unbekümmertes Töchterchen geblieben, gelegentlich zickig, doch neugierig und lebensfroh? Eine ernste junge Frau war sie, die sich nichts anderes wünschte, als ein Kind zu kriegen. Warum wollte sie so dringend ein Kind von dem ungeliebten Mann? Um weniger allein zu sein?

Im Mai hatten sie Hochzeit gefeiert. Was waren die Gründe für diese Eile gewesen? Den Chinesen fernhalten? Einen noch höheren Kredit von Campmann in Anspruch nehmen? Des raschen Verfalls Nettys wegen, die doch eine prächtige Brautmutter hatte sein wollen?

Bunge stieg auf das Schiff, blieb vorne am Bug stehen, blickte auf die Gischt und das graue Wasser der Alster. Der Wind war nun kälter und hätte einen klaren Kopf machen können, dennoch kam ihm wieder dieser verschwurbelte Gedanke: Es wäre Nettys Tod gewesen, wüsste sie, dass er heute den Immobilienmakler durch das Haus in der Fährstraße geführt hatte.

Keine der Opfergaben hatte die Götter gnädig gestimmt, er hatte Idas Herz vergeblich vor deren Sockel gelegt.

Wenn Ida wüsste, dass er dabei war, sein eigenes Herz wieder zu verschenken, ein Vierteljahr nach Nettys Tod. Es gelang ihm einfach nicht, allein zu sein. Das leere Haus. Mia in Idas Haushalt, die Köchin gegangen, das zweite Mädchen, der Gärtner, der Chauffeur. Fort.

All das brach ihm das Herz, er hatte doch sehr am Eichhörnchen gehangen. Dass er jetzt Guste gefunden hatte, ein Glück.

Er hatte eine Heimat in ihrer Pension an der Johnsallee. Es war einsam in der Villa ohne Ida, ohne das Eichhörnchen, ohne das ganze Personal. Welch ein Unterschied Anfang und Ende eines Jahres machten. Lächerliche zehn Monate, der Untergang einer Welt.

Auch Kiep und Lange hatte er hinter sich gelassen. Nicht länger den Spirituosen nachtrauern, er setzte auf Schellack. In Gustes Pension gab es einen Holländer, der für Plattenfirmen reiste. Geräte zum Abspielen der zehn Zoll und zwölf Zoll großen Scheiben, und auch die hatte er im Angebot. Operetten waren daraufgepresst. Ganze Tanzorchester. Und Caruso sang. Den ganzen Tag sang er vom Grammophon in Gustes Pension. Die Arie des Rodolfo. La Bohème. Auch Caruso nun tot. Im August noch vor Netty gestorben.

«Wie eiskalt ist dies Händchen», summte Bunge, als sich das Schiff der anderen Alsterseite näherte.

Überhaupt. Schellack passte doch zu Kautschuk.

Wenn es ihm gelänge, wieder reich zu werden, dann könnte er Ida auslösen. Ach was. Sie sollte sich mit Campmann arrangieren. Das mit dem Chinesen wäre doch nicht gutgegangen, zu fremd, die Kultur. Bei Guste stieg gelegentlich ein alter Chinese ab. Handelte mit Porzellan. Viele Geschäfte schien er nicht zu machen, sah ärmlich aus, blieb wohl auch oft das Geld fürs Zimmer schuldig. Diese Guste Kimrath hatte wahrlich ein großes Herz.

Wer wusste denn schon, was das Leben noch bringen würde und nehmen wollte. In diesem Jahr war es gierig gewesen. Gierig wie der Krebs von Netty. Doch solange er im Spiel war, dachte Carl Christian Bunge, als er durch die Alte Rabenstraße in Richtung Johnsallee ging, so lange spielte er auf Gewinn.

Henny stieg die Stufen der Station Emilienstraße hoch und hatte von da nur noch wenige Schritte bis zu der Adresse, die auf ihrem Zettel stand. Ein Emailleschild am Haus. *Frauen- und Geschlechtskrankheiten.* Sie trat ein in die Praxis, zu der es zwei Stufen hinunterging, als sei das ein Krämerladen, und staunte, wie weit entfernt die Ausstattung vom Glanz der Klinik Finkenau war. Doch hatte sie nicht genau das gewollt? Sich weit entfernen von ihrem wirklichen Leben?

Sie gab ihre Personalien an und wurde in ein Wartezimmer geführt, welches das kleinere von zweien zu sein schien. Aus dem anderen kamen laute Stimmen, hier war sie allein. Kolorierte Zeichnungen hingen an den Wänden, alle trugen den Titel *Wunder der Mutterschaft*.

Seit sechs Monaten durfte sie sich staatlich geprüfte Hebamme nennen und saß nun in diesem Wartezimmer. Sie war verrückt. Doch wem hätte sie sich anvertrauen sollen? Nicht einmal Käthe wusste es.

Lud ging selbstverständlich davon aus, dass sie eine große Familie haben wollte. Warum hatte sie das nicht von Anfang an klargestellt? Warum war sie dem Jungen so verfallen? Seiner Sanftheit wegen?

Frau Godhusen wurde ins Sprechzimmer gerufen. Verheiratet mit Herrn Godhusen. Ach Papa, dachte Henny, vielleicht hätte ich es *dir* anvertraut. Doch hättest du verstanden, warum ich mich nicht nach Mutterglück sehne? Lieber eine Karriere haben will? Wenn schon nicht als Ärztin, dann doch als leitende Hebamme. Else hatte ihr oft das Gefühl gegeben, viel geopfert zu haben für ihr Kind.

Zwei Jahre Hebammenlehre und noch nicht mal fähig zu verhüten. Henny legte sich auf den gynäkologischen Stuhl und hätte dem älteren Herrn im weißen Kittel, der streng über seine Brille blickte, das Kapitel über die Steinschnittlage, die sie da gerade einnahm, auswendig aufsagen können.

«Eindeutig», sagte er, «Ende zweiten Monats.» Sein Blick fiel auf Hennys rechte Hand. Sie hatte Elses Ring mit dem Mondstein nach innen gedreht, nur das Gold war zu sehen, nicht der Stein.

«Dann gratuliere ich», sagte er zögernd. Er praktizierte in einer Gegend, in der eine Schwangerschaft oft ein Schlamassel war.

Henny zahlte zwölf Mark und verließ die Praxis, stieg die Stufen zur Station Emilienstraße hinunter und setzte sich in die U-Bahn. Lud abpassen, wenn er aus dem Tor von Nagel und Kaemp kam. Ihr war bange vor seiner Freude.

Sie fuhr nicht zu Nagel und Kaemp, Henny stieg am Hauptbahnhof aus und lief den Steindamm hinunter, hatte keine Augen für die Läden und auch nicht für die Elektrische, die die Straße durchratterte. Rudi war es, der diesen Lauf aufhielt und sie davor bewahrte, letzten Endes noch unter die Räder zu kommen. Rudi, der vom Pfandleiher kam, bei dem er nach langer Zeit eine Krawattennadel mit Orientperle ausgelöst hatte. Der Uhrkette war er nicht so anhänglich gewesen.

Henny ließ sich von Rudi umarmen und brach in Tränen aus.

Er führte sie zu den Bahnhofsgaststätten, weil sie nicht in Nagels Bodega wollte, bestellte echten Kakao mit Sahne zum Seelentrost und hörte sich den Jammer an. Wenn es ihn erstaunte, dass Henny nicht verhütet hatte, schwieg er darüber. Doch er bedauerte an der Stelle sehr, dass seine Käthe eine begnadete Verhüterin war.

«Lud wird nichts lieber tun, als dich zu heiraten», sagte er, «liebst du ihn denn nicht?»

«Doch», sprach Henny in die hohe Tasse hinein.

«Dann verstehe ich die Aufregung nicht. Hast du Angst vor der tugendhaften Else? Dass sie die Lotterei des vorehelichen Verkehrs verdammen wird?»

«Ich will keine Kinder», sagte Henny.

Die Gäste nebenan schauten irritiert, als der junge Mann die dunklen Locken heftig schüttelte. Gehörte sich das an gedeckten Tischen?

«Und dann lässt du dich mit Lud ein, der allen erzählt, dass er auf Kinder im Dutzend hofft?»

Henny hob die Schultern.

«Du hast dich zu überlisten versucht», sagte Rudi.

«Willst du mir sagen, dass ich mich eigentlich im tiefsten Inneren nach Kindern sehne?»

«So ungefähr. Ich kann mir kaum vorstellen, dass es dir einfach passiert. Du bist nicht der nachlässige Typ.»

«Nein», sagte Henny, «das ist nicht wahr.»

«Ich habe eine neue Anstellung. Bei Friedländer. Die mit den Plakaten. Das ist mehr als Drucken. Das ist Lithographenhandwerk.»

«O Rudi, dann könnt ihr ja heiraten.» Dachte sie einen Augenblick lang an eine Doppelhochzeit in der Gertrud-Kirche?

«Du weißt, wie es bei Käthe mit dem Heiraten ist. Doch wenn du zum Traualtar gehst, kommt sie vielleicht auf den Geschmack.»

Henny betrachtete ihn. Sehnsüchtig sah er aus. Oder setzte bei ihr etwa schon die Rührseligkeit der Schwangeren ein? Sie hatte Rudi vom ersten Augenblick an ins Herz geschlossen.

«Du denkst doch nicht an einen Abbruch?»

«Nein», sagte Henny, «das geht gegen den Hebammenethos.» War sie gestern nicht beinah in Versuchung gewesen, eine heiße Lauge aus der Kresolseife herzustellen? Sie hatte Frauen in der Klinik gesehen, denen es gelungen war, so ein frühes Ausstoßen der Frucht herbeizuführen.

Rudi nickte und schien erleichtert. «Du solltest es Lud sehr bald sagen.» Er wollte hinzufügen, dass Lud außer sich vor Glück sein würde, doch er sah, dass sich Hennys Gesicht verfinsterte.

«Ich bringe dich nach Hause», sagte er.

«Keine Angst. Ich gehe nicht in die Elbe und ertränke mich.»

«Dafür kannst du zu gut schwimmen.»

«Hat dir Käthe vom Arbeiterwassersportverein erzählt?» Hennys Gesicht entspannte sich endlich. «Frei Nass.»

«Vereinsmeisterin seiest du gewesen.»

«Quatsch», sagte Henny.

«Ganz die Käthe.»

«Warum will Käthe eigentlich nicht heiraten?»

«Du kennst sie länger als ich», sagte Rudi.

Sie taten heiter auf der Bahnfahrt nach Hause. Doch als Henny von der Humboldtstraße aus das Licht im zweiten Stock des Eckhauses an der Schubertstraße sah, sank der Mut, es ihrer Mutter zu sagen, und sie entschied, erst einmal zu Lud zu gehen. Sie wollte frohe Gesichter sehen, von Else erwartete sie Vorwurf und Enttäuschung.

In der Canalstraße öffnete ihr Lina die Tür, Lud war noch gar nicht da. Lina führte sie ins Wohnzimmer, das Henny viel gemütlicher fand als Elses blank geputzte Stube, vor die ihre Mutter am liebsten eine rote Kordel gespannt hätte, um den Eintritt zu verwehren. Doch dieses Zimmer hier hieß einen willkommen.

Das rundliche Sofa, der gut gefüllte Bücherschrank, dessen Türen immer offen standen, das warme Licht der Lampe, die hinter einem Lesesessel stand. Kam ihr darum der Satz leichter von den Lippen?

«Ich erwarte ein Kind von Lud.»

Lina ließ kein Zögern in ihre Stimme. Als sei es ganz normal, dass Lud Vater wurde mit gerade mal zwanzig Jahren. «Ich freu mich», sagte sie, «dass es sich fortsetzt, das Leben, und nicht nur Tote zu betrauern sind. Ich freu mich für Lud, der sich nach einer Familie sehnt. Doch ich nehme an, du hattest andere Pläne, Henny?»

«Vorwärtskommen im Beruf. Das war der Plan.»

Lina setzte sich zu ihr auf das Sofa. «Das ist dennoch zu schaffen. Wir werden alle dabei helfen. Lud wird ein leidenschaftlicher Vater sein und ich eine ebensolche Tante. Deine Mutter wird dir zur Seite stehen.»

«O ja», sagte Henny, «das immerhin wird ihr gefallen, mir dauernd auf der Pelle zu hocken.» Ihr Wunsch nach Kinderlosigkeit schien viel mit Else zu tun zu haben. Das war ihr heute klargeworden.

Lina lächelte. Sie tat sich auch schwer mit der besitzergreifenden Else Godhusen, die gnadenlos war in ihrer Güte. «Ich kenne eine Ärztin, die gerade ihr zweites Kind bekommt», sagte sie, «und die dennoch weiter in der Uniklinik arbeitet. Meinen Schülerinnen sage ich, dass sie um der Kinder willen nicht auf einen eigenen Beruf verzichten müssen. Frauen sollen nicht nur die Wahl haben, sondern auch beides leben dürfen.»

Sie hoben beide den Kopf, als sie den Schlüssel im Schloss hörten.

Lud, der nach Hause kam. Erst einmal war er besorgt, weil Lina eilig aufstand, nach ihrem Mantel griff, während Henny auf dem Sofa saß und die Hände knetete.

«Ich habe Lust auf einen kleinen Spaziergang», sagte Lina und zog schon die Tür hinter sich zu.

«Henny. Ist was Schlimmes geschehen?» Hatte er nicht im Leben schon erfahren müssen, dass man sich auf gutem Wege wähnte, und dann hatte der eine schlechte Wendung erfahren?

Lud legte Mantel und Hut ab, setzte sich nicht zu Henny

auf das Sofa, sondern ging vor ihr in die Hocke und fing an, ihre Hände zu streicheln.

«Ich nehme an, ich sehe aus wie durch die Mangel gedreht.» So fühlte sich Henny. Heiß. Feucht. Platt.

«Ein bisschen erhitzt siehst du aus. Hast du Fieber?» Lud legte ihr eine kühle Hand auf die Stirn.

«Du und ich, Lud, wir kriegen ein Kind.»

Lud kam aus der Balance in seiner Hocke und kippte auf den kleinen Orientteppich, der vor dem Sofa lag. Als er wieder hochkam, war er es, der heiß und platt aussah. In seinen Augen standen Tränen.

«Du bist schwanger?»

Henny nickte. Nein. Das hätte sie nicht vom leisen Lud gedacht, dass ein solch lauter Jubel aus ihm kommen könnte, Jubel, der jäh abbrach, und dort, wo er gehockt hatte, fiel er jetzt auf die Knie.

«Ich bitte dich um deine Hand», sagte er und hielt die schon fest. «Henny, liebste Henny, heirate mich.»

Henny lächelte. «Eine ledige Mutter wäre ich auch nicht so gerne», sagte sie. «Dann würde sich Else kaum mehr auf die Straße trauen.»

«Liebst du mich denn auch?»

«Das weißt du doch. Komm endlich aufs Sofa, lieber Lud. Das ist doch unbequem, uns zu küssen, wenn du da kniest.»

«Und Else?», fragte Lud. «Was sagt sie?»

«Die weiß noch gar nichts.»

«Dann lass es uns ihr gemeinsam sagen.»

Ob Else das zu schätzen wusste? Doch Henny wollte Lud nun nichts mehr nehmen von seinem ganz großen Glück.

Dass er das zarte Pflänzchen Liebe ausgerissen hatte, tat Landmann noch immer leid. Lange schien ihm, als könne

Unger nicht vergessen, dass er ihn in Nagels Bodega die vielen Kümmel hatte trinken lassen. Unger hatte die Unglückseligkeiten jenes Tages Henny Godhusen zur Vergebung vorgelegt, doch zu einem neuen Rendezvous kam es nicht.

Landmann pfiff leise, als er den Flur zur Privatstation entlangging. Die junge Dame habe sich verlobt, hatte er heute gehört. Dr. Kurt Landmann bildete sich einiges darauf ein, dass er mit bloßem Auge zeitige Kenntnis hatte, wenn eine Frau gesegneten Leibes war. Es konnte gut sein, dass Unger des Trostes bedurfte, das Gezwitscher im Schwesternzimmer hatte ihn sicher erreicht.

Er fand Theo Unger, wo er ihn vermutet hatte, am Bett des Fräulein Liebreiz. Nomen est omen. Vielleicht war Unger schon dabei, sich selbst zu trösten. Landmann kannte die Familie Liebreiz, das waren liberale Leute, die keinen Wert auf Religionszugehörigkeit legten und einen Goi als Schwiegersohn akzeptieren würden.

Unger könnte da gut hineinpassen.

Einen Verdacht auf eine Blinddarmreizung hatte es bei Elisabeth Liebreiz gegeben, doch nachdem nun auch die linke Bauchseite zu zwicken begonnen hatte, sah es eher nach einer Entzündung der Eierstöcke aus. Die ganze Familie sorgte sich, das könne zur Unfruchtbarkeit führen.

Landmann nickte den beiden kurz zu und schloss die Tür. Nicht, dass er schon wieder an einem Pflänzchen riss.

Konnte denn Henny Godhusen viel an Unger gelegen haben, wenn sie so ungnädig geblieben war? Ihre Freundin Käthe, die ihm da gerade auf der Treppe entgegenkam, war ohne Zweifel das sinnlichere Weib. Und sie wusste von ihrer Wirkung, dessen war er sicher. Doch auch sie sollte bereits vergeben sein.

Da hatte man in seinen jungen Jahren im Feld gestanden,

und danach war vieles vorbei gewesen. Die Liebe und die Gelegenheiten. *Oda*. Eine Sekunde erlaubte er sich, an sie zu denken.

Unger war zehn Jahre jünger als er. Der ging vielleicht noch eine Turteltaubenehe ein, so wie er eben auf der Bettkante bei Elisabeth Liebreiz gesessen hatte.

Landmann zwinkerte Fräulein Laboe zu und lächelte, als Käthe zurückzwinkerte. *Da warst du noch nicht mal ein Zwinkern in Vaters Auge*. Wer hatte das gesagt? Ein kleines Techtelmechtel. Das täte ihm gut. Vielleicht ließe sich das Glück versuchen. Von einer Verlobung des Fräulein Laboe war ihm noch nichts zu Ohren gekommen. Ach was. Er sollte seinen Grundsätzen treu bleiben. Käthe Laboe blieb tabu für ihn.

Sein alter Ordinarius hätte die Heiraterei am liebsten verboten. *Die unverheirateten Schwestern und Hebammen, das sind die treuesten Helferinnen des Arztes*. Diesen Satz hatte er so oft gesagt wie der alte Cato seinen zur Zerstörung Karthagos.

Landmann blickte noch einmal hoch, als er am Fuße der Treppe angekommen war. Was tat sie um diese Uhrzeit auf der Privatstation? Da waren momentan weder Gebärende noch Wöchnerinnen zu betreuen. Doch Käthe war schon aus seinem Blickfeld. Schade. Er wäre in der Stimmung gewesen, wenigstens zu schäkern.

Der fröhliche Landmann. Das kannte er schon. Den Schumann hatten sie ihm immer um die Ohren gekloppt und es für originell gehalten. Doch *alles* weglachen konnte er nicht. Landmann fühlte sich einsam.

Das erste Mal, dass sie das tat. Eine Dose voller Schokoladenflocken. Klauen. Wenn da oben in der Küche eine Dose fehlte, wurde die nächste aus dem Regal genommen. Die Frauen auf der Privatstation waren gut versorgt. Die darbten deswegen nicht.

Von den Reichen zu den Armen, dachte Käthe Laboe und versteckte die Dose unter ihrer weißen Schürze. Süßes für die Nerven hatten auch die Frauen im Saal nötig. Ein Kilo Flocken, das sollte ein paar Tassen Kakao für jede im Sechzehner-Saal geben.

Damals im Sommer vor zwei Jahren hatte Unger im Labor Rotwein mit Ei und Zucker zur Stärkung einer Patientin zubereitet. Im Laborraum gab es auch einen zweiflammigen Gaskocher. Fehlte nur noch Milch, die vorhandene musste sie wohl mit Wasser strecken. Am Nachmittag mit dem Rolltisch rein in den Saal und die Tassen verteilen. Heilige Käthe.

Käthe öffnete ihren Spind, stellte die Dose Schokoladenflocken ins Fach und zuckte zusammen, als sie die Tür gehen hörte.

«Was machst du denn noch hier?»

«Und du?», fragte Käthe und drehte sich zu Henny um.

«Ich hab getauscht und die späte Schicht übernommen. Lud will morgen Vormittag mit mir zum Pastor in die Gertrudkirche.»

«Das geht aber holterdiepolter.»

«Dauert ja noch mit der Trauung. Aber mit dickem Bauch will ich auch nicht vor dem Altar stehen. Was ist denn mit dir und Rudi? Das kann doch nicht nur deine revolutionäre Ader sein.»

Käthe schloss ihre Spindtür umständlich zu, als sei das die Tür mit den sieben Schlössern. «Er liebt mich», sagte sie.

«Das ist mir nicht entgangen.»

«Ich ihn ja auch. Aber irgendwas macht mir Angst.»

«Was macht dir Angst?»

«Ich weiß es nicht. Als ob kein Glück drauf läge.»

«Spökenkiekerei, Käthe.»

«Nein», sagte Käthe. Und dann lagen sie sich in den Armen und heulten ein bisschen. Ließ sich doch nicht in die Zeit hineinblicken, keiner wusste, was ihnen bevorstand.

«Lass uns aufhören zu flennen», sagte Käthe und entzog sich der Umarmung. «Ich krieg wohl meine Tage.»

Zu viel Gefühl durfte es bei den Laboes nicht geben. Das kannte Henny schon. Sie ging zum Waschbecken und tat zwei Hände voll Wasser ins Gesicht, trocknete es und zog die Klammern der Haube nach. Höchste Zeit, den Dienst im Kreißsaal anzutreten.

«Heute hatte ich lauter Mädchen», sagte Käthe. «Bin mal gespannt, was du ausbrütest.»

Kein Thema, das Henny vertiefen wollte. Alles war zu viel. Luds Jubel. Elses Geseufze. Als hätte auch der englische Thronfolger angestanden und um Hennys Hand gebeten, und nun kam ein junger Kaufmann aus dem Kontor von Nagel und Kaemp daher, kaum zwanzig Jahre alt, und schnappte die Tochter weg. Die Einzige, an die Henny sich lehnen konnte, war Lina, ihre künftige Schwägerin.

Sie putzte die Nase, nickte Käthe zu und schloss die Tür hinter sich.

Käthe stand noch immer vor dem Spind. In ihrem Wintermantel. Mit der Aktentasche in der Hand. Ganz schnell ging es, dass sie den Spind öffnete, die Dose entnahm und in die Tasche tat. Das Leder buchtete aus unter dem Eindruck des Kilos Schokoladenflocken.

An *ihre* Nerven dachte ja sonst keiner. Die brauchten auch dringend Süßes, nötiger als einen Heiligenschein. Wenn es nur endlich was mit den gemeinsamen vier Wänden von Rudi und ihr würde. Diese miesen Vermieter, die sich als

Tugendapostel aufspielten und ihnen unsittliches Verhalten unterstellten. Was hieß denn *unsittlich*?

Sie hatte die Nächte auf dem Kanapee in der elterlichen Küche satt und auch die Schäferstündchen in der Wohnung von Rudis Mutter. Wie oft waren sie schon aus dem Bett gesprungen und in die Kleider hinein, wenn sie den Schlüssel in der Tür hörten. Grit Odefey sah sie dann an, als sei das kein Liebesglück, das sich vor ihren Augen zu verbergen suchte, sondern der Anfang einer Tragödie.

In Rudi fand sich nichts von seiner Mutter. Keine Ähnlichkeit. Doch auch der Mann auf der Fotografie mit aufgemaltem Alpenpanorama war kaum als Vater zu erkennen. «Du bist vom Himmel gefallen», sagte Käthe dann, «in diese zwei Zimmer mit Klo auf halber Treppe hinein.»

Kam ihr komisch vor, dass es keine anderen Spuren vom Vater geben sollte und nichts aus Grit Odefeys Vergangenheit. Bei den Laboes waren auch alle tot, Anna, Karl und sie die einzigen Überlebenden. Doch von den Toten gab es Bilder und Geschichten. Je älter ihre Eltern wurden, desto öfter erzählten sie die. «Ich weiß noch», fing ihr Vater dann an und fiel oft ins Platt. Rudi, der die Wörter liebte, war ganz ohne Geschichten aufgewachsen. Er habe sich nicht getraut zu fragen, hatte er gesagt, Grit sei dann immer verlegen gewesen.

Steinern, dachte Käthe, steinern konnte Grits Gesicht sein.

Ihr Blick fiel auf den Spind, vor dem sie noch immer stand. Hing hier ihren Gedanken nach, statt die Flucht anzutreten. Das, was sie da dachte, war doch nur eine einzige Bitte um Vergebung für das Klauen der Schokoladenflocken.

Weil das Leben hart war und sie es schwer hatte.

Dem Gedanken hätte Ida Campmann geborene Bunge zugestimmt, wäre er ihr zu Ohren gekommen, doch Käthe Laboe war ihr nur ein Mal begegnet. Da war die Tochter der Zugehfrau erschienen, um ihre Mutter einer Erkältung wegen zu entschuldigen. Damals im elterlichen Haus in der Fährstraße.

Hatte es Zeiten gegeben, in denen ihr dieses Haus vorgekommen war wie ein goldener Käfig, in dem sie sich langweilte? Heute schien es ihr ein verlorener Hort des Glücks zu sein, dessen Hüterin Netty gewesen war.

Ida nannte ihre Mutter in der Erinnerung nur noch Netty und nie mehr *Maman*, als könne sie Antoinette Bunge nachträglich streicheln mit der Nennung des Kosenamens. Ihr Vater sprach auch heute noch immer vom *Eichhörnchen*, das hatte Ida nie gefallen. Vermutlich hatte er Netty in keiner Minute ihrer Ehe ernst genommen.

Es sei ein sanfter Tod gewesen, hatte der Medizinalrat gesagt. Die Harnvergiftung habe Netty dahindämmern lassen, das sei bei Krebs eine Gnade. Fand ihr Vater Trost darin? Ida tat es nicht.

Das Leben war hart, und sie hatte es schwer.

Ida ging durch die acht Zimmer ihrer Wohnung. *Etagenvilla* nannte ihr Vater die. Das war hochtrabend und typisch für ihn. Er übertrieb gerne. Ohne Zweifel war es herrschaftlich hier im Hofweg-Palais, eine Anfahrt zum Haus für die Automobile, ein kleiner Brunnen vor der Tür. Schönster Stuck. Viele Verzierungen im Jugendstil. Doch ihr fehlte der Garten der Fährstraße. Die große Terrasse. Das Birnenspalier.

Vor allem fehlte Leben. Campmann war den ganzen Tag nicht da und selten am Abend. Nur in der Nacht in ihrem Bett traf sie ihn an.

Kein Personal außer Mia. Eine Köchin wäre gut. Es roch verbrannt aus der Küche. Mia versuchte sich an Wiener Schnitzel, auf Wunsch des Hausherrn, der ihnen heute Abend die Ehre gab.

Ida trat in die große Küche, in der sie noch nie einen Topf bewegt hatte, nur Topfdeckel, um zu prüfen, was Mia produziert hatte. Was lagen da für krustige Lappen auf der Silberplatte?

«Der gnädige Herr ist doch noch gar nicht da. Schnitzel müssen *à la minute* gebraten werden, Mia.»

«Ich hab gedacht, die hab ich dann schon mal wech und kann mich um die Kartoffeln kümmern.»

«Dann iss du die kalten und fang neu an mit den Schnitzeln, wenn mein Mann eingetroffen ist. Genügend Kalbfleisch ist doch wohl noch da?» Daran hatte sie wenigstens Freude, die Vorräte im Auge zu behalten, die Lieferanten auf Trab zu bringen, sich das Beste ins Haus liefern zu lassen von Michelsen oder Heimerdinger und dem Metzger.

Als Ida die Küche verließ, kaute Mia schon am kalten Schnitzel. Ida schüttelte den Kopf über diese Gefräßigkeit. Wer hätte gedacht, dass sie Geduld aufbringen könnte für das Schaf, und wenn es nur daran lag, dass Mias Freundschaft mit Ling eine Brücke baute zu Tian. Eine Brücke, die Ida sich nicht zu betreten traute, doch allein schon zu hören von dem, was Tian betraf, tat ihr gut.

Claire Müller stünde weiter zur Verfügung. Sie ließe sich noch immer gern Klavierstunden bezahlen, die sie nicht gab. Campmann teilte Ida genügend Taschengeld zu, dass Ida es leicht hätte finanzieren können, doch es bot sich kein Anlass für ein Alibi. Leider. Vielleicht sollte sie trotzdem Mademoiselle Müller kontaktieren.

Oder war es Campmann egal, wie sie ihre Tage verbrachte? Abenteuer mit *dem Chinesen* hätte er sicher nicht gutgeheißen.

Sie ging ins Esszimmer, wo schon gedeckt war am oberen Ende des langen Mahagonitisches. Porzellan aus der Königlichen Manufaktur, das zu Nettys Aussteuer gehört hatte. Kristallgläser. Silber.

Ein einsames Paar mit Dienstmädchen.

Die Brücke betreten, an deren anderem Ende Tian stand.

Ida hörte Campmann kommen, und sie ging in die Küche, um das Zeichen für die Wiener Schnitzel zu geben.

Vielleicht lag es an der tiefstehenden Novembersonne, die diese Wohnung in ein weiches Licht tauchte, dass Käthe so hingerissen war von den zwei Zimmern mit Küche und einem kleinen südwestlichen Balkon.

Sie drehte sich zu Rudi um, der vor einem weißen Kachelofen stand. Wenn er jetzt in ihrem Gesicht läse, dann wüsste er, dass Käthe bereit war, vieles für diese Wohnung zu tun.

«Sie sehen ganz verzückt aus, junge Frau», sagte der freundliche alte Herr, dem das Haus in der Bartholomäusstraße gehörte. «Ich nehme an, Ihnen steht eine Heirat ins Haus, oder sind Sie bereits verheiratet?»

Rudi wandte sich vom Ofen ab und blickte Käthe an. Käthe sah sich noch einmal in den lichten Zimmern um, bevor sie Abschied von dem Gedanken nahm, hier ein Zuhause zu haben.

«Drüben ist ein Spielplatz», sagte Rudi, der ans Fenster getreten war.

«Und die Badeanstalt», sagte der alte Herr.

«Wir sind nicht verheiratet», sagte Käthe.

«Aber ich habe es richtig verstanden, dass Sie beide hier einziehen wollen? Ich kann Ihnen die Wohnung nicht ohne

Trauschein geben. Es ist ein ehrenwertes Haus. Ehepaare. Familien.»

Die Stimme des alten Herrn war noch immer weich, sie hatten seine Sympathie nicht verloren, doch Käthe hörte heraus, dass es vorbei war.

«Selbst wenn wir jetzt zum Standesamt gingen, diese Wohnung werden Sie doch nicht für uns reservieren.» Käthe klang kläglich.

«Würden Sie uns vertrauen, wenn wir Ihnen eine Bestätigung des Aufgebots brächten?» Rudi hielt den Atem an, nachdem er den Satz herausgebracht hatte, in Erwartung, dass Käthe widersprach.

Sie tat es nicht. Dachte sie an das Kanapee in der Küche? An das steinerne Gesicht von Grit, wenn Käthe ohne Strümpfe und mit nur halb geknöpfter Bluse aus Rudis Zimmer kam?

«Dann gehen Sie mal los und machen das Aufgebot. Soll der Herr Standesbeamte das Kohlepapier einlegen und eine Kopie anfertigen.»

«Sie vertrauen uns?», fragte Rudi.

«Sie geben die Wohnung an keinen anderen?», fragte Käthe.

«Ich hab die Plakate von Friedländer immer schon hochgeschätzt», sagte der alte Herr. «Besonders die für Hagenbeck. Und Hebammen leisten unserer Gesellschaft so hohe Dienste, gar nicht genügend zu würdigen.» Der alte Herr schmunzelte. «Machen Sie mal», sagte er.

Er stand am Fenster und sah, wie die beiden sich unten vor dem Haus umarmten. Es hatte keine Eile mit der Wohnung, vier Häuser in Barmbeck brachten ihm ein gutes Einkommen. Sie gefielen ihm, die jungen Leute. Man musste ihnen helfen in diesen Zeiten.

«Meinst du es ernst?», fragte Rudi unten auf der Straße. «Kein Rückzieher, wenn die Kopie vom Aufgebot bei ihm ist?»

«Glaubst du, wir können das verheimlichen?», fragte Käthe. «Dass wir verheiratet sind?»

«Warum das denn?»

«Wie stehe ich da? Vor Henny. Kommt noch, dass ich früher verheiratet bin als sie. Und all die anderen. Was sollen die denken?»

«An wen immer du denkst, sie werden alle mit uns glücklich sein.»

«Da oben in der Wohnung habe ich gedacht, dass eben doch Glück drauf liegen könnte auf dir und mir.»

Rudi sah seine Käthe an und wusste nicht, wovon sie redete. Hatte keine Ahnung von Ängsten und Spökenkiekerei. Vom Spielplatz kam Kindergeschrei. Er war versucht zu sagen, dass auch ihre Kinder dort spielen könnten, doch er fürchtete, den Bogen zu überspannen.

Lina hatte den Vorschlag gemacht, Lud und Henny waren erst dagegen gewesen, doch es schien eine gute Lösung zu sein. Lina wollte aus der elterlichen Wohnung in der Canalstraße ziehen, die genügend Platz bot für die werdende Familie ihres Bruders.

Neue Ufer. Wenn Lina in sich hineinhorchte, hörte sie, wie sehr es sie zu neuen Ufern zog. Im Augenblick sah es aus, als trenne sie nur noch der Eilbeckkanal davon. Eine Kollegin aus der Schule hatte von der Dame in der Eilenau erzählt, die in ihrer Stadtvilla eine Mansarde an einen alleinstehenden Menschen zu vermieten habe.

Lina dankte Gott für Henny, die ihr da vom Himmel des Lübschen Baumes gefallen war. Die ideale Frau für den Träumer Lud war sie, Henny, die junge Pragmatikerin. Dass sich so schnell ein Kind ankündigte, hatte Lina nicht erwartet, schließlich war Henny doch Hebamme und hätte es besser wissen müssen. Oder? Auch wenn Lina ja selbst das Zusammensein in Luds Zimmer abgesegnet hatte. Aber hätte sie denn dauernd die Tür öffnen sollen und mit dem Zeigefinger drohen?

Auch Henny hatte die frühe Schwangerschaft überrascht. Henny hatte Ehrgeiz. Henny hatte Pläne. Wunderte denn Lina diese Konstellation nicht? Doch.

Vielleicht hatte Henny eine große Mütterlichkeit in sich, von der sie nichts ahnte, und ihr Herz war bereit, Lud aufzunehmen, der so sehr begehrte, geliebt zu werden.

Da war eine körperliche Anziehung zwischen Lud und Henny, dass es knisterte. Hundert kleine Berührungen, wenn die beiden auf dem Sofa saßen, und dann sprangen sie hoch und hinein ins Bett. Sie sollte aufhören, Lud als kleinen Bruder zu betrachten.

In *ihrem* Bett kein anderer. Ob das Bett nun in der alten Wohnung stand oder in der Eilenau. Lina holte aus und trat in einen Laubhaufen, der auf der Brücke lag, wirbelte die bunten Blätter auf. Alleinstehender Mensch. Lud hatte sie niemals darauf angesprochen, dass das Heiratsverbot für Lehrerinnen aufgehoben war. Wusste er es nicht?

Seit September war sie nun in der Schule Telemannstraße, die als Versuchsschule galt. Ein hoffnungsfrohes Klima, viele junge Leute im Kollegium, doch auch die älteren kamen aus der reformpädagogisch orientierten Hamburger Lehrerschaft.

Lina blieb vor dem zweistöckigen Haus in der Eilenau stehen. Helle Backsteine. Weißer Stuck. Über der Tür die Jahreszahl 1900. Beinah ihr Baujahr. Im Dach ein dreiflügeliges Fenster, von dem sich über den Kanal blicken ließe bis zur Finkenau und darüber hinaus. Dieses Haus war ihr von Herzen sympathisch. Sie stieg die Stufen zur Tür hinauf und hatte Sorge, nicht zu gefallen. Vielleicht hegte die Dame eine ganz andere Vorstellung vom alleinstehenden Menschen.

Als sie wieder aus der Tür trat, hing schon Dunkelheit in den leeren Bäumen und ließ das hohe Laub unberechenbar sein. Kaum konnte man die Kanten der Trottoirs erkennen. Wohin man trat, war nur zu erahnen. Doch Lina hüpfte, als wäre sie ein Kind.

Fallende Blätter. Bedeutete es nicht Glück, wenn einen ein fallendes Blatt berührte? Zwei, drei, vier Tassen Tee hatten sie getrunken, Frau Frahm und Lina. Die Mansarde war ihre. Sie hüpfte voll Freude der Canalstraße entgegen.

Alles fing an.

Lud hatte schon damit begonnen, eine Wiege zu tischlern. Solide genug, um viele Kinder zu wiegen.

Er war irgendwann durch die dunkle Toreinfahrt spaziert in den hellen Hof hinein, hatte vor der Tischlerei gestanden und den Duft des Holzes geatmet. Beim ersten Mal kaufte er nur ein kleines Stück Lindenholz, um daraus das Medaillon für Lina zu schnitzen. Dann brachte er zwei Latten schlichter Fichte nach Hause, um das Gehäuse der Brause zu verbessern. Doch das Holz für eine Wiege auszusuchen, sich für die teure Kirsche aus dem Alten Land zu entscheiden, das hinterließ ein Hochgefühl in Lud, das ihn durch den dunklen November trug.

Helllichter Sommer, wenn sein Kind geboren werden würde.

Die Einzige, die seinem Glück noch ein wenig im Wege

stand, war Else Godhusen. «Du bist zu jung, Lud», hatte sie gesagt, doch er ahnte, dass es andere Gründe gab, warum er nicht der Schwiegersohn war, von dem sie geträumt hatte. Die habe immer schon einen höheren Fimmel gehabt, hatte ihm Käthe anvertraut.

«Kein blaues Blut», hatte auch Henny gesagt, gegrinst und dabei verschwiegen, dass ihn Else blass nannte. Henny hatte sich vieles anders vorgestellt, doch nun sollte es sein, die Liebe zu Lud war groß genug, um etwas Gutes daraus zu machen. Sie wollte sich nicht durchs Leben seufzen, den verpassten Chancen nachweinen, wie Else es tat.

Doch von diesen Gedanken seiner Verlobten wusste Lud nichts. Er sägte, leimte und atmete den Duft des Holzes. Er fühlte sich nicht zu jung. Er dachte eher, dass er sich beeilen sollte.

Und so wurde die Wiege viel zu schnell fertig, Lud hätte gerne noch länger daran gearbeitet. Er betrachtete das Kirschholz, das übrig war, und dachte, dass es reichte, um ein Kästchen daraus zu tischlern. Ein Schmuckkästchen für Henny.

«Ich will nicht, dass Mama in der Klinik putzt, versteht ihr das nicht?»

Nein. Karl Laboe verstand das nicht. War doch nichts Ehrenrühriges, einen Eimer Wischwasser zu schleppen und den Feudel zu schwingen. Ganz zu schweigen davon, dass der Haushalt das Geld dringend nötig hatte. Seine Invalidenrente war klein, Käthe gab zwar auch was zu, doch er hatte so eine Ahnung, als ob sie auf dem Absprung sei. Und in diesen Zeiten, in denen die Reichsmark dahinsiechte und die kleinen und die großen Ersparnisse sich in Luft auflösten, da war es nicht einfach, eine Zugehstelle zu bekommen. Auch die feinen Pinkel hatten zu kämpfen, und seine Annsche war nicht mehr die Jüngste.

Ja. Anna Laboe verstand Käthe. Sie selbst war erschrocken gewesen, als das Kind auf einmal vor ihr im langen Korridor stand, den sie gerade wischte. Die Tochter in der frisch gestärkten Tracht der Hebamme, die Mutter auf den Knien in der Lauge. Sie hatte sich nicht getraut, Käthe von den Probetagen in der Finkenau zu erzählen, nur gehofft, dass die Frauenklinik groß genug sei, sie nicht in den Kreißsälen, auf dem Stockwerk der Wöchnerinnen putzte und ihr Käthe und Henny gar nicht erst begegneten.

«Wenn du das nu gar nicht willst, musst du mehr in die Kasse tun», sagte Karl Laboe. «Sonst kriegen wir das nich gebacken.»

War das jetzt die Stunde der Wahrheit?

Gestern hatten sie das Aufgebot bestellt. Ließ sich ja alles noch abblasen, hatte Käthe gedacht. Doch das würde sie kaum tun, zu lockend war es, ein eigenes Leben zu führen, in Tapeten, die ihnen gefielen, Betten, aus denen sie nicht springen mussten, weil sie den Schlüssel von Rudis Mutter in der Tür hörten.

«Ich seh es dir an der Nase an», sagte Karl Laboe.

«Was?», fragte Käthe. Ihr Vater hatte eigentlich keine seherischen Fähigkeiten. Wirkte sie denn so schuldbewusst?

«Dass du deine ollen Eltern nich mehr lange beehrst.»

«Wo willst du denn hin?», fragte Käthes Mutter.

Gut. Dann sollte es sein. Käthe holte Luft. «Ein paar Straßen weiter, Mama, in die Bartholomäus.»

«Doch nich alleine?»

«Nee. Rudi und ich.»

«Und ihr habt einen Vermieter gefunden, der euch trotz eures Lotterlebens nimmt?», fragte Karl Laboe.

«Ihr heiratet», sagte Anna, nun ihrerseits hellsichtig.

«Könnt ihr bitte bitte darüber schweigen. Henny soll nichts wissen und überhaupt keiner.»

«Warum das denn?», fragte Karl Laboe, wie es Tage zuvor schon sein künftiger Schwiegersohn gefragt hatte.

«Ich wollte doch nicht heiraten.»

«Ach du Revoluzzerin», sagte ihr Vater.

Anna Laboe war vom Küchentisch aufgestanden und nahm Käthe in die Arme und wiegte sie, als sei Käthe noch ganz klein.

«Nu geht dein Geld ja in die Bartholomäusstraße», sagte Karl Laboe, «das sieht dann düster aus bei deiner Mutter und mir.»

«Das kriegen wir schon hin, Karl. Dann putze ich in der Finkenau.»

«Bei denen in der Fährstraße warst du besser bezahlt. Nu is die Madamsche tot und das Haus perdu.»

«Was ist eigentlich aus dem gnädigen Fräulein geworden? Hat die nicht wohlhabend geheiratet?», fragte Käthe und ließ ihre Mutter los.

«Die hat jetzt ihren eigenen Haushalt im Hofweg in dem Palais, und die Mia hat sie mitgenommen.»

«Und die putzt alles allein?»

Anna Laboe wusste es nicht.

«Ich geh hin und frag, ob sie deine Hilfe brauchen», sagte Käthe. Das war das, was sie tun konnte.

Ida hatte gerade das Blut in der weißen Baumwolle ihres Schlüpfers entdeckt, als Mia an der Badezimmertür klopfte und Fräulein Laboe meldete. Blut bedeutete kein Kind. Was der Besuch von Käthe Laboe bedeutete, da war Ida ahnungslos.

Sie bat Mia, die Besucherin in den kleinen Salon zu führen, wechselte die Wäsche und vergaß vor lauter Neugierde die Enttäuschung, dass sie doch wieder ihre Tage bekommen hatte. Deren Verspätung hatte große Hoffnung in ihr ausgelöst. Ein Kind bedeutete, dem Ganzen hier einen Sinn zu geben. Vielleicht könnte sie dann Campmann verzeihen, Campmann zu sein.

An mangelndem Beischlaf lag es kaum, dass keines kam, er war ein Langeweiler, doch er konnte es nicht oft genug haben. Das Schlimmste war diese Vergeblichkeit ihres Opfers, ihr Vater hatte dennoch Konkurs gemacht. Wäre Netty nicht von einem Tag auf den anderen todkrank gewesen, dann hätte sie sich viel heftiger gegen die Heirat gewehrt. Doch so hatte Ida unter dem Druck gestanden, nicht nur das Haus in der Fährstraße zu retten, sondern auch Nettys letzten Wunsch zu erfüllen und Campmann zu ehelichen.

Und nun Käthe, die Tochter ihrer einstigen Zugehfrau.

Ida trat ein in den kleinen Salon, den sie das Sonnenzimmer nannte. Gerade, weil die selten durch die Fenster in der Beletage fiel, hatte Ida ein sattes Gelb für die Vorhänge und die Seidenbezüge der Sesselchen und des Sofas ausgesucht. Campmann knauserte in den Dingen selten und ließ ihr freie Hand. Er nannte es *Spielfläche geben.* Bei ihm hieß der kleine Salon das *Kükenboudoir.*

Käthe Laboe stand vor einem der Sessel, als habe sie Sorge, sich zu setzen und ihn schmutzig zu machen. Nur ein halblanger Mantel, den ihr Mia pflichtbewusst, doch missbilligend abgenommen hatte, der graue Rock war feucht vom Nieselregen.

Käthe behagte dieser Haushalt gar nicht, viel zu hochherrschaftlich. Obwohl in der Fährstraße ein einziges Haus nur drei Gnädige beherbergt hatte, die von sechs Dienstboten umsorgt worden waren, schien ihr dieses Miethauspalais einschüchternder. Lag es daran, dass es trotz all der Möblierung so merkwürdig leer wirkte?

«Suchen Sie Arbeit?», fragte Ida, Herablassung in der Stimme. Da war er wieder, der Dünkel, den Tian ihr abzugewöhnen versucht hatte.

«Nicht für mich», sagte Käthe, «doch wenn Sie Ihr erstes Kind zur Welt bringen, stehe ich Ihnen gern als Hebamme zu Diensten.»

Als wisse diese Käthe Laboe, wo es weh tat. Idas Gesicht rötete sich.

«Für wen dann?»

Nun war Käthe verlegen. «Meine Mutter sucht eine neue Stelle, sie hat ja über zwei Jahre bei Ihren Eltern in der Fährstraße geputzt. Und da hat sie sich gut mit Mia verstanden, darum dachte ich, dass Mia vielleicht Unterstützung brauchen könnte.»

«Dachten Sie», sagte Ida gedehnt. Eigentlich keine schlechte Idee, Campmann weitere Kosten aufzuhalsen.

«Das hier ist ein großer Haushalt», sagte Käthe.

Ida nickte. Mia hätte Zeit, öfter in die Schmuckstraße zu gehen, um Fäden zu spinnen zum Hofweg, damit daraus ein tragfähiges Netz wurde. Seit ihrer Heirat im Mai hatte sie Tian ein einziges Mal gesehen, und er hatte sich leider wie ein Ehrenmann verhalten.

«In so einem großen Haushalt lassen sich die anderen Pflichten eines Dienstmädchens kaum mit dem Putzen vereinbaren», sagte Käthe.

Mia stand mit dem Ohr an der Tür und hätte beinah laut zugestimmt. Das würde ihr gut gefallen, das Grobe wieder der Laboe aufzudrücken.

«Halbe Tage», sagte Ida, «vier in der Woche.»

«Zu den alten Bedingungen?»

Ida hob die Schultern. Sie hatte keine Ahnung, wie die alten Bedingungen gewesen waren. Ein Fehler, die Schultern zu heben.

Käthe erkannte die Gelegenheit. «Achtzig Pfennig die Stunde.»

Mia traute ihren Ohren nicht hinter der Tür.

Ida fand es teuer. Doch sie war einverstanden. Sollte Campmann zahlen. Ein schwacher Trost, sich teuer zu verkaufen, doch ein Trost.

Sie stand auf. Hatte ihr Vater seine Geschäfte nicht immer mit einem Handschlag besiegelt und den hanseatisch genannt? So gut wie ein schriftlicher Vertrag. Ida zögerte noch, Käthe, die auch aufgestanden war, ihre Hand zu reichen.

«Sie haben Courage, nicht wahr?», fragte Ida.

«Ohne die geht es nicht.»

«Und wo arbeiten Sie als Hebamme?»

«In der Frauenklinik Finkenau.»

«Eine gute Adresse. Freundinnen von mir haben dort entbunden.»

Käthe lächelte. Endlich hatte Ida Campmann aus ihrem gnädigen Ton herausgefunden. «Kommen Sie gerne», sagte sie.

Ida streckte ihre Hand aus. «Das wäre schön.»

Landmann war die Operation anvertraut worden, Dr. Unger hatte nicht assistieren wollen, und so wurde Geerts hinzugezogen, ein junger Arzt, doch schon ein fähiger Operateur. Der Narkosearzt hatte die Ätherkappe aufgelegt, Landmann den ersten Schnitt in die glatte weiße Haut getan, Geerts die Wundhaken versorgt. Landmann seufzte. Seine Befürchtung war wahr geworden, der Chef hatte zu lange gezögert.

Doppelseitige Adnexitis, doch nicht nur die Eierstöcke waren betroffen, auch die Eileiter waren entzündet und mit Eiter gefüllt.

«Merde», sagte Dr. Kurt Landmann.

Geerts sah ihn an, und Landmann nickte. Entfernung der Ovarien. Half nichts. Sie konnten dankbar sein, wenn es ihnen gelang, die junge Frau aus der Gefahrenzone zu holen.

Hatte er je mit Unger über Kinder gesprochen? Er erinnerte sich nicht. Kein Thema, das nahegelegen hätte, die Liebelei mit Elisabeth Liebreiz noch viel zu neu und sehr von ihrem Status als Patientin geprägt, auch wenn sich Unger als behandelnder Arzt zurückgezogen hatte.

Durfte er es Theo zumuten, ihr und den Eltern Liebreiz zu sagen, dass es keine Kinder geben konnte? Vielleicht mit dem Zusatz, Unger liebe Elisabeth auch ohne Babys? Landmann schüttelte den Kopf nur leicht, doch die OP-Haube senkte sich tiefer in seine Stirn. Er war ein Zyniker geworden im Feld, sah aus, als ob er das bliebe.

Nein. Er durfte das nicht auf Theo abwälzen, er war der Operateur und hatte die bittere Wahrheit zu verkünden.

Geerts übernahm es, alles bestens zu vernähen. Landmann ging in den Waschraum, sich zu säubern und umzuziehen. Die Tür ging auf, und er war dankbar, dass es nicht Theo war, der eintrat.

Die Schwestern würden Elisabeth Liebreiz optimal versorgen, wenn sie aus dem Wachzimmer kam und wieder auf ihrer Station war. Das Vorgehen gegen die sekundären Gefahren stand jetzt an erster Stelle.

Nicht, dass es nachher noch zu einer Thrombose kam.

Im Lazarett hatten sie amputiert und dann Sekt getrunken. Vielleicht sollte er erst einmal eine Flasche Feist besorgen, bevor er auf die Suche nach Theo ging. Oder besser zwei Flaschen.

Warum deckten sie alle die Fehlentscheidungen? Hingen den alten Hierarchien nach, als seien die gottähnlich? Da war ein Krieg gewesen, dessen Gräuel unfassbar waren, und noch immer war kein Mut vorhanden zu widersprechen.

Landmann ging in sein Sprechzimmer, ließ den weißen Kittel auf den Patientenstuhl fallen, holte den grau karierten Mantel aus dem Schrank, zog den Hut auf und verließ die Klinik zwei Minuten später.

Einen Tag nach dem ersten Advent betrat Ida die Brücke, an deren Ende Tian stand, und stieg dafür in ein Automobil. Einen *Adler*, wie ihn einst ihr Vater besessen hatte, wenn auch ein neueres Modell, das Kaffeekontor besaß zwei davon.

Tian saß am Steuer und strahlte den Stolz und die Lässigkeit eines jungen Mannes aus, der eine der seltenen Fahrerlaubnisse besaß. Doch ihm war nicht lässig zumute, erschütterte er nicht gerade die eigenen Prinzipien? Er hatte sich geschworen, keine heimliche Beziehung zu Ida aufzunehmen, und nun war er auf dem Wege nach Wohldorf, um Idas Ehe zu brechen.

Ein Sommerhüttchen, das Claire Müllers Freundin vor den nördlichen Toren Hamburgs besaß. Das Fräulein hatte gleich verstanden, dass viel mehr als ein Alibi gefragt war, als Ida nach längerer Zeit den Kontakt aufnahm, gutes Geld gewittert, das Hüttchen angeboten.

«Kein Ofen», hatte sie gesagt, «doch sicher finden Sie eine andere Möglichkeit, sich zu wärmen.»

Pferdedecken aus Kollmorgens Remise hatte Tian dabei. Es war kalt an diesem nebligen Novembertag.

«Wird deine Mademoiselle verschwiegen sein?»

«Sorgst du dich schon?», fragte Ida. «Lass es uns genießen.» Für sie stand mehr auf dem Spiel. Doch sie fühlte sich lebendig, ein verloren geglaubtes Gefühl. «Ohne Courage geht es nicht», hatte die Tochter der Laboe gesagt.

«Ist dir warm genug in deinem Pelz?»

«Ich habe noch ein Wollplaid dabei.»

«Und ich zwei Pferdedecken.»

«Stinken die nicht?»

Die Pferdedecken rochen weniger muffig als das Hüttchen. Sie stießen das Fenster auf, um zu lüften und überhaupt etwas zu erkennen, bis sie die Petroleumlampe entdeckten und anzündeten.

Ein eisernes Bettgestell mit einer Matratze, ein Tisch, zwei Stühle. Eine Emailleschüssel auf einer kleinen Kommode. Wo kam das Wasser her, um sie zu füllen? Im Garten stand ein Plumpsklo.

Sie zitterten, als sie einander die Kleider vom Körper streiften. Noch vor Kälte, doch dann vor Verlangen, und Tian staunte, wie leicht Ida zu entzünden war, als er über ihre Brüste strich, die flaumige Haut ihres Bauches. Ihnen wurde warm. Wunderbar warm. Und sie lagen eng aneinander, bis es ganz dunkel geworden war vor dem Hüttchen.

Acht Uhr vorbei, als Tian sie in der Nähe des Hofweg-Palais absetzte. Ida nahm die Tasche, in der unten das Wollplaid lag und oben das *Weihnachtsalbum* und Beethovens *Klavierstücke.*

In ihrer Beletage waren alle Fenster hell, auch in Campmanns Arbeitszimmer. Würde er ihr glauben, dass sie von Mademoiselle Müller kam? Sollte sie ihm ein Adventslied vorspielen? *Macht hoch die Tür? Es ist ein Ros entsprungen?* Oder das *Klavierstück für Elise?*

«Ich muss wieder intensiver arbeiten mit Claire Müller.» Das könnte sie sagen, wenn sie sich verspielte.

Lud beugte sich über das fertige Kästchen und nahm noch einmal den Duft des Kirschholzes auf. Dann öffnete er den Deckel, hob den Einsatz mit den vielen kleinen Fächern an den beiden Seidenripsbändern heraus, betrachtete sein Werk und war zufrieden.

Der Schellack hatte das Holz dunkler werden lassen und den rötlichen Ton verstärkt. Noch besaß Henny nur Kinderohrringe, kleine Herzen aus Koralle, das Konfirmationskreuzchen und eine Kette aus Zuchtperlen, er hoffte, ihr dieses Schmuckkästchen füllen zu können im Laufe ihres gemeinsamen Lebens. Bald käme ein goldener Ring hinzu, doch den sollte sie immer am Finger tragen.

Im Januar würde Hochzeit sein. Er ginge gern noch einmal auf die Knie, um dem lieben Gott zu danken.

JULI 1923

Tian war mit Ida an den Hafen gegangen, zur Überseebrücke, von der er erst am kommenden Tag in See stechen würde. Noch lag das Postschiff *Teutonia* der Hamburg-Amerika-Linie nicht an der Brücke. Doch morgen würden ihn die Eltern und seine Schwester Ling zum Hafen begleiten, um ihn zu verabschieden, auch Hinnerk Kollmorgen, der Inhaber des Kaffeekontors, hatte sich angekündigt. Guillermo, dessen Neffe, der die Dependance in Puerto Limon leitete und auf einem Besuch in Hamburg gewesen war, würde dann gemeinsam mit Tian an Bord gehen.

«Du weißt, dass es besser ist», sagte Tian in die Brise hinein, die in ihren Haaren wehte und der Sonne kurz die Hitze nahm.

«Das hast du schon hundertmal gesagt, es wird nicht leichter.»

«Diese Heimlichkeiten kann ich nicht länger aushalten», sagte Tian.

«Ich könnte mich scheiden lassen.»

«*Das* hast du schon hundertmal gesagt und wirst es doch nicht tun. Ich kann dir das Leben nicht bieten, an das du gewöhnt bist.»

«Du bist immerhin zu einem Kaufmann aufgestiegen, der in der ersten Kajüte reisen darf», sagte Ida und lächelte.

«In Costa Rica wird es weniger komfortabel werden.»

«Wenn es nur nicht gleich für drei Jahre wäre.»

«Nicht ganz drei», sagte Tian, «im März bin ich wieder da.»

«1926 klingt weit weg. Wie Costa Rica.» Ida blinzelte ins Sonnenlicht und blickte auf die Elbe. Hinter dem Hafen fingen die Weltmeere an.

Ihr Vater hatte viele Jahre Geschäfte am Amazonas gemacht, auch einige Reisen dorthin unternommen, einmal hatte ihn Netty begleitet.

Doch Tian nun auf einem anderen Erdteil zu wissen, tat weh.

«Du wirst eine Einheimische kennenlernen und mich vergessen.»

«Du wirst ein Kind von deinem Mann bekommen und *mich* vergessen.»

«Es ist mir in zwei Jahren nicht gelungen, schwanger zu werden von ihm. Anders als du benutzt Campmann keine Präservative.»

Tage hatte es gegeben, an denen Ida von Herzen egal gewesen wäre, wenn sie ein Kind von Tian auf die Welt brachte. Den Skandal hätte sie leichter ertragen als das Leben an Campmanns Seite.

«Vielleicht kehre ich als reicher Mann zurück, weil ich auf eine Goldader gestoßen bin.»

«Gibt es Gold in Costa Rica?»

Tian lachte. «Ich weiß nur von Kaffeeplantagen.»

«Der Geschäftspartner meines Vaters hat ein Vermögen mit Diamanten gemacht. In Südafrika», sagte Ida

«Dann bin ich auf dem falschen Dampfer.»

«Lass uns aus der Sonne gehen, mir wird schon schwindelig.»

Tian sah sie besorgt an. «Komm, wir kehren irgendwo ein, setzen uns unter eine Markise.»

Ida schüttelte den Kopf. «Bring mich nach Hause», sagte sie. «Campmann hat in Berlin zu tun, nur Mia ist da.»

«Und wenn er doch eher kommt?»

«Er übernachtet in der Hauptstadt», sagte Ida.

«Ich will ihn nicht in seinem eigenen Haus betrügen.»

«Für alles andere ist es zu spät», sagte Ida.

«Ich begleite dich nach Hause, doch ich gehe nicht hinein.»

«Dann nehmen wir jetzt eine Droschke», sagte Ida. «Ich will hier nicht länger sein, morgen werden deine Lieben an der Brücke stehen und dir winken, und dann bist du weg.»

Sie stiegen an den Landungsbrücken in die Droschke, saßen hinten, hielten sich an den Händen und fingen den Blick des Fahrers auf, der sie im Rückspiegel ansah, als betrachte er zwei seltene Exemplare einer ihm unbekannten Art. Er fuhr sie nach Uhlenhorst in den Hofweg und nahm die Auffahrt des Palais.

Tian zahlte und stieg aus, um Ida die Tür zu öffnen. Der Fahrer sah ihnen nach, bis das junge Paar ins Haus trat.

Hennys Mutter war mit dem Bubikopf versöhnt, seit Henny die Haare länger wachsen ließ und mit der Brennschere weiche Wellen ondulierte. Das erste Mal hatte sie es an ihrer Hochzeit getan, das war auch schon anderthalb Jahre her. Und nun feierte die Kleine morgen schon den ersten Geburtstag. Die Zeit ging viel zu schnell vorbei.

Else Godhusen war auf dem Weg zu Schrader in der Herderstraße, der hatte die schönsten Puppen im Schaufenster. Die waren aus Zelluloid und noch nichts für Marike, doch sicher fand sich in Schraders Papier- und Spielwarenladen ein gutes Geschenk für das Kind.

Lud war ein lieber Junge. Was Großes würde nicht aus

ihm werden, dafür war er viel zu verträumt, doch die Marike, die hatten sie prächtig hingekriegt, ein plietsches Kind und diese goldenen Löckchen, dafür war keine Brennschere nötig.

Sie blieb vor dem Schaufenster stehen und betrachtete die Auslage. Für eine Puppenstube war es auch noch zu früh, und das ließ sich Lud sicher nicht nehmen, die selbst zu bauen. Er hatte Marike eine hübsche Wackelente geschnitzt, die sie an einer Schnur hinter sich herziehen konnte, sobald sie sicherer auf ihren Beinchen stand. Vielleicht ein Legespiel mit Klötzchen, die den *Hans im Glück* abbildeten, wie er gerade die Gans eingetauscht hatte, der dumme Hans.

Else verließ den Laden mit einem Brummkreisel und dem Bilderbuch *Hänschen im Blaubeerwald*. Sie war zufrieden mit sich, obwohl das Bündel Geld, das sie dagelassen hatte, wohl schwerer wog als die Geschenke in der Tüte. Wohin sollte es noch führen mit der Inflation? Sollte sich der Herr Reichskanzler doch mal was einfallen lassen.

Nun schnell das Geschenk nach Hause bringen und dann in die Canalstraße, um Henny das Kind abzunehmen. Deren Schicht in der Finkenau fing um ein Uhr an, und Mittag musste auch noch gegessen werden. Das wurde wieder eine Hetze.

Eigentlich war sie doch gut dran. Da gab es wieder eine Familie und sie mittendrin, und die Lina war auch eine ganz Liebe und so nett mit der Marike. Da hatte sie viel Schlimmeres befürchtet im November damals. Alles so früh. Alles so schnell.

Zu Hause in der Schubertstraße saß der Junge von der Lüderschen auf den Stufen vorm Haus. Der war doch nun auch schon neun, der Bengel. Ging er gar nicht zur Schule, oder war die schon aus? Keine Disziplin in den Familien. Else drehte sich um und sah zur Humboldtstraße hinüber, bei den Laboes waren die Fenster weit auf. War auch eine Hitze heute.

Käthe hatte noch kein Kind, doch ihr und diesem Rudi schien es gutzugehen.

«Nun rück mal beiseite», sagte sie zu Gustav Lüder und holte den Schlüssel hervor. Ach, das Leben, dachte sie, als sie die Treppen zum zweiten Stock hochstieg, wenn man alles vorher wüsste. Heinrich, du hast eine Enkelin, ein ganz süßes Ding, und morgen wird sie schon ein Jahr alt. Warum bist du bloß in diesen Krieg gezogen, hättest nicht müssen. Ist nichts anderes bei rausgekommen als eine tiefe Schmach fürs Vaterland, und du hast dein Enkelkind verpasst. Wärest doch auch gerade erst siebenundvierzig Jahre alt.

Zu Mittag sollte es Grießpudding mit Kirschkompott geben. Genau das Richtige an einem heißen Tag. Nur sputen musste sie sich jetzt mal.

Als sie die Tüte auf den Tisch stellte, wurde ihr ganz blümerant, und Else Godhusen sank einfach so auf den Küchenboden.

Ida hatte die kleine Schildkröte aus weißer Jade nicht losgelassen, seit Tian aus dem Haus gegangen war, als hätte die Kröte telepathische Fähigkeiten und könnte die Verbindung halten zu ihm. In der Wohnung war es still, Mia hatte sich in den Dienstbotentrakt zurückgezogen, den das Palais am Hofweg vorsah. Ida fühlte sich endlos allein.

Sie hatte Tian dazu gebracht, mit ihr zu schlafen, ohne zu verhüten, obwohl er sich im letzten Moment doch vorgesehen zu haben schien. Dabei wünschte sie sich diesmal nichts sehnlicher, als dass ein Kind entstanden war, eine wilde Lust in ihr, Campmann ein Menschlein mit chinesischen Zügen zu präsentieren.

Ida zog kein Kleid an und ging nur im Unterrock auf die hintere Loggia, ließ sich in einen der weißen Korbstühle fallen. Vom oberen Stockwerk blickte man über die Alster, hier sah sie nur ins Grüne. Campmann hatte geknausert, die Wohnungen ganz oben waren teurer. Ihm konnte der Blick egal sein, er war ja während des Tages kaum hier und lebte doch eigentlich in der Dresdner Bank am Jungfernstieg.

Im August würde sie zweiundzwanzig werden, doch Ida fühlte sich alt, wenn sie an das Leben dachte, das sie nun erwartete. Vielleicht würde sie krank wie Netty vor lauter Überdruss. Doch ihre Mutter hatte den Status genossen, Gattin zu sein, in den feinsten Kreisen zu verkehren, keine anderen Aufgaben, als das Personal anzuweisen, die Schneiderin zu empfangen und gelegentlich einen Basar zu organisieren. Nicht zu vergessen, dass Paps wahrlich amüsanter als Campmann war.

Paps. So hatte sie ihn früher nie genannt. Es war, als versuche sie, mit dieser Koseform ihren ersten Zugriff auf Carl Christian Bunge zu sichern, seit er in den Händen von Guste war. Er wohnte nicht mehr in deren Pension, die Geschäfte mit den Grammophonplatten liefen gut, er hatte mit seinem Partner eine eigene Gesellschaft gegründet. Doch Guste Kimrath hielt sich oft in seiner Wohnung in der Rothenbaumchaussee auf, die gleich um die Ecke von ihrer Pension lag.

Ida zog die nackten Füße auf den Korbstuhl. Rosa Zehen, die Nägel wie Perlmutt. Noch war alles neu an ihr. Doch wenn Tian zurückkehrte, war sie im fünfundzwanzigsten Jahr und an Campmanns Seite verblüht. Vielleicht sollte sie Paps alles erzählen, die ganze Wahrheit. Dass sie Tian nie aufgegeben hatte, ihn liebte und Campmann gerne verlassen würde. Die Schulden, die Paps bei ihm hatte, müssten doch irgendwann einmal abbezahlt sein. Schließlich hatte er geschäftlichen Erfolg trotz der Inflation. Die *Diamant Grammophongesellschaft* setzte auf Dollar.

Ihr Vater war nie ein enger Geist gewesen, und nun hatte er so viel mit Künstlern zu tun, dass er einen chinesischen Schwiegersohn sicher mit anderen Augen betrachtete als zu Nettys Zeiten.

Eigentlich hätte sie jetzt Lust auf einen Brandy Julep, den hatte sie einmal mit Tian getrunken, doch sie bezweifelte, dass Mia ihn zubereiten konnte, und Minzblätter würden sie ohnehin nicht im Haus haben. Ida stand auf und ging in die schattige Wohnung hinein zur Bibliothek, wo der Barwagen stand. Lauter Weinbrände. Armagnac. Bärenfang und Danziger Goldwasser, die Campmann ihr gelegentlich anbot, dabei mochte sie keinen Likör. Sie nahm eines der Gläser, die auf dem Wagen standen, und goss sich einen weißen Wermut ein.

Ida kehrte auf die Loggia zurück und hob das Glas in Gedanken an Tian. Wenn sie heute ein Kind empfangen hatte, dann wäre es ein Leichtes, von Campmann verlassen zu werden. Diese Demütigung würde er nicht hinnehmen, und sie könnte eine Kajüte buchen auf einem Schiff nach Costa Rica.

Auf dem Korbtisch stand noch die kleine Jadeschildkröte, das durfte sie nicht vergessen, die wieder zu verstecken. Ihr Anblick würde den Herrn des Hauses aufregen, noch lohnte sich der Ärger nicht.

Die Küchenuhr tickte, und Henny versuchte, sich auf den Kuchen zu konzentrieren, den sie gerade eben aus dem Ofen geholt hatte, und nicht wieder nach der Uhr zu sehen. Viel zu früh, ihn zu stürzen, das könnte Else nachher tun, wenn die Napfkuchenform ausgekühlt war.

Ihre Mutter. Wo blieb sie? Vor einer halben Stunde hatte sie da sein wollen, nun erreichte der Uhrzeiger gleich die Zwölf. Sie würden kaum noch Zeit fürs Mittagessen haben. Darauf legte Else doch immer Wert.

Henny sah nach Marike, die im Flur auf dem Boden saß und die Wackelente herumschob. «Oma», sagte das Kind.

«Oma kommt gleich», sagte Henny und wünschte, es wäre so. Wo blieb sie? Else war sonst von mustergültiger Pünktlichkeit.

Um zehn nach zwölf nahm sie die Kleine auf den Arm, griff nach den Schlüsseln, steckte die in ihre Tasche, zog die Tür hinter sich zu und stieg die Treppe hinab. Sie setzte Marike in den Kinderwagen, der hinter der Treppe stand, und ging eilig zur Ecke Winterhuder Weg, um im Keks- und Gebäckladen von Harry Trüller zur Klinik zu telefonieren und ihr Zuspätkommen anzukündigen. Das Herzklopfen hatte da schon eingesetzt.

Henny schob den Kinderwagen im Eiltempo durch die Heinrich-Hertz- zur Humboldtstraße, das war der Weg, den Else immer nahm, vielleicht trafen sie im nächsten Moment schon aufeinander. «Oma», sagte das Kind. Henny wurde noch nervöser von Marikes kleinem dumpfen «Oma».

Sie erreichte die Schubertstraße und blickte zu den offenen Fenstern der Laboes. Wenn Käthes Mutter da wäre, könnte sie ihr notfalls das Kind bringen. Notfalls. Was hieße das?

Henny öffnete die Haustür mit Elses Zweitschlüssel, nahm Marike aus dem Wagen, ließ den stehen, stieg die Stufen zur Wohnung hinauf und drückte den Zeigefinger auf den Klingelknopf, im anderen Arm hing das schwere

Kind. Nein. So konnte sie nichts anderes hören als die schrille Klingel. Sie klopfte an die Tür. «Mama. Bist du da?» Den Schlüssel in das Schloss stecken. Die Tür öffnen. Was lähmte sie? Die Angst vor dem, was sie und Marike vorfänden?

Sie stand im Flur, der schattig und dunkel vor ihr lag. «Mama?», fragte sie. Marike fing an zu weinen. Henny stieß die Küchentür auf. Da saß ihre Mutter auf dem Küchenboden. Gott sei Dank. Else saß.

«Flimmert», flüsterte Else, «vor den Augen. Schwindelig.»

«Mama, was ist passiert?»

«Auf einmal ist mir ganz schwach. Vielleicht die Hitze.»

Henny öffnete das Küchenfenster, obwohl es draußen nicht kühler war, doch sie sah den Sohn von Lüders im Hof. Sie beugte sich aus dem Fenster. «Kennst du Dr. Kluthe?» Der Junge guckte hoch und nickte. «Hol ihn, Gustav. Ganz schnell. Notfall bei Godhusen. Sag ihm das.» Sie konnte nur hoffen, dass sich der Arzt am Mittag in seiner Praxis Ecke Beethovenstraße aufhielt.

Als Kluthe eintraf, lag Else auf der Chaiselongue, die Beine erhöht auf zwei prallen Paradekissen, ein feuchtkaltes Mulltuch auf der Stirn. Marike hatte sich neben der Chaiselongue auf den Boden plumpsen lassen und war mit den Fransen des Perserläufers beschäftigt.

«Das ist heute mein vierter Patient, dessen Kreislauf schlappmacht», sagte Kluthe und zog eine Spritze mit Kochsalzlösung auf.

«Kommt sie ins Krankenhaus?»

«Auf keinen Fall», sagte Else. Das klang schon kräftiger.

«Ich denke, das wird nicht nötig sein», sagte Kluthe. «Doch ich möchte Sie morgen in meiner Praxis sehen, Frau Godhusen. Nur Abhorchen genügt nicht.»

«Morgen feiert meine Enkelin ihren ersten Geburtstag.»

«Sonst lass ich doch noch den Sanitätswagen kommen.»

«Aber dass ich nicht so lange warten muss», sagte Else Godhusen.

«Wie viel haben Sie denn heute schon getrunken?»

Else setzte an, sich zu empören, doch sie wurde von Henny gestoppt.

«Wasser, Mama. Dr. Kluthe fürchtet, dass du einen Flüssigkeitsmangel hast bei der Hitze.»

Kluthe grinste. «Am besten bleiben Sie noch eine Weile liegen. Ihre Tochter hat alles richtig gemacht. Kühlen Lappen auf die Stirn und die Beine hoch. Und viel Wasser trinken. Kann gern Kranenberger sein.»

«Sie ist ja auch vom Fach», sagte Else.

Kluthe nickte. Kein Besuch in der Praxis, bei dem Else Godhusen nicht von der medizinischen Kompetenz ihrer Tochter sprach.

«Aber liegen bleiben kann ich nicht, einer muss auf das Kind aufpassen. Du müsstest doch schon längst in der Klinik sein, Henny.»

«Ich hab angerufen. Von Trüller aus.»

«Als Hebamme sollten Sie einen Telefonanschluss haben.»

Else nickte dazu so heftig, dass ihr wieder schwindelig wurde.

«Mein Mann hat einen Apparat beantragt.»

«Und was machen wir nun mit der Kleinen?» Kluthe hockte sich zu Marike, die ihn aufmerksam betrachtete und sich anschickte, ihm die Brille von der Nase zu nehmen. «Ich könnte von der Praxis aus in der Finkenau anrufen und Sie entschuldigen. Die werden doch sicher ein Einsehen haben, wenn Ihre Mutter einen Schwächeanfall hatte.»

Else setzte sich auf. «Nichts da», sagte sie. «Marike und ich bleiben hübsch hier, ich lese ihr vor und kann mich zwischendurch mal hinlegen. Dann kriegt sie das eine Geschenk schon heute. Hab ihr *Hänschen im Blaubeerwald* gekauft. Das hattest du auch, als du Kind warst. Wo deines wohl hingekommen ist?»

«Dafür ist sie doch noch zu klein», sagte Henny.

«Nicht fürs Bildergucken.»

Kluthe hatte sein Gerät wieder eingepackt und war dabei, sich von den Damen zu verabschieden. Else Godhusen schien ja schon wieder ganz munter zu sein. «Also morgen um halb neun in der Praxis.»

«Was meinen Sie, Herr Dr. Kluthe? Kann ich zur Arbeit gehen?»

«Wenn Großmutter und Enkelin brav auf der Chaiselongue bleiben und gemeinsam genügend Wasser trinken, dann gehen Sie ruhig.»

Marike sah zu ihrer Oma hoch.

«Das versprechen wir», sagte Else.

Kurt Landmann nahm das Bild aus dem Schrank seines Sprechzimmers. Es war schwierig geworden, das Geld in Kunst anzulegen, keiner wollte sich mehr von Sachwerten trennen. Paul Bollmanns Bild vom Süllberg hatte ihm eine alte Dame verkauft, die der Familie Liebreiz nahestand.

«Ich brauche kein Geld mehr, schon gar kein wertloses. Das Bild, das will ich in guten Händen wissen», hatte sie gesagt und war sechs Tage später gestorben.

Doch es war nicht nur der Versuch, das kleine Vermögen zu retten, das er besaß. Die neue Malerei gefiel ihm. Angefangen hatte es vor zwei Jahren mit Emil Maetzels *Stillleben mit Negerfigur*, das hing über dem Sofa in seiner Wohnung in der Bremer Reihe. Maetzel war einer der führenden Köpfe der Hamburgischen Sezession. Er sollte Unger einen Besuch in der Kunsthalle vorschlagen. Da war es auch angenehm kühl.

Hing durch, der liebe Kollege. Theo Unger schien kein Glück bei den Frauen zu haben. Nun ja. Er selbst war auch unbeweibt, doch ihm gefiel sein Finger ganz gut ohne Trauring, Theo träumte von Heirat.

Landmann legte einen Bogen Packpapier auf der Liege aus, die zur Untersuchung der Patientinnen diente, und begann, Bollmanns Bild zu verpacken. Ein kleines Format, das konnte er sich gut unter den Arm klemmen und endlich nach Hause tragen. Das Bild war ihm vom Anwalt der alten Dame in die Finkenau gebracht worden, in einem kaputten Kissenbezug hatte es gesteckt, den der Herr Anwalt nach der Übergabe sorgsam zu einem kleinen Rechteck faltete und damit die Innentasche seines Sakkos ausbeulte, als sei der Bezug eine dicke Brieftasche.

Landmann hatte gedacht, es ginge gut mit Fräulein Liebreiz und Unger. Doch Elisabeth zog sich zurück, dabei war im vergangenen Winter schon von einer Verlobung gesprochen worden. Der alte Liebreiz vermutete eine Tellheim-Allüre bei der Tochter, weil sie sich nicht mehr vollwertig fühle als Frau. Theo dachte überhaupt nicht in derartigen Kategorien, hatte ihm sogar anvertraut, dass der eigene Kinderwunsch nicht groß sei, sein jüngerer Bruder habe den Eltern schon drei Enkelkinder beschert, auch da bestehe kein Druck.

Nun eine feste Schnur um das Bild. Guter Knoten. Chirurgische Knotentechnik. Gelernt war gelernt. Vielleicht sollte er doch noch mal mit Elisabeth sprechen. Als Freund der Familie. Hatte er sie nicht schon gekannt, als sie ein Kind gewesen war? Aus ihm nicht ganz verständlichen Gründen hatte er ein großes Interesse daran, aus Unger und Elisabeth ein Paar zu machen.

Auf dem Dachboden war es heiß wie in einem Backofen, doch Lud arbeitete noch am Puppenwagen, eines der Holzräder lief nicht rund.

Die kleine Werkstatt, die er unterm Dach eingerichtet hatte, war nur ein Bretterverschlag, in dem er im Sommer schwitzte und im Winter fror. Vielleicht ließe sich ja ein Schuppen in einem Hinterhof anmieten, wenn der Wahnsinn mit der Inflation endlich hinter ihnen lag.

Lud setzte den Puppenwagen auf den Boden und schob ihn hin und her. Nun war alles bestens. Marike konnte ihren Teddybären spazieren fahren und dabei gleich noch das Laufen üben. Für Henny gab es auch ein Geschenk zu Marikes Geburtstag, was fürs Schmuckkästchen, denn den Ring würde sie nicht täglich tragen. Dafür war er zu auffällig. Silber mit schön geschliffenen Granatsteinen, ein altes Stück, das er bei Jaffe gekauft hatte wie schon damals den violetten Amethyst für Lina.

Er mochte den Laden und Moritz Jaffe. Der hatte im Krieg für den Kaiser gekämpft, schien heute noch Sympathien für das Kaiserreich zu haben. Lud selbst standen die Sozialdemokraten nahe, Ebert gefiel ihm, doch wählen hatte er noch nicht dürfen, weder den Reichspräsidenten noch die Kanzler. 1920 war er zu jung gewesen, und seitdem hatte es keine Wahlen gegeben. Dabei waren schon fünf Kanzler verschlissen worden, und ob Wilhelm Cuno sich noch lange hielt, durfte bezweifelt werden. Klappte ja mit keiner der Koalitionen.

Lud lächelte. Noch nicht gewählt haben, aber Ehemann

und Vater einer Tochter. Absurd und dennoch ein gutes Ergebnis. Der Einsamkeit entkommen, vor der er so große Angst gehabt hatte.

Welch ein Glück es war, Marike zu haben und Henny. Unten in der Wohnung saß seine Schwiegermutter und hütete das Kind, ging ihr schon wieder viel besser nach dem Schwächeanfall.

Und gleich kam Henny aus der Finkenau. Dann würden sie auf dem Balkon sitzen, leuchtend rote Fuchsien in den Kästen, die Henny auf seine Bitte gepflanzt hatte, die Flasche Wein hoffentlich genügend gekühlt im kalten Wasser des Zinkeimers. Einer der Kollegen hatte sich einen amerikanischen Eisschrank angeschafft. War auch nur möglich, wenn man einen reichen Onkel in Amerika hatte, der einem den Frigidaire mit dem Dampfschiff schickte.

Der Gedanke an einen Eisschrank ließ ihn noch stärker schwitzen. Schluss jetzt, der Balkon wartete. Er hüllte den Puppenwagen in eine dünne Decke und trat ins Treppenhaus.

Viel kriegte die Kleine ja noch nicht mit vom Geburtstag, doch Lud freute sich schon jetzt darauf, was ihnen an Festen alles ins Haus stünde, bis er dann die junge Braut zum Altar führen durfte. Auf der Hochzeit von Henny und ihm hatte es keine Väter gegeben, und Lina war seine ganze Familie gewesen.

Doch das war nun alles anders. Wenn Marike dann Geschwisterchen bekam, wäre sein Traum von einer großen Familie erfüllt. Lud stieg die Treppe hinunter und dachte, welch ein glücklicher Mann er war.

«Nett, dass du mal wieder deine Ollen besuchst, ist dir wohl zu heiß oben im vierten Stock», sagte Karl Laboe und ließ

Käthe ein. «Du bist ja ganz rot im Gesicht. Ist das die Hitze, oder hast du gute Neuigkeiten?»

Käthe pustete eine Haarsträhne hoch, die ihr an der Stirn klebte. «Rudi tritt in die KPD ein», sagte sie.

«Daran hab ich nu nich gedacht mit guten Neuigkeiten.»

«Siehst doch auch, dass es nicht mehr so weitergeht mit Cuno und Konsorten und der ganzen SPD.»

«Seh ich nich, und ist mir auch kein Wetter für hitziges Palaver. Wann will denn mal was Kleines kommen bei Rudi und dir?»

«Ach Papa.»

«So'n dumm tüch ist die Frage ja nu nich. Nimm dir da ne Erfrischung aus der Kanne. Deine Mutter hat Himbeerbrause gemacht. Hält sich anständig kühl in dem Steinpott.»

Käthe nahm die Kanne, die mit einem feuchten Tuch umwickelt war, und füllte ein Glas. «Willst du auch?», fragte sie.

«Bei mir blubbert's schon im Bauch.»

«Ich will noch warten», sagte Käthe.

«Mit dem Blubber?»

«Mit einem Kind.»

«Die Henny hat es dir vorgemacht.»

«Das war wohl eher ein Unfall.»

«Is aber was Gutes bei rausgekommen. Nettes Kind, die Lütte. Hab sie vom Fenster gesehen. Waren wohl bei der Godhusen.»

«Die hat heute einen Schwächeanfall gehabt. Henny kam deshalb zu spät zur Schicht.»

«Soso», sagte Karl Laboe, «geht wohl um mit dem Schlappmachen. Und wat is nu mit Rudi und der KPD?»

«Ein Kollege hat ihn geworben. Kippt doch alles im Land.»

«Und die Kommunisten können dat besser?»

«Ist ein Versuch wert, Papa. Ist Mama noch bei Campmanns?»

«Ja. Der Mia ist wohl auch schwach geworden, und da hilft sie nun.»

Käthe schenkte noch mal aus dem graublauen Krug nach. «Ihr könntet euch Eisstangen aus der Brauerei holen», sagte sie.

«Da müssen wir zu weit lopen. Sind wir nicht mehr fix genug. Da is dat Eis schon weg, wenn wir hier angekommen sind.»

«Rudi bringt euch mal welches vorbei, wenn es anhält mit der Hitze.»

«Ich weiß nich, ob dat gut is mit der KPD», sagte ihr Vater. «Is doch ein ganz lieber Jung, dein Rudi.»

«Ebendarum», sagte Käthe, «weil er ein Menschenfreund ist.»

«Nu träumst du, wenn du denkst, dann is er bei denen richtig.»

«Ich wollt eigentlich nur mal nach euch sehen.»

«Dat is großherzig von dir, Käthe. Aber meine Meinung kriegst du gratis dazu.» Karl Laboe hob den Kopf, als er die Tür gehen hörte.

Käthes Mutter kam in die Küche und stellte einen Korb auf den Tisch. «Ist ein halbes gekochtes Huhn drin», sagte sie. «Ein Dankeschön fürs Aushelfen.» Sie nickte Käthe zu, eine Begrüßung in Laboe'scher Kürze. «Kannst du gut was mitessen, Käthe.»

«Ich geh gleich los, wollte nur mal nach euch sehen. Rudi und ich treffen uns im Stadtpark.»

«Schade», sagte Anna Laboe. Sie fing an auszupacken. Eine kleine Schüssel Kartoffelsalat. Eine Tüte Kirschen.

«Geht ihr in den Biergarten?» Karl Laboe klang sehnsüchtig.

«Wir haben kaltes Huhn, Karl.»

«Und Himbeerbrause», sagte er.

«Was war denn mit der Mia?», fragte Käthe.

«Ihr war kodderich. Das geht schon seit ner Weile so. Wenn du mich fragst, dann sag ich dir, sie kriegt ein Kind.»

«Dann wirst du wohl viel aushelfen in nächste Tied», sagte Karl. «Käthe will jedenfalls noch warten mit nem Kind, hat sie seggt. Nich dat du denkst, du wirst bald Grootmudder.»

«Ich ess mit der Marike den Grießpudding von heute Mittag», sagte Else. «Geht ihr zwei beiden mal los bei dem schönen Wetter und gönnt euch was.» Tat ihr gut zu sehen, wie verblüfft Henny ob dieses selbstlosen Vorschlages war. Lud und Henny liefen los, als hätten sie hitzefrei bekommen und fürchteten, der Lehrer überlege es sich anders.

«Ich könnte die Mutter meiner Tochter ins Fährhaus einladen», sagte Lud. Da waren sie schon beinah am Hofweg angekommen.

«Lass uns lieber irgendwohin, wo nicht so viel Trubel ist.»

«Dann wären wir am besten in den Keller gegangen, heute sind alle draußen.»

Doch sie wandten sich am Ende der Schillerstraße nicht nach links, um zum Uhlenhorster Fährhaus zu gehen, sondern bogen rechts zum Dampferanleger ab. Die *Galatea* fuhr gerade in die Mühlenkamper Bucht ein, viele Menschen an Bord, von denen die meisten das Alsterschiff verließen. Lud griff nach Hennys Hand, und sie gingen die Treppen zum Anleger hinunter aufs Schiff.

Die offene Plattform hinten am Heck mit der halbrunden

Holzbank war leer, die alten Damen, die noch auf der *Galatea* waren, fürchteten den leichten Wind in ihren grauen Nacken, wenn das Schiff Fahrt aufnahm.

Einmal bis zum Jungfernstieg und zurück. Lud übergab dem Schaffner ein Bündel Scheine, wie sehr man sich gewöhnte an diese Papierlappen mit den irrwitzig hohen Ziffern. Nun saßen sie allein im Abendrot, das frohe Volk im Fährhaus, die weißen Gartenpavillons der Alstervillen, die Spaziergänger, die ausgelassenen Hunde, alles zog an ihnen vorbei wie Bilder eines Kaleidoskopes.

«Du bist das Glück meines Lebens», sagte Lud.

Henny sah ihn liebevoll an. War Lud das Glück ihres Lebens? Dinge gab es, die sollte man nicht hinterfragen.

Die *Galatea* hielt am Fährhaus und an der Rabenstraße. Ein junger Mann, der hinaustrat auf die hintere Plattform, schien fast verlegen, als er zu ihnen sah. Was strahlten sie aus? Zu viel Zweisamkeit?

Er setzte sich an das andere Ende der Bank und hielt sein Gesicht in den Fahrtwind, nur ab und zu warf er einen Blick auf dieses Paar und dessen Zärtlichkeit.

Ein Zaungast der Liebe, das war er auch einmal gewesen, dachte Lud, und ihm fiel der Franzbrötchenkuss auf dem Winterhuder Weg ein, den er einst beobachtet hatte. Zwei Jahre später waren Käthe und Rudi in sein Leben getreten, doch damals hatte er die Küssenden noch nicht gekannt, und ihre Verliebtheit hatte ihn so einsam sein lassen, dass ihm ganz kühl geworden war.

«Wie gut, dass wir so jung angefangen haben», sagte er.

«Warum ist das gut?»

«Weil so viel Leben noch vor uns liegt.» Lud sang den Satz beinah.

«Du lieber Schwärmer», sagte Henny.

Als die *Galatea* wieder anlegte am Ponton der Mühlenkamper Brücke, war es beinah schon dunkel, der Himmel hoch und klar, über ihnen die Sterne. Von irgendwo wehten die Klänge einer Ziehharmonika heran. Das alte spanische Lied von der Taube. *La Paloma.*

Sie gingen durch die stille Schillerstraße an dem großen dunklen Gebäude der Volksschule vorbei und weiter über den viel lebhafteren Winterhuder Weg, bis sie an der Canalstraße angekommen waren, um Else anzubieten, bei ihnen zu übernachten und den Abend auf dem Balkon bei den roten Fuchsien zu beschließen.

Lachen oder weinen? Ida schüttelte den Kopf. Das konnte nicht wahr sein. Seit zwei Jahren hoffte sie darauf, von dem einen oder dem anderen Mann schwanger zu werden, obwohl sie doch nun sehr dem anderen den Vorzug gab. Mia erledigte das mal nebenbei und hatte gleich vier mögliche Väter im Spiel. Das hatte ihr das Schaf gestanden. Dieses Luder schlief in der Gegend herum. Ein Chinese sei auch dabei. Der Gedanke gefiel Ida gar nicht.

Zu befürchten war, dass Campmann Mia vor die Tür setzte. Dabei wäre es doch von Vorteil, wenn das Kind hier lebte, ein Kleines könnte dem Scheintotsein in diesem Haus entgegenwirken. Einem Rauswurf Mias würde sie sich jedenfalls widersetzen. Wer hätte denn gedacht, dass das Schaf ihr einmal wichtig sein würde?

Ida ging in die Küche, wo ihr die Laboe einen Kartoffelsalat in den Eisschrank gestellt hatte. Die Eisstangen wurden knapp, sie musste morgen telefonieren und neue bestellen.

Campmann ging heute ins Restaurant Ehmke an der Ecke Büschstraße, die alte Gegend. Angeblich dinierte er mit einigen Direktoren. Ihr konnte egal sein, mit wem er unter der geschnitzten Holzdecke saß und Kaviar aß. Kaviar schätzte er, obwohl er sonst nicht zur Verschwendung neigte.

Oft genug hatte das Schaf sich ja im Chinesenviertel aufgehalten, da waren genügend Jungs, die auf die Moral pfiffen im Konzert mit Mia. Nun gut, sie sollte nicht als Moralpredigerin auftreten, sie war es gewesen, die Tian überzeugt hatte, die erotische Beziehung wiederaufzunehmen, obwohl sie eine verheiratete Frau war.

Ida setzte sich auf die Loggia und nahm eine Gabel voll, der Salat war delikat, besser als der von Mia. Vielleicht sollte sie die Laboe zur Köchin befördern. Die Frau war lange unterschätzt worden.

Von der Loggia der Nachbarn drang Gelächter zu ihr, das Klirren von Gläsern. Was war das für ein Leben? Ein herrlicher Sommerabend, und sie saß hier allein und alterte vor sich hin. Nachher kam Campmann voll des Aquavits, den er gerne zum Kaviar trank, und erwartete eine sich hingebende Gattin. Vielleicht sollte sie den Mosel aus dem Eisschrank holen, mit einem Schwips waren Campmanns Avancen leichter zu ertragen. Sie durfte das Gespräch mit Paps über die ganze Wahrheit wirklich nicht länger aufschieben.

Mia war unterwegs, den ersten der vier möglichen Väter zu treffen. Da konnte man nur hoffen, dass sie sich nicht verplapperte und den Mund hielt, was die Existenz der anderen Kandidaten betraf. Vielleicht bot ja einer von den vieren Mia die Ehe an, vielleicht alle vier, und das Schaf hätte die Wahl. Obwohl das kaum in Idas Sinne war. Mia war doch ihre einzige Verbündete hier.

Campmann ließ sich überreden, noch in das Etablissement der Helène Parmentier mitzukommen, eine Königin der Hamburger Halbwelt. Es war anzunehmen, dass sie in Wahrheit Helene Puvogel oder so ähnlich hieß. Egal.

Er wählte Carla aus, die dunkel und zierlich war, ganz anders als seine helle Ehefrau. Keine Frage, Carla verstand, ihn zu beglücken. Im Augenblick des Orgasmus kam ihm die Erkenntnis, dass er viel entbehrte an Idas Seite. Sie duldete es, mehr auch nicht. Bei dem Chinesen hatte sie wahrscheinlich das Teufelsweib gegeben. Friedrich Campmann dachte, er habe nicht verdient, unbegehrt zu sein.

Es dämmerte schon, als er nach Hause kam. Er legte sich neben die schlafende Gattin und lag lange wach.

Die Dämmerung war doch der poetischste Teil des Tages. Im Sommer fing seine Arbeit bei Friedländer in der Lithographiewerkstatt um sieben Uhr an, da stand schon die Sonne am Himmel. Doch heute hatte Käthe Nachtdienst, nachdem sie drei freie Abende gehabt hatte, er war kaum in den Schlaf gekommen allein im Bett und ohne Käthes warmen Körper neben sich.

Zwanzig nach vier, als Rudi auf der Brücke des Hofwegkanals stand und dem Tag zusah, der sich im Osten bereit machte.

Die ganze Nacht schon hatte er eine Gedichtzeile von Hofmannsthal im Kopf, vielleicht konnte er darum nicht schlafen. *Über Vergänglichkeit* hieß das Gedicht, und die Zeile, die ihn verfolgte, galt den Vorfahren.

So eins mit mir als wie mein eignes Haar.

Vorgestern war er bei Grit gewesen. Weil in ihm rumorte, was Käthe im Stadtpark angesprochen hatte, nicht zum ersten Mal. Dass er gar keine Ähnlichkeit hatte mit seinen Eltern. Weder im Aussehen noch im Wesen und nicht in den Talenten. Doch was wusste er vom Wesen und von den Talenten seines Vaters? Er hatte nur diese eine Fotografie mit dem Alpenpanorama.

Und meine Ahnen, die im Totenhemd,

Mit mir verwandt sind wie mein eignes Haar.

Grit hatte diesmal nicht geschwiegen, sie war in einen Zorn geraten, der ihn entsetzte. Forderte er denn nicht völlig zu Recht, von seinem Vater zu wissen? Ob er überhaupt noch lebte oder damals gestorben war? Seine Mutter war anderer Meinung. Als er ihr dann vor lauter Hilflosigkeit vom Eintritt in die Kommunistische Partei erzählte, hatte sie gelacht und von der Krawattennadel mit der Orientperle gesprochen, die der Nachlass seines Vaters war. Kryptische Sätze, die Grit sich weigerte zu erklären. Wurde sie verrückt?

Rudi ging den Hofweg entlang, am Palais vorbei, in dem Käthes Mutter putzte, und bog in den Uhlenhorster Weg ein.

Was war denn mit dieser verdammten Krawattennadel? Seine Mutter tat so, als habe sie dem letzten Zaren gehört.

Rudi kam am Ufer der Alster an, die so wunderbar in der frühen Sommersonne glitzerte. Wohlhabend fühlte man sich, wenn man hier am Wege stand. Einfach da sein zu dürfen in dieser Kulisse.

Wenn doch Grit ihr Geheimnis preisgeben würde, es stünde ihm zu. Rudi wusste, dass er einen Platz beanspruchen durfte auf dieser Welt als Sohn eines Vaters, der ihm etwas mitgegeben hatte, viel mehr als ein Schmuckstück. Die Fähigkeit zu lieben? Die Liebe zu den Wörtern? Empathie, die Rudi zum Linken hatte werden lassen? Oder war der Mann, der ihn gezeugt hatte, ein Kapitalist? Der Kontext von KPD und Krawattennadel, den seine Mutter hergestellt hatte, irritierte ihn. Doch wenn sein Vater reich gewesen wäre, dann hätte die Nadel Gold von vierundzwanzig Karat aufzuweisen, statt aus Doublé zu sein. Von Wert war an dieser Krawattennadel die Perle.

Die Glocke einer nahen Kirche schlug fünf. Vielleicht St. Gertrud, in der Henny geheiratet hatte. Vielleicht St. Marien in der Danziger Straße. Um sechs war Käthes Schicht im Kreißsaal zu Ende. Doch die Zeit reichte nicht aus, sie abzuholen, einen Kaffee miteinander zu trinken.

Rudi entschied, sich zu Fuß auf den Weg zu Friedländers zu machen, ein langer Spaziergang von der Alster über die Lombardsbrücke nach St. Pauli in die Talstraße. Doch dieser Julimorgen lud dazu ein.

Es waren die schlimmsten Stunden, die Käthe je in einem Kreißsaal erlebt hatte. Im Augenblick der höchsten Anspannung brüllte Kurt Landmann, er würde den Boden des Saals mit ihr aufwischen, dabei hatte Käthe nichts falsch gemacht. Keiner von ihnen.

Was in diesen Stunden geschehen war, konnte nur schicksalhaft genannt werden. «Lasst uns Gott um gnädigen Beistand anflehen», hatte die Operationsschwester gerufen. Doch Gott half nicht, die Zwillinge waren tot. Dass die junge Frau lebte, die kurz vor Beginn der Geburt als Notfall in die Klinik eingeliefert worden war, grenzte an ein Wunder. Dafür wollten sie dankbar sein.

Der erste Zwilling hatte versucht, in Steißlage geboren zu werden. Landmanns Gebrüll begann, als er bemerkte, dass der Zwilling die Arme hochgeschlagen und sich mit dem nachdrängenden Kind verhakt hatte. Das Köpfchen blieb stecken, und kein Notkaiserschnitt hätte die beiden Jungen retten können, die Kinder erstickten ihnen.

Um Viertel vor sechs war Dr. Unger in den Kreißsaal gekommen, um vorzeitig die Frühschicht zu übernehmen und die Mutter der Kinder zu versorgen. Käthe, Dr. Landmann und Dr. Geerts gingen aus dem Saal, ohne Ende erschöpft.

«Ich entschuldige mich bei Ihnen, Käthe. Bitte nehmen Sie meine Entschuldigung an», sagte Kurt Landmann. «Diese Fassungslosigkeit habe ich vorher nur im Lazarett erlebt.»

«Wir sollten jetzt noch nicht auseinandergehen», sagte Dr. Geerts. «Oder wollen Sie lieber gleich nach Hause, Frau Odefey?»

Käthe schüttelte den Kopf.

«Ich schlage vor, wir lassen uns oben auf der Station einen starken Kaffee machen. Keinen Muckefuck. Und dann gehen wir ein paar Schritte am Kanal entlang und lüften uns aus», sagte Geerts.

«Sehr einverstanden, Herr Kollege.» Landmann blickte zu Käthe, die nickte, noch immer nicht in der Lage zu sprechen.

«Der Ehemann muss verständigt werden», sagte Geerts. «Er hütet die kleine Tochter zu Hause. Hat eine Telefonnummer in der Nachbarschaft hinterlassen.»

«Das übernehme ich», sagte Landmann. «Wenigstens ist uns gelungen, die Mutter zu retten.»

Auf dem Kanal schwammen die Enten, in den Bäumen sangen die Vögel. Wie konnte ein Tag schön sein, dessen frühe Stunden Leid und Verzweiflung gebracht hatten?

«Sie wird keine weiteren Kinder bekommen können», sagte Geerts.

«Ich glaube kaum, dass sie im anderen Falle bereit wäre, noch einmal eine Geburt zu erleben», sagte Landmann.

Käthe legte die Hände vor ihr Gesicht und fing an zu schluchzen. Es war Kurt Landmann, der sie tröstend in die Arme nahm.

DEZEMBER 1923

Bunge kriegte gar nicht mit, dass er sich vordrängte, als er in die Kraftdroschke stieg. Der andere Herr blieb mit vier Koffern vor dem Bahnhof stehen und warf ihm einen wütenden Blick zu, den Carl Christian Bunge nicht zu deuten wusste. Doch da bog der Chauffeur auch schon in den Dammtordamm ein und von dort in den Gorch-Fock-Wall in Richtung Altona. Was für ein Betrieb auf dieser Kreuzung herrschte. Es ging wieder aufwärts, das spürte man in der ganzen Stadt.

Das hatte Gustav Stresemann gut geschafft, die Hyperinflation zu stoppen, die Rentenmark einzuführen. Hatte ihm aber alles nichts genutzt, er war schon wieder weg, nur der Anzug blieb: schwarzes Sakko, Einreiher, graue Weste, die Hose mit Streifen.

Bunge hatte auch einen Stresemann im Schrank. Beinah hätte er das laut gesagt, doch dem Chauffeur wäre das völlig wurscht, der Anzug, und dass auch Bunge wieder auf dem aufsteigenden Ast war.

Nun versuchte Wilhelm Marx sein Glück mit den Koalitionen. Ging ja doch alles schief, egal ob die Kanzler Sozialdemokraten waren oder Konservative aus der Deutschen Volkspartei wie Stresemann oder katholische Zentrumsleute wie Marx. War alles kaum besser als kurz nach dem Krieg, da stand rechts die Reaktion und links standen die Bolschewiken.

Dieser Putschversuch vor der Feldherrnhalle in München Anfang November, da ließ sich doch nur der Kopf schütteln. Diese hitzigen Bajuwaren, der Anführer sollte sogar Österreicher sein.

Die Große Freiheit, an der sie vorbeifuhren. Da sollte er mal wieder hin. Ins Hippodrom. Und oben Ecke Hamburger Berg in das Restaurant von Heckel, dort war er ja schon als Jungspund Gast gewesen.

470 Milliarden Mark für ein Brot. Gut, dass diese Zeiten nun vorbei waren. Er hatte sich Besseres als Brot leisten können. Zehn Dollar hatten einen über den Monat gebracht, hundert Dollar waren Luxus.

Das hatte er ausgekostet mit Guste. Die gute Guste. Großes Herz, das hatte er ja schon immer gesagt. Obwohl dieses hochbeinige Gewächs namens Margot auch von ganz besonderer Güte war.

Vor acht Tagen im Zug nach Berlin hatte er Margot kennengelernt, sie gleich in den Speisewagen eingeladen, Sekt spendiert, ihr mit seinem Pilsner Urquell zugeprostet, Adressen ausgetauscht. Margot wohnte in Altona, teilte die Wohnung mit einer Freundin, Schauspielerinnen, beide. Sie war zu einem Vorsprechtermin unterwegs gewesen und begeistert davon, dass er in Schallplatten machte.

Dieses Geschäft war doch viel reizvoller als der öde Kautschuk. Wen man da alles kennenlernte. An dem Tag war er zu Gesprächen in der Potsdamer Straße unterwegs gewesen, im Vox-Haus, wo seit dem 29. Oktober Radio gemacht wurde. Ihm standen noch die Nackenhaare vor Ehrfurcht, wenn er daran dachte, wie dieser Knöpfke an jenem Abend im Oktober die Eröffnungsansprache gehalten hatte.

Achtung, Achtung! Hier ist die Sendestelle Berlin im Vox-Haus auf 400 Meter. Meine Damen und Herren, wir machen Ihnen da-

von Mitteilung, dass am heutigen Tag der Unterhaltungsrundfunkdienst mit Verbreitung von Musikvorführungen auf drahtlos-telephonischem Weg beginnt.

Das Schöne inmitten des Chaos. Reparationen, Separatismus, Revolten, und ein Dollar wurde zu 4,2 Billionen Papiermark notiert.

Wie gut, dass das vorbei war und wieder verdient werden konnte.

Nur Ida hatte er leider enttäuschen müssen. Das Geld steckte in der Firma, er konnte es noch nicht Campmann vor die Füße scheffeln, um die alten Schulden zu bezahlen, nur der kleinere Teil war geleistet. Das Kind würde ihn in größte Verlegenheit bringen, wenn es Campmann verließe. Bunge war sich sicher, dass der Bankier die Gefälligkeit des Schwiegersohnes sofort ad acta legen und die ganze Summe auf einmal fordern würde. Vielleicht kam er doch bald zu größerem Reichtum, wenn die Diamant Grammophongesellschaft wie die Lindström AG ihre Fühler nach Übersee ausstreckte. Südamerika, das war vertrautes Terrain.

Idas Chinese saß in Costa Rica, gut so, sonst hätte seine Tochter noch mehr Druck gemacht. Wenn er denn wiederkam, konnte man immer noch sehen. Bunge hatte nichts gegen Exoten. Das Eichhörnchen, das hätte sich aufgeregt. Doch nun hatte es seinen Frieden.

Der Hohenzollernring. Prächtige Straße. Bäume in der Mitte. «Halt», sagte Carl Christian Bunge, «hier ist die Hausnummer 74, beinah wären Sie vorbeigefahren.»

Der Droschkenchauffeur hielt, Bunge bezahlte und gab ein großes Trinkgeld, wie er sein Leben lang großzügige Trinkgelder gegeben hatte. Ein dicker Kasten, das Haus. Sechs Etagen mit zwei Spitzdachgiebeln. Sah solide aus.

Margot wohnte im vierten Stock links. Er beeilte sich,

die Tür noch aufzufangen, durch die gerade einer gegangen war. Dann konnte er in aller Ruhe die Treppen hochsteigen und noch verschnaufen, bevor er auf die Klingel drückte. Margot sollte nicht denken, er sei außer Form.

Margot Budnikat stand hinter der Gardine und hatte ihn längst gesehen, den drolligen älteren Herrn aus der Eisenbahn. Sie hatte Anita von ihm erzählt, und auch die witterte sofort den Trüffelduft. Die Diamant Grammophongesellschaft mochte noch nicht so bedeutend sein wie Lindström oder Odeon, doch dafür suchten sie sicher viel begieriger nach neuen Talenten. Anita und sie konnten kleine Couplets wunderbar vortragen, da ließe sich doch was draus machen. Die Frage war, was Bunge dafür erwartete.

«Bisschen den Brustansatz zeigen und vielleicht mal den Schlüpfer», hatte Anita vorgeschlagen. Ob das genügte? Wichtig war, dass sie ihn dazu brachte, eine Grammophonplatte mit ihnen aufzunehmen. Dann würden Anita und sie ihr Geld ganz von selbst verdienen, ohne die Wäsche vorführen oder gar Hand anlegen zu müssen.

Margot betrachtete ihre polierten Fingernägel, brauchte wohl noch eine Weile, das Dickerchen, bevor es wieder zu Atem kam. Sie würde sich in Geduld üben müssen mit ihm, doch wenn sie es geschickt anstellte, brauchten sie keine weitere Mitbewohnerin. Dann könnten sie die Miete alleine stemmen. Das *Vilja-Lied* kam ihr in den Sinn. «Fass mich und lass mich dein Goldesel sein», summte sie. Endlich klingelte es.

«Volksgenosse», sagte Rudi. Es klang, als spucke er das Wort. Lud sah von der Zeitung auf und blickte zu Rudi. «Volksgenosse kann nur sein, wer deutschen Blutes ist», las Rudi vor.

«Das bist du doch», sagte Lud.

Rudi rollte die Augen.

«Lud, du nennst dich doch Sozialdemokrat. Lässt dich das nicht verzweifeln, was die Deutsche Arbeiterpartei da vom Stapel lässt?»

«Die gibt es doch gar nicht mehr.»

«Nee. Die heißen nun Nationalsozialistische Deutsche Arbeiterpartei und haben einen Putsch versucht. Marsch auf die Feldherrnhalle. Davon hast du im November hoffentlich gehört?»

«Ach die», sagte Lud Peters.

Der weiße Kachelofen bullerte, vor den Fenstern ein kalter Dezember.

Das Einzige, worin sich die Männer ähnelten, die in Rudis und Käthes Wohnung die Zeitung lasen, war, dass sie beide liebe Menschen waren, die das Gute wollten. Wenn sie den anderen vorstellten, dann sagten sie: «Der Mann der besten Freundin meiner Frau.» Und was ging ihnen dann durch den Kopf? *Mein Freund Lud, leider völlig naiv. Mein Freund Rudi, ein linker Romantiker, die arme Seele.*

Käthe und Henny hatten beide die späte Schicht an diesem Sonntag. Die Finkenau hieß nicht von ungefähr im Volk «die Babyfabrik», nirgendwo anders in Hamburg wurden so viele Kinder geboren.

«Ich muss gleich los, Marike von Hennys Mutter übernehmen.» Lud legte die Zeitung zur Seite.

«Schade. Ich dachte, wir trinken noch ein Bier miteinander. Mal wieder in eine Kneipe gehen. Das haben wir lange nicht mehr getan.»

«Vaterpflichten», sagte Lud. Er sagte es ohne Bedauern.

«Tja», sagte Rudi.

«Und ihr?»

«Käthe ist eine große Verhüterin von Schwangerschaften.»

«Henny drängt auch nicht nach dem zweiten Kind.»

«Wer weiß, wozu es gut ist. In diesen Zeiten.»

«Nein», sagte Lud, «die Zeiten waren nie gut für Kinder. Wenn wir uns daran hielten, wären wir längst ausgestorben.»

«Da hast du recht. Trink noch einen Schnaps mit mir, ehe du in die Kälte gehst. Ich hab einen dänischen Kümmel.»

«Gut», sagte Lud und setzte sich wieder bequemer hin. «Einen.»

«Und Weihnachten?», fragte Rudi.

«Heiligabend sind Lina und Else bei uns und an allen anderen Tagen Else. Sie hilft viel, aber sie ist wie der Igel in Buxtehude. *Ick bün al dor.*»

Rudi lachte. «Zu uns kommen Anna und Karl», sagte er.

«Du hast Glück mit deinen Schwiegereltern. Sie lauern nicht dauernd, was aus dir werden könnte.»

«Else Godhusen ist ehrgeizig», sagte Rudi, «die wird schon noch einen Prinzen aus dir machen. Wollen wir einen zweiten trinken?»

«Er ist gut, dein Kümmel. Aber ich muss los.»

Sie standen auf. Rudi verabschiedete Lud und blieb in der Tür stehen, bis Lud nach der nächsten Treppe außer Sicht war. Dann kehrte er zum Lehnstuhl zurück, um die Zeitungslektüre fortzusetzen.

Wenn dieser Hitler auch nur einen Teil davon umsetzte, was er im Bürgerbräu angekündigt hatte, dann konnte ihnen allen angst und bange werden. Nicht nur Juden, wie Friedländers es waren. Doch nun wurde Hitler und seinem Stoßtrupp erst einmal der Prozess gemacht, bei Hochverrat konnte auch die Todesstrafe verhängt werden. Rudi war kein

Vertreter der Todesstrafe, doch er ertappte sich dabei, dass ihm der Gedanke gefiel, den Faschistenführer zum Teufel zu schicken.

Rudi ließ die Zeitung sinken und dachte, dass er Grit dazubitten sollte am Heiligen Abend. Auch wenn ihm nicht wohl dabei war, denn Grit spannte sich sehr an in Käthes Gegenwart, und auch Käthe frohlockte nicht gerade, wenn sie seine Mutter sah.

«Grit fürchtet, ich könnte ihr das Familiengeheimnis entreißen», hatte Käthe gesagt. «Darum presst sie dauernd den Kiefer zusammen.»

Rudi seufzte und nahm die Zeitung auf. Dann doch lieber die Sorgen der Welt als die eigenen.

Weißer Atem vor ihren Mündern, als sie um den Kuhmühlenteich gingen, Viertel nach vier am Nachmittag, und es wurde schon dunkel. Eigentlich hatten sie zwei Stunden vorher losgehen wollen, als die Sonne kurz am Himmel stand und den Frost milderte, doch sie waren beide in der Klinik aufgehalten worden.

«Elisabeth und du trefft euch wieder?», hatte Landmann gefragt.

Theo Ungers Antwort war spröde ausgefallen. Ein kurzes Nicken.

«Der alte Liebreiz hat es mir erzählt. Ihm liegt viel an der Verbindung.»

«Ich weiß. Er ist auf meiner Seite.»

«Im November war es zwei Jahre her. Ist sie nicht drüber weg?»

«Das Wort *Totaloperation* steht auf ihrem Banner.»

«Du hast ihr gesagt, dass du dir ein Leben ohne Kinder gut vorstellen kannst?», fragte Kurt Landmann.

«Von Anfang an. Aber vielleicht ist Licht am Horizont, Elisabeth hat begonnen, Berichte für *Die Dame* zu schreiben. Das lenkt sie ab.»

«Die Modezeitschrift? Sitzen die nicht bei Ullstein in Berlin?»

«Nenn es Hamburger Korrespondentin.»

«Und? Kann sie schreiben?»

Unger lächelte. «Den Berlinern scheint es zu gefallen.»

«Das ist doch die Lösung», sagte Landmann. «Ein hart arbeitender Arzt und eine erfolgreiche Journalistin. Da stören Kinder nur. Deine Eltern hätten nichts gegen eine jüdische Schwiegertochter?»

«Du denkst immer ein paar Schritte zu weit, Kurt, da sind wir noch lange nicht. Was hältst du denn von diesem Hitler?»

«Ich hoffe, dass die Münchner ihm einen harten Prozess machen und ihn lange in den Kerker stecken.»

Theo Unger nickte. «Lass uns ins Warme. Ich bin durchgefroren.»

«Dann steigen wir an der Mundsburg in die Bahn und fahren die paar Stationen zu mir. Ich habe dir das Bild noch nicht gezeigt, meine neueste Errungenschaft.»

«Und wer ist der Maler?»

«Willy Davidson.»

«Hab gehört von ihm.»

Sie stiegen in die Hochbahn und fuhren zum Hauptbahnhof, gingen den kurzen Weg zur Bremer Reihe mit hochgeschlagenen Mantelkrägen und in die Taschen gestopften Fäusten.

Unger stand lange vor dem Bild von Davidson, das gegenüber von Emil Maetzels *Stillleben mit Negerfigur* hing. Größer konnte der Kontrast kaum sein, da das sinnenfrohe Bild von

Maetzel, dort die braunen Ackerfurchen von Willy Davidsons *Felder*. Ihn überraschte, dass sein Freund diese beiden Gemälde miteinander konfrontierte. Er fand Kurt viel mehr in den leuchtenden Farben von Maetzel wieder. «Du wunderst dich», sagte Landmann.

«Ich verstehe nicht genügend davon.» Theo zögerte. «Karg ist es und trist. Hoffentlich trifft das nicht deine Grundstimmung.»

Kurt Landmann schenkte Kognak in zwei große Schwenker ein und hielt ihm eines der Gläser hin. «Karg werden die Zeiten wohl nicht, allein die prächtigen Aufmärsche, die uns erwarten. Vor der Feldherrnhalle haben sie ja noch geübt. Aber *braun* werden die Zeiten.»

«Du meinst das Gesindel um diesen Hitler? Mit dem Putsch im Bürgerbräukeller ist es noch nicht getan?»

Landmann nahm einen Schluck Kognak. «Ich fürchte, nein», sagte er.

Lina lernte Kurt Landmann in der Klinik kennen, als sie Henny abholte. Ihre Schwägerin und sie waren verabredet, um eine Werkstatt in einem der Hinterhöfe der Canalstraße zu besichtigen, eigentlich eine Remise, in der einmal eine Kutsche gestanden hatte. Sollte sie sich eignen, hell und trocken sein, nicht zu heiß noch zu kalt, wäre es Hennys und Linas gemeinsames Weihnachtsgeschenk für Lud, diese Tischlerwerkstatt für ihn gefunden und für zwei Monate die Miete bezahlt zu haben.

Landmann stand vor ihr und lächelte die große Lina auf Augenhöhe an, und ihr gelang kaum, aus seinem Blick herauszufinden. Es kam selten vor, dass die Signale eines Mannes in ihr widerhallten, dem jungen Lehrer damals war es gelungen, doch seitdem keinem mehr.

Vielleicht hatte sie sich zu lange in die Rolle der großen Schwester eines kindlichen Bruders geflüchtet. Erwachsene Männer verunsicherten Lina, der souveräne Kurt Landmann mit den breiten Schultern und dem dichten dunklen Haar war ohne Zweifel ein erwachsener Mann.

Henny stellte sie vor, und sie gefielen einander. Was war es? Eine Sehnsucht von beiden Seiten, beinah Bedürftigkeit?

Diese Begegnung am Nikolaustag des Jahres 1923 war der Anfang einer nicht einfachen Liebesgeschichte, doch sie sollte eine besondere Wendung nehmen.

Mia war dick, als ob das Kind im nächsten Moment käme und nicht erst in zwei Monaten. Doch rosig und rund war sie immer gewesen, selbst in den Hungertagen nach dem Krieg.

Schlachterstochter. Ida saß in ihrem Kükenboudoir und dachte, wie lange es her zu sein schien, dass sie Mia auf dem Kieker gehabt hatte.

Gerade war ihr von dem Mädchen ein Brief gebracht worden, der die Adresse eines jungen chinesischen Kochs trug, auch er ein potenzieller Vater des Kindes. Sollte er es nicht sein, dann bliebe die Vaterschaft im Ungewissen, denn laut Mia waren die drei anderen Kandidaten blond bis rothaarig und alle eher kräftig.

Der Koch aus der Schmuckstraße stand nicht in Korrespondenz mit Tian, doch er nahm dessen Briefe an Ida an. Lange acht Wochen hatte es gedauert, bis das erste Lebenszeichen gekommen war. Die *Teutonia* hatte in vielen Häfen angelegt, ehe Tian in Puerto Limon von Bord gegangen war. Mit einem Bummelanten von Postschiff sei er da unterwegs gewesen, hatte Tian in dem ersten Brief geschrieben.

Campmann hatte die Duldung der schwangeren Mia mit der Auflage verknüpft, dass nun endgültig Schluss sein müsse mit Idas Schwärmerei für diesen Chinesen, im anderen Falle habe Mia das Haus umgehend zu verlassen. Eine Drohung, die Herrin und Dienstmädchen nur noch enger verband.

Der Laboe waren die Liebschaften zu Ohren gekommen. Sie war die Einzige im Hause, die eine kleine Sympathie für Campmann hegte. Der Mann mochte humorlos sein, doch er hatte ein Talent für Spott, da rein rettete er sich, was blieb ihm übrig, wenn die Gattin die kalte Schulter zeigte und nicht mal das Dienstmädchen ihm Respekt zollte. Eleganter Spott gefiel Anna, deren Karl eher den derben Spaß pflegte.

Überhaupt. Anna Laboe blühte auf. War nicht länger nur die Putze, auch wenn sie noch oft genug auf den Knien lag und das Parkett mit Silbersand und Wurzelbürste bearbeitete. Doch anders als in der Fährstraße gab es in diesem Haushalt keine Köchin, Ida hatte weder Ahnung noch Ambition, eine Mahlzeit herzustellen, Anna war diejenige, um deren Herdfeuer sie sich sammelten.

Ida hatte es im Traume nicht für möglich gehalten, wie wohltuend es sein konnte, mit dem Personal am Küchentisch zu sitzen, Kaffee zu trinken und über Männer zu lästern. Eine Chance, zu überwintern in schwierigen Zeiten.

Ob Netty gewusst hatte, wie erleichternd das war? Dieser Austausch unter Frauen? Doch die Zeiten waren andere geworden, vor dem Krieg war das Heben der Augenbrauen in verächtliche Höhen gesellschaftlich anerkannt. Hatte sie nicht selbst diesen Dünkel gepflegt?

Lässt du dich scheiden?, hatte Tian geschrieben

Ja.

Wann?

Die Antwort war sie ihm schuldig geblieben. Der Brief,

den Ida nun in Händen hielt, trug den Stempel des 29. Oktobers 1923.

Dir bleiben achtundzwanzig Monate, um unsere Liebe ernst zu nehmen und dich scheiden zu lassen.

Ida versteckte den Brief dort, wo sie die drei anderen Briefe versteckt hatte, in dem Album aus schwarzem Karton, das die Fotografien ihrer Eltern und Großeltern enthielt. Campmann käme kaum je auf die Idee, es zur Hand zu nehmen, um darin zu blättern.

Achtundzwanzig Monate. Eine Ewigkeit. Drei Winter. Zwei Sommer. Diese Zeit sollte doch auch ihrem Vater reichen, seine Geschäfte mit Campmann ins Reine zu bringen. Paps wurde zum quengelnden Kind, wenn sie von Scheidung sprach, keine Spur mehr vom hanseatischen Kaufmann, der einen kühlen Verstand hatte und festen Boden unter den Füßen. Doch vielleicht hatten sie sich alle täuschen lassen, und Carl Christian Bunge war immer nur ein Glücksritter gewesen, dem es eine Zeitlang gelungen war, das große Geld zu verdienen.

Tian drohte ihr Konsequenzen an. O ja. Das hatte Ida verstanden. Doch noch war genügend Zeit, alles ins Lot zu bringen. Drei Winter. Zwei Sommer. Einen Gedanken lang war ihr klar, dass ihr Vater es genauso gemacht hatte, als die Geschäfte schlechter liefen, die Schulden größer wurden. Er hatte gewartet. Zu lange.

«Kaffee ist fertig.»

Ida erhob sich vom gelben Sofa, um in die Küche zu gehen. Campmann würde die Nase rümpfen, hätte er eine Ahnung, was in seiner Abwesenheit in der Küche stattfand.

Hatten Frauen größeres Talent zur Demokratie? Nein. Kaum. Oder?

Dicke Schwaden im Hinterzimmer der Kneipe. Zu viele, die sich da versammelt hatten. Zu viele Raucher, die ihre Zigaretten zwischen gelben Fingerkuppen hielten. Rudi hatte nie geraucht. Ihm tränten die Augen nach den ersten Schritten, die er sich bahnte.

«Da kommt unser Dichterfürst.»

Wann war das Wort zum ersten Mal in einer Versammlung gefallen? Rudi versuchte gar nicht erst zu erklären, dass er nicht dichtete, nur ein Leser von anderer Leute Gedichte war. Doch Hans Fahnenstich, der da spottete, war ein freundlicher Kerl, der es alles andere als böse meinte.

Andere Genossen hatten einen härteren Ton, wenn sie Rudi angriffen, die Zeiten forderten mehr als eine kleine Revoluzze im Herzen. Aus der geplanten Oktoberrevolution, sechs Jahre nach der russischen, war eine Hamburger Oktoberniederlage geworden, der bewaffnete Aufstand nicht nur in Hamburg, sondern im ganzen Land zerschlagen, die KPD in die Illegalität gedrängt. Mochte dies auch nicht von Dauer sein, so war die Stimmung doch äußerst gereizt und linke Romantik nicht angesagt.

«Rede heute mal Tacheles», rief Alfred ihm zu.

«Ich rede gar nicht», sagte Rudi.

«Du stehst auf der Rednerliste.»

«Das ist ein Irrtum.»

Erich Mühsam fiel ihm ein. *War einmal ein Revoluzzer, im Zivilstand Lampenputzer. Ging im Revoluzzerschritt mit den Revoluzzern mit.*

War er so einer? Der *ich revolüzze* rief und die Revoluzzermütze aufs linke Ohr setzte, sich verwegen vorkam?

Was wollte Rudi? Ein kleines Glück mit Käthe? Vor dem Kachelofen die Zeitung lesen? Ein großes Glück für die Menschheit? Er versuchte sich an der Politik, doch ihm fehlten die Aggressionen und vielleicht auch der Ehrgeiz. Rudi strebte keine Ämter an, nicht einmal das des Sekretärs in der Sektion Wasserkante, obwohl man ihn des souveränen Umgangs mit Worten wegen kurz in Erwägung gezogen hatte.

Dreiundzwanzig Jahre alt war er. Wo wollte er hin? Ein verheirateter Mann. Keine Kinder. Lithograph bei Friedländer, deren Plakate über Hamburg hinaus Ruhm erlangt hatten. Unentschlossen, wie weit er gehen wollte für die Partei, die er für die politisch konsequentere hielt.

«Weichlinge wollen wir nicht», sagte Alfred und verschwand in den Schwaden.

«Dicke Luft», murmelte Hans, der sich zu ihm durchgedrängt hatte. «Geht auch noch gegen ein paar andere. Alfred will ein Tribunal.»

Ging es noch preußischer? Rudi hätte gern gelacht.

«Alfred sagt, dass eure Schwäche den Faschisten den Weg bereitet.»

Die Nachbarschaft in Barmbecks Süden war sozialdemokratisch bis kommunistisch, kaum vorstellbar, dass die Faschisten hier Fuß fassen könnten. Doch in der Partei hatten die Scharfmacher das Wort, eine Agitation, der die Arbeiter in den Fabriken und auf den Werften nicht mehr folgen mochten, seitdem sich die Lage ein wenig beruhigt hatte mit der Einführung der Rentenmark im November.

Der niedergeschlagene Aufstand hatte tote Aufständische und tote Polizisten zurückgelassen, doch die meisten Toten hatte es bei den unbeteiligten Zivilisten gegeben. War das nicht Grund genug zu zweifeln? Rudi zweifelte.

«Jung, du bist da nich richtig», hatte Käthes Vater gesagt. «All die Töffels sind doch von Moskau gesteuert. Die dürfen man gar keinen eigenen Gedanken im Kopp haben.»

Karl Laboe glaubte noch immer an seine Sozis, die in Hamburg eine Mehrheit hatten, doch genau wie die noch junge und schwache Republik als schwankende Halme im Wind wahrgenommen wurden.

«Ein lascher Laden», sagte Käthe, «doch tüchtig draufschlagen konnten sie auf die Linken.»

Käthe war härter als er. Dass sie noch nicht in die Partei eingetreten war, hing mit ihrem stark ausgeprägten Pragmatismus zusammen. Im Sommer hatte es einen Wechsel in der Leitung der Finkenau gegeben, der erste ärztliche Direktor aus Gründungstagen war in den Ruhestand gegangen, seinem wohl kaum weniger konservativen Nachfolger wollte Käthe nicht vorzeitig negativ auffallen. So sang sie im Schwesternchor *Wer nur den lieben Gott lässt walten* statt Revolutionslieder. Rudi warf Käthe selten etwas vor, doch das fand er pharisäerhaft.

Und wo kamen die Dosen mit Schokoladenflocken und die kleinen Butterpakete her, die sich in ihrer Küche sammelten? Davon war nichts als Eigentum der Frauenklinik Finkenau gekennzeichnet, doch Rudi glaubte, genau das in flammenden Lettern zu lesen.

Käthe würde es vermutlich «kollektives Eigentum» nennen.

«Und wenn die Genossen in Berlin uns Hamburger für besonders aktionistisch halten, weil wir den Aufstand gewagt haben ...», hörte er Alfred vorne sagen.

«Diese Waschlappen», rief einer.

«... dann können wir stolz darauf sein», schloss Alfred den Satz.

Auf mindestens hundert Todesopfer. Rudi blickte zu Hans Fahnenstich, der Beifall klatschte. Hinterfragte er denn gar nichts?

«Thälmann, Thälmann», skandierten sie nun vorne. Doch Ernst Thälmann, einer der Anführer des fehlgeschlagenen Aufstands, war nach den Oktobertagen untergetaucht.

Rudi schlich sich aus dem Hinterzimmer. Die Männer, die am Tresen der Kneipe standen, sahen ihn neugierig an. Er nickte ihnen zu und schlug den Kragen des Sakkos hoch. Viel zu kalt ohne Mantel. Doch es war ja nur ein kurzer Weg in die Bartholomäusstraße.

«Der Mann muss die Frau immer mehr lieben als sie ihn. Das war bei deinem Vater und mir auch so», sagte Else Godhusen und drückte das Bügeleisen auf die grünen Wollfäden der Tannenzweige.

Henny hatte nicht vor, das zu kommentieren. «Du wirst die Stickerei noch verbrennen», sagte sie. Die weihnachtliche Tischdecke war eine Handarbeit von Luds Mutter, lange vor dem Krieg hergestellt. Lud hing daran wie an all den kostbaren Erinnerungen aus seiner Kindheit.

«Bring mir nicht das Plätten bei», sagte Else.

«Du musst bei diesem Bügeleisen nicht mehr so stark aufdrücken.»

Else schnaubte. «Sei man froh, dass ich dir hier den Korb leer bügele. Das trifft doch auf Lud und dich genauso zu.»

«Was trifft auf uns zu?», fragte Henny. Das war kein Thema, das sie mit ihrer Mutter besprechen wollte.

«Dass er dich mehr liebt als du ihn.» Else wartete. «Nu hab ich dich beim Schweigen erwischt», sagte sie schließlich.

«Wir sind glücklich miteinander.»

«Er will noch weitere Kinder, dein Lud.»

«Nun haben wir erst mal Marike.»

«Dabei ist er selber noch eines.»

Henny hätte gerne gesagt, sie solle sich da raushalten. Doch sie hatte keine Lust auf eine beleidigte Else.

«Wo bleibt denn Lina mit dem Kind?»

«Sie wollten noch die Schaufenster bei Heilbuth angucken gehen. Die haben so schön geschmückt. Lauter Märchenmotive.»

«Das Kind kriegt doch noch gar nichts mit davon.»

«Du gehst doch auch mit ihr zu Schraders, Puppen gucken.»

«Das ist was anderes.» Else Godhusen setzte das Bügeleisen ab. «Gar nicht adventlich hier», sagte sie.

Henny sah zu dem Adventskranz, auf dem die erste der vier dicken roten Kerzen brannte. Zu dem großen goldenen Stern im Fenster, den sie zusammen mit Lina und Marike aus Glanzpapier gebastelt hatte. Den Zimtsternen auf dem Teller. Der Tischdecke mit der weihnachtlichen Stickerei, die ihre Mutter bügelte. «Was ist los mit dir, Mama?»

Else Godhusen schniefte kurz. «Ich bin so einsam», sagte sie.

«Aber du hast doch uns.»

«Und gleich geh ich nach Hause und lese, bis die Augen tränen, und dann lege ich mich ins Bett und liege allein. Ist denn mit sechsundvierzig Jahren alles vorbei für mich?»

«Wo kriegen wir denn einen Mann für dich her?»

«Im Lübschen Baum bin ich ne Olle. Kann mich doch keinem jungen Kerl an den Hals hängen.»

«Dann gehst du zum Tanztee ins Boccaccio. Das ist gediegener.»

«Da trau ich mich nicht hin. Schon gar nicht allein.»

«Wir gehen zu dritt. Du, Lina und ich.»

«Und da kann ich dann eure Handtaschen hüten, wenn ihr zum Tanz geholt werdet.»

«Das machen wir noch vor Weihnachten», sagte Henny. Sie fing an, Gefallen an der Idee zu finden.

«Meinst du wirklich?», fragte Else Godhusen. «Einen mit drei Haaren in sieben Reihen will ich aber nicht.»

«Lud passt auf Marike auf.» Henny ließ sich nicht ablenken.

«Eigentlich ist sie ja schön, die Weihnachtsdecke», sagte Else. Sie strich über die Tannenzweige aus grünen Wollfäden und lächelte.

«Deine Eltern hätten nichts gegen eine jüdische Schwiegertochter?» Theo Unger hatte noch die eigene Antwort im Ohr: «Du denkst immer ein paar Schritte zu weit, Kurt, da sind wir noch lange nicht.»

Stand er tatsächlich an diesem Samstag im Salon der Liebreiz vor der Schäferszene des großen Gobelins und sah der Hausherrin zu, wie sie ein weiteres Licht am Chanukkaleuchter entzündete?

Landmann war auch geladen und hörte gar nicht auf zu lächeln. Ihr Gang um den Kuhmühlenteich war kaum eine Woche her, vermutlich hatte sein Freund und Kollege das alles hier eingefädelt.

Elisabeth kam mit zwei Gläsern Wein auf ihn zu und reichte ihm eines.

«Stoßen wir auf die Zukunft an?», fragte sie und hatte vor Verlegenheit gerötete Wangen. Ihr Vater stand neben Kurt Landmann, und beide hoben ihr Glas. Wussten alle mehr als er?

«Auf deine Zukunft als Journalistin?», fragte Theo Unger.

«Genau», sagte Elisabeth, «auf meine Zukunft als Theaterkritikerin bei der *Dame*. Alfred Kerr kriegt Konkurrenz, und im *Berliner Tageblatt* zittern sie schon.» Sie lachte. «Da drüben in der Ecke, da wird der Tannenbaum stehen. Vier Meter hoch. Darunter tut es mein Vater nicht. In unserer Familie wird Chanukka und Weihnachten gefeiert. Weihnukka. Wenn wir auch nicht glauben, dass Gottes Sohn zur Welt gekommen ist.»

«Trinken wir auch auf eine Zukunft für dich und mich?», fragte Unger.

Sie standen allein in der Mitte des Salons, der schon Saal zu nennen war. Alle anderen hielten Abstand, als ob ein Brautstrauß geworfen und aufgefangen werden sollte. Das Haus am Klosterstern war das größte Privathaus, das Unger kannte. War ein kleiner Klinikarzt, dazu noch ein Goi, denn tatsächlich der gewünschte Schwiegersohn?

«Du willst wirklich keine Kinder?» So konkret hatte Elisabeth das Thema noch nie angesprochen. Sie sah ihm in die Augen, als lauere sie auf ein verräterisches Zucken seiner Lider.

«Ein Leben mit dir ist mir wichtiger», sagte Unger. «Wir waren doch schon einmal nah dran, Elisabeth. Können wir die Idee der Verlobung wieder aufnehmen?»

«Verlobungen am Lichterfest haben in unserer Familie Tradition.»

Theo Unger brauchte sich nicht umzudrehen, um die Blicke von Landmann und Liebreiz wahrzunehmen. Die brannten ihm im Rücken.

«Sie haben den Paaren immer Glück gebracht», sagte Elisabeth.

«Dann wird es auch uns Glück bringen.»

«Ist das ein Antrag?»

«Schon der zweite. Den ersten hast du ohne Antwort gelassen und dich dann von mir ferngehalten.»

«Ich habe diese Zeit gebraucht, Theo.»

Waren es Landmanns Lackschuhe, die da über das Parkett scharrten wie die Hufe eines ungeduldigen Pferdes? Die Atmosphäre im Salon schien sich verändert zu haben. Nervöser? Eben hatte Liebreiz dem Diener ein Zeichen gegeben.

«Ich will sehr gerne deine Frau werden.»

«Küssen», sagte Landmann laut. Lauschte er durchs Stethoskop?

Theo Unger stellte sein Glas ab, legte die Hände sacht auf Elisabeths Schultern und küsste sie. Der Diener kam mit einem Silbertablett, auf dem hohe, mit Champagner gefüllte Kristallflöten standen, rosa schien der Champagner zu sein im gedämpften Licht der Kronleuchter. Der Diener trug das Tablett zuerst zu ihnen, bis schließlich alle im Salon die Flöten in den Händen hielten. Verlobung am Lichterfest.

Unger war sich sicher, dass seine Eltern nichts gegen die jüdische Schwiegertochter hatten. Morgen würde er zum Anschneiden des Christstollens in Duvenstedt sein und sich erklären. Er hätte es schon viel eher tun sollen.

Vor dem Schauspielhaus in der Kirchenallee stand eine Kinderschar und zappelte an den Händen der Erwachsenen, wartete darauf, dass sich die Türen des Theaters zum Weihnachtsmärchen öffneten. Else, Lina und Henny stiegen aus der Straßenbahn, und Henny dachte, dass sie lieber in *Peterchens Mondfahrt* gegangen wäre.

Kurz vor vier, und schon wurde es dunkel, nur noch ein letzter roter Streifen der untergehenden Wintersonne war am Himmel zu sehen. «Christkindchen bäckt», hatte Else früher zu Henny gesagt, wenn der Himmel im Dezember gerötet war. Nun sagte sie es zu Marike.

Else Godhusen sah gut aus in dem grauen Kostüm aus Gabardine, das sie sich genäht hatte und eigentlich zu schlicht fand. Keine Schleife, keine Schärpe, die neuen Schnitte trafen kaum ihren Geschmack. Der Kragen aus Hermelin war ihr nicht auszureden gewesen, der Duft von *Tosca* überdeckte den des Naphthalins kaum. Am Topfhut steckte eine kleine Spange aus Strass. Auf ihren Lippen war ein Hauch von Rot.

Der Tanztee im Boccaccio, nicht weit vom Schauspielhaus, begann um sechzehn Uhr. Ein wenig peinlich, dieses frühe Kommen, doch sie waren nicht die Ersten, die sich in die weichen Plüschsessel sinken ließen und erwartungsvoll zur Orchesterbühne blickten.

Henny rührte die Aufgeregtheit ihrer Mutter. «Schließlich ist es lange her, dass dein Vater mir schöne Augen gemacht hat», hatte sie gesagt, und nun sah sie sich um und staunte, wie es ein paar Häuser weiter wohl die Kinder taten, wenn sich der Vorhang zu *Peterchens Mondfahrt* hob. Das Orchester setzte mit *Salome* ein. «Schönste Blume des Morgenlands», sang der Sänger, erste Herren standen auf, Hennys und Linas Blicke trafen sich, sie beide senkten das Durchschnittsalter.

Lina wurde als Erste um einen Tanz gebeten, dann Henny, noch mal Henny und wieder Lina. «Ich hab es ja gesagt.» Elses Stimme zitterte. Der Mann, der nun an ihren Tisch trat und sich verbeugte, hatte einen gepflegten Schnurrbart, volles welliges Haar und ein gewinnendes Lächeln. Er schenkte es Else.

Henny und Lina atmeten hörbar aus, als die beiden zur Tanzfläche gingen, und hoben ihre Teetassen.

«Vermisst du keinen Mann an deiner Seite?», fragte Henny, während sie Else auf dem Parkett beobachteten.

«Ich habe doch schon zweimal getanzt.»

«Du weißt genau, was ich meine.» Dachte Henny an

Landmann, der sie erst gestern nach ihrer Schwägerin gefragt hatte?

Else und ihr Kavalier drehten sich zu den Melodien der *Csárdásfürstin*. Viele tanzenswerte Melodien in Emmerich Kálmáns Operette. Die Paare hörten gar nicht auf, sich zu drehen. *Machen wir's den Schwalben nach*, wimmerte die Geige.

«Vielleicht bin ich in den Jahren des Alleinlebens mit Lud in eine Rolle gefallen, aus der ich nicht mehr rausfinde, die Rolle der fürsorglichen Mutter», sagte Lina. «Ich hab keine Ahnung, wie eine Liebelei anzufangen wäre.»

Henny wollte gerade antworten, als Else kam, um zu sagen, dass sie und Herr Gotha einen Sekt an der Bar trinken wollten. Den Hermelin hatte sie abgelegt, nun zog sie auch die Kostümjacke aus, die weiße Bluse mit dem Kragen aus Spitze war um einen Knopf geöffnet.

«Mit Herrn Gotha Sekt an der Bar», sagte Henny, als Else davongegangen war. «Geht das nicht alles zu schnell?»

«Es hat viel in ihr brachgelegen», sagte Lina. «Da geht es los wie bei einem Backfisch.»

«Brachliegen», nahm Henny das Stichwort auf.

«Bezieh das nun bitte nicht auf mich.» Lina lachte.

«Als ich dir Dr. Landmann vorstellte, da habt ihr euch einen langen Blick geschenkt.»

«Das hätte ihm gefallen, dass ich den Blick senke.»

«Er ist liberal, kein Pascha. Sein Frauenbild ist fortschrittlich.»

Lina gab dem Kellner ein Zeichen. «Ich bestelle uns Wermut. Das wird bestimmt noch dauern bei deiner Mutter.» Sie sah ihre Schwägerin an. «Ich habe den Eindruck, dass Landmann *dir* gefällt. Er hat all das, was Lud noch fehlt.»

«O ja. Er ist anders als Lud. In den zwanzig Jahren, die er

älter ist, hat er vieles erlebt. Lud wird mit Anfang vierzig auch ein anderer sein.»

«Bist du glücklich mit meinem Bruder?»

«Ja», sagte Henny. «Ich bin glücklich. Wir haben uns lieb und gehen sehr gerne miteinander ins Bett.»

Sie griffen beide nach den Gläsern mit Wermut, kaum dass die auf dem Tischchen standen.

«Lass uns zahlen und in der Bar nachschauen», sagte Henny nach einer Weile, in der sie weder Lud noch Landmann erwähnt hatten, doch zahlreiche Tänze abgelehnt.

Else und Herr Gotha erschienen, ehe sie den Kellner um die Rechnung bitten konnten.

«Ich bitte um Verzeihung, dass ich Ihnen Frau Godhusen entführt habe. Leider muss ich nun meinen Zug nach München erreichen.»

«Herr Gotha ist Handelsreisender», erklärte Else.

«Mit einem Schwerpunkt in Bayern. Ansässig bin ich in Hamburg», sagte der Handelsreisende Gotha und nahm Elses Hand, um sie eine Weile zu halten. «Ich freue mich auf das Wiedersehen», sagte er leise.

Wurde Else rot? Ja. Wurde sie.

«Nun aber zum Zug», sagte Gotha. Er nickte Lina und Henny zu, eilte zur Garderobe und entschwand ihren Blicken.

«Da wirst du uns ja was zu erzählen haben», sagte Henny und klang wie eine muntere Kindergärtnerin.

«Ein feiner Herr», sagte Else Godhusen. «Ferdinand Gotha. Und er hat so schönes volles Haar. Wir haben Adressen ausgetauscht. Aber sonst gibt es noch nichts zu sagen.»

Ein Mandelstollen, den seine Mutter jedes Jahr in der Adventszeit buk, keiner von ihnen mochte Sultaninen. Es fügte sich, dass Theos Bruder mit Frau und Kindern erst später kommen würde, die Verkündung stand Theo Unger doch bevor, und der jüngere Claas war stets streng gewesen mit dem großen Bruder. Er würde Theos langes Schweigen über dieses Auf und Ab seiner Liebe zu Elisabeth verurteilen.

Eisblumen an den Fenstern, als sie hinausblickten in die dunkle Landschaft, die nur durch das Glitzern des Frostes aufgehellt wurde. Verlegen. Alle drei. «Das kommt nun plötzlich», sagte Ungers Vater.

Seine Mutter schob lose Tannennadeln vom Adventskranz zu einem Häuflein zusammen. «Man hätte die neue Schwiegertochter doch gern vorher kennengelernt», sagte sie.

«Ach, ihr Lieben», sagte Theo Unger. «Ich hab doch gestern selber nicht geahnt, dass ich mich verlobe, wenn ich es mir auch seit zwei Jahren gewünscht habe. Ihr habt ja gehört, wie es um Elisabeth stand.»

«Eine Ovarektomie», sagte sein Vater, der Mediziner. «Keine Kinder. Das ist hart für die junge Frau.»

«Gut, dass wir schon Enkelkinder haben», sagte Lotte Unger. «Und die Liebreiz' sind sehr reiche Leute?»

«Getreidehandel», sagte ihr Mann.

Theo Unger sah in die Flammen der beiden brennenden Kerzen auf dem Kranz. «Kreist ihr darum, dass Elisabeth Jüdin ist?»

«Nein, Junge. Darum kreisen wir nicht», sagte sein Vater. «Hattest du je den Eindruck, dass wir Antisemiten sind?»

«Man will doch nur, dass die eigenen Kinder ein leichtes Leben haben», sagte Lotte. «Die Juden hatten es immer schwer.»

«Wann bringst du sie denn mal her, deine Braut?»

«Am vierten Advent habe ich wieder einen freien Sonntag.»

«Wir freuen uns auf deine Elisabeth», sagte der Vater.

«Wenn ihr kommt, brate ich zwei Hühner. Dazu Kartoffelkroketten. Ich hab auch noch ein Glas Preiselbeerkompott im Keller.» Lotte Unger fing an, zu planen nach dem ersten Schock. Das tat ihr immer gut und lenkte sie ab, wenn sie sich Sorgen machte.

«Heute gibt es nur falschen Hasen», sagte Ungers Vater. «Du siehst, deine Mutter weiß das neue Familienmitglied zu würdigen, wenn sie sogar ihre kostbaren Hühner opfert.»

Theo Unger atmete auf. Diese Verhaltenheit, die in der Stube gewabert hatte, schien entschwunden. Durch die Ritzen der alten Fenster. Doch er zuckte zusammen, als die Glocke an der Haustür laut schepperte. Wie es sein Bruder wohl aufnahm? Claas war ein konservativer Sturkopp. Schon immer gewesen.

Die zweite Begegnung mit Kurt Landmann fand am späten Abend des Sonntags statt, an dem Lina viel Zeit im Boccaccio verbracht hatte, um Else an den Mann zu bringen. Eine zufällige Begegnung. Lina kam von Henny und Lud und war zu ihrer Wohnung in der Eilenau unterwegs, auf einmal hatte Landmann vor ihr gestanden, hinter ihm lag eine lange harte Schicht in der Klinik, doch er schien noch nicht müde zu sein.

«Lassen Sie uns diesen gütigen Wink des Schicksals am Schopfe packen», sagte er. «Hätten Sie Lust, ein Glas Wein mit mir zu trinken?»

«Ich habe schon Wermut getrunken und ein Körpergefühl, als sei eine ganze Flasche Sekt von mir geleert worden», sagte Lina. «Mir wäre es lieb, einen klaren Kopf zu haben, wenn ich Sie näher kennenlerne.»

«Schade. Wenn Sie ein wenig betrunken wären, dann hätte ich vielleicht eine Chance, Ihnen meine Bildersammlung zu zeigen.»

«Zeigt man nicht Briefmarkensammlungen?», fragte Lina.

«Ich hörte von Ihrer Schwägerin, dass Sie Reformpädagogin sind und an der Telemannschule unterrichten. Da nehme ich an, dass Ihnen nicht nur Lichtwark, sondern auch die Kunst nahe ist. Ich habe Bilder der Hamburgischen Sezession, die Ihnen gefallen könnten. Ganz besonders eines von Emil Maetzel, aber auch einen Bollmann.»

Er hatte sich also bei Henny nach ihr erkundigt. Davon war keine Rede gewesen, als sie im Boccaccio von Landmann gesprochen hatten. «Ich wohne da drüben in der Eilenau und schlage vor, Sie trinken einen Tee bei mir.» Lina lauschte ihren Worten nach und staunte.

«Wird Ihre Wirtin nichts gegen Herrenbesuch haben?»

«Erstens wohne ich nicht zur Untermiete, und zweitens ist die Vermieterin sehr aufgeschlossen.» Was gab sie hier eigentlich? Die Mondäne, die immer mal wieder einen Mann mit nach oben nahm?

«Verzeihen Sie, das war eine dumme Bemerkung. Gelegentlich falle ich noch in ein vorkriegsmäßiges Hornochsentum.»

«Henny hat Sie als einen liberalen Mann beschrieben, ganz und gar kein Hornochse.»

Kurt Landmann lächelte. «Henny Peters ist also so eine Art Medium für Sie und mich», sagte er.

«Noch sind wir keine Geister.»

«Nein. So pessimistisch wollen wir auch nicht sein.»

Das Haus an der Eilenau sah einladend aus mit den beleuchteten Fenstern im Erdgeschoss und der ersten Etage.

Wie ein Adventskalender, dachte Lina. Nur bei ihr unterm Dach war es noch dunkel.

Sie stiegen die Holztreppe hoch, und Lina schloss die weiß lackierte Wohnungstür auf. Wie sie das genoss. Landmann hatte ja kundgetan, dass es für Frauen noch immer nicht selbstverständlich war, ein eigenes Gehäuse zu haben. Doch bislang war, von Lud abgesehen, kein Mann über diese Schwelle gekommen.

«Das ist das schönste Sofa, das ich je gesehen habe», sagte Landmann, nachdem sie eingetreten und Lina Licht gemacht hatte.

«Das müssen Sie mir erklären.»

«Keine Volants, kein Brokat, schlicht, aber ein herrliches Korallenrot. All dieser Firlefanz längst überholter Wohnstile belastet nur. Allein schon Fransen sind eine einzige Torheit.» Fielen ihm die Prunkräume am Klosterstern ein, in denen er gestern gestanden hatte?

«Sie schätzen Gropius und das Bauhaus?»

«Vor allem bin ich gerade sehr verlegen. Da rede ich schon mal schnell höheren Blödsinn.»

«Oh. Ich würde weder Walter Gropius noch das Bauhaus als höheren Blödsinn bezeichnen. Setzen Sie sich bitte auf das herrliche Korallenrot, während ich uns einen Tee mache.»

«Nein», sagte Landmann, «natürlich nicht. Kein Blödsinn. Und den Tee trinke ich gerne. Darf ich Ihnen in die Küche folgen?» Es war sehr selten, dass ihn eine Frau verwirrte.

Lina wäre lieber allein in der Küche gewesen, um Kräfte zu sammeln für ihre nächste Szene als souveräne Gastgeberin.

Den Tee aus Ostfriesland bereitete sie mit zitternden Händen. Kurt Landmann sah ihr dabei zu und gewann wieder die Oberhand.

«Wie alt sind Sie, Lina? Oder kommt die Frage zu schnell und ist obendrein unverschämt?»

Beinah wäre ihr kochendes Wasser aus dem Kessel über die Hand gelaufen. «Beides», sagte sie.

«Verzeihen Sie mir meine Holpereien.»

«Im Januar werde ich fünfundzwanzig.»

«Gibt es noch immer dieses Zölibat für Lehrerinnen?»

«Gerade mal wieder. Seit Oktober. Warum fragen Sie?»

Warum fragte er? Irgendwas irritierte ihn an dieser jungen Frau. Er wusste noch nicht, was es war.

Lina schaffte es, ein Korbtablett mit einer Kanne, zwei Tassen und einem Zuckertopf in das Zimmer nebenan zu tragen und einigermaßen unzittrig auf den kleinen Tisch zu stellen. Sie setzte sich auf das Sofa und ließ ihn den Tee einschenken.

«Weil ich überlege, wie viele Freier Sie schon abgewiesen haben.»

Warum ließ sie die Grenzüberschreitungen zu? Warum machten sie ihr nicht einmal viel aus? Lina nahm ihm die Tasse mit Goldrand aus der Hand, die sie von ihrer Lübecker Tante geerbt hatte. Fürstenberg. Sechs Teetassen. Eine Kanne. Ein Zuckertopf. Zwei der Untertassen fehlten. Sie blickte in ihren Ostfriesentee, der zu hell war. Wollte sie wissen, wie es mit einem Mann war? Fing es an, sie zu belasten, für eine alte Jungfer gehalten zu werden oder doch auf dem Wege dahin zu sein?

Landmann rührte lange in der Tasse, obwohl er gar keinen Zucker genommen hatte. Ihm wurde auf einmal klar, dass diese junge Frau noch keinem Mann nahe gekommen war. Hatte er eine Ahnung, warum das so war?

«Ich bin keine hochmütige Königstochter», sagte Lina.

Kurt Landmann lächelte. «Ich nehme an, dass Ihre Vorstellung von einem geglückten Frauenleben modern und so wenig prätentiös ist wie Ihr Wohnstil», sagte er. Ein Vergleich, der ihm im nächsten Augenblick unpassend vorkam, doch Lina schien er zu gefallen.

«Ich würde mir gerne mal Ihre Bilder ansehen», sagte sie. «Was haben Sie von Maetzel?»

«Das *Stillleben mit Negerfigur*. Und einen schönen, wenn auch etwas düsteren Willy Davidson kann ich Ihnen zeigen. Wie sind Sie zu den Expressionisten gekommen?»

«Mein Zeichenlehrer an der Höheren Mädchenschule», sagte Lina.

«Hier am Lerchenfeld?»

«Ja. Ich wurde gleich nach der Eröffnung als Elfjährige eingeschult, und fünf Jahre später hatte ich mich hoffnungslos in Robert Bonnet verliebt. Er stammte aus einer hugenottischen Familie und träumte davon, in Frankreich zu leben. Am liebsten als Maler am Montmartre.» Lina lachte leise. «Er ist dann in einer der Schlachten an der Somme gefallen, ein Jahr vorher hatte er mir den Expressionismus ans Herz gelegt.» Das alles schien ihr leicht über die Lippen zu gehen. Nie zuvor hatte sie jemandem davon erzählt, Kurt Landmann löste etwas in ihr aus, das weit über die Wirkung von Sekt hinausging.

«Und Robert Bonnet liegt dort auch noch? An Ihrem Herzen?»

Ein Kopfschütteln von Lina, nur ein leichtes. «Der Schwarm eines sehr jungen Mädchens», sagte sie.

«Doch Sie wissen mehr von ihm, als man über einen Lehrer weiß.»

«Einmal haben wir einen langen Spaziergang gemacht, hier am Kanal und dann um den Kuhmühlenteich. Da hat er mir von sich erzählt.»

«Er war vermutlich auch noch sehr jung?»

«Seine erste Stelle als Zeichenlehrer. Er war vierundzwanzig.»

Kurt Landmann seufzte. All diese jungen Männer, die er hatte sterben sehen auf den Schlachtfeldern. «Ich bin auch an der Somme gewesen», sagte er, «unter anderem.» Vielleicht war ihm jener Robert unter den Händen verblutet.

«Nie wieder Krieg», sagte Lina. Sie stand auf, um den Rest Rum aus der Küche zu holen, der von ihrer Weihnachtsbäckerei übrig geblieben war. Lud liebte die Walnussplätzchen mit Rum, wie ihre Mutter sie vor dem Krieg gebacken hatte. Sie schenkte ihn in zwei Südweingläser ein, ohne Landmann zu fragen, und reichte ihm ein Glas.

«Danach werde ich gehen», sagte er und hoffte auf Widerworte.

Lina lächelte und schwieg.

«Sie werden morgen in aller Frühe aufstehen müssen.»

«Und Sie? Werden Sie nicht in der Klinik erwartet?»

«Ich habe einen freien Tag. Und wenn Sie erlauben, würde ich Sie gerne in der Telemannstraße abholen und Ihnen meine Bilder zeigen.»

«Bis vier Uhr habe ich Unterricht», sagte Lina und war zum letzten Mal an diesem Abend verwundert darüber, dass sie ihm auch das erlaubte.

Eine Überraschung für Anna, die sich schon immer ein Küchenbuffet gewünscht hatte. Karl Laboe hatte es beim Trödler entdeckt, schlichtes Tannenholz, das passte doch zu Weihnachten, wenn auch weiß lackiert.

Rudi hatte es abgeholt und mit einem Kumpel zu ihnen hoch in den ersten Stock getragen. War eigens später zu den Friedländers gefahren, der gute Junge. Rudis Kumpel

Hans hatte sich nicht freinehmen müssen, der war arbeitslos.

Karl freute sich, seine Annsche zu überraschen, wenn ihr Geschenk nun auch acht Tage zu früh in der Küche stand. Er überlegte, eines der großen Bettlaken drüberzulegen und das Buffet am Heiligen Abend feierlich zu enthüllen, doch er verwarf den Gedanken. Annsche hätte sicher ihre Freude daran, das Buffet schon vor Weihnachten einzuräumen und in Betrieb zu nehmen, und dass unter dem Laken kein Kriegerdenkmal auf sie wartete, war wohl klar.

Die Jungen kamen in seinen Sinn, die ihm 1910 gestorben waren. Er dachte nicht mehr so oft an sie, doch nun fiel ihm ein, dass sie wohl das Buffet getragen hätten. Neunzehn und siebzehn Jahre wären sie jetzt alt, sicher starke Kerle. Karl Laboe wusste nicht, warum er sich seine Söhne stark vorstellte, er selber war es nie gewesen. «Wat schleppst du uns denn da fürn Pimperling an», hatte Annas Vater gesagt. Der war'n großer Kerl gewesen und fast zu schwer für einen Ewerführer. Vielleicht war er darum mit seiner Schute abgesoffen. Zu leicht der Kahn für ihn.

All die vielen Toten, dachte Karl Laboe. Das ging ja nun nicht an, dass ihn das Buffet traurig machte und er hier die Geister flanieren ließ. War wohl wegen Weihnachten, das ging ihm ans Gemüt.

Stimmte schon, dass aus ihm nix Gescheites geworden war, das hatte sein Schwiegervater vorausgesehen. Das steife Bein, das Karl nach dem Unfall auf der Werft behalten hatte, dafür konnte er nichts. Doch aus einer glanzvollen Laufbahn war er da auch nicht gerade gerissen worden.

Dieser Schrank machte einen ja richtig einsichtig und weltklug. Karl Laboe hinkte zum Kanapee und nahm darauf Platz. Die Küchentür im Auge behalten, um gleich die Überraschung in Annsches Gesicht zu sehen. Viel verwöhnen hatte er sie nicht können in ihrem gemeinsamen Leben. Im nächsten Juni konnten sie Silberhochzeit feiern. Sie hatten geheiratet, kaum dass Anna schwanger war. Mit Käthe. Beide waren sie einundzwanzig Jahre alt gewesen, und Käthe wurde nun im nächsten Monat vierundzwanzig und noch immer kein Kind. Rudi litt darunter, da waren Annsche und er sich sicher.

Die Käthe hatte ihren eigenen Kopf, und zäh war sie. Damals hatte sie als einzige der drei Kinder die Diphtherie überlebt. Doch dass man von Diphtherie unfruchtbar werden konnte, hatte er noch nicht gehört.

Wie dunkel es schon wieder war um vier Uhr nachmittags. In einer Viertelstunde würde Annsche von Campmanns kommen. Dumm, hier im Dunkeln zu sitzen, doch die Überraschung war größer, wenn sie das Buffet erst beim Lichtandrehen sah.

Fünfundvierzig Jahre war er jetzt alt. Außer dem steifen Bein, einem Ziehen im Kreuz und ab und zu im Herzen ging es ihm gut. Er wollte noch lange dabei sein, wo das Buffet nun da war.

Was dachte er denn da? So'n dumm Tüch. Karl tastete auf dem Tisch nach dem Aschenbecher aus Glas und dem Zigarrenstummel, der noch neben den Zündhölzern lag. Der Aschenbecher war ein Andenken. Das hatten Annsche und er lustig gefunden, an einem Sonntag nach ihrer Trauung an die Kieler Förde zu fahren, ins Ostseebad Laboe. Verwandte gab es da keine. Alle Laboes, die er kannte, hatten in Barmbeck gelebt, nur ein Bruder seines Vaters in Hammerbrook.

Er zündete den Stummel an und paffte vor sich hin in Erwartung von Anna und deren Begeisterung über ein Buffet aus Tanne, weiß lackiert.

Dass Annsche sich so erschrecken würde, als sie in die dunkle Küche kam und nur den glühenden Kopf des Zigarrenstummels auf dem Sofa sah, hätte er nun nicht gedacht. Doch sie drehte gleich das Licht an und entdeckte das Buffet, und dann war alles gut.

«Die da», sagte Margot und ließ sich die schwere Goldkette gleich um den langen Hals legen. Das Lächeln des Juweliers missfiel Bunge.

«Davon kriegst du Nackenschmerzen», sagte er.

«Vierundzwanzig Karat», sagte der Juwelier, «mehr geht nicht.»

«Eben», sagte Carl Christian Bunge. Sie kannten sich doch kaum vier Wochen, da schien ihm die Anlage sehr groß zu sein. «Haben Sie nichts Feingliedrigeres?», fragte er.

«Sehr wohl, der Herr.» Der Juwelier legte ein Kettchen aufs schwarze Samttuch, das zart war wie das mit dem goldenen Kreuz, das er Ida zu ihrer Konfirmation geschenkt hatte.

«Ich bin doch kein Kind mehr», sagte Margot.

Das hochbeinige Gewächs fing an, ihm auf die Nerven zu gehen. So ein Narr war er nun auch nicht. «Wir werden uns beraten», sagte Bunge und lotste die beleidigte Margot aus dem Laden.

Sie standen auf dem eisigen Jungfernstieg, der weihnachtlich funkelte. Der Alsterpavillon sah aus wie eine Verkaufsausstellung für Glühbirnen, dachte Bunge. Sicher gab es ganz in der Nähe noch andere Juweliere mit Goldketten, die sich in der Mitte von schwer und fein trafen, doch Margot war die Laune verdorben und ihm eigentlich auch.

«Denk an die Probeaufnahmen», sagte er.

Ihm war gelungen, fürs neue Jahr einen Termin zu arrangieren, um Margots und Anitas Gesang mit Klavierbegleitung in Schellack zu kratzen. Couplets, wie sie auch die Ebinger in Berlin sang, von diesem Friedrich Hollaender geschrieben. Bunge bezweifelte, dass Margot und Anita die Klasse von Blandine Ebinger hatten, doch die Aufnahme kam ihn billiger als eine schwere Goldkette von vierundzwanzig Karat.

Margot entschmollte ihren Mund und strich ihm über den Arm, der dicke Wintermantel aus Kamelhaar verhinderte ein erotisches Prickeln. Davon war ihm ohnehin noch nicht viel gegönnt worden. Bunge dachte an Guste und ihre Erotik, Hausmannskost, doch nicht zu verachten, und wenn er wollte, täglich serviert. *Ihr* musste er was Schönes schenken, einen Ballen Seidenstoff vielleicht, Guste nähte gut. Und dazu eine große Schachtel belgischer Schokoladen, wie sie Michelsen anbot.

«Gehen wir noch zu Schümanns?», fragte Margot. «Ein paar Austern essen im Séparée?»

Er kannte das schon. Zwei Dutzend schaffte sie. Keine Spur von einem Eiweißschock. Nun gut. Das wollte er ihr gönnen. Schließlich war bald Weihnachten. Margot steuerte schon das Heine-Haus an, und so kehrten sie in Schümanns Austernkeller ein, der gar kein Keller mehr war, sondern ebenerdig gelegen. Er würde sich auf jeden Fall die rote Grütze gönnen, für die Schümanns auch gerühmt wurde.

Hinein in eine der Künstlernischen, wo Margot die signierten Fotos anstaunen konnte. Bunge bezweifelte, dass ihr Porträt hier mal hängen würde, höchstens vielleicht als berühmte Austernesserin.

Ihn überkam auf einmal eine tiefe Sehnsucht nach Guste und ihrer Küche in der Johnsallee. Leber Berliner Art, darauf hätte er Lust.

«Dir läuft ja schon das Wasser im Munde zusammen, Dickerchen.»

Bunge guckte ärgerlich und dachte, dass ihm noch ein Geschenk für Ida fehlte. Keinen Schmuck. Den konnte ihr Campmann kaufen. Eine Tischlampe mit gelbem Schirm und einem Schalmei spielenden Schäfer aus weißem Porzellan als Fuß. So eine hatte er in einem Laden in den Colonnaden gesehen. Die passte in ihr Boudoir.

Brot kam auf den Tisch. Butter. «Stopf dir doch schon mal den Mund damit», sagte Carl Christian Bunge. Er war sich nicht sicher, ob diese Beziehung bis zur Probeaufnahme hielt. Doch dann war es Margot, die leer ausging. Klammheimliche Freude in Bunge. Er grinste.

«Eine rote Schleife um den Schlüssel», sagte Henny. «Oder fällt dir was anderes ein?» Erst hatten Lina und sie daran gedacht, Lud ein Tuch um die Augen zu binden und ihn zu seiner zukünftigen Werkstatt zu führen, doch um Blindekuh zu spielen, war der Weg an das andere Ende der Canalstraße zu weit.

«Werkstattbegehung ist dann am ersten Weihnachtstag», sagte Lina. Sie stützte sich auf den Besen und sah sich um in dem hellen trockenen Raum, dessen Steinboden sie noch einmal gefegt hatte. Die Wände waren frisch gekälkt, die Fenster blank geputzt, deren gusseiserne Rahmen schwarz lackiert. Lud musste nur seine Hobelbank aufstellen und die Werkzeuge herbringen und an die Wände hängen.

«Er wird sich freuen», sagte Lina.

«O ja. Das wird er», sagte Henny. «Er hat solch eine kindliche Freude. Oft denke ich, Lud könnte Marikes großer Bruder sein.»

Lina nickte. Sie wusste genau, was Henny meinte, und

seit sie Kurt Landmann kannte, war ihr die Kindlichkeit ihres Bruders bewusster denn je. Als habe Lud sich vorgenommen, der fünfzehnjährige Junge zu bleiben, den die Eltern in jenem Kriegswinter zurückgelassen hatten. Dabei liebte er seine kleine Familie so sehr und wünschte sich eine noch größere. Lina runzelte die Stirn.

«Mach dir keine Sorgen, Lina, ich hab ihn doch so lieb.»

Das war genau das Gefühl, das Lud in Frauen auslöste, ihn liebhaben und behüten zu wollen. Lina dachte daran, dass sie ihrer Mutter damals versprochen hatte, immer auf Lud aufzupassen. Jetzt passten zwei auf ihn auf, sie und Henny.

Kurt Landmann hatte ihr die Bilder gezeigt. Er hatte sie geküsst. Behutsam. Dennoch war sie erschrocken gewesen. «Wovor hast du Angst?», hatte Landmann gefragt.

Henny ahnte von alldem nichts. Ihr davon zu erzählen, hätte Lina schrecklich verlegen gemacht.

«Wie steht es mit dir und Landmann?», fragte Henny, als sie die Tür zur Werkstatt schlossen und über die Kopfsteine des Hofes durch den Torbogen zur Straße gingen. Lina sah ihre Schwägerin an. Konnte sie Gedanken lesen?

«Er hat mir nichts erzählt», sagte Henny. «Aber vielleicht tust du es.»

«Ich habe Angst vor Männern.» Das hatte Lina gar nicht sagen wollen. Das schien ohne ihre Erlaubnis gesagt.

«Lud hat Angst vor Frauen. Nur vor Müttern nicht. Darum will er mich zur vielfachen Mutter machen.»

Lina nickte. «Ein seltsames Geschwisterpaar sind wir», sagte sie.

«Kommst du noch mit zu uns?»

«Lass uns zur Alster gehen, gucken, ob sie schon zufriert. Ich würde gern mal wieder drauf Schlittschuh laufen. Oder musst du deine Mutter bei Marike ablösen?»

«Sie backen Kekse. Das dauert. Deine Walnussplätzchen und meine Zimtsterne erfüllen noch nicht den heiligen Anspruch.»

«Hat Else was von ihrem Galan gehört?»

«Eine Weihnachtskarte. Geprägter Tannenzweig mit silbergezuckerten Zapfen auf feinstem Bütten.»

«Und? Ist sie zufrieden damit?»

«Ich glaube, sie ist enttäuscht. Einen Karton Taschentücher und ein weihnachtliches Treffen hat sie schon erwartet. Gotha schreibt, er komme erst zu Neujahr wieder nach Hamburg und melde sich dann bei ihr.»

«Vielleicht hat er eine Familie in Bayern?»

Henny lachte. «Zum Bigamisten wird er wohl nicht werden wollen. Hauptsache, er schwenkt Else eine Zeitlang auf dem Tanzparkett herum und behält sein volles Haar dabei.»

Die junge Frau im Pelzmantel, die ihnen auf der Höhe des Palais am Hofweg entgegenkam, nickte ihnen zu. «Fröhliche Weihnachten», sagte sie. «Doch Sie beide sehen ja jetzt schon so fröhlich aus.»

Lina und Henny sahen ihr verblüfft nach, wie sie in einem der Eingänge des Palais verschwand. «Fröhliche Weihnachten», riefen sie, ehe sich die Tür schloss.

«Da arbeitet Käthes Mutter», sagte Henny. «Ist zur Kööksch aufgestiegen, wie Karl Laboe sagt.»

«Kööksch?»

«Köchin», sagte Henny. «Du bist mir ja eine Hamburger Deern.»

«Vielleicht wirken wir wirklich so fröhlich. Ganz ohne Grund.»

«Nun lass uns mal nicht versündigen», sagte Henny. «Uns geht es gut.»

Ihre Mutter hätte jetzt ein Kreuzzeichen gemacht.

Ida stieg die Treppe zur Beletage hoch und dachte, wie sehr ihr gleichaltrige Freundinnen fehlten. Nach dem Verlust des väterlichen Vermögens und der Heirat mit Campmann waren viele ihrer Kontakte abgerissen. Mia, die allmählich zum Walross mutierte, konnte kaum bieten, was Ida brauchte, und die klügere Laboe war über zwanzig Jahre älter und hatte ihre eigenen Sorgen.

Vielleicht sollte sie auf Fräulein Grämlich zugehen, sie um eine Aufgabe bitten, die gestrauchelten Dienstmädchen, die gestrandeten Seeleute. Nein. Die nicht. Das war zu nah an den Chinesen.

Eine vage Antwort, die sie Tian gegeben hatte auf seinen Brief von Ende Oktober. Was machte es so schwer, Campmann zu verlassen? Die Angst, auch diesen Wohlstand zu verlieren?

Bratenduft durchzog die Wohnung. Die Laboe kochte schon vor und stapelte die Töpfe auf den kalten Balkonen, damit Campmann und Ida nichts fehlte an diesem einsamen Heiligen Abend. Paps zog es vor, mit Guste zu feiern, und würde erst am Weihnachtstag kommen.

Von den achtundzwanzig Monaten, die Tian ihr gegeben hatte, waren nun bald zwei vergangen. Blieben sechsundzwanzig. Dennoch. Sie musste sich entscheiden, eine Scheidung ließ sich nicht überstürzen. Wenn sie doch nur einen weisen Ratgeber hätte, besser noch eine Ratgeberin. Die beiden jungen Frauen, die hatten ihr gefallen. Wie es sich wohl anfühlte, Freundinnen zu haben, denen man sich anvertrauen konnte?

Ida zupfte die Handschuhe von den Fingern und ließ den Zobel über die Schultern gleiten, vertraute darauf, dass Mia ihn auffing. «Sag Anna, dass ich einen heißen Kakao will», sagte sie, doch sie besann sich und ging selbst in die Küche.

Später saß sie im Kükenboudoir, trank Kakao und hatte seltsame Sätze im Kopf, die sie schließlich als ein Gedicht von Rilke erkannte:

Die Einsamkeit ist wie ein Regen. Sie steigt vom Meer den Abenden entgegen … Und wenn die Menschen, die einander hassen, in einem Bett zusammen schlafen müssen, dann geht die Einsamkeit mit den Flüssen.

Nur die ersten und die letzten Zeilen fielen ihr ein, alle anderen waren zwischen der Bildungsanstalt des Fräulein Steenbock und dem Jetzt verlorengegangen und sie gleich dazu.

Ida bewegte die Zehen, die immer noch kalt waren, bog sie, wie es ganz kleine Kinder tun. Tian, dachte sie. Was sollte nur werden? «O du elende Hühnerkacke», sagte sie. Wie kam sie denn darauf?

«Wir würden uns wirklich freuen, wenn du Weihnachten bei uns wärest.»

Grit Odefey sah ihren Sohn an. «Lass man, Rudi. Das mit Käthe und mir läuft nicht richtig.»

Rudi wusste ja, dass es nicht richtig lief. Doch er hatte es versucht. Nun legte er das Päckchen auf den Tisch und auch das Gedicht, eine kleine Papierrolle, um die ein rotes Band gebunden war.

«Was ist denn das? Eichendorff?»

Nein. Nicht *Markt und Straßen stehen verlassen.*

«Lies es morgen und trink ein Glas Wein dazu.» Rudi stellte eine in Seidenpapier gewickelte Flasche hin.

«Du bist ein guter Sohn», sagte Grit.

Die Kasserolle mit dem Braten stand auf dem Herd, die Klöße waren vorbereitet ebenso der Bohnensalat. Ein Schmorbraten, wie ihn Linas und Luds Mutter am ersten Weihnachtstag auf den Tisch gebracht hatte, Else konnte gut damit leben. Nur bei Karpfen hätte sie gestreikt.

«Viel zu viele Gräten drin», sagte sie zu Marike, die im Hochstühlchen saß und zwei Holztäfelchen des Bilderlottos in den Händen hielt, einen bunten Ball auf dem einen, eine Wackelente auf dem anderen.

«Da hat das Christkind dir aber was Schönes gebracht», sagte Else.

Marike lachte und warf die Täfelchen in hohem Bogen durch die Küche zu den anderen, die schon auf dem Boden lagen. Else stand vom Tisch auf, sammelte sie ein und trat ans Fenster, vor dem es schneite.

«Schneeflöckchen, Weißröckchen», sang sie und hob ihre Enkelin aus dem Hochstuhl, damit sie die dicken weißen Flocken betrachten konnte. Marike streckte die Hände aus und wollte die Schneeflocken fangen. Doch das Fenster blieb geschlossen. Viel zu kalt und viel zu gefährlich. Nachher sprang ihr noch das Kind aus dem Arm.

Ob sie schon mal die Flamme unter der Kasserolle anzünden sollte? Das konnte wohl noch dauern, bis Henny, Lud und Lina zurück sein würden von ihrer Werkstattbesichtigung.

«Dann gucken wir uns noch mal den Tannenbaum an und die anderen Geschenke», sagte sie und trug Marike ins Wohnzimmer. Silberne Engel und Trompeten am Baum. Weiße Wachskerzen. Eine schmale silberne Baumspitze. Ihr war es ja zu schlicht, doch hier war Henny die Hausfrau.

Bei ihnen zu Hause in der Schubertstraße hatte ein Engelsgeläut den Baum gekrönt. Vier Engel, die drei Glocken zum Läuten brachten und die Spitze umschwebten. *Das* war erhaben.

«Riechst du das, Marike?», fragte sie das Kind. «Atme mal tief ein, so wie die Oma es macht. Das ist der Duft von Weihnachten, und der ist einer der schönsten Düfte im Leben.»

Hatte Lud eine Ahnung, als er den kleinen roten Karton öffnete und den Schlüssel drin liegen sah zwischen lauter Holzspänen? Die waren Linas Idee gewesen. Sie hatte nur auf den Dachboden steigen müssen, in Luds Tischlerverschlag lagen genügend.

Was immer Lud geahnt hatte, wurde übertroffen von dem, was ihn erwartete, als er durch den Torbogen schritt. Sie waren auf dem Weg durch die Canalstraße Arm in Arm gegangen, alle drei, Lud in der Mitte, den großen Schirm haltend, doch nun blieb Lina im Torbogen stehen. «Geht ihr beide mal allein vor», sagte sie.

An dem blank polierten Türknopf an der Remise hinten im Hof hing eine große rote Schleife. Die musste er aufziehen, um den Schlüssel ins Schloss stecken zu können. Er öffnete die Tür.

«Ihr schenkt mir eine Werkstatt», sagte er.

«Sag, seit wann du es wusstest.»

Lud lachte und schüttelte den Kopf. Ein Schlüssel in Holzspänen. So schlecht war er nicht im Kombinieren.

Ein kleiner gusseiserner Kanonenofen, der nicht bullerte, weil keiner ihn entzündet hatte, doch darauf würde Lud den Leim kochen können. Es war dennoch warm in der Werkstatt. Trotz des kalten Ofens.

«Lass uns Lina holen», sagte Henny.

«Erst will ich dich küssen.»

«Traust du dich nicht, wenn deine Schwester dabei ist?»

«Ich will euch alle küssen», sagte Lud. «Aber lass mich dir

erst noch etwas sagen, Henny. Das ist mehr als eine Werkstatt, das wird ein Zufluchtsort für dich und mich.»

«Brauchen wir einen Zufluchtsort?»

«Nichts gegen Else», sagte Lud und war verlegen.

«Du hast recht. Hier tauchen wir ab und zu unter. Und nun lass uns Lina ins Warme holen.»

Lud nahm Henny in die Arme und küsste sie. Dann ging er in den Hof und rief nach seiner Schwester.

MÄRZ 1926

Tian kehrte mit dem Schiff der HAPAG zurück, das ihn im Sommer 1923 von Hamburg nach Puerto Limon gebracht hatte. Er stand neben dem Kapitän auf der Kommandobrücke der *Teutonia* und blickte auf die vertraute Silhouette der Stadt. St. Katharinen. Der Michel. Die Seewarte oberhalb des St. Pauli-Fährhauses. *Heimat*, dachte er und fühlte sich doch fremd dabei. Neben ihnen beendete der diensthabende Offizier das Anlegemanöver, die Hafenschlepper zogen ab. Nur die Möwen, die zur Ankunft des Schiffes herangeflogen waren, kreischten noch.

Tians Blick wanderte zu der Schar von Menschen, die an Land auf die Ankunft des Postdampfers warteten. Er erkannte Ling. Seine Schwester schien sich in den Jahren der Trennung kaum verändert zu haben. Die Eltern sah er nicht, eine kleine Angst kam ihm ins Herz, seit der letzten Post könnte ihnen etwas zugestoßen sein. Ach was. Sie würden alle Hände voll zu tun haben. Es war mitten in der Woche, vielleicht waren in den vergangenen Tagen chinesische Schiffe angekommen, die Hunderte hungrige Seeleute in die Stadt getragen hatten, und alle begehrten sie, in der besten Garküche von St. Pauli zu essen.

Erst in den letzten Minuten, bevor er die Brücke verlassen musste, um ein Auge auf sein Gepäck zu haben, traute er sich, Ida in der Menge auf dem Ponton zu suchen. Tian fröstelte. Weil der Vorfrühling in Hamburg kühler war als in Antwerpen, ihrer ersten Station in Europa. Weil er an die letzte Korrespondenz mit Ida dachte, schon länger als ein Jahr her. Zu dem Zeitpunkt hatte sie noch mit ihrem Mann zusammengelebt, und Tian zweifelte nicht daran, dass sie es noch immer tat.

Ling winkte, sie hatte ihn wohl kaum oben auf der Kommandobrücke vermutet und jetzt erst entdeckt. Vielleicht wusste sie was von Ida. Lings Freundschaft zu Mia hatte sich gelockert, seit ein kleiner dicker Junge mit roten Haaren geboren worden war, doch sie bestand noch. Tian hielt es für wahrscheinlich, dass Ida diese Freundschaft nicht länger förderte.

Er hatte auf dem langen Seeweg neben all den Gesprächen, dem Schach, Domino und Damespiel reichlich Gelegenheit gehabt, sich Gedanken zu machen, ob es eine Zukunft für ihn und Ida gab. Er liebte sie nach wie vor. Doch er wollte nicht länger betteln, wie ein Hund um einen Bissen bettelte. Er war vierundzwanzig Jahre alt. Kaufmann mit besten Aussichten. Wenn ihm eines klargeworden war auf dem Seeweg von Costa Rica nach Hamburg, dann, dass Entscheidungen anstanden und er seine Würde dabei nicht aus den Augen verlieren wollte.

Ling hatte sich nach vorne gedrängt und stand nun in der ersten Reihe, als er von Bord ging. Sie fiel ihm um den Hals und brach in Tränen aus. War doch etwas Schlimmes geschehen?

«Ich bin so froh, dass du wieder da bist», sagte sie.

Vor zwei Jahren und acht Monaten hätte sie es noch auf Kantonesisch gesagt. Seine kleine Schwester hatte entschieden, ganz und gar in der neuen Heimat anzukommen. Viel Unterstützung würde sie von den Eltern nicht erfahren. Sie hatten in der Schmuckstraße ihr China geschaffen.

Ling und er verließen die Landungsbrücken Hand in Hand. Der Karren mit seinem Gepäck wurde von einem Dienstmann zum Droschkenstand geschoben, und Tian gab dem Chauffeur ein Zeichen, so wie er damals an jenem Julitag mit Ida einem Chauffeur ein Zeichen gegeben hatte, um in das Hofweg-Palais zu fahren.

Die junge Dame im zu leichten Kostüm, die diese Szene beobachtete, sah er nicht. Sie hatte den schlichten Hut mit der schmalen Krempe tief über ihr helles, nun kurzgeschnittenes Haar gezogen. Tian entging auch, dass seine Schwester sich nach allen Seiten umsah, ehe sie in die Droschke stieg, so beschäftigt war er, das Einladen des Gepäcks zu überwachen. Ling dagegen hatte Ida entdeckt, doch sie würde ihrem Bruder verschweigen, dass sie von Mia bedrängt worden war, bis sie nachgegeben und den Ankunftstag genannt hatte. Nein. Keine Kammer mehr, die sie zur Verfügung stellte, um das Zusammensein ihres Bruders mit der launischen Ziege möglich zu machen. Ida tat Tian nicht gut.

Ida näherte sich den Droschken erst, als der Wagen mit Tian und Ling schon zur Schmuckstraße unterwegs war. Doch sie ließ sich nicht nach Hause chauffieren, dort saß Campmann in seinem Arbeitszimmer und bereitete eine Geschäftsreise nach Dresden vor. Vermutlich ging es um einen weiteren Aufstieg des Friedrich Campmann in der Bank.

Ida bat den Chauffeur, um die Außenalster zu fahren, und stieg an der Krugkoppelbrücke aus. Warum nur war sie in zwei Jahren und acht Monaten zu schwach gewesen, Konsequenzen zu ziehen? Weil sie die verwöhnte Tochter von Paps und Netty geblieben war, deren größtes Interesse dem eigenen Komfort galt?

Es war windig auf der Krugkoppelbrücke, idiotisch, dieses Kostüm anzuziehen, das in einen milden Mai gepasst hätte. Tian hatte sie nicht einmal darin gesehen. Ida griff in die linke Tasche der langen schmalen Jacke und holte die kleine Schildkröte aus weißer Jade hervor. Einen Augenblick lang war sie versucht, das Krötchen in die Alster zu werfen, doch sie ließ es zurück in die Tasche gleiten. Später hätte sie nicht sagen können, ob sie vorher nachgedacht hatte, als sie ihren Ehering vom Finger zog und ihn statt der Jadeschildkröte in das graue Wasser warf, das doch nur den Himmel widerspiegelte.

Henny legte den kurzen Weg von der Wohnung zur Werkstatt eilig zurück. Lud wollte ihr sein Geburtstagsgeschenk präsentieren, einen hohen zweitürigen Schrank, der am Morgen in Miniaturausgabe auf ihrem Gabentisch gestanden hatte. Die Mittagspause bei Nagel und Kaemp dauerte eine halbe Stunde und nicht länger, Luds nachlässiger Umgang mit den Dienstzeiten hätte anderswo für großen Ärger gesorgt, doch sein Vorgesetzter hatte einen Narren an ihm gefressen.

Die Absätze von Hennys neuen Schuhen klapperten auf den alten Kopfsteinen des Hofes, Lud hatte sie schon gehört und stand strahlend in der Tür.

Kirschbaumholz aus dem Alten Land hatte er für den Schrank gekauft, das gleiche Holz, das er damals für die Wiege verwendet hatte, die auf dem Dachboden vergeblich auf Geschwister für Marike wartete.

Henny ging um den Schrank herum, der in der Mitte der Werkstatt stand, und atmete den Duft des Bienenwachses ein. «Er ist bildschön», sagte sie. «Gut, dass du keinen Schellack genommen hast.»

Kaum ein Möbel ohne Schellackpolitur, doch Lud hatte sich gegen die modische Strömung entschieden, stattdessen Bienenwachs in Terpentin gelöst und die Lösung mit einem großen Pinsel aufgetragen. Henny sah, dass er dabei gewesen war, Politurlappen zuzuschneiden, er schien schon eine Weile hier zu sein.

Er bemerkte ihren Blick. «Für den ultimativen Glanz», sagte er.

Henny verkniff sich Bemerkungen zur Pausenlänge, öffnete die Schranktüren und zählte die Fächer, in die sie die Leintücher und Laken ihrer Aussteuer legen würde.

Eine von Elses Geschichten kam ihr in den Sinn. Wie Else in einer Silvesternacht kurz vor zwölf mit dem Korb auf die wacklige Leiter zum Dachboden gestiegen war, um die weißen Laken von der Leine zu nehmen, damit sich in der Nacht zum neuen Jahr kein Fluch in ihnen verfing und sie zu Leichentüchern wurden. Das hätte leicht geschehen können, wäre Else im Dunkeln gestolpert mit all der Bowle in Kopf und Bauch und dem Wäschekorb in den Händen. Wie rasch ein Genick brach. Warum hatten sie immer gelacht bei der Geschichte?

«In Elses Familie wurde an Silvester Kalte Ente getrunken», sagte sie, «vielleicht setze ich eine an.»

«Wie kommst du jetzt darauf?»

«Zur Feier des Tages?»

Lud nickte. «Klar. Zur Feier des Tages. Am Sonntag steht der Schrank in der Wohnung. Ich hab Rudi schon gefragt. Zu zweit können wir ihn transportieren und zu uns hochtragen.»

«Auf eine Schottsche Karre kriegst du ihn nicht.»

«Ich leih mir einen großen Karren und spann mich selbst davor. Hab in der Fabrik mit dem Hausmeister darüber gesprochen. Gefällt dir der Schrank wirklich?»

«Er gefällt mir enorm, Lud. Dein Meisterstück. Vielleicht

solltest du den Kaufmann an den Nagel hängen und doch noch Tischler werden.»

«Das würde dauern, bis ich damit eine Familie ernähren kann.»

«Mein Gehalt haben wir auch noch.»

«Du sollst ja die Kinder kriegen.»

Henny schwieg. Sie wusste, was sich Lud zur Feier des Tages wünschte. Einen Stammhalter zeugen oder eine zweite Tochter. Da er auf ein halbes Dutzend hoffte, konnten es gern erst mal Töchter sein.

Ihre Sorge war gewesen, ihm könnte beim Geschlechtsverkehr der Fremdkörper auffallen. Vielleicht war Lud zu naiv oder auch nur zu vertrauensvoll, um den Verdacht zu hegen, dass Henny verhütete.

In der Klinik waren Patientinnen Pessare oder der Gräfenberg-Ring eingesetzt worden. Doch Henny hatte auch diesmal gute Gründe, die Praxis in der Emilienstraße aufzusuchen. Dem Frauenarzt war es egal, ob sie nun Frau Godhusen hieß oder Frau Peters. Eine verheiratete Frau, die kein weiteres Kind wollte und ihn bar bezahlte. Ein Betrug an Lud, das war ihr bewusst, und ab und zu hatte sie ein schlechtes Gewissen.

«Was kommt denn in eine Kalte Ente?»

«Moselwein, Sekt, die Schale einer Zitrone», sagte Henny. «Und Vanillinzucker. Den haben wir zu Hause.»

«Ein kleiner Rausch käme mir recht heute Abend.»

Er war voller Vorfreude. Das rührte sie. Die große Liebe, was war das denn? Galt Geborgenheit nicht viel mehr? Zusammengehören und sich den Stürmen des Lebens gemeinsam entgegenstemmen? Vielleicht würden sie noch ein zweites Kind haben, der verhütende Ring musste nicht ewig sitzen, wo er saß.

Das Resultat des Geschlechtsverkehrs ist im Allgemeinen das Kind. Ein Satz aus ihrer Ausbildung als Hebamme. Hatte sie häufiger Freude als Erschütterung im Kreißsaal erlebt? Vorgestern war in ihrer Schicht ein Kind mit Mongolismus geboren worden. Die leitende Hebamme hatte gezögert, es der Mutter in den Arm zu legen. Doch die hatte den Kleinen lange angesehen und dann liebevoll an sich gedrückt.

Gerhard hatte sie ihn genannt. Der mit dem Speer. Den würde er brauchen können in seinem Leben.

Und dann wurden die gesündesten und hübschesten Kinder zur Welt gebracht, und die Frauen drehten ihre Köpfe weg, als wüssten sie nichts mit dem Kind anzufangen und ihnen bliebe nur noch die Melancholie.

«Ich kaufe zwei Flaschen Mosel», sagte Lud. «Und zwei vom Matheus Müller. Deine Mutter trinkt ja auch mit.»

Else hatte einen guten Zug in letzter Zeit. «Suff aus Einsamkeit», hatte Käthe gesagt, als ihr Henny das Herz ausschüttete. Elses Beziehung zu Gotha dümpelte und fand eigentlich nicht statt. Ab und zu führte er sie zum Tanz aus, doch er schien kaum noch in Hamburg zu sein. Henny hatte seine Neujahrskarte bei Else liegen gesehen, der Schornsteinfeger schwenkte statt des Hufeisens ein Hakenkreuz. Ferdinand Gotha, der Handelsreisende für feine Papierwaren, hatte auch das im Sortiment und zögerte nicht, Else damit zu beglücken.

«Hast du deine Mittagspause nicht längst überzogen?»

«Dafür gehe ich heute Abend früher», sagte Lud und grinste. «Schließlich hat meine Frau Geburtstag.»

Eine kleine Feier. Zu viert mit Mutter und Marike. Käthe hatte die späte Schicht, sie und Rudi würden am Sonntag kommen und könnten dann Henny und den Schrank hochleben lassen.

Wahrscheinlich war Gotha ein Nazi. Bei den Bayern waren die ja groß im Kommen. Ob Else nun alleine blieb? Im nächsten Jahr würde sie fünfzig werden.

Sie traten auf den Hof, und Lud schloss die Werkstatt ab. «Was brütest du aus?», fragte er.

«Hab nur über Else nachgedacht.»

«Dass sie zu viel trinkt?»

Ihm war das also auch schon aufgefallen. «Und ich fördere das noch und setze eine Bowle an.»

«Besser als im stillen Kämmerlein trinken.»

«Wir müssen uns mehr um sie kümmern», sagte Henny.

«Sie sitzt doch ohnehin Tag für Tag bei uns.»

«Weil sie auf Marike aufpasst.»

Heute ist auch mein Ehrentag. Ich habe dir das Leben geschenkt. Elses Worte, als Henny von ihrer Schicht nach Hause gekommen war. In Hennys Ohren hatte das drohend geklungen.

«Wir könnten Marike in einen Kindergarten geben. Da findet sie auch viele Spielgefährten», sagte Lud nicht zum ersten Mal.

«Die werden sich kaum auf meine Arbeitszeiten einstellen.» Auch das kein neuer Satz. Sie sprachen diesen Text, als sei er ein Pingpongspiel.

Die Wahrheit war doch, dass Henny sich nicht traute, ihrer Mutter die Aufgabe zu nehmen. Dann fiele Else noch tiefer ins Loch.

«Nun muss ich doch bald mal ins Büro», sagte Lud und drückte ihr einen Kuss auf die Lippen. «Über den Kindergarten reden wir noch. Und die Getränke kaufe ich.»

Das Bowlengefäß musste Else beisteuern. Die schwere Glaskanne mit silbernem Einsatz und Deckel stand bei Else in der Schubertstraße im Buffet. Zuletzt war an Hennys Konfirmation eine Bowle darin angesetzt worden. Im April 1914.

Der letzte Frühling im Frieden, und der noch junge Vater schien unsterblich zu sein.

«Liebe Mutter, geh und nimm die Kanne, putze das Silber daran ganz lange und lass deine Tochter eine Weile mutterseelenallein.» Sie sang den seltsamen Vers fast, als sie vor der eigenen Haustür stand. Oben wartete Else mit Marike und wollte geehrt werden.

Mia hatte ihr Kind auf dem Land zur Welt gebracht, und dort lebte Fritzchen noch immer und war im Februar zwei Jahre alt geworden. Hatte Mia ihren gnädigen Herrn ärgern wollen, als sie den kleinen Bastard Friedrich nannte?

Im Januar kurz vor der Geburt hatte sie gehen müssen, Campmann ertrug ihren Anblick nicht länger. War ihm zu Ohren gekommen, dass ein kleiner Chinese in ihr, wachsen könnte? Wurde sein Sinn für Ästhetik gestört von der durch die Wohnung walzenden Mia, die mitten im kalten Winter vor sich hin schwitzte?

Erst Monate später, als sie abgestillt hatte, durfte sie in den Haushalt zurückkehren, vertrieb mit fester Hand das Dienstmädchen, das zur Vertretung geholt worden war und nahm die alten Gewohnheiten wieder auf, sobald Campmann in sein Büro am Jungfernstieg ging und sie mit Ida und der Laboe in der Küche sitzen konnte, Kaffee trank und der neueste Klatsch auf den Tisch kam.

Mia vermisste Fritzchen nicht sehr, er war gut aufgehoben bei ihrer Schwester in Wischhafen an der Elbe, hatte seine beiden Vettern als Spielgefährten und saß mit ihnen fröhlich im Dreck des Hühnerstalls. Dieses Bild war vor Mias Augen geblieben, nachdem sie Fritzchen an seinem Geburtstag besucht hatte. Im Stall war es warm gewesen, die Hühner waren freundliche Glucken. Doch bevor Mia gegangen war, hatte sie mit ihrer Schwester gezankt, bis Fritzchen in einer Zinkwanne mit warmem Wasser saß. Die Sauberkeit im schwesterlichen Haushalt ließ zu wünschen übrig. Mia nahm an, dass Fritzchen schon wieder dreckig gewesen war, bevor sie auch nur die Fähre erreicht hatte, um dann in Glückstadt die Eisenbahn nach Altona zu nehmen.

Ohne Zweifel war es von Vorteil in Wischhafen an der Elbe, dass Fritzchen keinen Chinesen zum Vater hatte. Doch einen der Beischläfer auf eine Vaterschaft festzunageln und Alimente zu bekommen, erwies sich als kaum möglich. Das Kind war jedem der drei verbliebenen Kandidaten wie aus dem Gesicht geschnitten.

Von den zwanzig Mark im Monat, die Mia plus Kost und Logis bekam, schickte sie acht ihrer Schwester. Ab und zu klaute sie eine Silbermünze aus der Schale, die auf einer Kommode in Campmanns Schlafzimmer stand. Außer Wechselgeld lagen Visitenkarten darin, Hemdenknöpfe und gelegentlich eine Restaurantrechnung, an der Mia lange herumlas, um über das feine Freten zu staunen.

Auf der Frisierkommode der gnädigen Frau stand eine ähnliche Schale, wenn auch nicht aus Silber, sondern rosa gefärbtem Kristall, Sammelstelle für die vielen kleinen Schmuckstücke. Mia hatte mehrfach darin gekramt, auch anderswo gesucht, doch der Ehering war nicht da. Seit Tagen schon fehlte er an Idas Hand.

Campmann war das nicht aufgefallen. Diese Märztage fielen aus der Alltäglichkeit, und er hatte genügend mit ihrer Bewältigung zu tun. In Dresden hatte sich doch gezeigt, dass die Bank das jüdische Institut unter den Großbanken war, schwierig für einen Nichtjuden, ganz nach oben zu steigen. Seine Hoffnung, in den Vorstand berufen zu werden, hatte sich nicht erfüllt, doch lange konnte es kaum mehr dauern, die jetzige Position als Direktor war schon bei anderen das Startloch dafür gewesen. Doch es gab Querelen und andere Unerfreulichkeiten.

Schon kurz vor der Reise nach Dresden hatte er den Eindruck gehabt, seine Gattin unterliege einem Stimmungswechsel. Nun war sie nicht nur abweisend ihm gegenüber, sondern auf eine Weise in sich gekehrt, die ihn in die Sorge trieb, sie könne obendrein gemütskrank werden. Wie anders waren die Weiber bei Helène, wenn auch die hinreißende Carla das Etablissement verlassen hatte.

Wenigstens quengelte Ida nicht länger, dass sie ein Kind wolle, er hätte sich sonst doch noch erklären müssen. Der Arzt im Hause seiner Eltern schien recht behalten zu haben mit der Prognose. Der Mumps im Kindesalter war wohl der Grund, dass es ihm noch nicht gelungen war, Ida zu schwängern. Campmann zuckte in Gedanken daran die Achseln. Er hätte ihr das nicht vorenthalten dürfen, doch nun war es so.

Er stand von seinem Schreibtisch auf, blickte durch eines der hohen Fenster auf die Alster, schritt dann durch sein großes Büro und warf der Vorzimmerdame, die in einer Illustrierten las, einen strengen Blick zu. «Um zwei bin ich zurück», sagte er, nahm Hut und Mantel von der Garderobe, um in den Aufzug zu steigen und die vier Etagen bis zur Kassenhalle hinunterzufahren. Seinen Schwiegervater im Alsterpavillon treffen, Bunge unter Palmen.

Der Alte hatte darum gebeten, vermutlich ging es um eine neuerliche Verlängerung des Kredits. Hatte er je geglaubt, Carl Christian Bunge könnte mit Geld umgehen? Sollte er das Zurückzahlen doch auf den Nimmerleinstag verschieben, dann blieb Ida bei der Stange.

An wie viel Enttäuschung er auch schluckte in dieser

Ehe, er hing an Ida, diesem unwilligen Geschöpf, das ihn die Nichtachtung seit Jahren täglich spüren ließ. In Dresden hatte er nach einer langen Sitzung einen Spaziergang gemacht, in den nächtlichen Himmel geguckt und es Liebe genannt, was er für sie empfand. Keiner durfte je wissen, dass ihm die Tränen gekommen waren. Ein Campmann, der weinte. Vielleicht war es auch nur die Anstrengung des Tages gewesen.

«Ein illustrer Kreis von Narzissten», sagte Elisabeth. «Doch so sind sie, die Feuilletonisten, und am Theater ist es kaum anders.»

Theo Unger reichte ihr einen Gin Fizz, nahm den eigenen und stellte eine kleine Schale mit Nüssen auf den runden Glastisch neben dem Ledersessel, in dem Elisabeth saß. Er selbst setzte sich auf das neue Sofa, von dem sein Schwiegervater fand, es sehe aus, als sei es in einer Automobilwerkstatt zusammengeschweißt worden. Der alte Liebreiz war kein Freund des Bauhaus.

Unger liebte Elisabeths Geschichten aus dem brodelnden Berlin. Es könnte kaum einen größeren Gegensatz zu seinem Alltag als Arzt in der Finkenau geben, und gerade das tat ihm gut. Sie schien ihm erhaben über die Eitelkeiten ihrer Branche, dabei wurde ihre eigene Feder immer geschmeidiger. Unger war stolz auf seine Frau.

«Es tut sich Großes», sagte sie. «Erwin Piscator ist ein genialer Theatermann. Dann der junge Dramatiker aus Bayern. Bertolt Brecht.»

«Es scheint also auch Gutes aus Bayern zu kommen.»

«Du glaubst nicht, wie genial Karl Valentin ist, ein Münchner Komiker. Kerr hat ihn einen Wortzerklauberer genannt.»

«Du bist so begeistert», sagte Unger. «Ich freue mich.»

«Vielleicht könnten wir ein Pflegekind annehmen», sagte Elisabeth.

Theo Unger hätte sich beinah geschüttelt, so kalt erwischte es ihn. «Du hast Sehnsucht nach einem Kind?»

«Du nicht?»

«Nein», sagte er, «uns geht es doch bestens miteinander.» Vor lauter Irritation trank er seinen Fizz in einem Zug aus.

«Ich dachte, es gebe in deiner Klinik vielleicht Kinder, die keiner will.»

Unger zögerte. «Es kommt vor», sagte er schließlich.

«Und was geschieht mit diesen Kindern?»

«Das Fürsorgeamt kümmert sich um sie.»

«Wenn es ein Kind gäbe.» Elisabeth ließ den Satz in der Luft hängen.

«Du hast eine wunderbare Karriere», sagte Unger. «Wer soll denn das Kind versorgen?» Er ahnte es. Elisabeths Vater würde ein Heer von Kinderfrauen auf den Weg schicken. Wie er das Haus hier in der Winterhuder Körnerstraße für sie gekauft hatte. Kein Vergleich mit der Villa am Klosterstern. Dennoch. Unger hätte sich ein solches Haus niemals leisten können.

«Meinst du nicht, es macht Theo traurig», hatte sein Schwiegervater gesagt, «dass er dir das alles nicht kaufen kann?» Elsabeth gab ihm das unbesonnen weiter, sie hätte es sich verkneifen sollen.

«Carl Zuckmayer», sagte Elisabeth, die ein anderes Thema suchte. «*Der fröhliche Weinberg*. Ein hinreißendes Stück. Im Dezember ist es uraufgeführt worden. Im Theater am Schiffbauerdamm.»

Dieses Berlin. Dagegen war man hier wirklich in der Provinz.

«Elisabeth, bitte. Lass uns auf ein Kind verzichten.»

«Warum?», fragte sie. «Das Kind wird es gut haben bei uns.»

Landmann schätzte Louise Stein. Sie war die Tochter einer Kölner Freundin seiner Mutter, die Freundinnen mit zu verheiratenden Töchtern aus allen Landstrichen an der Hand hatte, und allüberall Patenkinder.

Louise war Dramaturgin und trat nun eine erste Stellung im Thalia Theater am Pferdemarkt an. Louises Vater, ein nichtjüdischer Freigeist, lehrte Philosophie an der Universität in Köln.

Landmann mochte die Familie und tat seiner Mutter gern den Gefallen, sich Louises anzunehmen, die noch fremd in der Stadt war. Er tat es an einem Sonntagnachmittag und hatte vor, ihr die Frau vorzustellen, mit der er in zwei Jahren eine einzige Liebesnacht verbracht hatte. Von besonderer Güte, diese Nacht. Bis heute verstand er nicht, warum Lina alle Versuche einer Wiederholung wegläche lte.

Landmann hatte Louise lange nicht gesehen, zuletzt war sie noch ein halbes Kind gewesen. Er holte sie in einer Pension an der Johnsallee ab, in der sie vorerst wohnte, und war beeindruckt von der jungen Frau mit der dunklen Ponyfrisur, die keinen Hut trug, dafür aber Hosen und ein langes lässiges Jackett.

Sich Louises annehmen. Ihm wurde schon im ersten Augenblick klar, dass dies ein geradezu lächerliches Ansinnen war. Louise Stein strahlte eine Souveränität aus, als hätte sie Erfahrung aus zwei Leben.

«Machen Sie sich nichts daraus, Kurt. Unsere Mütter werden nicht aufhören, uns zu behüten und in unsere Schicksale einzugreifen.»

War alles in seinem Gesicht zu lesen gewesen? «Weil Gott nicht alles allein machen konnte, erschuf er die Mutter», sagte er.

Louise lachte. «Wir werden uns einen netten Nachmittag machen. Sie sagten was von einer Freundin. Die Frau Ihres Herzens?»

«Ja und nein. Ich hab sie im Herzen, doch eigentlich will sie da nicht sein. Ach Blödsinn. Sie werden sehen, Louise. Eigentlich ist sie Ihnen gar nicht unähnlich. Lina weiß nur noch nicht, wie gut sie ist.»

«Sie können du zu mir sagen, Kurt. Wie früher.»

«Du bist aber nicht mehr die kleine Louise, die Onkel Kurt trifft.»

«Dann duze ich dich einfach auch», sagte sie und winkte dem Droschkenchauffeur zu, der sich näherte. «Du hast kein Auto?»

«Wenn ich mal Lust auf Landpartien haben sollte, kaufe ich eines.»

«Du bist eher der großstädtische Typ? Ich bin das auch.»

Sie ließ sich von ihm die Tür aufhalten, es hätte Landmann nicht gewundert, wäre es umgekehrt gewesen. Er nannte dem Fahrer die Adresse in der Eilenau, und Louise sah aus dem Fenster und stieß jubelnde Laute aus. Der blaue Himmel, in dem zart gezupfte weiße Wolken hingen, die Alster, auf der erste Segler unterwegs waren, die Spaziergänger, die am Ufer flanierten und ihren Hunden Stöcke zuwarfen, Hamburg, wie es einladender kaum sein konnte, wenn auch die Bäume am Harvestehuder Weg erst zögerlich grünten.

«Ich liebe diese Stadt», sagte Louise.

«Hast du schon eine Wohnung in Aussicht?»

«Eigentlich fühle ich mich fürs Erste ganz wohl bei Guste

Kimrath. Sie hat einige Pensionsgäste, die auf Dauer bei ihr wohnen. Schräge Typen darunter. Guste ist auch nicht ganz ohne. Sie gefällt mir. Was macht denn deine Freundin Lina?»

«Lehrerin an einer Reformschule. Anhängerin von Lichtwark. Eine sehr kunstverständige Frau.» Warum pries er Lina an?

«Und du bist noch immer Arzt an der Frauenklinik?»

«Besseres ist mir nicht eingefallen.»

«Deine Finkenau hat einen guten Ruf, der auch Köln erreicht hat.»

«Vielleicht werde ich noch mal Chef in dem Laden.» Er lachte.

Sie fuhren jetzt durch die Körnerstraße, in der Unger und Elisabeth eine der kleineren Stadtvillen bewohnten. Eigentlich wäre der Weg über die Lombardsbrücke der kürzere gewesen, doch so konnte er Louise eine Fahrt mit Aussicht bieten und wollte auch darum den Chauffeur nicht tadeln. Er hatte sich lange nicht mehr derart entspannt gefühlt. Hoffentlich lief es gut mit den beiden Frauen.

«Es scheint nur schöne Häuser in Hamburg zu geben. Mit wohlhabenden Menschen drin.»

«Der Eindruck täuscht leider», sagte Landmann und dachte an die verbliebenen Häuser des Gängeviertels und die dunklen Wohnungen hinter den hohen Mietskasernen, die hier euphemistisch Terrassen genannt wurden.

Die Droschke hielt vor der Stadtvilla aus hellem Backstein und weißem Stuck, in der Lina die Mansarde bewohnte, und wieder war Louise sehr angetan. Die weiß lackierte Wohnungstür am Ende der Treppe stand offen. Lina hieß sie willkommen.

Landmann war noch von keinem Blitz getroffen worden. Liebe und Leidenschaft hatten sich in seinem Leben eher angeschlichen, doch nun durfte er Zeuge eines Blitzeinschlags sein. War es ihm wirklich nicht klar gewesen? Wusste Lina denn schon davon? Louise schien es zu wissen, und so sah sie Lina lange an. Zwei Frauen.

Halb fünf Uhr morgens, und sie waren nun allein im Kreißsaal. Henny wartete seit einer halben Stunde auf die Nachgeburt, doch als die dann endlich in die Nierenschale ploppte, erkannte sie, dass die Eihäute am Rande fehlten und die Plazenta nicht vollständig war.

Die Geburt hatte Dr. Geerts begleitet, er war von Dr. Unger abgelöst worden, der wer weiß wo war, nur nicht hier im Kreißsaal. Henny warf einen Blick auf die geplagte Frau, die ein Kind geboren hatte und seit einer halben Stunde von ihr zu weiterem Pressen aufgefordert wurde, um die Plazenta auszustoßen. Nein. Sie wollte sie auf keinen Fall allein lassen, um nach Unger zu suchen.

Den ganzen Abend war sie schon angespannt gewesen, dabei hatte Henny in der Nacht davor genügend Schlaf gekriegt, es war nicht spät geworden mit Käthe und Rudi, obwohl sie auf den Kirschbaumschrank getrunken hatten und es ein heiterer Abend gewesen war.

Henny sah in das Gesicht ihrer Patientin, die ihre Augen geschlossen hatte, den Kopf tief in das Kissen drückte und zu schlafen schien. Diese Geburt würde gut ausgehen. Trotz der fehlenden Fetzen Plazenta. Das Kind hatte alles überstanden, nun wollte sie auch noch die Mutter auf die sichere Seite bringen. Henny beschwor es beinah. Eine Plazenta, die sich nicht löste, von der Teile im Bauch verblieben, führte zu Blutungen und Infektionen und im schlimmsten Falle zum Tod der Frau.

Sie begann, den Gebärmutterfundus zu massieren. Einen

Katheter hatte sie gelegt, keine volle Blase, die hier die Nachgeburt behinderte. Noch einmal tastete sie, untersuchte sachte den Uterus und war nun überzeugt, dass sich der Muttermund zu sehr zusammengezogen hatte, um die Reste der Plazenta freizugeben.

«Gibt es Probleme?»

Unger stand in der Tür. Henny drehte sich nach ihm um. Was irritierte sie? Sie berichtete und sah ihm aufmerksam zu, als er die Patientin untersuchte. Er hatte nicht getrunken. Seine Hände waren ruhig, er war voll konzentriert.

«Wir operieren», sagte er.

«Vielleicht kommt es doch noch von alleine.»

«Nein. Sie haben recht, der Muttermund ist geschlossen.»

Die Äthernarkose setzte er selbst. Nur eine Kürettage, doch auch die Ausschabung wollte er der Mutter bei vollem Bewusstsein ersparen.

«Was ist los mit Ihnen?», fragte Henny. Auf einmal waren da all die Gefühle, die sie vor Jahren für Unger gehabt hatte. Es schien ihnen beiden gelungen zu sein, die im Klinikalltag untergehen zu lassen.

«Die kleine Kurth im zweiten Saal», sagte er, «da kommt morgen eine Fürsorgerin. Sie will das Kind nicht. Ich habe vergeblich versucht, sie vom Gegenteil zu überzeugen.»

«Das ist bedauerlich», sagte Henny.

«Meine Frau will ein Pflegekind. Sie würde mir nicht verzeihen, wüsste sie, dass ich ihr dieses vorenthalte.» Sah Unger aus, als täte ihm schon leid, das preisgegeben zu haben?

«Ich habe mir einen Gräfenberg-Ring einsetzen lassen, obwohl mein Mann weitere Kinder will.» Vertrauen gegen Vertrauen. Doch vielleicht war sie nur übermüdet und sehr aufgewühlt, dass sie das gestand.

«Ich werde Ihr Geheimnis bewahren, Henny», sagte Unger. «Und Sie meines.» Er lächelte ihr zu. Dann nahm er die Kürette vom Tablett mit den Instrumenten.

Sie arbeiteten mit sicherer Hand, die Operationsschwester, die hinzugekommen war, spürte keine Nachklänge der kleinen Beben, die für einen Augenblick in ihnen stattgefunden hatten.

Als sie nicht lange danach im Waschraum standen, die Handschuhe abstreiften, die Kittel auszogen, schwiegen sie, und als Unger Henny ansah und ansetzte, etwas zu sagen, schüttelte sie nur leicht den Kopf.

Henny wurde von Käthe geweckt, die ihre Freundin in Hebammentracht schlafend auf der Liege des Schwesternzimmers fand.

Käthe war nicht die Erste, die an diesem Dienstagvormittag hier hereinkam, alle anderen hatten Henny schlafen lassen. Es hatte sich herumgesprochen, dass es in der Frühe schwierig geworden war im Kreißsaal nach einer langen Geburt, die Henny betreut hatte.

Henny setzte sich auf und suchte nach ihrer Uhr. «Um Himmels willen. Es ist gleich zehn», sagte sie. Lud verließ um zwanzig vor acht das Haus, zu der Zeit hätte sie längst da sein sollen, um Marike zu übernehmen. Ihre Schicht endete um sechs.

«Geh erst einmal einen Kaffee trinken. In der Küche auf Station 2 haben sie gerade frischen fertig. Unger will dich übrigens sprechen.»

«Er ist auch noch da?»

«Es ist alles gut mit der Mutter. Sie ist auf der Wöchnerinnenstation.»

Die Beichte fiel Henny ein, die sie im Kreißsaal abgelegt hatte.

«Lud rief hier um sieben an, als du nicht nach Hause kamst. Er hat Marike zu deiner Mutter gebracht, und die geht dann mit dem Kind zu euch rüber. Alle sind versorgt.»

Henny stand auf und löste die Klammern aus ihrer vom Liegen zerdrückten Haube. «Wo ist Unger denn? In seinem Sprechzimmer?»

Was wollte er? Doch kein weiteres Geständnis? Henny fuhr mit den Händen durch das kinnlange wellige Haar.

«Warst du damals wirklich verliebt in ihn?»

«Ich nehme an, du sprichst von Unger?»

Käthe nickte. «Er sieht dich manchmal noch so an. Als ob er dich nicht nur für eine gute Hebamme hielte.»

«So sieht Landmann *dich* an.»

«Wir sind alle in festen Händen», sagte Käthe.

«Landmann nicht.»

«Und was ist mit deiner Schwägerin?»

«In festen Händen sein lässt sich das kaum nennen. Das einzig Konstante ist, dass sie gemeinsam in die Kunsthalle gehen.» Henny drehte sich zu Käthe um. «Aber ich weiß auch nicht alles. Lina ist eine Schweigsame.» Sie löste die Schürzenbänder und ging zu ihrem Spind, eine Strickjacke hervorholen. Ihr war kalt, die Nacht steckte ihr noch in den Knochen. «Bis später, Käthe», sagte sie und verließ das Zimmer.

Das Sprechzimmer von Dr. Theo Unger. Doch er war nicht da. Erst einmal Erleichterung, was Henny spürte.

«Ringel Ringel Rose, Butter in die Dose, Schmalz in den Kasten, morgen woll'n wir fasten, übermorgen Lämmchen schlachten, das soll sagen: Mäh.»

Henny hörte die Stimme ihrer Mutter, die laut den alten Kinderreim sang, als sie die Tür zur Wohnung öffnete. Doch sie hörte noch etwas anderes. Marike weinte.

Else drehte sich zu ihr um, als Henny ins Zimmer kam. Ihre Stimme klang vorwurfsvoll. «Deine Tochter will kein Lämmchen schlachten und nicht einmal ihr schönes Butterbrot essen.»

«Was singst du auch für schreckliche Lieder mit ihr?»

«Schreckliche Lieder? Das Kind hat noch nie gehungert. Sonst würde es mit Freuden ein Lämmchen schlachten.»

«Mama, das kann nicht dein Ernst sein.» War das die Frau, die auf einen rot gefärbten Himmel hinwies, in dem das Christkindchen buk?

«Man soll Kinder nicht verzärteln», sagte Else.

Vielleicht war auch das der Nacht im Kreißsaal geschuldet: Henny schrie. Marike erschrak und fiel in ein heftiges Schluchzen. Das kannte sie nicht von ihrer Mutter, schon gar nicht, dass sie Oma anschrie. Else senkte ihren Blick auf den Teller mit den Schmalzbroten und biss auf ihrer Lippe herum. Henny sank auf einen der Küchenstühle und fühlte eine endlose Erschöpfung.

«Es tut mir leid, Mama.»

Else schniefte und ließ den Kopf noch tiefer sinken. «Nein, das tut es dir nicht. Du bist mir doch schon seit einer Weile feindlich gesinnt.»

«Was für ein Quatsch.»

«Wenn ich mal wage, die Wahrheit zu sagen, ist es Quatsch für dich.»

Henny griff eines der Schmalzbrote, eher eine versöhnliche Geste, als dass sie hungrig war, obwohl sie seit Ewigkeiten nichts mehr gegessen hatte. Wenigstens den Kaffee in der Station hätte sie trinken sollen, doch sie war in Erwartung eines gemütlichen Frühstücks gewesen.

«Ich kann ja gehen», sagte Else und schob ihren Stuhl zurück.

«Wir brauchen dich doch, Mama.» Henny hörte Widerwillen in der eigenen Stimme. Da war sie, die Gelegenheit, Marike in einen Kindergarten zu geben, wie Lud es wollte und wie es sicher auch der Kleinen guttäte, die Kinder ihres Alters nur auf dem Spielplatz traf, und das nicht oft. Else fand es mühsam, mit viel jüngeren Frauen auf harten Bänken zu sitzen oder gar im Sand.

«Ihr seid doch aufgeschmissen ohne mich.» Offensichtlich hatte Else vor zu ignorieren, was in Hennys Stimme zu hören gewesen war.

Henny kommentierte das nicht. Sie zog das Kind zu sich, das dabei war, auf ihren Schoß zu klettern, nicht mehr schluchzend, nachdem die Stimmen in der Küche ruhiger geworden waren, sondern bereit, nun auch ein Schmalzbrot zu essen.

«Das Lämmchen soll leben», sagte Marike.

«Das wird es auch», sagte Henny und sah, dass ihre Mutter den Kopf schüttelte. Wollte sie denn das wirklich? Dass Else mit ihren veralteten Ansichten ihre Tochter erzog? Sie nahm sich vor, noch mal alle guten Gründe für den Kindergarten mit Lud zu besprechen, aber sie wusste, dass sie bei ihm offene Türen einrannte.

«Für heute gehe ich dann», sagte Else. «Ist besser so. Du hast ja für den Rest des Tages frei.» Sie stand auf. «Ich habe für euch Erbsensuppe gekocht, der Topf steht auf dem Balkon. Zwei Frankfurter hab ich reingeschnitten, die hat Marike doch gern.»

«Danke, Mama.»

Else ging in den Flur, um Mantel und Hut anzuziehen, doch sie steckte noch mal den Kopf in die Tür. «Marike, in den Frankfurter Würstchen sind Schweinchen drin», sagte sie, «die werden auch geschlachtet.»

Marike setzte erneut zu einem großen Weinen an.

Henny hätte ihrer Mutter gern eine Verwünschung hinterhergeschickt, doch sie zählte nur bis zehn und gab sich die größte Mühe, nicht auch noch in Tränen auszubrechen. Marike war schon verstört genug.

Seltene Tage, an denen sie beide freihatten, auch am Sonntag geschah das nicht oft. Seit einer Woche war das Wetter «t'om Eierleggen», wie Karl Laboe sagte, das traf sich gut, denn Ostern kam früh in diesem Jahr.

In der kleinen Konditorei von Löwensteins in der Humboldtstraße standen schon Schokoladenhasen, lagen kleine bunte Zuckereier in der Dekoration, doch Rudi kaufte in einem Süßwarenladen am Gänsemarkt erste Ostereier, Krokant für Käthe und mit Nougat gefüllte für Grit.

Er hielt sich gerade in der Gegend auf, seine einzige Aufgabe war an diesem Vormittag gewesen, in die Colonnaden zu gehen und Plakate in Felix Juds Buchhandlung zu bringen. Ab zwölf Uhr waren Druckerei und Atelier bei Friedländers geschlossen, eine Beerdigung in Altona, die ihn nicht betraf.

Die Nougateier wollte er Grit vor die Tür legen, damit sie die vorfände, wenn sie am Abend von der Arbeit in ihrer Kleiderfabrik kam. Vermutlich würde sie das nicht einmal zu schätzen wissen, ihm klang schon im Ohr, dass sich Nougat in der Fastenzeit nicht gehöre, damals, als er Kind war, hatte die Kirche eine große Bedeutung gehabt.

Vielleicht war das Teil der Tugendhaftigkeit, die sie sich auferlegte, eine ledige Frau, die ihr Kind allein großzog. Gehörte es dazu, ihm nur Krümel hinzuwerfen, wenn er sie um Auskunft über seinen Vater bat? Hütete Grit ein Geheimnis, das unheilvoll war?

Rudi stieg in die Straßenbahn. Käthe hatte zu Henny

gehen wollen, danach zurück nach Hause in die Bartholomäusstraße. Dahin war er unterwegs. Er wollte Käthe vorschlagen, um die Alster zu spazieren. Große Freiheit mitten in der Woche. Keinen Kragen tragen. Keinen Hut. Wind in den Haaren. Sonne im Gesicht. Und dann gar nichts anhaben, sich vor dem Kachelofen lieben am helllichten Tag.

«Ich hab Kuchen gekauft», sagte Käthe, als er zur Tür hereinkam, «dachte, wir machen es uns gemütlich.» Ihre Hände waren voll Erde, sie hatte Stiefmütterchen auf dem Balkon gepflanzt und hielt nun die Hände unter den Wasserhahn in der Küche.

Gut. Erst mal Kuchen essen. Buttercreme vermutlich. Die hatte Käthe am liebsten und wäre dann weich gestimmt für all das andere.

«Guck mal. Hab nur weiße und lila genommen.»

Rudi guckte und sah seine Käthe an, die so schön war heute.

«Die Stiefmütterchen sollst du angucken», sagte Käthe, «auf dem Balkon.»

Die Krokanteier fielen ihm ein. Er holte das Tütchen aus der Tasche, guckte zur Balkontür hinaus und betrachtete die Stiefmütterchen. Zu Grit wollte er auch noch. Nicht, dass der Tag aufhörte, ein freier Tag zu sein.

«Gefallen sie dir?»

«Sehr», sagte Rudi und gab ihr das Tütchen.

«O du liebe Sünde», sagte Käthe.

Wie sie sich die Lippen leckte und das Ei im Mund herumschob. Vielleicht doch den Teil mit dem Garnichtsanhaben vorziehen, dachte Rudi. Sonst wären sie nachher zu müde vom Spazieren um die Alster.

«Henny hatte Krach mit ihrer Mutter. Ging um Kindererziehung.»

«Hm», sagte Rudi.

«Henny hätte es schon gern aufgeklärter. Ich hab ihr zur Kindergruppe am Schleidenplatz geraten.»

«Ich habe meine Zweifel, ob Henny und Lud den Kommunisten die Erziehung in die Hand geben wollen.»

«Dann lieber Else Godhusen?»

«Für die Nestfalken ist sie wohl noch zu klein.»

«Odefey. Was bist du für ein halbherziger Kommunist. Die Nestfalken sind nicht unsere, das sind die Sozialisten.»

Der Tag geriet in ein falsches Fahrwasser. Rudi seufzte.

Käthe zog ihren Kittel aus und nahm ein zweites Ei aus dem Tütchen.

«O du liebe Sünde», sagte Rudi. Nur ein Versuch.

«Obwohl ich annehme, dass die in der Krippe am Schleidenplatz auch Lämmchen schlachten wollen», sagte Käthe.

Er hätte fragen können, was das nun hieß. Doch er ließ es sein und fing an, die Träger des Unterhemdes von Käthes Schultern zu streifen.

«Dann hat Else noch gesagt, dass in den Frankfurtern Schweinchen sind, die auch geschlachtet werden. Das zu dem Kind.»

«Erklär es mir später», sagte Rudi. Wenn er das nun nicht durchzog, bliebe vom Tag Buttercreme und Grit die Nougateier vor die Tür legen.

Käthe öffnete ihre Lippen und zeigte die Zunge, die noch ganz schokoladig war. «Komm her», sagte sie. «Lass dich küssen.»

O du liebe Käthe. Sonne vom Balkon fiel in die Küche. Vielleicht sollte man die Alster ganz ausfallen lassen. Im Rücken tat die Sonne auch gut, nicht nur im Gesicht.

«Ein Eisbärfell wäre schön», sagte Käthe, als sie vor dem Kachelofen auf harten Dielen lagen.

«Aber Lämmchen willst du nicht schlachten.»

«Vielleicht tut es auch ein Läufer. Hab einen bei Heilbuth gesehen.»

«Ich hol die Decke vom Bett», sagte Rudi. Dort wäre es bequemer gewesen, doch ein freier Tag rief nach besonderen Orten.

Er hatte gerade das Tütchen auf die Fußmatte im vierten Stock des Hauses in der Herderstraße gelegt, als er die Schritte auf der Treppe hörte. Zweiter Stock. Dritter Stock. Das war Grit. Rudi hatte ihr nicht begegnen wollen, doch er war spät dran nach dem Liebemachen und Kuchenessen und Stühle auf den Balkon in die Märzsonne stellen.

«Was machst du denn hier?», fragte seine Mutter, die kurz auf der halben Treppe stehen geblieben war und nun die letzten Stufen nahm.

«Ich war in dem Süßladen am Gänsemarkt und hab dir Nougateier gekauft. Die hast du doch gerne», sagte er.

«Hast du gehofft, dass ich mich verspäte?»

Er nahm das Tütchen von der Matte und hielt es ihr hin. «Magst du mich einlassen?»

Grit kramte nach dem Schlüssel. Damals, als Käthe und er noch Schäferstündchen in diesen zwei Zimmern abhielten, schien sie den Schlüssel immer im Nu bereit zu haben, um sie zu überraschen, ihnen kaum Zeit zu lassen, in die Kleider zu springen. Wie komfortabel Käthe und er es nun hatten in der eigenen Wohnung.

«Nu komm schon», sagte sie, und Rudi wusste nicht, ob sie zum Schlüssel sprach, den sie nun endlich in der Hand hielt, oder ihn zu einer Erklärung drängte. Er sah sie an, als das Licht im Flur aufflammte, Haarsträhnen, die sich aus dem Dutt lösten, das Nachlässige war neu.

Sie setzten sich an den Küchentisch, und Grit nahm ein Nougatei aus dem Tütchen und bot ihm eines an. Er schüttelte den Kopf. «Ist nur für dich», sagte er.

«Süßes hab ich auch nicht oft.»

«Kommst du aus?» Er gab seiner Mutter zwanzig Mark dazu, seit er die Stelle bei Friedländers hatte.

«Fünfundzwanzig wären besser», sagte Grit. «Aber lass mal. Euer Haushalt ist ja noch im Aufbau.»

«Du hast gar nichts von Fastenzeit gesagt.»

Grit machte eine abfällige Handbewegung. «Damit bin ich durch», sagte sie. «Ich kann mir nicht alles nehmen lassen.»

«Gibt es was, das ich wissen sollte?»

«Sagt dir keiner, dass deine Haare zu lang sind?»

Rudi dachte an Käthes Hände, die ihm die Locken aus der Stirn strichen, wie sie es am Nachmittag getan hatte. Kannte seine Mutter solche Augenblicke der Zärtlichkeit? Seines Wissens hatte es nie mehr einen Mann in ihrem Leben gegeben, seit der große Unbekannte das Weite gesucht hatte. Liebten sie einander, als er gezeugt worden war?

«Kurz nach dem Krieg», sagte er, «da habe ich die Krawattennadel zum Pfandleiher gebracht.»

Grit lachte rau. «Gut. Dann ist die auch weg», sagte sie. «Hab mich schon gewundert, dass ich sie nicht mehr an dir gesehen habe.»

Weil er sie selten trug, schon gar nicht, wenn er sie besuchte. «Ich habe sie dann später wieder ausgelöst.»

«Dass du dafür was gekriegt hast. Ist doch nur aus Doublé, die Nadel.»

«Das wusstest du?»

«Hab das selbst dranmachen lassen.»

Die Stunde der Wahrheit. Sogar das väterliche Erbstück

war nichts als eine Täuschung. Am Ende eines herrlich freien Tages war ihm zum Heulen zumute. «Sie gehörte also gar nicht meinem Vater?»

Grits Lippen wurden ganz schmal, als ob sie kein einziges weiteres Wort durchlassen wollten. Er kannte das.

«Ich gehe hier nicht weg, bis du mir sagst, was mit der Nadel ist.»

Sie stand auf und ging zur Speisekammer. «Kannst ein Bill Bräu haben. Ist aber nicht kalt.»

«Ich will kein Bier, schenk mir einfach die Wahrheit ein.» Er klang derart unwirsch, dass seine Mutter erschrak.

Grit kam zurück an den Tisch und knetete die Knöchel ihrer Finger. «Als du konfirmiert wurdest, da hatte ich mir fest vorgenommen, dir die Erbstücke zu geben.»

«Die Zigarrenkiste», sagte Rudi, «da war die Krawattennadel drin und eine Uhrkette und die Fotografie.»

«Aber von der Nadel gab es nur noch die Wachsperle.»

Sie hatte geglaubt, die wertvolle Perle sei aus Wachs. Rudi schwieg.

«Du warst ganz klein, da wären wir beinah ins Armenhaus gekommen, du und ich. Da habe ich alles verkauft, was wertvoll war, auch das Gold von der Nadel. Das war das beste Gold, das es gibt.»

Vierundzwanzig Karat, dachte Rudi.

«Die Perle wurde rausgebrochen, die wollte der Händler nicht, der kaufte nur Gold an.»

Ein Idiot, dachte Rudi.

«Damit ich dir das Zeugs geben konnte, hab ich Doublé um die Perle machen lassen, sollte ja wieder eine Nadel sein. Das ist alles.»

«Und die Uhrkette? Die hast du damals nicht verkaufen wollen?»

«Die lag da schon im Leihhaus. Die hab ich erst viel später auslösen können. Sonst wäre sie nicht mehr da gewesen.»

Wer weiß, welch einem schurkischen Händler sich seine verzweifelte Mutter anvertraut hatte. Sie fing an, ihm wieder leidzutun. «Erzähl mir von meinem Vater», sagte Rudi leise.

«Nein. Nu ist genug. Nimm dir ein Nougatei und geh.»

Rudi stand auf. Er wusste, dass nun nichts mehr ging. Er blickte auf die kleine Frau mit dem dünnen blonden Haar, die den Kopf gesenkt hielt und die Tischplatte anstarrte. Woher hatte er die dunklen Locken? Der Vater auf der Fotografie war auch blond gewesen.

«Dann geh ich jetzt, und ab April gibt es fünfundzwanzig Mark.»

«Du bist ein guter Sohn», sagte Grit. Das sagte sie immer in solchen Momenten. Doch diesmal war es so leise, dass er ihr von den Lippen hätte lesen müssen, wäre dieser Satz ihm nicht längst bekannt.

Es war schon dunkel, als er in die Bartholomäusstraße zurückkam. Bei ihnen im vierten Stock brannte Licht, Käthe würde sicher Brote gemacht haben. Vielleicht sollte er den Pomerol öffnen, den ihm Max Friedländer geschenkt hatte.

Der erste Bordeaux seines Lebens. Rudi würde den La Croix von 1924 andächtig behandeln. Es war genau der richtige Tag, ihn mit Käthe zu trinken.

«Der Gedanke ist doch, Mädchen und Jungen gemeinsam zu erziehen, und zwar von Frauen und Männern», sagte Lina. «Koedukation auch in den höheren Schulen.»

Louise lächelte. Sie liebte Linas erhitztes Gesicht, wenn sie eifrig eine Idee vertrat. Ihre Augen leuchteten, und ihr Hals, an dem das Medaillon mit dem Amethyst hing, der so gut zu Linas Augen passte, rötete sich. «Du hast lila Augen», hatte Louise in der ersten Nacht gesagt.

Lina hatte ihr von Lud erzählt, von der Zeit nach dem Tod ihrer Eltern, als sie alleine mit ihm lebte. Wie sehr sie gerührt gewesen war, als Lud ihr zum zweiundzwanzigsten Geburtstag das von ihm geschnitzte Medaillon aus Lindenholz schenkte. Dass sie ihrer Mutter in deren letzter Stunde versprochen hatte, immer auf den Jungen aufzupassen, und sie sich diese Aufgabe nun mit Henny, Luds Frau, teilte.

«Du hast gesagt, dein Bruder sei vierundzwanzig.»

«Und der liebste Träumer auf Erden», sagte Lina.

«Aber doch schon erwachsen», sagte Louise, die nur Tage älter war als Lud.

«Einmal große Schwester, immer große Schwester. Vor allem wenn die Eltern um der Kinder willen verhungern.»

Louise setzte sich zu Lina auf das Korallensofa und legte ihr den Arm um die Schultern. «Das ist eine schreckliche Geschichte. In Köln wurde auch viel gehungert, doch ich kann mich nicht erinnern, kein Essen gehabt zu haben. Das lag alles in den Händen meiner Mutter, die ist ein Genie im Organisieren. Mein Vater gibt gern den weltfernen Professor.»

«Dann kommst du auf deine Mutter.»

«Ich hab mir von beiden das Beste genommen. Und nun nehme ich mir auch noch dich. Ich hoffe, Kurt verkraftet das.»

«Er hat mich nie gehabt, und das war ihm klar.»

«Diese eine Nacht, von der du mir erzählt hast?»

Lina schüttelte den Kopf. «Ein Versuch, der sogar geglückt ist, doch ich habe mir beim Spielen zugeguckt. Das Spiel hieß *Leidenschaftliche Frau liebt Mann*, die Spielregeln kannte ich aus der Literatur.»

«Diese Bücher will ich lesen.» Louise lachte. «Lässt uns

denn Fontane an Effi Briests sexuellen Abenteuern teilhaben? Ich kann mich nicht erinnern. Und die Bovary? Sitzen wir da auf der Bettkante und lernen was über Liebesspiele? Im *Grünen Heinrich* steht auch nichts.»

«Du nimmst mich nicht ernst.»

«Doch. Sehr.» Louise nahm den Arm von Linas Schultern und stand vom Sofa auf. «Ich hätte jetzt Lust auf einen Gibson. Magst du auch einen?» Sie streckte sich.

«Ich hab keine Ahnung, was das ist.»

«Ein Cocktail. Ich liebe Cocktails.»

«Du glaubst doch nicht, dass ich eine einzige Zutat dafür habe?»

«Gin, Wermut, Silberzwiebeln?»

Lina schüttelte den Kopf.

«Das muss sich ändern», sagte Louise. «Wo kauft man denn schick zu trinken ein in Hamburg?»

«Ich kaufe im Kolonialwarenladen», sagte Lina. Früher war sie zu Peers in die Zimmerstraße gegangen. Henny kaufte da heute noch ein.

«Kurt kennt sich sicher aus», sagte Louise, «den werde ich fragen. Wessen Locke hast du denn in deinem Medaillon? Oder ist es ein Bild?»

Da war sie wieder, die Rötung an Linas Hals. «Lass mir ein paar Geheimnisse, Louise», sagte sie.

Bunge war vom Sloman Haus zu den Landungsbrücken gegangen, er liebte den Hafen und Wind im Gesicht, das Gefühl von Weite und Meer. Hinter dem Hafen fing die Welt an.

Er hatte sich mit Kiep getroffen, der machte noch immer in Spirituosen, doch passte Kieps Schnaps nicht bestens zu den leichten Liedern auf Schellackplatten, die Bunge produzieren ließ?

Galaabende. Die Künstler auf der Bühne, die alkoholischen Getränke auf den Tischen unten im Saal. Im Foyer dann junge Damen mit feschen Käppis, auf die *Diamant Grammophongesellschaft* gestickt war. Die Platten würden ihnen aus den Händen gerissen werden.

Carl Christian Bunge wehte in eine der Nebenstraßen des Baumwalls hinein, Rambachstraße. Das Lokal, vor dem er stehen blieb, sah aus, als hätte es schon die eine und andere Pleite erlebt.

Er blickte in die Schaukästen, nackte Weiber und dann noch eine bekleidete Künstlerin mit Zigarettenspitze. Bunge brauchte eine Weile, bis er in ihr Margot erkannte. Sie war es wirklich. Ganz ohne Anita.

Wie viel Zeit war vergangen, seit sie sich im Januar 1924 unfroh getrennt hatten? Gute zwei Jahre. War nichts geworden aus dem Probesingen, der Produzent aus Berlin völlig unzufrieden, und die Damen taten, als seien sie mindestens Blandine Ebinger mal zwei.

Hochmut kommt vor dem Fall, dachte Bunge. In diesem Tingeltangel war Margot also gelandet. Das guckte er sich gerne an. Doch die hatten noch gar nicht auf. Bunge holte die Taschenuhr aus der Westentasche. *A. Lange & Söhne. Glashütte i/Sa.* Er hatte sie von seinem Vater geerbt. War ihm oft ein Trost gewesen, das Zifferblatt zu betrachten.

Viel zu früh für so ein Tingeltangel. Das dauerte ja noch Ewigkeiten, bis die das Scherengitter öffneten und ihn die vier Stufen nach unten gehen ließen. Hunger hatte er auch.

In einer Viertelstunde stellte Guste das Abendbrot für Pensionsgäste auf den Tisch. Er durfte dazukommen, wann immer er wollte. Doch ihm war gerade nicht nach Gustes Küche. Von Abenteuern schien dieser Hafenwind zu flüstern.

Verrückte Idee, die ihm da in den Kopf kam. Als er unten

am Baumwall beim Droschkenstand angekommen war, hatte er sie schon ein paarmal verworfen. «Schmuckstraße», rief er dem Chauffeur dennoch zu, sank tief in den Sitz und ließ die Helgoländer Allee an sich vorbeiziehen, den klotzigen Bismarck aus Stein, dann Reeperbahn und Talstraße und schließlich die Schmuckstraße. Zufrieden schien der Fahrer nicht zu sein, zu kurz, die Strecke. «Noch eine Hausnummer, der Herr? Die 18 vielleicht? Da gehen sie alle gern futtern.» Bunge schüttelte den Kopf, hob dennoch die Hand zum Halt und gab ein großes Trinkgeld. Das Gesicht des Fahrers entgrimmte sich.

Einmal die Straße rauf- und runtergehen, neue Gerüche schnuppern, Bunge hatte keine Ahnung, wie Idas Chinese mit Familiennamen hieß. Über den Eingängen fremde Schriftzeichen, vielleicht verbargen sich ja Opiumhöhlen dahinter. Er steckte den Kopf durch einen Vorhang und sah Chinesen an Gaskochern stehen und in Blechtöpfen rühren. Einer von ihnen sah ihn stirnrunzelnd an.

Doch ein bisschen unheimlich hier, wie sich die fremden Gestalten an den Ecken herumdrückten mit ihren zu großen Hüten und den weiten Hosen, die Hochwasser zogen. Was die wohl in den Taschen trugen?

Schließlich kehrte er in einen Laden ein, der ihm am wenigsten exotisch aussah, bestellte Wan-Tan kantonesischer Art, nachdem er verstanden hatte, dass sich dahinter eine Art Maultaschen verbarg, blickte durch die große Glasscheibe und sah Mia durchs Bild gehen. Was machte Idas Dienstmädchen hier? Sollte sie tatsächlich als Postillon d'Amour unterwegs sein?

Bunge zahlte eilig, doch als er aus der Garküche trat, war Mia über alle Berge. Hatte Ida nicht gesagt, es sei vorbei mit dem Chinesen?

Wer wollte seine Tochter verstehen.

Er ging zur Reeperbahn vor und nahm dort ein weiteres Auto, um sich zur Johnsallee chauffieren zu lassen. Keine Verrücktheiten mehr, vielleicht war er doch eher der Typ für Hausmannskost. Für Margot als Femme fatale war er jedenfalls nicht mehr in Stimmung. Den Gesang der Sirenen hatte die Loreley auf ihrem Felsen sicher besser beherrscht.

Tian las keinen der Briefe, die Mia brachte und Ling nur um der Freundin willen widerwillig annahm. In den ersten Tagen seiner Rückkehr hatte er Ling gebeten, sich von Mia die häusliche Situation am Hofweg schildern zu lassen, nur um zu erfahren, dass Campmann allgegenwärtig war und die Herrschaften zwar nicht lebten wie die Turteltauben, doch Ida alle gesellschaftlichen Verpflichtungen an der Seite ihres Gatten wahrnahm.

Glanz und Gloria waren ihr wichtiger als die Liebe ihres Lebens.

Wenn es denn das gewesen war und nicht nur ein nettes Intermezzo zum Zeitvertreib einer verwöhnten jungen Dame.

Hinnerk Kollmorgen hatte ihm ein großzügiges Angebot gemacht, in das Kaffeekontor einzusteigen. Kollmorgen wollte sich zurückziehen. Guillermo, sein Neffe, weigerte sich, die Dependance einem Mitarbeiter zu überlassen und von Costa Rica nach Hamburg zu kommen.

«Du wirst der Erste an der Spitze des Kontors sein, der es vorzieht, Tee zu trinken», hatte Kollmorgen gesagt und ihm auf die Schulter geklopft. An die Schulterklopferei konnte er sich nur schlecht gewöhnen.

Tian hatte durch die Gardine gesehen und gewusst, dass der ältere Herr, der da draußen durch die Schmuckstraße schlich, Idas Vater war. Damals im Januar, am Anfang der

Liebe zu Ida, war er zum Haus in der Fährstraße gegangen, um sich vorzustellen und seine hehren Absichten zu erklären, doch gerade als er überlegte, wie in dieses Anwesen hineinzukommen sei, hatte sich das Tor geöffnet, und eine Limousine war an ihm vorbeigefahren, von einem Chauffeur gelenkt. Kurzer Blickkontakt mit Bunge, der im Fond des Wagens saß und ihm direkt ins Gesicht sah, dann hatte Bunge sich abgewandt.

Was wollte Idas Vater hier? Suchte er ihn? Um ihm was zu sagen? Nehmen Sie die Hände von meiner Tochter? Tians Hände hatten Ida schon lange nicht berührt.

Er hatte den Platz hinter der Gardine verlassen und war in das kleine Zimmer gegangen, das für ihn wieder freigeräumt worden war. In der Wohnstube saßen Ling und Mia und flüsterten. Sobald der neue Vertrag mit Hinnerk Kollmorgen unter Dach und Fach war, würde er sich nach einer eigenen Wohnung umsehen.

Welch ein Unglück es war, Ida zu lieben.

Er hörte Lärm von der elterlichen Garküche nebenan. Dauernd gab es Ärger mit Zuko, dem neuen Koch. «Fügt sich nicht ein», hatte Tians Vater gesagt. *Sich einfügen* war die Familienlosung.

Tian stand auf, als er Porzellan scheppern hörte. Zuko war wohl eher in der Lage, seine Position zu klären als Yan Changs Kinder. An Tian traute sich der Vater nicht mehr heran, doch Ling hatte es schwer.

Eine der blau-weißen Schalen flog scharf an ihm vorbei, als er in die Küche trat, zerschellte am Türrahmen und lag in Scherben. Der junge Zuko hatte die Schlaufen seiner Schürze gelöst, schmiss sie auf den Boden und lief hinaus. Lautes Schimpfen seines Vaters, der sich Tian zuwandte. Nein. Das konnte Chang sich aus dem Kopf schlagen. Ling würde den entlaufenen Koch nicht ersetzen. Yan Tian, der künftige Juniorchef, würde ihr vorschlagen, zu Kollmorgen zu kommen.

Auch diese Mittagspause dehnte Lud aus, die laue Luft umarmte ihn zu sehr, er war dem Frühling schon immer verfallen gewesen. Von Nagel und Kaemp am Osterbeckkanal wanderte er, biss ab und zu in das Butterbrot, das Henny mit Edamer und Gurkenscheiben belegt hatte, und tat, als sei er ein Ferienkind und keiner, der spätestens in einer halben Stunde die Arbeit im Kontor fortführen musste.

Lud ging die Gertigstraße entlang, vom Mühlenkamp in den Hofweg hinein, blieb an jeder Kanalbrücke stehen und blickte in das glitzernde Wasser. Es war schön, das Leben, gäbe es nur all die Zwänge nicht.

Könnte er doch Marike bewahren vor den Zwängen. In den letzten Nächten hatte das Kind heftig geträumt, war aufgewacht, in Tränen aufgelöst. Lämmchen und Schweinchen, die sterben sollten in ihren Träumen und die Marike vergeblich zu retten versuchte.

Else war keine einfache Schwiegermutter, Lud hatte sich arrangiert mit ihr, doch das Kind zu verstören, das verzieh er nicht. Gleich nach Ostern würde Marike in den Kindergarten gehen, der von Lina empfohlen worden und im Geiste des Pestalozzi-Schülers Fröbel geleitet wurde.

Gestern hatte Henny mit Else gesprochen, vom Kindergarten erzählt, doch die nahm es nicht gut auf, dass ihr Marike einen Dreivierteltag entzogen werden sollte, und von den neuen Erziehungsideen, die Lina so am Herzen lagen, hielt sie ohnehin nichts.

Der Anfang des Übels war, dachte Lud, dass Else bar jeder Einsicht war. Vielleicht weigerte sie sich ja, das Kind am

Nachmittag abzuholen, doch dann würde er einspringen, wenn Henny in der Finkenau Dienst tat, er vertraute da ganz auf die Großzügigkeit seines Vorgesetzten.

In der Papenhuder Straße war er nun schon, es wurde Zeit, den Rückweg anzutreten, vielleicht sollte er oben an der Brücke in die Bahn steigen und ein paar Stationen zurückfahren.

Die Alster lag da und lockte, Boote darauf, wer waren die Glücklichen, die an einem Dienstag segelten? Lud drehte sich zu ihnen um, hätte den Seglern gerne zugewinkt. Er betrat die Brücke. Den Opel sah er zu spät.

All die Alltäglichkeiten, die er gedacht hatte in den letzten Augenblicken seines Lebens, doch wer hätte es gewusst.

Zwei Stunden später stand sie an der Brücke, keine Spuren mehr von dem, was Lud geschehen war an diesem Dienstag. Kein Blut auf der Straße. Kein Sand, um es zu tilgen.

Henny bewegte sich, als sei sie aufgedreht wie Marikes kleiner Affe aus Blech. Hatte Lud friedvoll ausgesehen auf seinem Totenbett im Lohmühlenkrankenhaus? Würde sie Lina sagen können, ihr Bruder habe friedvoll ausgesehen? Henny hatte Lina nicht erreicht, es war Wandertag an der Telemannschule.

Ein Auto hatte Lud überfahren. Einfach so. Sie sagte es vor sich hin, um zu verstehen, was geschehen war. Das Unbegreifliche.

Das Taschentuch, das ihr gereicht wurde. Weinte sie denn? Henny blickte in das Gesicht der Dame, die vor ihr stand, eine vage Erinnerung, sie schon einmal gesehen zu haben. Ida würde später sagen, Henny sei in Tränen aufgelöst gewesen. Henny wusste nichts davon. Ein Tag, als habe sie ihn nicht selbst gelebt.

Nur an den Wunsch nach Aufschub erinnerte sie sich. Nicht nach Hause gehen und ihrer Mutter und Marike gegenüberstehen. Sich der Fremden anvertrauen, die da auf einmal vor ihr stand. Am größten war die Furcht, es Lina zu sagen, die einst das Versprechen gegeben hatte, immer auf den Bruder aufzupassen.

Lud. Träumer und Tischler.

Es fing gerade erst an, weh zu tun.

SEPTEMBER 1926

Henny hatte den Granatring aus dem von Lud getischlerten Kästchen genommen und legte ihn nur ab, wenn sie die Desinfektion der Hände vornahm, um anschließend in der Sprechstunde, im Kreißsaal oder auf der Wöchnerinnenstation die Patientinnen zu versorgen.

«Dass der Ring dich nicht stört», hatte Else gesagt, «das ist doch kein Schmuckstück für alle Tage.»

Vielleicht tat er das, störte viel eher als der schmale Trauring, den sie mit Luds Ring in einem Beutel aus schwarzem Samt vereinte. Doch das Tragen der tiefroten Granatsteine war für sie ein Versprechen an Lud, ihn nicht aus ihrem Herzen zu lassen.

Lauter kleine Handlungen des Gedenkens, die Henny da vornahm. Das Streicheln des Kirschholzschrankes, wenn sie ihm eine Decke, ein Laken entnahm. Das Umsorgen der Fuchsien, die von ihr in die Balkonkästen gepflanzt worden waren. Leuchtend rote, die auch auf Luds Grab blühten, bis im Oktober die Herbstzeitlosen und dann die Christrosen kommen würden.

«Bleibt Papa lange weg?», hatte Marike gefragt.

Lina verbrachte viel Zeit mit ihr. «Wir trauern auf der Schaukel und im Sandkasten», sagte Lina, «und wir lachen auch dabei.» *Engelchen flieg* spielten Lina und Louise mit ihr, und das Kind wollte höher und höher, um Lud aus dem Himmel zu holen.

«Hilft ja nichts», hatte Else gesagt. Es galt, ein Schicksal anzunehmen, wie es das Leben bereithielt. In Friedenszeiten und im Kriege, und der tötete en gros und trieb mit den Schicksalen Schindluder.

Dem Kindergarten wurde abgesagt, Else Godhusen war nicht willens, bis hoch nach Winterhude zu laufen, damit das Kind im Sinne der neuen hanebüchenen Ideen erzogen wurde. Else war die Einzige, die es hätte leisten können, das verlässliche Bringen und Abholen. Ein trauriger Triumph, dass Henny nun abhängig war von ihrem Wohlwollen.

Der September war schön, wie es der Frühling gewesen war und der Sommer. Trauer trugen die Jahreszeiten nicht, und Henny nahm es der Sonne übel, dass sie sich so verschwendete, in der Alster und den Kanälen funkelte, und Lud war nicht mehr dabei.

Die Sonne fing sich auch in den Steinen des Granatrings, als Henny ihre Hand hob, um Ida zu winken, die vor dem Hofweg-Palais stand und in die Canalstraße hineinblickte. Eine Freundschaft, die entstanden war aus Luds Tod.

«Gott lenkt», hatte der Pastor am Grab gesagt und den Sarg gesegnet.

Die letzte kirchliche Handlung, zu der Henny bereit sein würde.

Wie gut Ida aussah in diesem noch sommerlichen Kleid aus weißer Atlasseide mit Mohnblumen. Henny nahm sich vor, nicht länger schwarz zu tragen. Lud hätte kaum gefallen, dass sie es tat.

«Lass uns ins Fährhaus gehen», sagte Ida, «ich lade dich ein.»

Sie saßen an einem der Tische nah am Wasser, und Henny erinnerte sich an jenen Sommerabend, an dem Käthe eifersüchtig gewesen war. Ida erzählte von Campmann, der mit seinen Bankgeschichten und den Brüsseler Poularden bereits beim ersten Stelldichein gelangweilt hatte. So viel Bernkasteler Doctor hätte sie gar nicht trinken können.

Dass sie vom selben Abend im August 1919 sprachen, blieb Henny Peters und Ida Campmann verborgen.

«Ich werde mich bei euch untersuchen lassen», sagte Ida, während sie einen weiteren Mokka mit Sahnehäubchen trank. «Ich will endlich wissen, warum ich nicht schwanger werde.»

Schlief sie denn mit ihrem Mann? Henny hatte in der noch kurzen Zeit ihrer Freundschaft viel von der ehelichen Ödnis gehört.

«Kennst du Dr. Unger? Bei ihm habe ich den Termin.»

«Er ist gut.»

«Glaubst du, er wird mir gefallen?»

«Suchst du einen Liebhaber oder einen Arzt?», fragte Henny. Was hatte sie von Ida zu halten? Ein Chamäleon nannte Lina die neue Freundin, changierend in all ihren Stimmungen. Doch Ida hatte dort gestanden und sie aufgefangen an jenem Tag, an dem Henny im freien Fall gewesen war.

Auf dem gelben Sofa hatten sie gesessen, und Ida hatte sie gewiegt, wie ein Kind gewiegt wird, dessen Kummer keinen Trost kennt. Erst danach war Henny nach Hause gegangen, um es Else zu sagen und der Kleinen. Ida hatte sie begleitet bis vor Hennys Tür.

«Du bist nur ein neuer Zeitvertreib», hatte Käthe gesagt, «jetzt, wo der Chinese nicht mehr da ist.»

Chinese? Von dem wusste Henny nichts.

«Wollen wir Kuchen essen?», fragte Ida und drehte sich um, dem Kellner ein Zeichen zu geben.

Warum tat es weniger weh, mit Ida zusammen zu sein als mit Käthe?

Weil Henny nun eine Witwe war und Käthe ihren Rudi hatte?

«Da ist Fräulein Grämlich», sagte Ida, «sie sieht aus wie ein Reptil.»

Henny schreckte aus ihren Gedanken und sah Ida auf eine kleine alte Dame zugehen, die sich schwer auf einen Stock mit Silberknauf stützte. Ida führte die Alte an ihren Tisch.

«Lassen Sie mich einen Augenblick bei Ihnen Atem holen», sagte das alte Fräulein. «Kenne ich Ihre Freundin, Ida?»

Ida stellte Henny vor, und Fräulein Grämlich nickte. «Ein Todesfall in Ihrer Familie. Suchen Sie Ablenkung durch wohltätige Arbeit?»

Henny hätte beinah laut gelacht. Zu Hause würde sie sich als Erstes die schwarzen Kleider vom Körper reißen und nicht wieder anziehen, ganz egal, was Else schicklich fand im Trauerjahr.

«Frau Peters ist Hebamme in der Finkenau und hat genügend zu tun.»

Die Grämlich wandte sich Ida zu. «Ich hörte, dass Sie Mia behalten haben in ihrer schweren Zeit. Schwangere Dienstmädchen werden leider immer noch oft aus dem Haus gejagt.»

Ida bedauerte, das Fräulein auf sich aufmerksam gemacht zu haben.

«Und Ihr Chinese? Ich hörte, er ist wieder in Hamburg?»

Sie hätte sich unter dem Tisch verstecken sollen oder in die Alster springen, als die Alte auf der Terrasse erschien. Ida sah Henny an, die um einen ernsten Gesichtsausdruck rang. «In meinem Leben gibt es keinen Chinesen», sagte Ida und klang angestrengt.

«Dabei waren Sie ein so schönes Paar, der junge Herr Yan und Sie. Doch es wurde wohl in beiden Familien als Mesalliance empfunden, nehme ich an.» Fräulein Grämlich lächelte. Eine freundliche Schlange.

«Ich danke Ihnen jedenfalls für Ihre damalige Diskretion. Geht es Claire Müller denn gut?»

«Sie ist leider nicht mehr unter uns», sagte die Grämlich und schickte sich mühsam an aufzustehen.

«Das bedaure ich zu hören», sagte Ida. Was war wohl aus dem Sommerhüttchen in Wohldorf geworden? Sie sprang vom Stuhl hoch, um der Grämlich aufzuhelfen. Nicht, dass die auf ihren Sitz zurückfiel und weitere Sätze mit «Ich hörte» einleitete.

«Wie nett es war, Sie wiederzusehen, liebe Ida. Ich werde Sie einmal aufsuchen, um Sie für die Wohltätigkeit zu gewinnen.»

Die Grämlich bewegte ihren Stock, als wolle sie mit ihm drohen. Henny sah, dass der silberne Knauf tatsächlich den Kopf einer Schlange darstellte.

«Ihnen wird dafür sicher Zeit bleiben. Ich hörte, Kinder gibt es keine in Ihrer Ehe mit dem Bankier Campmann.» Fräulein Grämlich nickte den beiden jungen Frauen zu und kroch davon.

Ida guckte auf die Visitenkarte, die das Fräulein dagelassen hatte. «Ich nehme an, du willst alles über den Chinesen wissen», sagte sie.

Rudi trauerte sehr um den Freund. Luds Sanftheit hatte ihn staunen lassen und oft verstimmt, doch nun sehnte er sich nach ihr. Laute Worte ließen ihn erschrecken, alles schien laut zu sein, die Versammlungen der Genossen, der Lärm auf den Straßen.

Hatte er bis zu Luds Tod unter einem Opel nicht bemerkt, wie sehr sich die Stadt verändert hatte? Das herrische Klingeln der Elektrischen. Das Hupen der Autos. Eisenbahnen auf den Brücken quer durch die Stadt. Hektischer Verkehr über der Erde und unter der Erde.

Sogar die Gedichte waren lauter geworden.

Und Käthe. Die auch. Unzufrieden war sie, dass er die Parteiarbeit nicht ernster nahm. Ein zu verhaltener Kommunismus, den er nach Käthes Ansicht vertrat. Sanft, dachte Rudi. Sein Kommunismus war sanft.

«Kannst du dir nicht leisten in den heutigen Zeiten», hatte Käthe gesagt. «Guck dir doch den Hitler an.»

Im vorigen Jahr hatte der diese NSDAP neu gegründet, nachdem er die Haft in der Festung Landsberg auf einer Backe abgesessen, dabei ein Buch geschrieben und noch Zeit gefunden hatte, Verehrerinnen zu empfangen. Käthe hatte recht. Hitler war gefährlich. Aus allen Teilen des Volkes wurde ihm gehuldigt. Er zog Menschen an wie das Licht die Motten, und kaum einer störte sich an Hitlers lautem Geschrei. Vom Nationalen war es nicht weit bis zum Völkischen.

Rudi legte den Gedichtband auf die Fensterbank. Ernst Tollers Gedichte faszinierten und verstörten ihn. Doch das Schlimmste war, dass sie ihn kreuzunglücklich machten.

Ich hab euch umarmt mit Flammenhänden

Worte werden blutdurchpulste Speere.

Als er zum ersten Mal an diesem Fenster stand, hatte er sich ein anderes Leben vorgestellt. Kinder, die dort unten spielten, mit denen er drüben in die Badeanstalt ging, ihnen das Schwimmen beibrachte.

Lud hatte Marike gehabt und auf weitere Töchter und Söhne gehofft. Erst nach Luds Tod hatte er von Käthe erfahren, dass Henny heimlich verhütet hatte. «Tust du das auch?» Käthe hatte den Kopf geschüttelt. «Bei mir kommen keine», war ihre Antwort gewesen. Glaubte er das?

Wir wissen, dass wir vorläufige sind
Und nach uns wird kommen: nichts Nennenswertes.

Bertolt Brecht. Auch er verstörend. Doch vielleicht war es Luds Tod, der ihn so dünnhäutig sein ließ.

In seiner Kindheit waren die Wörter seine Gefährten gewesen, doch viele hatten sich nicht gefunden in Grits Wohnung. Eine Schublade, in der sie die wenigen Schriftstücke verwahrte, das Buch von Rudolf Herzog, zu dem kein zweites kam, nicht mal eines von Herzog.

Er war schon als kleiner Junge losgezogen, die Wörter einzufangen, hatte sie von Litfaßsäulen geklaubt, den Werbetafeln im Krämerladen, aus den alten Zeitungen, die er auf Parkbänken fand.

Über den Platz jenseits der Bartholomäusstraße senkte sich die Dunkelheit. Käthe würde erst gegen zehn aus der Klinik kommen.

Henny und sie hatten heute gemeinsam Dienst. Früher wäre er an so einem Abend bei Lud vorbeigegangen, eine Flasche Wein unter dem Arm.

Wie still es in der Wohnung war.

Käthe wünschte sich ein Radio, die Nachbarn hatten schon eines, ab und zu schallte der Norag-Marsch zu ihnen hinauf, die Titelmelodie des Nordischen Rundfunks. Die Jahresgebühren waren hoch, das hatten sie bisher gescheut. Vielleicht sollten sie anfangen, sich was zu gönnen, ehe es zu spät war. Lud hatte auf ein Klavier gespart für Marike.

Rudi setzte sich an den kleinen Sekretär, den hatte er sich gegönnt beim Einzug. Ein Platz zum Schreiben. Gesammelte Wörter. Er zog die rechte Schublade auf, in der er die Dokumente verwahrte. Ein dünner Ordner aus grauem Karton, darin lag auch seine Geburtsurkunde. Grit hatte sie ihm ausgehändigt, als Käthe und er das Aufgebot bestellten.

Standesamt Hamburg-Neustadt
Vor- und Zuname: Rudolf Odefey
Geboren (in Buchstaben): Zwanzigster Juli Neunzehnhundert
Vor- und Zuname sowie Stand des Vaters: unbekannt
Vor- und Geburtsname der Mutter: Margarethe Odefey

Gestern Abend hatte es Käthe wieder einmal gesagt, als sie in der Küche saßen, Abendbrot aßen, die Lampe über dem Tisch brannte: «Du hast nicht die geringste Ähnlichkeit mit Grit.»

Rudi stand auf, um eine von den zwei Flaschen Rheinwein zu öffnen, die in der Speisekammer standen. Er nahm ein Glas und schenkte sich ein. Käthe trank auch gerne eines, wenn sie von der Schicht kam. Ein bourgeoises Leben, das sie führten. War das Käthe bewusst? Rudi lächelte. Hans nannte ihn einen linken Romantiker. Hans Fahnenstich war ein geradliniger Kommunist. Endlich hatte er wieder Arbeit. Bei Heidenreich & Harbeck am Wiesendamm.

Warum hatte seine Mutter den Namen nicht angegeben, sondern *unbekannt* eintragen lassen? Es gab eine Fotografie von seinem Vater, eine wertvolle Krawattennadel. Da wird sie doch wohl seinen Namen gekannt haben. Wen hatte Grit schützen wollen?

Rudi zog eine andere Schublade auf. Suchte zwischen den Bildern nach dem des jungen Mannes vor aufgemaltem Alpenpanorama. Er ging in die Küche und leuchtete auch ihm mit der hellen Lampe ins Gesicht, sah das Bild zum hundertsten Mal prüfend an.

Nein. Das war nicht sein Vater. Grit log seit sechsundzwanzig Jahren.

Rudi wusste nicht, woher er auf einmal die Gewissheit nahm.

Vielleicht war sein Vater längst tot, lag irgendwo und

bliebe seinem Sohn für immer unbekannt. Rudi holte sich Luds Grab vor Augen. Am Sonntag war er in Ohlsdorf gewesen. Allein. Ohne Käthe.

Die Fuchsien hatten nicht mehr geleuchtet. Bald würden sie verblüht sein auf dem Doppelgrab, das Henny nicht gewollt hatte, doch ihrer Mutter war es wichtig gewesen. Vielleicht würde Else Godhusen sich danebenlegen. Ihr Mann lag ja fern in masurischer Erde.

«Der Herr liegt immer rechts», hatte der Totengräber gesagt, damals, als sie es aussuchten. Henny hatte es ihm und Käthe erzählt.

«Da muss ich mich als Leiche nicht umgewöhnen. Ich schlafe jetzt schon links», war Käthes Kommentar gewesen.

Rudi schenkte sich ein zweites Glas vom Riesling aus dem Rheingau ein, den er vom Weinhändler Gröhl in der Hagedornstraße hatte. Hans nannte Rudi gerne einen Salonkommunisten und zwinkerte ihm dabei zu. Fahnenstich konnte gar nicht verletzend sein.

Vielleicht sollte er austreten aus der Partei, er war tatsächlich nicht mit dem Herzen dabei. Doch dann käme es zu einem ernsten Konflikt mit Käthe, und der wäre kaum zu ertragen.

Salonkommunist. Linker Romantiker. Dichterfürst. Rudi lachte bei einem dritten Glas Rheingauer. Warum lachte er? Glück oder Trauer? Rudi Odefey hatte sich vieles anders vorgestellt. Wer nicht?

Hätte Lina nicht Louise gehabt, sie wäre gestorben in jenen Tagen nach Luds Tod. «Herzbruch», hatte Louise gesagt und alles getan, um das Herz zu heilen. Linas Herz. Ließen sich darauf Lindenblüten legen? Kamille?

Lina hatte versagt. Nicht genügend auf den Jungen aufgepasst. *Mutter, verzeih.* Quälende Augenblicke, Stunden, Tage, Nächte.

Was tat Louise? Sie hörte der Verzweiflung zu und mixte Cocktails. Louise war keine oberflächliche Frau, doch sie wollte Lina einführen in die Welt der wohltuenden Oberflächlichkeiten. Kurt Landmann hatte ihr L. W. C. Michelsen genannt als Lebensmittelhändler seines Vertrauens, sie kaufte Köstlichkeiten ein und kochte und schüttelte und mixte. Nicht nur Gebete taten der Seele gut.

Lud hatte Louise nicht mehr kennengelernt. Hätte er es gutgeheißen? Zwei Frauen? In lesbischer Liebe? Lina fragte Henny. Fragen wie diese gingen ihr nun leichter über die Lippen. War sie denn nicht immer schon gegen Konventionen gewesen? Todesfälle ließen vieles in einem anderen Licht zurück, gaben eine größere Freiheit, die Wahrheiten beim Namen zu nennen.

Und Henny war dankbar, um keine Antwort verlegen zu sein. Lud hätte alles begrüßt, was Lina aus der Einsamkeit holte. Ihr Lehrerinnenzölibat war ihm ein Albtraum gewesen. Lud hatte kein Glück gesehen im Alleinigen. Er wollte Lina in einer Liebe geborgen wissen.

Vieles wusste Lina nicht von den Ahnungen eines Träumers. Der ihr das Medaillon schnitzte, weil er eine dunkle Locke gefunden hatte in der Novelle von Stefan Zweig, die auf Linas Nachttisch lag.

Lud war einer gewesen, der Locken ein Gehäuse gab.

Lina. Louise. Henny. Da saßen sie vor dem großen Fenster, dessen drei Flügel weit geöffnet waren, um die noch warme Luft einzulassen. Sie hoben die Gläser auf Lud und blickten zum Eilbeckkanal, der dunkel war wie der Himmel über ihm.

«Was trinken wir da eigentlich?», fragte Henny.

«Gibson», sagten Lina und Louise wie aus einem Mund.

Eines der Zimmer im ersten Stock der Körnerstraße war hergerichtet worden. Lauter Streublümchen auf den Tapeten. Kein Rosa. Kein Blau. Das Geschlecht des Kindes sei ihr ganz egal, hatte Elisabeth gesagt.

Es gab nicht viele Neugeborene in der Finkenau, die der Fürsorge anvertraut wurden. Unger schien immer zu spät zu kommen, und das Kind war schon in andere Hände gegeben.

Elisabeth schrieb Artikel und Kritiken, die auch außerhalb der *Dame* Beachtung fanden. Doch diesen Ruhm fand sie flüchtig, er genügte ihr nicht. Im Streublümchenzimmer warteten Wiege und Wickelkommode.

Theo Unger nuckelte an Ingwerstäbchen in dunkler Schokolade, die Elisabeth in der Leipziger Straße bei Erich Hamann gekauft hatte, und sehnte sich nach seiner Frau, die vor allem in der Hauptstadt lebte, solange kein Kind in der Körnerstraße war.

«Darf ich Ihnen ein Ingwerstäbchen anbieten? Meine Frau hat sie aus Berlin mitgebracht», sagte er und hielt Henny den kleinen Karton hin.

Henny Peters. Geborene Godhusen. Verwitwet.

Henny nahm ein Stäbchen und lehnte die Einladung zum Essen ab.

Warum das erneut aufnehmen? Unger war ein verheirateter Mann.

«Das Kind bei der kleinen Brinkmann wird wohl kommen in den nächsten Stunden», sagte Henny. «Sind Sie der diensthabende Arzt?»

«Sind Komplikationen zu erwarten?»

«Sie hat ein enges Becken.»

«Rachitisch? Dann sollten wir einen Kaiserschnitt machen.»

«Das will sie nicht», sagte Henny. «Sie hat Angst vor der Operation.»

«Ist sie über alle möglichen Komplikationen aufgeklärt worden?»

«Ja. Sie sagt, sie habe mit anderthalb Jahren das Laufen gelernt, und ihre Wirbelsäule ist gerade. Das spricht alles nicht für rachitisch.»

«Ich gucke sie mir an. Will sie ihr Kind behalten? Es gibt doch keinen Vater, der sich dazu bekennt. Oder?»

Henny sah sehr überrascht aus. Doch dann fiel es ihr wieder ein.

Ein Würmchen, das die kleine Brinkmann gebar. Welch ein Glück für sie, der winzige Kopf, der winzige Körper fanden durch das enge Becken. Mutter und Kind waren gewaschen worden von Henny und in frische Wäsche gelegt. Unger kam und sah, wie das Fräulein Brinkmann ihr Kind im Arm hielt, und war erleichtert, dass sie es nicht hergeben wollte.

Gehörte Elisabeth denn nicht viel eher ins Lutter und Wegner am Gendarmenmarkt, um elegante Getränke und Speisen zu sich zu nehmen und über die Premieren zu parlieren, statt Würmchen im Arm zu halten, die schon im Augenblick ihrer Geburt arm aussahen?

Jetzt war er ungerecht. Er bedauerte es im nächsten Augenblick. Und ihm fiel wieder das verpatzte Rendezvous im Lübschen Baum ein, wo er Henny versetzt und stattdessen zu viele Kümmel in Nagels Bodega getrunken hatte, um eine Erkältung zu bekämpfen. Wenn das nicht geschehen wäre, wie anders hätte es kommen können.

Er liebte Elisabeth. Wäre sie doch nur öfter da.

«Wie geht es Ihnen, Henny? Nach dem Tod Ihres Mannes.»

Henny zuckte die Achseln. Wie sollte es ihr gehen.

Unger ging durch den Kopf, ob sie es bereute, heimlich verhütet zu haben. Doch er mochte sie nicht an ihrer beider Beichte erinnern.

Karl Laboe stand an der Ecke Humboldt und Hamburger, stützte sich auf den Stock und lugte durch die offene Tür in die Apotheke. Da schnackte doch Käthes Schwiegermutter auf den Pillendreher Paulsen ein, der ihm immer die Salbe fürs Kreuz anmischte.

Laboe konnte nicht viel mit Grit anfangen, war ihm zu nervös und zu spiddelig. Wie die zu dem großgewachsenen und hübschen Jungen kam? Der Vater musste ein statschen Kerl gewesen sein. Wäre vielleicht leichter, der Umgang, wenn man ein Enkelkind miteinander hätte. Doch das konnten sie sich wohl abschminken.

Mal lieber zur Seite treten, dass die Odefeysche ihn nicht gleich sah, er hatte ja gar keine Mütze auf, die er vor ihr ziehen konnte. Er trat nach links vor das Schaufenster, guckte an der Werbetafel des Hustensaftes vorbei und hatte eine noch bessere Sicht. Weiße Pillen, die der Paulsen da in eine Tüte schüttete. Musste er mal Rudi fragen, was der Mutter denn fehlte. Konnte sein, dass Käthe was wusste, die würde er gleich mal anpiken, wenn sie vor dem Kuchen saßen.

Laboe machte noch einen weiteren Schritt nach links, als er sah, dass die Odefeysche zahlte und wohl gleich aus der Tür fegen wollte. Fast wäre er gefallen bei der raschen Bewegung. Noch keine fünfzig und wacklig wie ein alter Mann. Das verdammte Bein.

Ein Glück, dass sie es so eilig hatte und keinen Blick für ihn. Karl Laboe holte die Taschenuhr hervor. Kurz vor drei. Zeit für Käthe.

«Hättest doch schon mal reingehen können», sagte Käthe, als sie atemlos vor dem Kaffeehaus Mundsburg ankam. Sie hatte sich im Treppenhaus mit Landmann verquatscht. Der Oberarzt guckte mit einem klareren Blick auf die Politik, als ihr lieber Rudi es tat.

«Hab gerade eben deine Schwiegermutter in der Apotheke gesehen.»

«Und? Hattet ihr euch was zu sagen?»

«Das hat die gar nicht mitgekriegt, dass ich anwesend war. Hab ja auch nur durch die Schaufensterscheibe gelinst.»

Käthe schüttelte den Kopf. Sie lotste ihren Vater durch die Tür. «Mal vorweg, ich bin die Einladende», sagte sie. «Ist doch selten genug, dass du und ich uns was gönnen.»

Karl Laboe nickte zufrieden. Viel lag ihm nicht an Kaffee und Torte, was Herzhaftes und ein, zwei Biere wären ihm noch lieber gewesen. Doch die Malakofftorte sollte ja besonders lecker sein, sagte Käthe.

Käthe suchte einen Tisch an einem der großen Bogenfenster aus, und er sah zu, dass er das steife Bein elegant unterbrachte. «Für dich also Malakoff?», fragte sie und war schon zum Kuchenbuffet unterwegs.

«Du verdienst gutes Geld», sagte er, als die hohen Tortenstücke vor ihnen standen. «Da würden doch auch drei mit auskommen.»

Käthe ließ die Kuchengabel in der Luft schweben, statt sie in die Buttercreme zu stecken. «Nicht schon wieder, Papa», sagte sie.

«Dachte nur, dass man sich dann auch besser mit der Odefeyschen verstehen würde. Die hätte sicher auch gern einen Ableger.»

«Die alte Geheimniskrämerin. Die ist doch froh, wenn

da nicht noch mehr Familie ist, die unangenehme Fragen stellt.»

«Ist sie krank? Paulsen hat ihr eine Tüte Pillen gegeben.»

«Der Frankfurter Kranz ist auch lecker», sagte Käthe. «Keine Ahnung. Kann ja mal Rudi fragen, wenn es dich interessiert.»

«Du und ich verstehen uns viel besser, seit der Rudi da ist», sagte Karl Laboe. «Hast du wirklich einen guten Griff getan.»

Käthe nickte und nahm den letzten Happen Torte. «Wirst auch weicher auf deine alten Tage», sagte sie.

«Ihr seid doch glücklich?»

«Das ist gar nicht dein Gebiet. So was fragt Mama.»

Karl Laboe schwieg und betrachtete das halbe Stück Torte auf seinem Teller. Ganz schön mächtig. Dass Käthe so was im Nu verdrückte. «Ist schon schade, dass der Jung seinen Vater nicht kennt», sagte er. «Ich hab immer gedacht, der war was Feines.»

Dabei kannte ihr Vater die Geschichte von der Krawattennadel gar nicht. Sie sah ihren Vater nachdenklich an. «Könnte dir ein Weinbrand helfen, die Torte zu verdauen?»

Karl Laboe nickte freudig. «Kannst gerne die andere Hälfte von der Malakoff haben, während ich gemütlich einen trinke», sagte er. «Gehst du noch arbeiten heute?»

«Ich hole Rudi bei Friedländer ab. Wir wollen auf eine Versammlung. Die Linken müssen sich jetzt wirklich mal aufstellen.»

«Die Nazis heven jetzt den Arm. Deutscher Gruß. Kann nur schlimmer werden, und du und Rudi, ihr seid dann deren Feinde.» Er griff Käthes Hand. «Da bin ik bang vör», sagte er.

Grit hatte es in *Roths Alter Englischer Apotheke* am Valentinskamp versucht und in der *Eilbecker Apotheke* an der Wartenau, bevor sie in die *Victoria* gegangen war. Die Ausbeute lag auf ihrem Küchentisch und würde nicht genügen, zumal Paulsen von einem leichten Einschlafmittel gesprochen hatte.

Sie hatte Rudi nichts davon gesagt, dass sie ihre Arbeit in der Kleiderfabrik verloren hatte, wie sie ihm auch alles andere verschwieg.

Doch auch der Stempelgeldkasse des Arbeitsamtes hatte sie die Wahrheit vorenthalten und die fünfundzwanzig Mark, die ihr Rudi im Monat zusteckte, unter den Tisch fallen lassen.

Eine endlose Müdigkeit in ihr. Sie hatte versprochen, sich des Kindes anzunehmen und es als ihres auszugeben. Das war geschehen, und das Kind lief schon lange auf eigenen Beinen. Nun galt es, an sich zu denken und Ruhe zu finden.

Vorher hatte sie noch mit Rudi zu sprechen. Er war ein liebes Kind gewesen, viel zu lieb für diese Welt. Was er nur bei den Kommunisten suchte? Es tat ihr leid, dass sie ihn so mit Hohn überschüttet hatte, als er ihr von seinem Eintritt in die KPD erzählte. Rudi und sie hatten versucht, einander Liebe zu geben, doch sie waren sich fremd geblieben dabei.

Grit Odefey schob die Pillen auf dem Küchentisch zusammen und ließ sie liegen. Stand auf, nahm die Flasche Milch aus der Kammer und goss etwas davon in eine Tasse. Die Milch schmeckte sauer.

Als kleiner Junge hatte Rudi schon in der Schublade gestöbert, in der ihr Schreibkram lag. Vieles war vor seiner Geburt vernichtet worden, sie hatte dem Kind eine Legende gewoben. Nur an der Uhrkette und der Krawattennadel haftete Wahrheit.

Grit öffnete das Küchenfester und sah hinunter auf die Herderstraße. Es bedurfte keiner Tabletten. Viele andere Wege. Sie ließ das Fenster auf und die laue Septemberluft hinein. Schüttete die Milch in den Ausguss und holte Brot und Schmalz aus der Speisekammer. Zwei Scheiben schnitt sie ab und aß dann doch mit Appetit.

Warum nicht zu einem späten Sommerfest in die Johnsallee gehen? Henny hatte frei an diesem Sonnabend, und Louise bat ausdrücklich darum, Marike mitzubringen.

«Willst du wirklich dieses Kleid anziehen? Obwohl du in Trauer bist?», hatte Else gefragt. Dabei war das wadenlange Kleid noch immer weit entfernt von farbenfroh. Dunkelblau mit kleinen weißen Punkten und einem weißen Kragen.

Ein großer Garten hinter der zweistöckigen Villa. Kein Villengarten, Johannisbeersträucher, eine Regentonne, in der sich das Geißblatt spiegelte, das am Schuppen kletterte. Eine Schaukel.

Guste Kimrath hieß sie herzlich willkommen, drückte ihr ein Glas Bowle in die Hand und dem Kind ein Glas mit Birnensaft.

Alles schien selbstverständlich zu sein in diesem Garten, dass sich Lina und Louise an den Händen hielten, wie Liebende es tun, Marike auf der Schaukel schwang und immer wieder einer von den Gästen kam, um ihr Anschwung zu geben. Dass die Schaukel nicht quietschte.

Birnen und Holunderbeeren in der Bowle, die sich so leicht trank. Henny spürte den Alkohol kaum. Sie setzte sich in einen der weißen Korbsessel, die auf der Wiese standen, und hatte zum ersten Mal seit jenem Märztag keine schwere Last auf ihrer Brust liegen.

«Iss von den Schnittchen mit Räucherfisch», sagte Louise

und hielt ihr einen großen Teller hin. «Sonst steigt dir die Bowle in den Kopf.» Sah man es ihr an?

«Bisschen rot im Gesicht», sagte Louise und grinste, «noch gar nichts gegen unsere Guste.»

Die Pensionswirtin pustete die rötlichen Haarsträhnen aus dem Gesicht, die sich immer wieder aus ihrer Frisur lösten. Sie sah aus wie eine kraftvolle Bäuerin aus den Vierlanden, nicht wie eine, die in dieser Villa in Harvestehude geboren worden war. Ein rundlicher Herr, der kaum von ihrer Seite wich und sie voller Besitzerstolz betrachtete. Dass er Idas Vater war, erfuhr Henny erst später.

«Schade, dass Sie nicht in Gustes Pension wohnen. Dann sähe ich Sie öfter», sagte ein gutaussehender Mann, und als sie zu ihm hochsah, hockte er sich neben Henny ins Gras.

«Gib acht, Henny, das ist unser Opernsänger», sagte Louise und lachte zu ihnen hinüber. «Jockel ist ein Genie im Anbändeln.»

Wie leicht das Leben an diesem Nachmittag schien.

«Henny und Jockel. Das wissen wir nun schon voneinander», sagte er.

Sollte sie sagen, sie sei eine Witwe und im Trauerjahr? Henny hob die Hand und drehte am Ring mit den Granatsteinen.

«Ein schöner Ring.»

«Mein Mann hat ihn mir geschenkt. Er ist im März gestorben.»

«Der Vater dieser begnadeten Schauklerin?»

Henny nickte.

«Das tut mir leid», sagte Jockel.

«Louises Freundin Lina ist meine Schwägerin.»

Jockel nahm ihre Hand mit dem Granatring und drückte ihr einen Kuss auf den Handrücken.

Später, als es kühl im Garten wurde und sie ins Haus gingen, in den großen Salon, der den Pensionsgästen vorbehalten war, saß Marike auf Jockels Schultern und ließ sich durch die Räume tragen.

Steuermann! Lass die Wacht!

Ausgerechnet der Fliegende Holländer.

Steuermann! Her zu uns!

Jockel sang. Das Kind jauchzte.

Ho! He! Je! Ha!

«Gleich ist das Kind im Kronleuchter», sagte Louise.

Zeit, nach Hause zu gehen, jetzt, wo die Stimmung auf dem Höhepunkt war.

Lina, Louise und sie nahmen eine Droschke, Henny und die Kleine stiegen zuerst aus. Henny blickte zu den Fenstern im ersten Stock der Canalstraße hoch und sah Licht. Else? Wollte sie kontrollieren, wann sie zurückkehrten? Sie würde es mit Fürsorglichkeit erklären. Keine Frage. Doch Elses Einmischung in ihr Leben wurde ihr zu viel. Als erlaube Luds Tod ihrer Mutter, sie erneut zu bevormunden.

Die Tür ging auf, ehe Henny den Schlüssel ins Schloss stecken konnte. «Ihr habt euch wohl köstlich amüsiert», sagte Else.

«Ho! He! Je! Ha!», sagte Marike.

Else schüttelte den Kopf. «Das ist der Einfluss dieser Louise», sagte sie. «Ich schlafe heute hier. Morgen hast du ja Dienst.»

«Aber erst um ein Uhr mittags», sagte Henny. Doch sie hatte keine Lust, einen Streit aufkommen zu lassen. Die Kleine war noch so heiter.

«Du gehst gleich ins Bett, Marike, du bist ganz überdreht.»

«Mama», sagte Marike und streckte die Arme nach Henny aus.

«Ein kleines Kind gehört um diese Zeit ins Bett.»

«Es ist eine Ausnahme und auch erst neun», sagte Henny. Wo wollte ihre Mutter überhaupt schlafen? Eine Ahnung beschlich sie.

«Ich hab mir schon Luds Bettseite zurechtgemacht.»

«Jetzt machen wir der Oma ein feines Bett in der Stube», sagte Henny, als sei auch das ein fröhliches Spiel. Sie ging ins Schlafzimmer und nahm Kissen und Plumeau vom Bett und holte ein neues Laken aus dem Kirschholzschrank. Else sah ihr zu und verzog das Gesicht, als ob sie gleich weinen wollte.

Als das Sofa bereitet war, lief Marike in ihr Zimmer und holte ihren Lieblingsbären. «Mit dem darfst du kuscheln, Oma.»

«Wenn ich Marike ins Bett gebracht habe, setzen wir uns auf den Balkon und trinken noch ein Glas Wein», sagte Henny und versuchte, versöhnlich zu klingen.

«Da ist mir zu kalt», sagte Else.

«Dann ziehst du eine von Luds Strickjacken an.» Nur nicht nachgeben, sonst hatte sie bald nichts mehr zu sagen im eigenen Haus.

Doch Else verzog sich auf das Sofa und löschte das Licht. Um Viertel nach neun an einem Samstagabend.

Henny setzte sich allein auf den Balkon zu den Fuchsien. Bald würde sie Herbstastern pflanzen.

Und wenn ihr jemand wie Jockel gefiele? Viel zu früh. Verzeih mir, Lud, dachte sie. Die Granatsteine waren rot wie der Wein im Glas. Rudi hatte ihn vorbeigebracht. Er fing an, was davon zu verstehen, seit er den Weinhändler Gröhl kennengelernt hatte.

Dr. Ungers private Sprechstunde begann am frühen Nachmittag. Dann waren die Operationen vorbei und die Parade durch, wie Landmann die große Visite nannte. Ida Campmann hatte den ersten Termin um halb drei. Sie saß schon in seinem Sprechzimmer, als er kam.

«Vielleicht hat Frau Peters Ihnen von mir erzählt?»

Unger sah sie überrascht an. «Henny Peters? Unsere Hebamme?»

«Sie ist eine Freundin von mir.»

Unger schüttelte den Kopf. «Frau Peters ist sehr diskret», sagte er.

«Das ziehe ich auch nicht in Zweifel. Ich wäre einfach erleichtert, wenn Sie schon wüssten, worum es geht.»

«Sagen Sie es mir.»

«Ich kriege keine Kinder, und ich will wissen, woran das liegt.»

«Dann werden wir versuchen, es herauszufinden.»

Er ließ sich erzählen und machte Notizen. Glaubte herauszuhören, dass Ida Campmann ihrem Gatten nicht sehr herzlich zugetan war. Vorsichtig umkreiste er das Thema, das ihm wichtig schien. Hatte sie auch mit anderen Männern Geschlechtsverkehr gehabt?

Ida zögerte. «Mit einem», sagte sie schließlich. «Allerdings hat er sich immer vorgesehen.» Das stimmte nicht ganz. Einmal war Tian unvorsichtig gewesen. Am Tag vor seiner Abreise nach Costa Rica. Sie hatte vergeblich gehofft, ein Kind empfangen zu haben.

«Coitus interruptus?»

«Nein. Er hat diese Präservative benutzt.»

«Dann werde ich Sie jetzt untersuchen.»

Ida löste ihre Seidenstrümpfe vom Strumpfgürtel und legte Gürtel und Schlüpfer ab, den Unterrock schob sie hoch, dass sie auf den Stuhl steigen konnte. Es war ihre erste gynäkologische Untersuchung, doch Dr. Unger ließ sie entspannt sein.

«Wie oft haben Sie Geschlechtsverkehr mit Ihrem Mann?»

«Wann immer ihm danach ist.»

Unger wunderte sich über diese Antwort. Ida Campmann schien ihm kaum der Typ zu sein, der zu Willen war. «Und wie oft ist ihm danach?»

«Jeden Tag», sagte Ida. Sie verschwieg, dass sie Campmann meist abwies. Vielleicht wollte sie hervorheben, wie gut ihre Chancen waren, schwanger zu werden.

Unger untersuchte sie behutsam und gründlich und bat sie dann, sich wieder anzuziehen. «Hat Ihr Mann einen Arzt seines Vertrauens?»

«Sie glauben, es liegt an ihm?»

«Ich kann nicht feststellen, warum es an Ihnen liegen sollte.»

«Er wird nicht zum Arzt gehen. Ein Campmann hat keinen Makel.»

«Vielleicht können Sie einen Freund bitten, auf ihn einzuwirken?»

«Würden Sie es übernehmen?»

Unger dachte nach. «Warum nicht», sagte er dann. Als Ida Campmann gegangen war, nahm er sich vor, Henny zu befragen. Diskretion hin. Diskretion her. Er wollte wissen, ob Ida wirklich mit Herrn Campmann schlief.

Tian sah zu Ling, die an der Schreibmaschine saß und einen Vertrag abtippte. Hinnerk Kollmorgen war zufrieden mit ihr, und er war es auch. In der Garküche war der Teufel los gewesen, als Yan Chang einsehen musste, dass auch seine

Tochter sich dem elterlichen Einfluss entzog und ein eigenes Leben begann.

Seit Juni teilten sich Ling und Tian eine Wohnung im Grindelhof gleich gegenüber der Synagoge, sie lebten gern im jüdischen Viertel der Stadt, in dem auch die Universität angesiedelt war. Ein vitaleres Leben als in der Schmuckstraße, auf der trotz ihrer Exotik Tristesse lag.

Vom Grindel war es nicht weit zur Alster und zum Jungfernstieg, und die nahe Rothenbaumchaussee führte nach Harvestehude hinein, wo die wohlhabenden Familien ihre Villen und großen Gärten hatten, egal welchem Glauben sie angehörten.

Am Ahnenverehrungstag waren Ling und er zu den Eltern gegangen, hatten der Toten gedacht und Reisschälchen vor die Bilder gestellt, doch die Großeltern waren in China gestorben, es gab keine Gräber, die sie aufsuchen konnten.

Auch sonst gingen Ling und er oft in die Schmuckstraße, vor allem der Mutter wegen, der Vater tat sich schwer damit zu begreifen, dass sie sich seinem Herrschaftsanspruch nicht länger beugten.

Ling hatte einen Freund, einen jungen freundlichen Chinesen, der in einem Teppichlager in der Speicherstadt arbeitete. Auch Tian ging hin und wieder aus, doch er kehrte immer ohne Frau heim.

Welch ein Unglück es war, Ida zu lieben. Als habe eine Fee ihn mit dem Bann belegt, keine andere Frau zu begehren. War es eine böse Fee gewesen? Er dachte an Ida beim Aufwachen und beim Einschlafen.

«Du verrennst dich», hatte Ling gesagt.

Den Kontakt zwischen Ling und Mia gab es nicht mehr. Keiner in der Schmuckstraße würde ihre Adresse herausgeben. Ob Ida sich irgendwann ein Herz fasste und zu ihm ins Kontor kam? Sie waren nun beide fünfundzwanzig, Ida und er. Wie lange wollten sie noch warten?

Campmann war außer sich, als Ida ihm vorschlug, einen Frauenarzt in der Finkenau aufzusuchen. Was hatte sie da eingefädelt? Das musste mit dieser Hebamme zu tun haben, die neuerdings seine Kreise störte. Durften denn Ehefrauen überhaupt ohne die Erlaubnis ihres Gatten gynäkologische Untersuchungen vornehmen lassen?

«Kaum ein halbes Jahr her, dass dein Vater den Kredit auf unbestimmt verlängert hat», sagte er. Stumpfe Waffen, die er da zog.

«Was hat das mit mir zu tun?», fragte Ida.

«Dass ich den Kredit kündigen und dich verlassen könnte und du dann mit einem Vater dasitzt, dem das Geld wie Sand durch die Finger rinnt.»

«Ach, Campmann», sagte Ida.

«Oder willst du das selbst in die Hand nehmen, dich versorgen?»

Nein. Ida hätte nicht gewusst, wie. Das war ja das Schlimme, dass sie kaum in der Lage war, zu verzichten auf die Wohltaten des Luxus, und dafür eher diese Ehe in Kauf nahm.

Campmann verzog das Gesicht. Er wusste, was in ihrem Kopf vorging. Wann wollte er ihr das mit dem Mumps sagen? War es ein Schlag, den er ihr da versetzte, keine Kinder von ihm? Würde sie lediglich wütend über die Jahre des Schweigens sein?

«Dr. Unger scheint überzeugt, dass es an dir liegt.»

«Er interessiert mich einen Dreck, dein Dr. Unger.»

«Du bist unflätig, Campmann. Bisher hast du wenigstens Stil bewahrt.»

Schmähungen. Lauter Schmähungen. Campmann sah

sich um im Kükenboudoir, und als einzige Antwort kam ihm *Zerstörung* in den Kopf. Vielleicht die Lampe mit dem gelben Schirm und dem lächerlichen Porzellanfuß? Die an die Wand schmeißen, wenn Ida wagte, ihn weiterhin zu erniedrigen.

«Ich habe Mumps gehabt als kleiner Junge», sagte er.

«Und das heißt?»

«Dass ich mit großer Wahrscheinlichkeit zeugungsunfähig bin.»

Ida fing an zu lachen, heftig zu lachen.

Campmann nahm die Lampe und schmiss sie an die Wand, dass der Schalmei spielende Schäfer in Scherben fiel. Dann brach er in Tränen aus.

Grit fing an zu träumen, wie sie es seit vielen Jahren nicht getan hatte, und immer träumte sie von Rudis Geburt. Sie hatte geahnt, dass seine Mutter es nicht überleben würde, schon in den Tagen vor den ersten Wehen war Therese hochfiebrig gewesen und dann die große Hitze jener Julitage. Die Furcht vor der Cholera, die acht Jahre zuvor gewütet hatte, war noch immer da, Therese hatte kaum Wasser trinken wollen.

Grit war keine Geburtshelferin, hatte über keinerlei Kenntnisse verfügt, und dennoch war sie allein mit ihr gewesen in dem glühenden Zimmer unter dem Dach. Ihre kleine Schwester hatte das Kind bekommen von einem Mann, der schon vor Monaten aus ihrem Leben gegangen war.

«Du musst versprechen, dass er heißen wird wie sein Vater.» Das hatte Therese geflüstert, als sie den Jungen noch einen Augenblick lang hielt.

Vielleicht hatte Grit genickt, doch sie hatte nicht vorgehabt, das vage gegebene Versprechen zu halten. Kein *Angelo*, den sie aufziehen würde, sein Erzeuger war in ihren Augen kein Engel gewesen.

Nur die Schmuckstücke hatte er Therese dagelassen. Eine Uhrkette. Eine Krawattennadel mit einer Orientperle, deren Wert ihr zweifelhaft schien. Keine Fotografie. Die hatte Grit bei einem Trödler gefunden. Ein passabler deutscher Mann mit hellen Haaren. Die Legende basteln für den kleinen Jungen. Doch ihm waren die dunklen Locken von Angelo gewachsen. Nicht einmal mit seiner Mutter hatte er Ähnlichkeit.

Rudolf. Ein Herrschername. Ruhm und Wolf. Deutsch.

Dann hatte das Kind angefangen, die Wörter zu lieben, Gedichte. Keiner von ihnen hatte das je getan. Ein Fremder in ihrem Leben. Dennoch liebte sie ihn.

In eine kleine Stadt, deren Namen Grit vergessen hatte, war Angelo zurückgegangen. Von einem Landgut hatte er gesprochen, in der Nähe von Pisa. Das kannte sie, des Schiefen Turmes wegen. Wenn es eine Adresse gegeben hatte, dann war sie längst verlorengegangen.

Die dunkle Erinnerung, Therese verscharrt zu haben, irgendwo, doch es war ein Armenbegräbnis auf einem Friedhof gewesen. Dass es nun alles wieder hochkam nach sechsundzwanzig Jahren.

Rudi all das erzählen. Das hatte sie sich fest vorgenommen. Doch sie tat es nicht. Grit blickte sich in der Küche um und traf die Entscheidung. Sie drehte das Gas auf und steckte ihren Kopf in den Backofen.

Einer der glücklichen Umstände dieses traurigen Todes, dass es helllichter Tag war, als Grit Odefey von ihrem Sohn gefunden wurde. Wäre es dunkel in der Küche gewesen, hätte Rudi das Licht angedreht und das Haus in der Herderstraße explodieren lassen.

«Ik help dir», sagte Karl Laboe, als Grit unter der Erde war. Kein Armenbegräbnis, Rudi hatte für seine Mutter nur das Beste gewollt oder zumindest das Beste, was er aufbieten konnte. Nun galt es, die zwei Zimmer im vierten Stock zu räumen.

Es war ja nicht die erste Gelegenheit, auf Spurensuche zu gehen, oft genug hatte er sich allein in der Wohnung aufgehalten. Doch alles, was auf seine Herkunft schließen ließ, war wohl bereits in seinem Besitz.

Die Geburtsurkunde. Die Krawattennadel. Die Fotografie, die wen auch immer zeigte. Rudi trug den kleinen Haushalt hinunter, und Karl konnte mehr davon gebrauchen als er und Käthe, die nichts haben wollte aus dem Nachlass der ungeliebten Schwiegermutter.

Rudi fand Grits Stempelkarte. Er fand eine Fotografie von sich als Konfirmand vor St. Gertrud, dunkler Anzug, erste lange Hosen, ein Maiglöckchen am Revers. Auch Grit hatte das Beste gewollt, das war ihm schon als Kind bewusst gewesen. O ja. Er hatte sie lieb gehabt und ihr ein guter Sohn sein wollen. Das hatte sie doch immer gesagt.

Du bist ein guter Sohn.

Ein abgegriffenes Bild der jungen Grit, die Arm in Arm mit einer noch jüngeren Frau in einem Garten stand. In weißen Kleidern. Hohe Kragen, die ihre Hälse umschlossen. Die Haare so straff hinter den Ohren zu einem Knoten gefasst, dass es aussah, als hätten die beiden jungen Frauen kurze Haare. Dieses Foto hatte Rudi nie zuvor gesehen.

Eine beste Freundin? Oder hatte Grit eine Schwester gehabt? Davon war nie die Rede gewesen. Großelternlos war er aufgewachsen, keine Tanten und Onkel. Grit war allein auf der Welt gewesen, bevor er kam. Doch der Garten sah nicht aus wie der Hof eines Waisenhauses.

Karl betrachtete das Bild, und auch er erkannte Grit sofort, ein Zug in ihrem Gesicht, den sie behalten hatte. Eine, die nichts erwartete vom Leben. Die Jüngere dagegen sah hoffnungsvoll aus. Die Züge weicher, das Lächeln breiter.

An einem der letzten Septembertage ging Rudi zu Jaffe, dessen Laden Lud oft aufgesucht hatte. Er legte die Krawattennadel auf das Stück Filz, das auf dem gläsernen Verkaufstisch lag. Moritz Jaffe betrachtete die Nadel lange durch die Lupe. Ging nach hinten, um einen Katalog zu holen, schlug eine Seite auf und nickte.

«Das Gold ist Doublé», sagte er, «doch die Perle ist extraordinaire. Eine solch große hab ich noch nie gesehen. Auf einer Auktion in Leipzig hat eine ähnliche zweitausend Reichsmark gebracht.» Jaffe schob die Brille hoch, die ihm von der Nase zu rutschen drohte. Er sah Rudi prüfend an.

«Sie glauben nicht, dass eine solche Perle mir gehören kann?»

Jaffes Blick glitt über Rudis schlichten Anzug. «Tatsächlich habe ich keinen Zweifel», sagte er.

«Sie erinnern sich an Ludwig Peters?»

«Ich hab ihn lange nicht gesehen. Sonst hat er mir immer mal wieder einen Besuch abgestattet.»

«Er ist tot. Von einem Auto überfahren.»

«Das tut mir sehr leid», sagte Moritz Jaffe.

«Er hat Sie geschätzt.»

Jaffe nickte. «Ich ihn auch. Ein junger Mensch, der behutsam mit allem umging. Soll ich die Nadel für Sie anbieten?»

«Nein», sagte Rudi, «ich will sie behalten, solange es geht.»

«Ich hoffe für Sie, dass es ein Leben lang sein wird», sagte Jaffe und kam hinter dem Tisch hervor, um Rudi die Hand zu geben.

Rudi ging aus der Tür, die ganz langsam hinter ihm ins Schloss sank, und lauschte dem Klingen der Ladenglocke nach. Grit hatte das Geheimnis seiner Herkunft mit sich genommen. Sie war verlassen worden von dem Mann, der sein Vater war und der immerhin den kostbaren Schmuck in ihre Hände gegeben hatte.

Welch eine Tragödie, die große Bitterkeit all die Jahre in sich zu tragen und ihm am Ende dieses Wissen vorzuenthalten.

FEBRUAR 1930

Ich glaube nicht, dass der Lehrer *deine* Schönschrift sehen will», sagte Henny und sah zu ihrer Mutter, die ihre Lippen fest aufeinanderpresste, während sie in Marikes Heft schrieb. Marike saß neben ihr und widmete sich dem Zeichnen eines Mannes mit Hut.

«Wer ist das?», fragte Else, die misstrauisch auf den Zeichenblock lugte. Vielleicht ein Kinderfänger? War in Düsseldorf nicht gerade ein Mörder unterwegs, der Frauen würgte und kleine Mädchen, um ihnen dann die Kehlen durchzuschneiden?

«Unser Lehrer», sagte Marike, «der ist neu.»

«Nun lass sie mal ihre Sätze selber schreiben», sagte Henny.

«Ich will dem Kind ja nur zeigen, wie es geht.»

Im April würde Marike ins zweite Schuljahr kommen, im Juli acht Jahre alt werden. Ein hübsches Kind mit weichem blonden Haar, das seinem Vater sehr glich, obwohl Marike keine Träumerin war.

«Komm mir nicht auf die Idee und bind ihr eine große Schleife ins Haar. Das lockt den Mörder von Düsseldorf nur an bei den Kindern. Stand in der Zeitung.»

«Er läuft ja nicht in Hamburg herum.»

«Du bist immer leichtsinnig, Henny.»

Nein. Das war sie nicht. Sie lebte das Leben einer braven Witwe, die ihre Schwägerin und deren Lebensgefährtin besuchte, dann und wann an einem Fest in Gustes Pension teilnahm und in einem Monat dreißig Jahre alt werden würde. Das hatte Käthe schon hinter sich.

«So warst du immer schon», sagte Else Godhusen. «Dein Vater war auch so. Sonst wäre er gar nicht erst in den Krieg gezogen.»

Henny kommentierte das nicht. Derartige Gespräche mit ihrer Mutter wurden immer schwieriger.

«Und nun verwildert alles», sagte Else. «Käthe ist doch sicher mittenmang dabei in dem Spektakel. Was sagen die in der Finkenau denn zu ihrer kommunistischen Hebamme?»

Marike sah von ihrem Heft auf. «Was ist mit Tante Käthe?»

«Welches Spektakel meinst du denn?», fragte Henny. Sie schob das Zeitungspapier mit den Kartoffelschalen zu einem Päckchen zusammen und öffnete es noch einmal, um das vergessene Küchenmesser aus den Schalen zu pflücken.

«Das mit den Kommunisten und den Nazis. In Hammerbrook hat es auch wieder eine Saalschlacht gegeben. Lebt denn eigentlich dieser Wessel noch? Das war doch ein Kommunist, der das getan hat.»

«Nun ist Horst Wessel nicht gerade ein Guter. Immerhin war er Sturmführer der SA, und die sind eine einzige große Schlägertruppe.»

«Deswegen schießt man keinem in den Kopf. Ist doch noch ein junger Kerl. Was sagen denn Käthe und Rudi dazu? Heißen die das gut?»

«Das müssen wir nicht jetzt diskutieren.»

Marike hatte begonnen, an ihrem Bleistift zu kauen, während sie von Mutter zu Großmutter sah. Sie konnte sich nicht vorstellen, dass Tante Käthe und Onkel Rudi zu den Bösen gehörten. Den Rudi mochte sie besonders gern. Der ging in die Hocke, wenn er mit ihr sprach.

«Die Lüdersche sagt, dass man sich in Altona kaum noch auf die Straße traut wegen all der Kämpfe.»

«Das halte ich für übertrieben», sagte Henny. «Zeig mir mal dein Heft, Marike.» Sie setzte sich zu dem Kind an den Küchentisch und las vom Frühling, auf den sich Amsel, Drossel, Fink und Star schon freuten. Marike hatte ein Weidenkätzchen dazugemalt.

«Ihr Gustav ist auch für die Nazis.»

«Der ist doch erst fünfzehn, und was heißt denn hier *auch?*»

«Ist nicht alles falsch, was die Nationalsozialisten sagen.»

Henny spürte ein Kribbeln auf der Kopfhaut. Wäre doch nur Lud da, der hätte auf seine sanfte Art von der SPD gesprochen und Else den Wind aus den Segeln genommen. Sie dagegen geriet immer gleich in Streit mit ihrer Mutter.

«Mit dir kann man einfach nicht über Politik reden», sagte Else. «Dann knips mal das Gas an und setz die Kartoffeln auf, dass wir was auf den Tisch kriegen. Was gibt es denn dazu?»

«Quark mit Schnittlauch. Ein Stück Edamer habe ich auch gekauft.»

Else Godhusen verzog das Gesicht. «Ich hab zu Hause noch eine Nackenkarbonade. Die muss dann bis Morgen warten. Hab sie aber auf dem Küchensims liegen, da ist es kalt genug.»

Henny dachte, dass es keinen Grund gab, die Karbonade warten zu lassen. Doch sie schwieg.

«Im März ist Lud nun schon vier Jahre tot», sagte ihre Mutter. Sie blickte zu Marike, die das Heft in den Tornister gepackt hatte. «Geh du mal in dein Zimmer spielen, wenn du fertig bist mit den Hausaufgaben.»

«Ich will auch hören, was du von Papa sagst.»

«Das ist nichts für kleine Ohren.»

«Mama. Bitte. Verunsichere Marike nicht.»

«Was verunsichert sie denn?»

«Sie muss ja denken, dass du was Schlechtes über ihren Vater sagen willst. Erst Käthe und Rudi und dann Lud.»

«Ich bin eben ehrlich.»

Henny hielt Ehrlichkeit für überschätzt, doch sie setzte sich, nachdem sie den Topf mit den Kartoffeln auf die Gasflamme gestellt hatte.

«Ich schneid mir ja ins eigene Fleisch», sagte Else, kaum dass Marike aus der Küche gegangen war. «Doch ich finde, du solltest mal in den Lübschen Baum gehen und dich nach einem Mann umgucken. Du fängst an, zu alt zu werden. Du siehst es doch an mir. Mich will keiner mehr. Gotha war auch nur eine Eintagsfliege.»

«Hast du noch mal was von ihm gehört?», fragte Henny, die auf einen Themenwechsel hoffte.

Elses Handbewegung deutete Unmut an. «Nur die übliche Karte zu Neujahr. Diesmal ein Glücksschwein, auf dem einer in brauner Uniform sitzt.» So ganz schien sie den Nazis doch noch nicht zugetan zu sein.

«Er schreibt, dass er in der Partei aufsteigt.»

«Na fabelhaft.» Henny stand auf, um Schnittlauch zu hacken und den Quark anzurühren. Ein Glück, dass Ferdinand Gotha eine Eintagsfliege geblieben war. In ihrem Kreis gab es keine Sympathisanten der Nazis, und das sollte zum Wohle ihrer Freunde und Kollegen so bleiben.

Henny wusch den Schnittlauch und legte ihn aufs Hackbrett.

«Aber eigentlich waren wir beim Lübschen Baum», sagte Else.

«Das vergiss mal lieber», sagte Henny und hackte heftig auf die Halme des Schnittlauchs ein.

«Der Jude sei ein Negativum, das ausradiert gehöre», sagte Kurt Landmann. Er stand im Waschraum und wusch sich die Hände. Vier Jungen hatte er am Vormittag auf die Welt geholfen. Das Volk wuchs.

«Wer sagt das?», fragte Unger.

«Goebbels, der alte Hetzer.»

Landmann griff nach einem Handtuch und betrachtete seine kurzgeschnittenen Nägel. «Was sagt denn die Familie Liebreiz dazu?»

«Elisabeths Eltern halten es für einen Spuk, der wieder vergeht.»

«Fragt sich nur, wann und wer bis dahin alles vom Erdenrund getilgt worden ist. Das lässt sich nicht länger verharmlosen.»

«Mein Schwiegervater wird das Jahr kaum überleben. Er hat einen Magenkrebs, der weit fortgeschritten ist.»

«Das tut mir leid. Er war immer ein Liebhaber des guten Essens.»

«Mit Haferschleim darf ihm die Köchin auch jetzt nicht kommen. Er bestellt sich nach wie vor Delikatessen bei Michelsen, bewegt die im Mund und spuckt sie dann aus.»

«Und wie nimmt es Elisabeth?»

«Hitler oder ihren sterbenden Vater? In beiden Fällen ist sie äußerst beunruhigt. Das Berliner Klima scheint sich zu verändern. Goebbels arbeitet geschickt, und Wessel war wohl auch ein talentierter Agitator. Und was Elisabeths Vater angeht, da hat sie uns allen versprochen, nun öfter in Hamburg zu sein.»

Landmann dachte an den Januarabend in der Körnerstraße, an dem er in Ungers Haus geladen war, die Gattin abwesend, doch sie hatten sich auch ohne Elisabeth gut unterhalten. Theo hatte ihn in den ersten Stock geführt und das voll eingerichtete Kinderzimmer gezeigt. Ein weißer Teddybär, der in der Wiege saß. Seit bald vier Jahren wartete er schon. Auch das eine Art von Spuk.

«Komm mal wieder in meine Junggesellenbude», sagte Landmann jetzt. Noch immer wohnte er in der Bremer Reihe zwischen den Kunstwerken, obwohl er aufgestiegen war in der Hierarchie der Finkenau und sich Größeres und Schöneres hätte leisten können.

«Gerne», sagte Unger. Warum fiel ihm da wieder Henny Peters ein? Weil er damals in der Bremer Reihe völlig verkatert auf Landmanns Sofa gelegen und sein Glück mit Henny verpasst hatte?

«Goebbels' Parole, dass die Juden an allem schuld sind, wird sich als ein langsames, doch effektives Gift erweisen», sagte Landmann. «Ich habe Hitlers Buch gelesen. Du solltest mit Elisabeth ins Ausland gehen.»

«Und du?», fragte Theo Unger.

«Ich bin Einzelkämpfer, Theo. Keinem verantwortlich. Meine Mutter lebt nicht mehr. Also auch da muss ich mich nicht länger sorgen.»

«Ich glaube kaum, dass es so schlimm kommt», sagte Unger. «Wir machen uns alle verrückt mit der Hitlerei. Was soll ich im Ausland? Ich gehöre hierher, und Elisabeths Instrument ist die deutsche Sprache.»

Kurt Landmann hob die Schultern. Vielleicht sah er zu schwarz.

Hans Fahnenstich war ihm ein guter Freund geworden. Dieser große tollpatschige Mann, der keinem Böses wollte. Fahnenstich glaubte an den Kommunismus als Heilsbringer. Die lebensfremde Sprache der verklausulierten Befehle redete Hans sich genauso schön wie die Steuerung durch Moskau. Rudi litt daran, dass alle anderen in der Sektion Wasserkante nicht wahrzunehmen schienen, was er wahrnahm.

Auch Käthe verrannte sich. Je größer die Nazis auftrumpften, desto weniger hörte sie auf seine Argumente. Sie erkannte längst nicht mehr die Distanz, die sich zwischen ihnen und den Ideologen der Partei auftat. Rudi ahnte, dass er auf dem falschen Weg unterwegs war, doch ihm gelang nicht umzukehren. Er wollte weder Käthe noch Hans vor den Kopf stoßen oder sie gar verlieren.

Die Krawattennadel lag in einer kleinen hinteren Lade des Sekretärs. Käthe wusste von ihrem Wert, doch ihr schien das nichts zu bedeuten. Hätte er einen Sohn gehabt, wäre es ein Glück gewesen, ihm eines Tages die Krawattennadel weiterzugeben. Eine Kostbarkeit, die man über Generationen hinweg besaß.

Hans Fahnenstich erzählte er nichts vom wertvollen Erbe. Er fürchtete, ihre Freundschaft könnte aus der Balance fallen. Rudi fühlte sich wie ein Wanderer zwischen den Welten der Wohlhabenden und derer, die nichts besaßen. Einer, der weder das eine noch das andere Ufer erreichen konnte. Was blieb da anderes, als vom Strom fortgerissen zu werden.

Ich bin endlos weit entfernt
davon, glücklich zu sein
nur ein schwacher Schein
am andren Ufer kündet Glück.

Er hätte das Leben gern um einige Jahre zurückgedreht. Lud zurückgeholt. Vielleicht auch Grit.

Ich habe es verlernt
mich der Angst zu erwehren

die mich warnt
den Strom zu durchqueren.

Das erste Mal, dass er sich von den Wörtern nahm, um ein Gedicht zu schreiben. Er hätte gern ein heiteres geschrieben.

Ich glaube zu wissen
die Brücke stürzt ein
und der schwache Schein
wird verloren sein
für mich, der ich vom
Strom fort gerissen.

Rudi schob das Blatt unter die lederne Schreibunterlage, als es an der Tür klingelte. Lang und anhaltend. Er blickte auf die Wanduhr, die Grit gehört hatte, eines der wenigen Stücke, die den Weg in den Haushalt in der Bartholomäusstraße gefunden hatten.

Käthe. Das kam öfter vor, dass sie den Schlüssel vergaß. Doch noch war es eigentlich zu früh für sie. Erst kurz nach zehn.

Den Mann, der da die Treppe hinaufkam, kannte er nicht. Er schwitzte und schien völlig außer Atem zu kommen.

«Dass ihr alle kein Telefon habt», sagte er.

Rudi stand in der Tür, noch nicht bereit, den Unbekannten hineinzulassen, der ihn duzte.

«Hans quatscht sich gerade um Kopf und Kragen. In einer Kneipe hier an der Ecke. Du bist doch Odefey?»

Rudi nickte. «Und Sie?»

«Erich. Kollege von Hans. Aber Sie wollen wohl gesiezt werden, bevor Sie sich in Bewegung setzen. Hauptsache, wir holen den besoffenen Kerl da raus. Ich hab doch gehört, wie einer von den Nazis telefoniert hat. Die kommen gleich mit nem Schlägertrupp.»

Fahnenstich stand im Schankraum des Sternkellers auf einem Tisch und hielt mit hochrotem Kopf eine Brandrede gegen die Nazipest. «Dem Freund die Hand, dem Feind die Faust», brüllte er, als Rudi und Erich ihn vom Tisch zerrten.

«Das kannst du haben, Freundchen», sagte einer der Umstehenden.

«Dann schlagen die dich zu Brei», skandierten andere.

Rudi hätte das gerne kommentiert, doch Erichs und seine Kräfte waren ganz darauf gerichtet, den tobenden Hans Fahnenstich aus dem Sternkeller zu bringen.

«Zu dir mit ihm. Nur verschwinden. Dahinten kommen die schon. Hörst du sie?»

«Die Fahne hoch! Die Reihen dicht geschlossen!»

Rudi fiel der Schlüssel zu Boden, als er die Haustür aufschließen wollte. An seiner und des anderen Schulter hing schwer Hans Fahnenstich, der vor sich hin brabbelte. War der SA-Trupp aufmerksam geworden?

«Die Straße frei den braunen Bataillonen.»

Die Stimmen schienen ganz nah zu sein, als ihm endlich gelang, die Tür aufzuschließen, die hinter ihnen zuschlug. Vier Stockwerke, die dieser Bär sich heraufschleppen ließ. Sie setzten ihn auf einen Stuhl, und sein Kopf sank auf den Küchentisch.

«Kann er erst mal bei dir bleiben?», fragte Erich.

Rudi ging zum Fenster und öffnete es. Die Straße lag still. Nur aus der Eckkneipe kam lautes Getöse. Vermutlich schlug die SA aus lauter Frust Tische und Stühle entzwei. «Geh du mal», sagte er. «Ist ruhig unten. Aber geh zur Beethovenstraße, nicht am Sternkeller vorbei.»

«Einen Teufel tue ich. Danke. Ich sieze dich auch, wenn dir das was bedeutet. Hans sagte schon, dass du was Besseres bist.»

«Blödsinn», sagte Rudi. «Willst du noch einen Kaffee trinken?»

«Ich schleich mich lieber nach Hause, solange die braunen Brüder die Kneipe zerlegen.»

Rudi sah ihm vom Fenster aus nach. Erich schlug den Weg zur Beethoven ein. Weg von der Kneipe.

Hans war am Tisch eingeschlafen. Er würde ihm ein Lager auf dem Sofa bereiten. Wenn Käthe nachher käme, wäre sie endlich mal zufrieden mit ihm.

Er ging zum Sekretär und hob die lederne Schreibunterlage hoch, nahm das Blatt Papier und warf keinen Blick mehr auf das Gedicht, bevor er es in kleine Fetzen riss. Das Lied, das Horst Wessel einst geschrieben hatte, war viel lauter als diese Worte.

Elisabeth war bei ihren Eltern gewesen, hatte am Bett ihres Vaters gesessen, seine Hand gehalten. Dass er so schnell schwächer werden würde, hatte keiner von ihnen vorausgesehen.

Theo hielt sich noch in der Klinik auf, das Mädchen hatte Ausgang, sie war allein zu Hause. An anderen Tagen hätte sie es geschätzt.

Eine Grammophonplatte spielte im Salon, die sie aufgelegt hatte, um die Stille zu übertönen. *Ich küsse Ihre Hand, Madame*, sang Richard Tauber. Die Platte war ihr zur Premiere des Films geschenkt worden, das eingespielte Lied ein erster deutscher Schritt in den Tonfilm. Sie hatte in der *Dame* darüber geschrieben, das Werbegeschenk war abgegolten. Elisabeth hörte die letzten Takte des Liedes, als sie in den ersten Stock stieg und das Kinderzimmer betrat.

Sie nahm den Teddy aus der Wiege, ihre rot lackierten Nägel leuchteten auf seinem weißen Fell. *Mondmaniküre* hatte die Assistentin im Berliner Schönheitssalon die Form genannt, in der sie die Nägel feilte, um sie dann mit einem dieser neuen amerikanischen Nagellacke zu versehen. Fremd sahen ihre Hände aus. «Als ob du blutest», hatte ihr Vater gesagt, als sie ihn streichelte.

Sie legte den Teddybären zurück in die Wiege unter den weißen Himmel und auf die Streublümchenkissen. Über der Wickelkommode hing eine Spieluhr, die das Wiegenlied von Johannes Brahms spielte, doch Elisabeth hütete sich, die Schnur zu ziehen. Ihr kamen ohnehin schon die Tränen. Nein. Sie weinte nicht um das Kind, das in ihrem Leben fehlte. Sie weinte um den sterbenden alten Mann im Haus am Klosterstern, der immer ihr Hüter gewesen war.

Eine Geborgenheit hatte sie hier in diesem Zimmer geschaffen, dieselbe wohlhabende Geborgenheit, die ihr als Kind so gutgetan hatte. Wollte sie das zurückholen, oder war sie ein Muttertier, das um seine Chance gebracht worden war?

Da drüben stand der Puppenwagen aus ihrer Kindheit, und auch das Schaukelpferd war ihres. Vorsichtig ließ sich Elisabeth darauf nieder. Ein Damensattel für Schaukelpferde. Den hatte ihre Mutter in England gekauft. Ihr Vater wollte, dass sie wie ein Junge ritt.

Elisabeth zog ein Taschentuch aus dem Ärmel ihrer seidenen Bluse, doch sie hielt es zerknüllt in der Hand. Sollten die Tränen doch laufen.

«Hier bist du», sagte Theo Unger und öffnete die Tür weit. «Ich habe eben mit deiner Mutter telefoniert.»

Elisabeth sah auf. «Er ist doch nicht ...» Sie ließ den Satz in der Luft hängen. Das konnte nicht sein.

«Nichts mit deinem Vater. Ich hab bei deinen Eltern angerufen, weil ich dich abholen wollte. Doch deine Mutter sagte, du seiest schon zur Tür raus.» Er kam zu ihr und legte ihr die Hand auf die Schulter. «Und nun sitzt du hier im Damensattel und weinst.»

«Theo?» Elisabeth stand auf. Das Schaukelpferd wippte. «Da gibt es doch auch arme Frauen, die in deiner Klinik ihre Kinder kriegen.»

Ungers Nacken wurde ein wenig steifer.

«Ich bitte dich, die Sachen hier an diese Frauen zu verteilen. Nur das Pferd und den Puppenwagen will ich behalten.»

«Und das Pflegekind?»

«Ich will kein Kind.»

«Bist du dir sicher?»

«Ja», sagte Elisabeth Unger. «Lass uns nach unten gehen und eine neue Grammophonplatte auflegen und den Château Pétrus trinken, den mir Vater mitgegeben hat. Von 1921. Das sei ein sehr guter Jahrgang gewesen, zu schade, um ihn auszuspucken, sagt er. Was denkst du, wie lange ihm noch bleibt?»

«Den Frühling wird er noch erleben», sagte Theo Unger.

Das Papier hatte Lene aus dem Haushaltsbuch gerissen, und der Bleistift war wohl stumpf gewesen. Mia konnte die Liste ihrer Schwester kaum entziffern. Ein Tornister. Eine Schiefertafel. Schere und Kleister. Ein Tuschkasten. Leibwäsche. Hemden. Strümpfe.

Davon so viel, dass damit wohl alle drei Jungs ausgestattet werden sollten. Fritz wurde im April mit dem jüngeren Vetter eingeschult, der schon 1923, doch erst im Herbst geboren worden war.

Was stellte sich Lene vor, wie das bezahlt werden sollte? Und dann noch eine Matrosenmütze. War das wirklich nötig zum Schulanfang in Wischhafen an der Elbe? Konnte ein Kind da nicht barhäuptig gehen? Hauptsache, Lene sorgte dafür, dass die Kinder gewaschen waren.

«Dabei habe ich doch schon ein Geburtstagspaket geschickt», sagte sie zu Anna Laboe, die gerade einen Blechkuchen aus dem Ofen holte. Mit Winteräpfeln hatte sie ihn belegt, die schon sehr mürbe gewesen waren, doch das schmeckte keiner, wenn der süße Rahm drüberkam.

«So ein Kind ist eben teuer», sagte die Laboe und dachte an Käthe, die keines hatte, und an die Söhne, die nur sechs und vier geworden waren. Doch es ging ihr gut in ihrer gestärkten weißen Schürze in der warmen Küche. Sie wurde besser bezahlt als je in ihrem Leben und konnte oft Essen mit nach Hause nehmen. Fürs Grobe kam jetzt eine Zugehfrau zu Campmanns in den Hofweg. Es war zwar kein Haus wie damals in der Fährstraße, doch Ida schaffte es, den Haushalt immer generöser auszustatten.

«Krieg ich ein Stück Kuchen?», fragte Mia.

«Erst mal muss er abkühlen, und dann trägst du eines zum gnädigen Herrn ins Arbeitszimmer.» Wenn überhaupt jemand über das Wohl von Friedrich Campmann nachdachte, dann war das Anna Laboe.

Ida stand vor Campmanns Arbeitszimmer und überlegte einzutreten. Er telefonierte. Laut und zornig. Vermutlich mit seiner Sekretärin, an der er vieles abließ, was ihn verdross. Kein guter Zeitpunkt, ihm zu sagen, er solle die Konten bei den Delikatessenhändlern aufstocken.

Dass Campmann gelegentlich zu Hause arbeitete, gefiel Ida nicht, und das ließ sie ihn spüren. Am liebsten waren ihr seine Dienstreisen, die ihn nun öfter nach Berlin als nach Dresden führten. Eigentlich brachte seine Anwesenheit nur

Unannehmlichkeiten. Auch die Kaffeerunden in der Küche fielen dann aus.

Ida warf einen Blick in ihr Boudoir. Ein großer Reiher aus weißem Porzellan stand nun dort und trug einen neuen gelben Lampenschirm. Der Porzellanreiher war aus der Meißner Manufaktur, die gekreuzten Klingen unter dem Lampenfuß befriedigten Ida. Das Zerschmettern des Schalmei spielenden Schäfers war Campmann teuer gekommen.

«Erstaunlich, was deine Ehe alles aushält», hatte Henny gesagt, «dabei hast du sie schon vor Jahren verloren gegeben.»

Sie konnte die Jahre an Campmanns Seite mit Geld und Gold aufwiegen, glücklicher wurde sie nicht dabei. Auch Henny lebte ein Leben ohne einen geliebten Mann. Aber Henny hatte Aufgaben. Ernsthafte Aufgaben. Ein Kind. Einen Beruf.

«Lene schreibt, im April kommen noch die Fibeln dazu», maulte Mia in dem Moment, als Ida in die Küche trat.

«Anna, denken Sie daran, die Schildkrötensuppe zu bestellen bei Heimerdinger oder von mir aus auch bei Michelsen.»

Als Anna das Karl erzählt hatte, dass sie nun eine war, die telefonierte, um bei den Delikatessenhändlern der Stadt das Teuerste vom Teuren zu bestellen, war ihm der Mund offen stehen geblieben.

«Komm aber nich drauf, so eine Suppe to Hus to tragen», hatte er gesagt. «Kröten fret ich nich.»

«Und was ist das für ein Problem mit den Fibeln?», fragte Ida und sah Anna an, nicht Mia, die am Tisch saß und vor sich hin brütete.

«Mias Schwester hat eine Einkaufsliste geschickt für Fritzens Schulanfang im April.»

Campmann konnte man damit kaum kommen. Er sprach von Fritz noch immer als Mias Balg. Da musste sie wohl an ihren eigenen Beutel. «Ich tu dir was dazu», sagte sie.

Mia schob die Unterlippe vor, ihr Dank kam vernuschelt. Ida seufzte. Ihre Liebesbotin nervte sie, seit es die Liebenden nicht mehr gab.

Liebte sie Tian noch, oder wob sie an einer Legende?

Im August wurde sie neunundzwanzig, und sie saß hier und vergeudete sich an Campmann und einen kaum zurechnungsfähigen Vater.

Bunge amüsierte sich. Die Zeiten waren danach, Sekt im Alsterpavillon, ein Beefsteak bei Emcke, wann immer er Geld in der Tasche hatte. Die Weimarer gerieten ins Wanken, die Republik ging hops, Bunge sah das kommen, doch bis dahin wurde auf dem Vulkan getanzt. Weiter auf Gewinn spielen wie schon nach des Eichhörnchens Tod.

In die Rambachstraße war er doch nicht gegangen, Margot mochte tingeltangeln, es interessierte ihn kaum mehr. Eine Zeitlang hatte er gedacht, Gustes Hausmannskost genüge nicht, doch diese Frau war eine Urkraft, und Urkräfte wurden gebraucht. Vor allem von ihm.

Guste sah sich als Sammelbecken für die Gestrandeten der Zeit, das unterstützte er. Angefangen hatte es mit den Russen nach der Blutnacht von Jekaterinburg. Damals war ihr die Idee einer Pension im ererbten Elternhaus gekommen.

Zwölf Jahre wirtschaftete Guste nun schon zum Wohle der Gäste, die längst nicht alle pünktlich zahlten. Ihn hatte sie ja auch in hoch prekären Zeiten aufgenommen. Dann kam ihm neues Geld in die Bude. Saus und Braus. Abende im Trocadero in den Großen Bleichen.

Im vergangenen Oktober hatte er beim Schwarzen Freitag der New Yorker Börse noch mal ordentlich Federn gelassen und die Diamant Grammophongesellschaft gleich mit. Die Rothenbaumchaussee, die konnte er sich nun nicht mehr leisten, doch Guste stellte ihm ein großes Zimmer zur Verfügung. Mit Doppeltür zu ihrem privaten Trakt.

Aus dem Geschäft mit Südamerika war nichts geworden, auch weil sein Geschäftspartner hasenherzig gewesen war. Saß mit dem Hintern auf seinen Diamanten. Doch mit Schallplatten ließ sich das große Geld machen, davon war Bunge nach wie vor überzeugt. Campmann musste eben warten auf das Zurückzahlen des Kredits.

Guste hatte das Zimmer für ihn leer geräumt. Ein paar Möbel brachte er mit, die stammten noch aus den Zeiten der Fährstraße. Den anderen Kram konnte man verkaufen, das ließ ihn auch wieder liquide sein für all die kleinen Freuden. Er war nicht sentimental. Nur die Taschenuhr, die schon seinem Großvater gehört hatte, die gab er nicht her.

Bunge blieb stehen, um den Mantel aufzuknöpfen und die goldene Uhr aus der Westentasche seines dreiteiligen Anzugs zu ziehen. Wie immer tat ihm der Anblick des Zifferblatts gut. Mal rüber zu Brahmfeld und Gutruf gehen, dem alteingesessenen Schmuckgeschäft am Jungfernstieg, um zu gucken, ob die Uhren von Lange & Söhne im Schaufenster liegen hatten und was die da kosteten.

Von St. Petri kommend, näherte er sich dem Kaffeehaus Vaterland, überlegte einen Augenblick, dort zu einem Gabelfrühstück einzukehren. Eine junge Frau kam mit einem älteren Herrn vom Alsterdamm und schlug nun vor ihm den Weg zum Jungfernstieg ein. Dicken Pelz, in den sie gemummelt war. Trug Ida den Zobel noch? Schon länger her, dass er sie darin gesehen hatte.

Zeit, Ida wieder auszuführen. Warum nicht ins Vaterland? Obwohl ihr das vermutlich zu dunkel und plüschig war. Doch er musste mal Fieber messen bei ihr. Hatte läuten gehört, sein Schwiegersohn habe Kontakt zu diesem Gauleiter von Berlin.

Das fehlte noch, dass Campmann ein Nazi wurde. Konnte er sich gar nicht erlauben in seiner Dresdner Bank. War doch fast wie bei den Warburgs bei denen. Alles Juden. Er hatte keine Probleme mit Juden. Bei Guste wohnten auch welche.

Bunge hatte den Juwelier beinah erreicht, als er einen Schritt nach hinten tat und das Gesicht zur Seite drehte. Diese Mummlerin im Pelz war Margot. Kein Zweifel.

Carl Christian Bunge schmunzelte, als er sah, wie sie ihren Zeigefinger auf das Schaufensterglas legte, sicher lag an der Stelle was besonders Teures. Er war damals mit ihr zu einem anderen Juwelier gegangen, Brahmfeld und Gutruf wäre in Erinnerung an das Eichhörnchen für ihn nicht in Frage gekommen. Der Kette aus schwerem Gold hatte er sich dennoch verweigert.

Ein bisschen Bedauern hatte er für den älteren Herrn, der nun in das Geschäft ging, gefolgt von einer gierigen Margot. Wie gut er es doch bei Guste hatte. Die legte noch was drauf.

«Was ist falsch am Lerchenfeld?»

«Dass es zu nah ist?»

Louise schüttelte den Kopf. «Dann könnten wir länger schlafen. Ich muss erst am Vormittag ins Theater. Ohnehin eine Zumutung, Lehrer und Schüler vor dem Aufwachen antreten zu lassen.»

«Dann ist der Kopf noch frei», sagte Lina.

«Was ist wirklich der Grund?»

«Ich bin gern an der Telemannstraße.»

«Du könntest Deutsch und Kunst unterrichten. Diese Kombination hast du dir immer gewünscht.»

Professor Schröder, Schulleiter des Gymnasiums Lerchenfeld, hatte sie schon als Schülerin der neugegründeten Schule geschätzt und hätte sie gern in seinem Kollegium gesehen. Doch in einem Jahr würde er pensioniert werden. Wer folgte ihm? Unwägbarkeiten, die es an der Telemannstraße nicht gab, auch die Reformpädagogik hatte dort einen besseren Stand.

«Du brauchst nur einmal über die Brücke zu gehen», sagte Louise. «Lebenszeit, die du da gewinnst.»

«Ich mag die Fahrten nach Eimsbüttel.»

«Denk an *uns*», sagte Louise.

Louise konnte sehr insistierend sein, wenn ihr Drängen auch nicht immer zum Erfolg führte. Wessen Locke in Linas Medaillon war, gehörte zu den Geheimnissen, an dessen Aufklärung sie noch arbeitete.

Das Zimmer in der Johnsallee hatte sie aufgegeben, doch nicht ihre Freundschaft zu Guste. Dass sie und Lina ein Liebespaar waren, wusste Guste so gut wie Louises Vater in Köln. Ihre Mutter zog es vor, in der Lebensgemeinschaft eine Art Mädchenpensionat zu sehen.

«Vielleicht ist es nicht gut, an die Schule zurückzugehen, an der man selber all die Jahre gelernt hat.»

«Papperlapapp», sagte Louise. «Hast du das Stück gelesen, das ich dir hingelegt habe?»

Lina nickte. «Wollt ihr es aufführen?»

«Hat im März Premiere in Leipzig. Ich hoffe, dass wir es in der nächsten Saison machen.»

«Ich habe meine Schwierigkeiten mit Brecht.»

«Du betrittst ungern Neuland.»

«Wenn das zuträfe, wäre ich kaum mit dir zusammen, sondern ginge mit Landmann einer gepflegten Bekanntschaft nach.»

«Ich habe Kurt immer für Neuland gehalten», sagte Louise. «Er ist der einzige Kerl, in den ich verliebt war. Das haben du und ich gemeinsam.»

Lina schwieg.

«Gab es noch einen anderen? Ich weiß doch, dass du ein tiefes Wasser bist. Die Locke im Medaillon. Komm her zu mir aufs Sofa und zeig sie.» Louise klopfte auf das Korallenrote.

«Kommt nicht in Frage. Ich habe noch Hefte zu korrigieren.»

«Papperlapapp», sagte Louise. Die neue Losung. Vorher hatte sie nahezu jedem Satz ein «oy» vorausgeschickt.

Lina setzte sich an den Schreibtisch und öffnete ihre Aktentasche.

Louise sprang vom Sofa. «Dann gehe ich mal Cocktails mixen.» Sie klatschte in die Hände.

«Wenn du glaubst, mit Alkohol meine Zunge lockern zu können, irrst du dich», sagte Lina. Warum zögerte sie so, ans Lerchenfeld zu gehen? Der Erinnerung an Robert wegen? Er war der Erste im Reigen der Toten gewesen. Im Spätherbst 1916 hatte sie die Nachricht erreicht, dass er in einer der letzten Schlachten an der Somme gefallen war. Im Dezember war dann ihr Vater gestorben, im Januar die Mutter.

«Ich fahre wirklich gern nach Eimsbüttel», sagte sie, als Louise ein Glas auf ihren Schreibtisch stellte.

«Klar, du hast immer nur am gleichen Fleck gelebt und willst mal die weite Welt sehen», sagte Louise.

«Was ist denn da so grün?»

«Der Crème de Menthe, den ich uns gegönnt habe. Immer nur Gibson ist auch langweilig.»

Lina probierte. «Schmeckt irgendwie gefährlich.»

«Nur ein kleiner Mint Julep», sagte Louise. «Eigentlich gehören da Minzblätter rein, doch die haben wir nicht.»

«Ich korrigiere dennoch ein paar Hefte.»

Louise zog sich schmollend auf das Sofa zurück und nahm Brechts *Aufstieg und Fall der Stadt Mahagonny* zur Hand.

Theo Unger lehnte sich zurück. Er hatte sich so gesetzt, dass er das Bild von Maetzel sah, *Stillleben mit Negerfigur* war ihm eines der liebsten Kunstwerke geworden.

Die *Felder* von Willy Davidson fehlten. Das Bild, das an deren Stelle hing, stellte eine orgiastische Szene dar, in der sich Frauen ins Meer stürzten. Sie alle trugen lange dunkle Badekostüme, dennoch schien eine große Freiheit zu herrschen an diesem Strand.

«Nordische Landschaften», sagte Landmann. «Das ist Eduard Hopf. *Badende am Elbstrand.* Der Davidson fing an, mich zu betrüben. Viel zu viel braun darin. Hopf ist einer, der die Frauen liebt.»

«Gefällt mir außerordentlich», sagte Unger und nahm das Glas mit Kognak, das ihm Landmann reichte.

«Du wolltest mir etwas erzählen. Elisabeth?»

Unger trank vom Kognak und schilderte die Szene im Kinderzimmer, wie er sie Tage zuvor in der Körnerstraße erlebt hatte.

«Sie galt schon immer als ein wenig sprunghaft.»

«Alle vier Jahre ein Sprung ist noch nicht die ganz große Hektik», sagte Unger. «Doch wie ernst kann ich diese Kehrtwende nehmen?»

«Die Zeitläufe quälen sie. Elisabeth will kein Kind im Gepäck haben, das in Gefahr geraten könnte.»

«Das ist mir noch gar nicht in den Sinn gekommen.»

«Stirbt Wessel, hat Goebbels seinen Märtyrer. Dann geht es los.»

«Das scheint dich alles sehr zu beschäftigen.»

«Von einem Berliner Kollegen hörte ich, dass der Herr Sturmführer die Hilfe eines herbeieilenden Arztes verweigerte, weil der Jude war.»

«Wahnsinnige gibt es überall. Ich glaube nach wie vor nicht, dass es zum Schlimmsten kommt. Heinrich Brüning ist ein besonnener Mann.»

«Wie lange wird ein Zentrumsmann noch Reichskanzler sein?»

«Ein Kulturvolk wird kaum der kollektiven Raserei verfallen.»

Kurt Landmann wunderte sich ob der Verdrängung um ihn herum. Er hatte das Talent, das Leben heiter bis sarkastisch zu nehmen, doch der Wahrheit hatte er sich nie verschlossen. Warum taten es die anderen? Ein Rufer in der Wüste war er geworden.

«Wie geht es deinem Schwiegervater? Er war immer ein Mann von klarem Verstand.»

«Das ist er immer noch. Nur körperlich lässt er stark nach. Doch er hält sich tapfer. Steht wieder auf und nimmt teil am Leben.»

«Weiß er schon, dass Elisabeth sich vom Kinderwunsch verabschiedet hat? Enkelkinder waren ihm immer wichtig.»

«Nein. Noch weiß er es nicht. Ich denke, das ist seine geringste Sorge. Ein Pflegekind ist doch was anderes als das eigene Fleisch und Blut.»

«Fleisch und Blut», sagte Landmann. «Das wird überschätzt.»

«Warum hast du keine eigene Familie?»

«Vielleicht hatte ich in den entscheidenden Jahren zu viel

mit sterbenden Soldaten zu tun, und die Rotkreuzhelferinnen waren alle schon vergeben.»

«Das ist eine Ausrede», sagte Unger.

«Ja», sagte Landmann.

«Ich könnte mir vorstellen, dass es eine große Liebe gab.»

«Ja», sagte Landmann, «doch erwarte keine Bekenntnisse.»

«Was sind wir doch alle für arme Schweine», sagte Unger und setzte sich so hin, dass er Hopfs *Badende am Elbstrand* betrachten konnte.

Große Liebe. Er horchte in sich hinein.

Käthe war kaum weniger zerrissen als Rudi. Doch dieses war eine historische Stunde. *Hier stehe ich und kann nicht anders.*

Mit Martin Luther hatte sie wenig im Sinn. Sie war im April 1914 mit Henny konfirmiert worden, doch auch damals waren Käthes Zweifel größer gewesen als der Glaube. Heute glaubte sie nur eines: Hitler musste verhindert werden. Eine endlose Gefahr für alles, was lebte.

Rudi hatte ihr gesagt, was die Krawattennadel seines Vaters wert war. Damals war sie im ersten Augenblick hingerissen vom Gedanken, mit ihm fortzugehen, ein neues Leben anzufangen. In einem anderen Land. Doch Rudi war ein Bewahrer. Sollte er die Nadel in der hinteren kleinen Lade hüten. Für die Ewigkeit.

Sie war nicht bereit, das kleine Leben ihrer Eltern zu führen, doch ein großes hätte ihr auf dem Gewissen gelegen. Zwei Zimmer mit Küche und einem südwestlichen Balkon bedeuteten ihr Glück genug. Da bedurfte es nicht des Geldes der Krawattennadel.

Die Nacht, in der sie Hans Fahnenstich auf dem Sofa vorfand, war entscheidend gewesen. Sie hatte keine Zweifel mehr an Rudi. Er würde kämpfen mit ihr um die gute Sache. Nie wieder Krieg.

Käthe stand im Sterilisationsraum, ein Tablett mit Instrumenten in der Hand, und machte sich Gedanken, als die Tür hinter ihr geöffnet wurde.

«Käthe, Sie suche ich», sagte Kurt Landmann.

«Notfall?» Für den Nachmittag waren keine Geburten erwartet worden, doch vielleicht war ein Sanitätsauto eingetroffen.

«Könnte man so sagen.» Landmann zog die Tür hinter sich zu. «Sie sind angeschwärzt worden bei der Klinikleitung.»

Käthe stellte das Tablett ab, weil ihr die Hände zu zittern anfingen. Was hatte sie denn geklaut in letzter Zeit? Ihr fiel nichts ein. An die Lebensmittel in der Diätküche der Privatstation war sie schon länger nicht mehr gegangen.

«Kommunistische Umtriebe», sagte Landmann.

Käthe atmete aus und sah sich nach einem Sitzplatz um. Sie fand einen Schemel, der vor dem Fenster stand. «Die KPD ist eine legale Partei», sagte sie. «Ihre Abgeordneten sitzen im Reichstag und in der Hamburgischen Bürgerschaft.»

«Sie und Ihr Mann hätten an einer Schlägerei teilgenommen und kommunistische Hetzreden verbreitet. In einer Kneipe. Dem Sternkeller?»

«Zu dem Zeitpunkt war ich hier im Dienst.»

«Dann ist Ihnen der Vorgang bekannt.»

«Mein Mann hat einen Freund dort herausgeholt, der betrunken war und sich um Kopf und Kragen redete. Irgendein Denunziant hat die SA herbeitelefoniert. Die Schlägerei hat es wohl erst gegeben, als die anmarschierte. Da waren Rudi und Hans schon weg.»

«Und ein anderer Denunziant hat das ausgeschmückt und dem Ärztlichen Direktor gesteckt.»

«Warum?»

«Um Ihnen zu schaden. Das wird alles noch viel schlimmer werden, Käthe, ein schleichender Bürgerkrieg zwischen Faschisten und Linken. Mit Dr. Unger habe ich darüber auch schon oft gesprochen. Dem fallen langsam die Ohren ab von meinen Unkenrufen.»

«Alle verschließen Augen und Ohren und wollen es nicht wahrhaben», sagte Käthe. «Was werden Sie denn nun in meiner Sache tun?»

«Dem Chef es genau so erzählen. Dass Sie im Dienst waren und Ihr Mann als Samariter unterwegs.»

«Sie glauben mir also?»

«Ich weiß längst, dass Sie Schokoladenflocken klauen. Dennoch halte ich Sie für eine ehrliche Haut, Käthe. Doch seien Sie vorsichtiger, auch bei den Schokoladenflocken.»

Käthe war rot geworden, was ihr selten passierte.

«Singen Sie einfach wieder öfter im Schwesternchor.» Landmann grinste. «Ich habe gehört, vor Ostern steht ein Konzert mit Liedern von Paul Gerhardt an. *Geh aus mein Herz und suche Freud.*»

Käthe stand von ihrem Schemel auf. «Danke», sagte sie.

«Eine der Hebammen hat mir kürzlich gesagt, dass die Zeit kommen wird, in der jüdische Ärzte keine deutschen Knaben und Mädchen mehr auf die Welt bringen dürfen.»

Käthes Rottönung wurde noch dunkler vor Empörung. «Wer hat das gesagt?», fragte sie. «Das will ich wissen.»

Landmann schüttelte den Kopf. «Vielleicht verkehrt die Holde ja im Sternkeller», sagte er. «Sagen Sie auch Ihrem Mann, er soll vorsichtiger sein. Die Stunde der Denunzianten ist da.»

Henny ging über den vertrauten Schulhof in der Bachstraße. Hinkepott hatten sie hier gespielt und Räuber und Gendarm. Käthe und sie waren 1906 eingeschult worden, und nun würde im April Marike in die zweite Klasse versetzt werden. Sie hatte keine Ahnung, was der Lehrer von ihr wollte. Er war der Nachfolger des hochgeschätzten Fräulein Kemper, das sich ins Holsteinische verheiratet hatte.

Marike war eine gute Schülerin, nie hatte es Probleme gegeben, doch vorgestern brachte sie einen Zettel mit der Bitte, zu einem Gespräch in die Schule zu kommen. Hatte dem Lehrer die Zeichnung missfallen, die Marike von ihm gemacht hatte? Vielleicht war sie nicht ganz gelungen, Else hatte den Porträtierten immerhin für einen Kindermörder gehalten.

Ein weicher Regen war gefallen, es roch angenehm nach feuchter Erde. Henny stieg die Stufen zum Schulgebäude hinauf, drehte sich um und wandte sich nochmals dem Hof zu in Erinnerung an Zeiten, die vierundzwanzig Jahre zurücklagen.

Lud war in die Schule Schillerstraße gegangen, eine frühe Begegnung kaum möglich gewesen. Lieber Lud, dachte sie und drehte an ihrem Ring mit den Granatsteinen wie immer, wenn sie traurig wurde.

Ernst Lühr war viel jünger, als sie gedacht hatte. Die Zeichnung konnte ihm nicht gefallen haben. Ein gutaussehender Mann mit vollem dunklen Haar, der lächelte und sie in das Klassenzimmer bat, in dem Marike ihre Vormittage verbrachte.

«Hat sie was angestellt?»

«Marike? Nein.» Er lachte. «Ich will die Eltern der mir anvertrauten Kinder kennenlernen. Mit den Sorgenkindern habe ich angefangen, heute tue ich mir Gutes und stelle mich der Mutter meiner besten Schülerin vor. Die Inge ist ihr zwar auf den Fersen, doch die Mädchen verstehen sich gut. Keine harten Bandagen.»

«Sie wissen, dass Marike ohne Vater aufwächst? Mein Mann ist vor vier Jahren tödlich verunglückt.»

«Das hat mir der Rektor erzählt. Von solchen Verlusten bleiben auch Nachkriegskinder nicht verschont. Es tut mir sehr leid für Sie beide.»

«Meine Mutter hilft viel. Vielleicht haben Sie sie schon gesehen. Manchmal holt sie Marike noch ab.»

Ernst Lühr schüttelte den Kopf. «Meistens sehe ich Marike mit Thies losgehen. Den hat sie sehr gern.»

Henny hatte von Thies noch nichts gehört.

«Die beiden haben denselben Schulweg. Thies wohnt auch in der Canalstraße. Wohl mehr zum Hofweg hin.»

«Diese kleine Geheimniskrämerin», sagte Henny. Sie stand von der viel zu kleinen Schulbank auf.

«Darf ich Sie auch ein Stück nach Hause begleiten? Mein Tagwerk ist hier getan. Oder haben Sie noch was anderes vor?»

Henny schüttelte den Kopf. «Ich hatte heute die Morgenschicht.»

«Marike ist stolz darauf, dass bei Ihnen die Babys geboren werden.»

«Das wissen Sie auch schon.»

Ernst Lühr holte einen Hut hinter dem Lehrerpult hervor. «Haben Sie die Zeichnung gesehen, die Marike von mir gemacht hat?»

«Mann mit Hut», sagte Henny.

«Ich habe mir vorgenommen, mehr Schlaf zu kriegen», sagte Lühr. «Der Mann mit Hut sieht ziemlich alt aus.»

«Seezunge», sagte Ida. «Oder doch die Tournedos Rossini.» Sie ließ die Speisekarte sinken und blickte durch die Palmen des Alsterpavillons auf den Jungfernstieg. Es nieselte.

«Das Portemonnaie deines Gatten habe ich nicht», sagte Bunge.

«Soll ich was Preiswertes essen, Paps? Zwei Ölsardinen zu sechzig Pfennig?» Wie patzig sie klang. Doch es verärgerte sie, dass ihr Vater wieder in Kalamitäten war. Seit Jahren verschacherte er sein einziges Kind an Campmann, weil er die Schulden nicht tilgte. Sie bestellten Königin-Pastetchen und je ein Glas Sherry.

«Die Wohnung in der Rothenbaumchaussee gibst du auf? Ich nehme an, du ziehst wieder bei Guste Kimrath ein?»

«Das ist schon geschehen», sagte Bunge. Ihm gefiel nicht, wie sich der Mittag entwickelte. Schlechte Laune am alten Vater auslassen, Ida kam ihm höchst unbefriedigt vor. «Teilen Friedrich und du denn noch Tisch und Bett?», fragte er.

«Ich gebe Campmanns Geld aus, und er schläft mit mir, wann immer er will. Er ist zwar zeugungsunfähig, doch seine Potenz ist eine Wucht.»

«Er ist was?» Wie redete Ida denn?

«Du hast es gehört», sagte Ida. «Er hat mich all die Jahre auf ein Kind warten lassen. Erst als ich die Initiative ergriff und abklären ließ, dass es nicht an mir liegt, war er so gnädig, mir mitzuteilen, dass er als Kind Mumps gehabt hat.»

«Hättest du gern ein Kind von einem ungeliebten Mann?»

«Ich hätte gern ein Kind von meinem Chinesen, wie ihn alle nennen.» Die Grämlich kam ihr in den Sinn.

«Hast du von ihm diese unfeine Sprache gelernt?»

Ida stand auf und schob den Stuhl so heftig zurück, dass er umfiel. «Tian ist der feinste Mensch, dem ich je begegnet bin», sagte sie und lief aus dem Alsterpavillon, einen erstaunten Vater zurücklassend, dem gerade zwei Glas Sherry serviert wurden.

Auf der anderen Seite des Jungfernstiegs trat Campmann aus seiner Bank, doch sie sahen einander nicht. Er hatte den Hut tief ins Gesicht gezogen, und Ida war ganz in Gedanken an den Abgang, den sie da gerade hingelegt hatte. Vielleicht doch übertrieben, ihre Reaktion. Sie wüte gelegentlich wie ein ungehaltenes Kind, hatte Henny gesagt.

Zorn war es, der sie ungehalten sein ließ. Zorn über ihre Unfähigkeit, Schlussstriche zu ziehen. Ein Strich unter ihren Vater, dem sie vertraut hatte. Unter das luxuriöse Leben, das sie immer wieder einlullte. Den dicksten unter Campmann und seinen Verrat.

Hatte sie im Bildungsinstitut des Fräulein Steenbocks etwas gelernt, dass sie befähigte, auf eigenen Beinen zu stehen? Nein, reine Nichtsnutzereien hatte sie gelernt, über die sich nett plaudern ließ.

Henny hatte ihr von Elisabeth Liebreiz erzählt, die mit einem der Ärzte verheiratet war. Steinreiche Leute, die Liebreizens, Ida kannte sie vom Hörensagen. «Die ist heute Theaterkritikerin», hatte Henny gesagt. Doch Ida war überzeugt davon, keine Talente zu haben.

Sie ging hinüber zum Rathausmarkt und hätte fast die herannahende Taxe übersehen. Das fehlte noch. Dann konnte sie sich gleich neben Hennys Mann auf den Friedhof legen. Ida hob den Arm. Die Taxe hielt.

Ob man der Grämlich vor der Tür stehen durfte? Netty hätte es vor solch schlechtem Benehmen gegraust. Doch Ida wollte sich nicht den Schwung nehmen lassen. Wer Visitenkarten auf Tischen zurückließ, musste mit Besuch rechnen. Auch Jahre später noch. Sie nahm das schmuddelig gewordene Kärtchen aus ihrer eleganten Brieftasche und las dem Chauffeur die Adresse vor.

Sie hatte es sich anders vorgestellt, das Domizil von Fräulein Grämlich, schließlich verkehrte das Fräulein in den besten Kreisen. Wie schleppte die Grämlich sich hoch in die Dachwohnung an der Hoheluftchaussee, in ihrem Alter? Selbst Ida keuchte leicht, als sie oben angekommen war.

Der Hut, den die Grämlich bei ihren offiziellen Gängen trug, mochte altmodisch sein, doch er stand in Güte und Fasson weit über der zerdrückten Haube, die sie nun auf ihrem Kopf hatte. Wer trug noch eine Haube? Ida hatte den Eindruck, in eine andere Zeit zu fallen.

«Ida Campmann», sagte das Fräulein und kaute doch sehr an seiner Überraschung. «Sind Sie auf der Suche nach Läuterung?»

Läuterung? Ida suchte Kontakte. Von ihr aus im Siechenheim oder bei den schwangeren Dienstmädchen. Sie wollte ein Netz spannen, das sie trug, wenn sie Campmann verließ. Warum nicht erst mal in Wohltätigkeit machen? Man lernte immer im Leben, egal, was man tat. Hatte das Netty gesagt? Nein. Das hätte nicht zu ihr gepasst.

Fräulein Grämlich servierte einen dünnen Tee, am Grund der Tasse schwammen Teilchen, als sei eine Schildkröte darin gekocht worden. Ida hatte den Wunsch zu würgen, doch sie schaffte es, einen Schluck zu nehmen. Vielleicht sollte sie darauf verzichten, Büchsen mit der echten Lady Curzon bei Heimerdinger oder Michelsen bestellen zu lassen.

«Ich denke an das Spezialkrankenhaus für alle Arten geistiger Defektzustände», sagte die Grämlich, «den Alsterdorfer Anstalten zugehörig. Pastor Lensch wird es als Direktor übernehmen, ein sehr ordentlicher Mensch.»

Fräulein Grämlich hatte die Absicht, der verwöhnten Frau Campmann geborene Bunge die ganze Härte zukommen zu lassen. Dass Ida sie in diesen Verhältnissen antraf, festigte ihren Entschluss.

«Was soll ich denn da tun?», fragte Ida.

«Ich könnte mir vorstellen, dass Sie die Idioten erfreuen», sagte die Grämlich und sah sehr amüsiert dabei aus.

Gustes Herz schlug gleich für die Geselligkeit, die Louise anregte. Keine Konkurrenz für das Künstlerfest im Curio-Haus nebenan in der Rothenbaumchaussee, die Theaterleute gingen alle dahin und tranken sich in einen Taumel. *Gläserne Maske* hieß deren Motto in diesem Jahr, doch so ambitioniert war Guste nicht. *Helau* hatte sie auf die Einladungen schreiben wollen, doch Louise empörte sich und schrieb *Alaaf*. Der Karneval kannte harte Fronten im Rheinland.

Louise hatte vor, nichts auszulassen und in der Johnsallee *und* der Rothenbaumchaussee auf den Tischen zu tanzen.

«Bei uns gibt es auch Leckeres zu trinken und zu essen», hatte Guste zu Bunge gesagt. «Und die Deerns sind bisschen nackig.» Sie wusste, wie sie einen Schwerenöter begeisterte. Schade, dass der Opernsänger längst ausgezogen war und am Hoftheater in Dessau sang. Doch Bunge hatte ein hochmodernes Grammophon angeschleppt, bevor er wieder Geld verlor und an ihrer Brust hing.

«Ich bringe die Girlanden an», sagte er.

«Die Gestaltung liegt bei Louise, doch du kannst gern auf die Leiter steigen. Ist genug zu tun. Die Kartoffeln schälen für den Salat und eine Wanne voll Kalter Ente ansetzen.»

Bunge bat, auch Ida einzuladen. Er lag ihm doch auf der Seele, dieser Abgang im Alsterpavillon. Schweigen seitdem.

Dieser Chinese schien noch immer Idas Herzensbube zu

sein. Er hätte ihr ja nahegelegt, Campmann zu verlassen, doch der ließ keinen Zweifel daran, dass die Dauer des Kredits mit Idas Bleiben einherging. Ihm waren die Hände gebunden.

«Dann laden wir den Chinesen am besten gleich mit ein», sagte die unvergleichliche Guste. Bunge hielt das für keine gute Idee. Auch nicht, dass Guste vorschlug, er solle sich als Pleitegeier verkleiden. Ihr Humor hatte durchaus herbe Noten.

Lina hatte kein karnevalistisches Herz. Verkleiden und sich zum Affen machen, lag ihr fern. Das hatte kaum damit zu tun, dass sie Hanseatin war, auch die konnten ausgelassen sein. Wäre Lud da gewesen, hätte er erzählt, dass Lina einzig auf Eisglitschen außer Rand und Band geriet.

«Ein Hütchen», sagte Louise, «oder Luftschlangen um den Hals, Lina, bitte.» Sie selbst würde als Colombina gehen, das Kostüm hatte sie aus dem Fundus des Thalia Theaters. Die ganze Misere einfach mal zur Seite schieben. Ein Himmel auf Zeit, in dem sie alle lebten. Sie sollte der Intendanz Ernst Tollers *Hoppla, wir leben* nahelegen. Toller hatte doch recht, die Welt war ein Irrenhaus.

Bunge stand auf der Leiter und zog eine Schnur für die Luftballons und hängte Girlanden auf. Da, wo Louise sie hinhaben wollte. Einmal reckte er sich ganz hoch, und ihm riss es in der Brust. Er dachte, nun setze der Herzschlag aus. Doch das ging rasch vorüber.

Das mit Ida bereitete ihm durchaus Schmerzen. Sprach Volkesmund nicht von Herzschmerz, Herzweh, Herzeleid? Vielleicht hielt Ida ihn für einen tumben alten Sack, der Auftritt im Alsterpavillon legte das nahe, doch er litt daran, dass Campmann Ida als Geisel hielt.

Ach, dieses Geld, dieses flüchtige Geld.

«Doch noch weiter nach links», sagte Louise. Bunge lehnte sich weiter nach links und wäre beinah von der Leiter gefallen.

«Komm du mal da runter», sagte Guste und hatte einen jungen Mann am Kragen, der zur Tür hereingekommen war, um nach den Preisen der Pensionszimmer zu fragen. Doch nun stand er auf der Leiter.

«Was suchen Sie denn für ein Zimmer?», fragte Guste, als alles hing und Louise zufrieden war.

Ein kleines. Er fange im März eine Buchhändlerlehre bei Kurt Heymann in Eppendorf an.

Buchhändler klang gut in Guste Kimraths Ohren, die waren doch meistens hell im Kopf, und der Junge schien keine linken Hände zu haben. «Ich zeige Ihnen mal eines», sagte sie. «Und dann schauen wir, was sich machen lässt.»

Momme Siemsen konnte sein Glück kaum fassen. Gar nicht so klein, das Zimmer, und bezahlbar, und das in der großen Stadt Hamburg. In Dagebüll hätte keiner gedacht, dass er für sein Geld ein Zimmer fände, und das in einer guten Gegend. Seine Mutter hatte schon Sorge gehabt, er könnte auf St. Pauli landen. Das kannten sie alle, auch wenn kaum ein Dagebüller aus eigenem Erleben sprach.

Er würde einen Stadtplan kaufen und die Johnsallee einkreisen, damit sie in Dagebüll sahen, dass er es gut getroffen hatte.

«Und morgen ist eine karnevalistische Geselligkeit», sagte Guste. «Sie können gleich Ihr Zimmer beziehen, junger Mann, und über ein Kostüm nachdenken.»

Momme Siemsen ging zurück in den Windfang, in dem noch immer der Koffer stand. Vermutlich hielten sie hier alles, was seine Mutter in den großen alten Koffer gepackt hatte, für Kostümierung.

Egal. Er fing gerade ein neues Leben an. Großstadt gefiel ihm enorm. Momme seufzte auf vor lauter Erleichterung.

Ida sagte ab und tat es in letzter Minute, Karnevalstrubel hätte ihr gutgetan nach ihrem Antrittsbesuch im Krankenhaus für alle Arten geistiger Defektzustände. Doch so leicht wollte sie es ihrem Vater nicht machen.

«Warum willst du dir gleich das Schwerste antun?», hatte Henny gefragt. «Die Grämlich will dich quälen. Das in den Anstalten halten ganz andere nicht aus.»

Doch Ida hatte den Termin brav wahrgenommen, war der Pflegerin, die angeödet war von einer weiteren wohltätigen Dame, die einem zwischen den Füßen herumlief, durch die Flure gefolgt.

Hinter den Türen dumpfe Schreie. Leere Gesichter hatten die, die Ida zu sehen bekam. Hoffnungslosigkeit überall. Als sie einen Saal betraten, spürte Ida auf einmal eine harte Faust im Schritt. Sie blickte in das kleine Gesicht einer alten Frau, die triumphierend aufheulte. Eine einzige Provokation war sie für die Leute dort.

«Also bis morgen in der Frühe», hatte die Pflegerin gesagt, und Ida hörte tiefe Abneigung. «Sechs Uhr fangen wir an.»

Ida saß auf ihrem Sofa im Sonnenzimmer, das schon lange nicht mehr so genannt wurde. Nicht einmal von ihr. Alles gelb und seiden um sie herum. Doch es dauerte, bis das eigene Gemüt sich aufhellte.

«Was soll ich tun?», fragte sie und sah Henny an. «Ich kann doch nicht kneifen. Die Grämlich lacht sich ja noch schiefer. Die guckt doch mit Freuden zu, wie mir alles misslingt.»

«Traust du dir zu, in Haushalte zu gehen und den jungen Müttern mit ihren Babys zu helfen?»

«Ist es nicht lächerlich, in anderen Haushalten zu helfen, wenn man zu Hause eine Köchin und ein Dienstmädchen hat?»

«Du sollst nicht kochen oder Staub wischen.»

«Was dann? Sehen, ob sie ihren Säugling füttern und in eine frische Windel wickeln? Die Bewohnerinnen der Hinterhöfe werden ähnlich auf mich reagieren, wie es die Pflegerin heute getan hat.»

«Es geht nicht nur um die Hinterhöfe, allen Müttern sollen die ersten Tage mit dem Neugeborenen erleichtert werden.»

«Aber ich habe doch gar keine Erfahrung mit Säuglingen. Ich hätte Angst, dass ich an ihnen etwas kaputt mache.»

«Die Idee hatte einer unserer Ärzte. Dr. Landmann. Sie kam ihm, als eine Wöchnerin die Klinik verließ und verkündete, dass sie ihren Kleinen lieber schmutzig lasse, als ihn beim Baden in der Schüssel zu ertränken.»

«Eine großartige Aufgabe für eine Frau, die Erfahrung mit Säuglingen hat», sagte Ida. Sie weinte fast.

«Landmann will Kurse veranstalten. Nicht bei uns in der Klinik, ein Arzt, den Landmann kennt, stellt seinen Praxisraum zur Verfügung, Käthe und ich sind schon angesprochen worden, Kurse zu leiten.»

«Traust du mir das zu, Henny?»

«Ja», sagte Henny. «Ich stelle dich Landmann vor. Unger kennst du ja schon. Ich denke, das wird noch vor Ostern losgehen.»

«Warum bist *du* nicht bei Guste Kimraths Karneval?», fragte Ida.

Henny stand auf. «Weil ich gleich meinen Dienst antrete», sagte sie. «Und ich werde das sofort bei Dr. Landmann ansprechen.»

«Karstadt ist schöner», sagte Anna Laboe, «aber ich vermiss den ollen Heilbuth. Kaum hat man sich gewöhnt, nehmen sie einem das.»

«Den Heilbuth hast du ja man vierundzwanzig Jahre gehabt», sagte Karl. «Da war Käthe drei, und du warst schwanger mit dem ersten der Lütten. Ist die Bierkanne nich von denen? An die Flaschen gewöhn ich mich nich, so ne Kanne is doch was Solideres.»

«Karstadt ist auch viel teurer.»

«Ach Annsche, nu werden wir alt, wenn wir drum weinen, was mal war und nich mehr is.»

Annas Blick fiel auf den Aschenbecher, der im Spülbecken stand. Karl hatte sich wohl eine Zigarre gegönnt. «Wir könnten noch mal nach Laboe fahren», sagte sie. «Nach Ostern hab ich freie Tage. Dann ist sicher schon schön warm. Ostern ist spät dies Jahr.»

«Und dann hoppeln wir am Strand entlang und denken, was wir für junge Hochzeiter waren.»

«Im Karstadt stell ich mich auf die Rolltreppen und fahr rauf und runter», sagte Anna, «über alle Etagen.»

«Siehst du. Is doch auch was Schönes drin im Neuen.»

«Vielleicht war alles zu klein in unserem Leben.» Kamen ihr diese Gedanken, weil sie nun sah, wie gut man es haben konnte in einer bestens eingerichteten Küche in der Beletage?

«Red mal kein dumm Tüch», sagte Karl Laboe. «Aber is schon was dran. War nich viel Glück drin bei uns.»

«Dafür aber doch Seligkeit», sagte Anna.

«Weißt du eigentlich, wie lieb ich dich hab, Annsche?»

«Ja», sagte Anna Laboe, «das weiß ich, Karl.» Wie weich er geworden war. Das hatte auch Käthe schon gesagt. Wenn das mal kein schlechtes Zeichen war. Ihre Großmutter fiel ihr ein, die ja nun schon ewig unter der Erde lag. Die hatte so einen Satz parat gehabt.

Der lävt nich mehr lang, der is so weich worn. Den wolln de Engels.

«Dumm Tüch», sagte Anna Laboe laut.

«Wat ik heb secht», sagte Karl.

Henny stand hinter der Gardine und guckte den Kindern zu, die auf der anderen Straßenseite standen und sich gerade die Hände reichten. Tanzten sie? Ja. Der kleine Junge und Marike tanzten. Sie drehten sich und nickten einander zu. Nun tickten sie den anderen mit dem Finger an. Henny lächelte und zog sich zurück, als sie sah, dass Marike zum Fenster hochguckte. Dass ihr das nicht gleich eingefallen war:

Mit den Köpfchen nick, nick, nick,
mit den Fingerchen tick, tick, tick.

Es klingelte dreimal kurz. Das war Marikes Klingeln, wenn sie wusste, dass ihre Mutter zu Hause war. Das Kind stürmte die Treppe hoch und fiel ihr in die Arme. «Wir haben ein Lied gelernt, das aus einer richtigen Oper ist», sagte sie. «Eine Oper über Hänsel und Gretel.»

«Hat euch der Lehrer Lühr das beigebracht?»

«Ja», sagte Marike, «den hab ich jetzt lieber als Fräulein Kemper. Und den Thies hab ich auch lieb.»

«Du hast mir noch gar nichts erzählt von Thies.»

«Das ist ein Junge aus meiner Klasse, der wohnt auch hier in der Straße. Darf ich heute zu ihm spielen gehen?»

«Hat er denn schon seine Mutter gefragt?»

«Er hat gesagt, er ruft mich an. Die haben nämlich auch ein Telefon, weil sein Papa bei der Zeitung ist und dann ganz fix reden muss mit Leuten, die was von ihm wollen.»

«Und die Hausaufgaben?»

«Och. Nur den Text vom Lied aufschreiben. Das hab ich schon halb.»

«Dann bring ich dich aber hin zu Thies», sagte Henny. «Hören wir erst mal, ob seine Mutter einverstanden ist.»

Das Telefon klingelte, als sie sich gerade an den Tisch gesetzt hatten, um die Hefeklöße mit Apfelkompott zu essen. Marike lief hin, nahm den Hörer ab und sprach mit vollem Mund. Thies schien sie dennoch zu verstehen. «Um halb vier», sagte Marike und kam an den Tisch zurück.

«Weißt du denn die Hausnummer?», fragte Henny, da waren sie schon unterwegs. Marike schüttelte den Kopf. «Er hat gesagt, er steht vor dem Haus und wartet auf uns.»

Thies stand nicht vor dem Haus, sondern im Torbogen und warf einen Ball an die Wand. Hennys Herz klopfte, als sie sich näherten. Dem Kind schien nichts vertraut zu sein, obwohl es hier seinen Vater in dessen Werkstatt besucht hatte. Doch Marike war erst drei Jahre alt gewesen, als Lud starb. Sie hatte den Hof mit dem Kopfsteinpflaster und die Werkstatt mit den weiß gekälkten Wänden und den Fenstern mit den schwarzen Rahmen aus Gusseisen vergessen.

«Wohnt ihr schon lange hier, Thies?»

«Erst ein Jahr», sagte der kleine Junge, dem die dunklen weichen Haare in die Stirn fielen. Die Art, wie er sie zurückstrich, gefiel schon kleinen Mädchen. «Wie lange darf Marike bleiben?»

«Vorher haben wir in Winterhude gewohnt», sagte eine junge Frau, die aus der Haustür gekommen war und sich als Sigrid Utesch vorstellte.

«Mein Mann hatte früher einmal die Werkstatt im Hof gemietet», sagte Henny. «Tischlern war seine große Leidenschaft. Er lebt leider nicht mehr. Lud ist verunglückt.»

«Das tut mir leid. Thies erzählte, dass Marike keinen Papa

mehr hat. In der Werkstatt hat nun ein Maler sein Atelier, was uns wundert, denn so hell ist es nicht darin. Mögen Sie auf einen Kaffee hinaufkommen?»

«Ich danke Ihnen. Doch ich habe eine lange Liste mit Erledigungen an meinem freien Tag. Ich arbeite als Hebamme in der Finkenau. Wäre es Ihnen recht, wenn ich Marike um halb sechs abhole?»

«Oh, länger», sagten Thies und Marike im Chor.

«Sagen wir um sechs?», fragte Thies' Mutter. Da liefen die Kinder schon in den Hof und sangen *Brüderlein, komm tanz mit mir.*

Campmann streifte den Ring ab und steckte ihn in die Tasche des eisengrauen Sakkos. Das hatte er bei den Besuchen im Etablissement der Helène Parmentier nie getan, den Ehering ablegen. Doch da war er einer, der für die Dienste zahlte. Und was war er hier?

Er blickte sich um in der Bar des Hotel Adlon. Um ihn herum internationales Publikum, Englisch schien die Sprache des Abends zu sein. Neben ihm zwei Damen mit amerikanischem Akzent, die ganz selbstverständlich allein unterwegs zu sein schienen. Das Auftreten der Frauen aus der Neuen Welt war von einer Souveränität, die er nahezu obszön fand. Eine Obszönität, die ihn faszinierte. Saßen sie mit Erlaubnis ihrer Gatten hier, oder standen sie auf eigenen Füßen? Sie waren so anders. Campmann dachte an Ida, die widerspenstig war, aber nicht souverän.

Sein Englisch hatte er in der Gelehrtenschule des Johanneum gelernt, spät erst, weil dort die Sextaner mit Latein und Altgriechisch anfingen. Ansonsten den Engländern im Schützengraben gegenübergelegen. In seiner Zeit bei Berenberg hatte es weitere fachbezogene Sprachkurse gegeben.

Fühlte er sich ausreichend vorbereitet, um hier Kontakt aufzunehmen, gar eine Liebelei zu beginnen?

Einmal wieder einer Frau begegnen, die ihn ernst nahm, seinen Wert erkannte, für deren Dienste er weder zahlen musste noch sie erbetteln. Ihm kam es genau so vor, er erbettelte die erotischen Handlungen der eigenen Frau und bestellte Ida wie einen kargen Acker. Hätte er geahnt, dass sie ihn gelegentlich als omnipotenten Vergewaltiger darstellte, er wäre fassungslos gewesen.

Stattdessen lauschte er dem Mann am Klavier, der gerade *Schöner Gigolo, armer Gigolo* erklingen ließ, und dem nahen Plätschern des berühmten Elefantenbrunnens. Campmann nahm einen weiteren Schluck von seinem Singapore Sling. Er war eigentlich kein Freund von Cocktails, ein gepflegtes Pilsener lag ihm mehr.

Am frühen Abend war er durch das Brandenburger Tor gegangen, den Atem der Hauptstadt hatte er gespürt. Warum denn vor diesen Frauen kapitulieren? Kapitulation war nichts für einen deutschen Mann.

Ihm war längst aufgefallen, dass Ida ihren Ehering nicht mehr trug, das ließ ihm doch Freiheiten. Campmann nahm den letzten Schluck des Cocktails und hatte den Geschmack vom Cherry Brandy auf der Zunge. Die Blonde der beiden Damen war aufgestanden, sie wollte wohl die Spiegelsäle aufsuchen. Die Dunkle gefiel ihm ohnehin besser, vielleicht weil bei ihr gar nichts an Ida erinnerte, nicht einmal die Haarfarbe.

Den Blondheitskult der neuen Kräfte konnte er nicht nachvollziehen. Goebbels, der dafür trommelte, war doch weit entfernt, ein nordischer Typ zu sein. Er hatte ihn heute getroffen, nicht als Vertreter seiner Bank, sondern eher als einflussreicher Sympathisant. Joseph Goebbels hatte zu ihm aufsehen müssen und war dennoch tonangebend geblieben.

Friedrich Campmann lächelte der dunkelhaarigen Amerikanerin zu und fand das ein wenig gewagt. Doch sie erwiderte sein Lächeln. Vielleicht hatte er ja das Gefühl dafür verloren, ein gutaussehender Mann zu sein bei all der Vernachlässigung, die ihm in seiner Ehe widerfuhr. Wenn er wieder in Hamburg war, wollte er Ida doch mal nach dem Verbleib des Eheringes fragen.

Die Blonde schien nicht zurückzukehren. Campmann stand auf und ging zwei Barhocker weiter, verbeugte sich und nannte seinen Namen.

Dann lud er die amerikanische Dame in passablem Englisch auf einen Singapore Sling ein.

Die leitende Hebamme hatte kurz vor der Nachmittagsschicht die neue Kollegin in den großen Kreißsaal gebracht. Hildegard Dunkhase kam von der Frauenklinik des Universitätskrankenhauses. Käthe hatte nach einer Viertelstunde bereits den Eindruck, sie hätte dortbleiben sollen.

Das würde ihr noch gelingen herauszufinden, warum die wechselte. Im UKE saß Heynemann als Klinikleiter, der galt als äußerst konservativ, und der Neuen quoll die völkische Gesinnung aus den Knopflöchern ihrer steif gestärkten Bluse. Das passte doch bestens zusammen. Was wollte die in der Finkenau?

Unter dem Kragen klemmte die Brosche der Vereinigung Deutscher Hebammen, Käthe konnte sich da auch gut das Parteiabzeichen mit Hakenkreuz vorstellen. Sie warf Henny einen Blick zu, doch die schien versunken in den Vortrag der Leitenden. Landmann war es, der ihren Blick auffing und erwiderte. Sie verstanden einander und teilten die Sorge.

Das Klima unter den Kollegen war bislang beinah liberal zu nennen gewesen, Hildegard Dunkhase würde das zu ändern wissen.

Am Ende ihrer Schicht klopfte Käthe an die Tür von Landmanns Sprechzimmer. Sie konnte das Radio hören, das sich der Arzt angeschafft hatte.

«Kommen Sie herein, Käthe», rief er.

«Können Sie durch geschlossene Türen sehen?»

Landmann lächelte. «Ich habe mir gedacht, dass Sie kommen. Ihre Schicht ist zu Ende, und Sie wissen es sicher auch schon.»

Käthe wunderte sich. Sie wusste nicht, wovon er sprach, wollte nur das Herz ausschütten über die neue Hebamme, mit der sie Stunden im Kreißsaal verbracht hatte.

Er sah in ihr ahnungsloses Gesicht und drehte das Telefunkengerät leiser. Ein solches Röhrenradio hatten Rudi und sie nun auch zu Hause. «Horst Wessel ist gestorben», sagte Landmann. «Letztendlich wohl an einer Blutvergiftung. Hätte er sich mal schneller versorgen lassen sollen im Januar. Nun hat sich das Leiden noch über Wochen hingezogen.»

«Das hört sich an, als hätten Sie Mitleid mit ihm.»

«Wussten Sie, dass er die Erstversorgung durch einen jüdischen Arzt verweigert hat?»

«Nein. Auch das wusste ich nicht. Ich hab mich nur ein wenig erleichtern wollen in Sachen Dunkhase.»

«Setzen Sie sich, Käthe. Sie hatten gleich heute Dienst mit ihr?»

Käthe nahm auf dem Stuhl vor Landmanns Schreibtisch Platz. «Ich hab herausgefunden, warum sie wechselt. Wegen des Streites mit einem Arzt, der Sprechstunden über Verhütung anbietet. Sie nannte ihn einen entgleisten Menschen, der dem deutschen Volk schaden wolle, und meinte, ein Jude habe ja kein Interesse daran, dass Deutschland wachse. Ich kann nicht mit der arbeiten.»

«Erstaunlich, dass Theodor Heynemann eine nazistische Seele ziehen lässt, statt den Kollegen loszuwerden.»

«Vielleicht ist das auch nur die halbe Wahrheit», sagte Käthe. «Gibt es denn eine Chance, dass sie die Probezeit nicht besteht?»

«Sie ist eine erfahrene Hebamme. Vom Chef hörte ich, sie habe schon mehr als zwanzig Dienstjahre auf dem Buckel.»

«Ich werde wohl sehr vorsichtig sein müssen mit meinen Äußerungen. Hab bei ihm ja schon den Sternkeller auf dem Kerbholz.»

«Den hat wohl eher der Denunziant auf dem Kerbholz.»

«Dann wissen Sie, wer das war?»

Landmann schüttelte den Kopf. «Und wenn ich es wüsste, würde ich darüber schweigen. Gibt schon genügend Gescharre.»

Käthe stand auf. «Danke, dass Sie immer ein offenes Ohr haben», sagte sie. «Ich arbeite sehr gerne mit Ihnen zusammen.»

«Obwohl ich schon mal den Boden des Kreißsaales mit Ihnen aufwischen wollte?»

«Das war in höchster Erregung, und Sie haben sich entschuldigt.»

«Ich hoffe, dass wir zusammenbleiben, Käthe», sagte Kurt Landmann.

«Den *Vampir von Düsseldorf* haben die immer noch nicht», sagte Else. «Der mordet lustig weiter. Was diese Polizei nur macht.» Sie legte die Zeitung zur Seite und blickte zu Marike, um dann Henny ins Ohr zu flüstern: «Der trinkt das Blut von seinen Opfern.»

Else Godhusen war kein großes Talent im Flüstern. Marike sah von ihrem Zeichenblock auf. «Das ist ja ekelig», sagte sie.

«Dann lasse ich euch mal allein», sagte Henny. «Vielleicht verzichtest du darauf, Gräuelgeschichten zu erzählen, Mama.»

«Das steht doch alles in der Zeitung.»

Henny streichelte Marike über das Haar. Keinen Kuss heute, dann wollte Else auch geküsst werden. Da war ihr gerade nicht nach.

«Dann bring du mal schön Kinder auf die Welt.» Else klang kühl.

Keine Frage. Ohne Else würde sie es nicht schaffen. Das Kind. Den Beruf. Dabei noch einen Haushalt, ein Familienleben. Alles ohne Lud. Vielleicht war sie ungerecht zu ihrer Mutter, doch sie hielt Else kaum noch aus. Wurde es nicht auch schlimmer mit ihr?

Else hatte die Zeitung wieder an sich genommen. «Gehören alle eingesperrt», sagte sie, «alles Verbrecher.»

«Der Mörder?», hörte Henny das Kind fragen, als sie im Flur stand, um ihren Mantel anzuziehen, den Hut aufzusetzen.

«Das ganze linke Gesocks», ließ sich ihre Mutter vernehmen.

«Mama, bitte», rief sie in die Küche hinein.

«Mama, bitte», äffte ihre Mutter sie nach.

Henny zog die Tür hinter sich zu. In den Jahren nach Luds Tod hatte sie nicht im Traume daran gedacht, einen Mann in ihr Leben zu lassen. Nun war sie schon so weit, darin eine Chance zu sehen, Else Grenzen zu setzen. Aber vermutlich würde sie dennoch auf ihrer Bettkante sitzen.

Henny atmete tief ein, als sie auf die Straße trat. Ein bisschen roch die Luft schon nach Frühling. Marike hatte einen Brief gebracht vom Lehrer. *Ich hab nichts angestellt, Mama.* Vielleicht war Marikes Mutter dabei, was anzustellen. Ernst Lühr machte ihr Avancen.

Es musste noch ein anderes Leben geben, außer dem, das sie lebte.

Dabei immer das Gefühl, dass es Wichtigeres gab in diesen Zeiten, als die eigene kleine Existenz zu betrachten. Käthe und Rudi machten sich große Sorgen. War sie je politisch gewesen?

Henny mochte die Nazis nicht. Mochte sie die Kommunisten? Sie alle übertrieben so. Rudi hatte Lud einen sanften Sozialdemokraten genannt, wie er sich selbst einen sanften Kommunisten nannte.

Doch sie schien vorbei zu sein, die Sanftheit.

AUGUST 1930

Lina traute ihren Augen nicht, als Louise mit dem Dixi vorfuhr. Der kleine Viersitzer mit dem offenen Verdeck, der grünen Karosserie und den schwarzen Kotflügeln schien ihr eine Fata Morgana zu sein.

«Seit wann hast du eine Fahrerlaubnis?»

«Seit gestern», sagte Louise.

«Und das Auto?»

«Das hat mir Kurt geschenkt. Ich habe versprochen, ihn in der Gegend herumzukutschieren, wenn er alt und gebrechlich ist. Er hofft, dass das Auto so lange hält.»

«Ich dachte, du Großstadtpflanze wolltest kein Auto?»

«Die Großstadtpflanze dachte an eine kleine Reise zu zweit. Vielleicht den Rhein entlang. Du solltest mal meine Heimat kennenlernen. Du hast Schulferien. Ich habe Theaterferien.»

«Und Landmann nehmen wir mit?»

Louise lachte herzlich. «Der hat keine Ferien», sagte sie. «Zu zweit ist es schöner, und den Frauenmörder haben sie auch gefasst. Da können wir Hübschen ganz beruhigt an den Rhein reisen. Kürten sitzt im Knast.»

Das hatte sie selbst im hohen Norden beschäftigt, die Düsseldorfer Morde, doch im Mai gestand ein Mann, der Peter Kürten hieß, die Taten.

«Vielleicht könnten wir Henny mitnehmen und Marike.»

«Nichts da. Hier ist ein Liebespaar on the road.»

«Du bist eine schreckliche Egoistin.» Lina lachte. Diese Frau war eine haushohe Woge in ihrem Leben. «Wann soll es losgehen?»

«Morgen?»

«Gib mir noch einen Tag dazu», sagte Lina. Sie war eine, die Vorbereitung brauchte. Blusen bügeln, Koffer packen, sich von Henny und Marike verabschieden.

«Werden wir in Köln deine Eltern besuchen?», fragte sie.

«Klar. Das muss vertieft werden. Du hast sie ja erst ein Mal gesehen, und das ist auch schon drei Jahre her.»

Die Steins hatten auf einer Reise nach Sylt Zwischenstopp eingelegt in Hamburg. Da war gerade der Hindenburg-Damm eröffnet worden, der die Insel mit dem Festland verband. «Ich hatte auch Freundinnen im Pensionat, an denen ich sehr hing», hatte Grete Stein da Lina anvertraut. Was wusste Louises Mutter? Nur das, was sie wissen wollte.

«Der Rhein», sagte Henny, als sie auf dem Balkon saßen bei den Fuchsien, die Lud so geliebt hatte und die Henny jeden Sommer pflanzte. «Deutscher Schicksalsfluss.» Woran dachte sie? An Elses Gesänge an einem fernen Geburtstag? *Sie sollen ihn nicht haben, den freien deutschen Rhein?*

«Du hast einen Verehrer», sagte Lina.

«Wie kommst du darauf?»

«Marike hat es mir erzählt.»

«Macht dich das traurig?»

«Nein. Ich bin froh. Dein Leben geht weiter wie meines auch.»

Marike war im Juli acht Jahre alt geworden und klug wie eine Alte. Ihr gefiel, was sich zwischen Henny und Ernst Lühr tat. Else schwieg dazu. Sie hatte sie in den Lübschen Baum schicken wollen, einen Mann zu finden, doch nun ging ihr alles zu schnell.

Es schien Hennys Schicksal zu sein, dass die Liebe nicht sachte in ihr Leben fiel, sondern mit voller Wucht. So war es bei Lud gewesen, und danach sah es bei Ernst Lühr aus. Nur bei Theo Unger hatte es nicht sein sollen. Da war der große bunte Ball einer beginnenden Liebe einem anderen zugespielt worden.

«Wirst du ihn mir vorstellen, deinen Lehrer?»

«Lass uns zu viert essen gehen, wenn ihr zurück seid.»

«Ist er großzügig?»

«Ja», sagte Henny.

«Auch in seinen Ansichten?»

Henny zögerte. «Er kann Käthe nicht leiden. Das ist das Einzige, was mir Kummer macht.»

«Eine Sympathiefrage? Oder weil sie Kommunistin ist?»

«Das eine ergibt das andere.»

«Irgendwas ist überall.»

«Auch bei dir und Louise?

«Louise langweilt sich leicht. Sie liebt die Veränderung.» Lina lachte. «Ein Wunder, dass sie es mit mir schon vier Jahre lang aushält. Louise war es auch, die mich gedrängt hat, zum Lerchenfeld zu gehen. Ich war zufrieden in der Telemannstraße.»

«Du fängst im September dort an?»

«Nach den Sommerferien.» Lina stand auf und strich ihren Leinenrock glatt. «Lass dich umarmen, liebe Schwägerin», sagte sie.

«Glückliche Reise», sagte Henny, «grüß mir den Rhein.»

Ein herrlicher Sommertag, doch ihr Vater fror. Elisabeth ging ins Haus, um ein zweites von den Kaschmirplaids zu holen, die ihre Tante Betty aus Bristol schickte. Die Schwester ihrer Mutter, deren Namen sie trug, hatte schon kurz vor der Jahrhundertwende nach England geheiratet. Plaids waren seit dreißig Jahren *her favourites* auf der Liste der Geschenke.

Elisabeth legte die sandfarbene Decke sorgsam um ihren Vater, der in einem der Liegestühle lag und in den blühenden Garten blickte. Fritz Liebreiz war hoch in seinen Siebzigern, zwei Jahrzehnte älter als seine Frau, doch bis ihn der Krebs im vergangenen Jahr befallen hatte, war er ein kräftiger Mann gewesen, der das Leben genoss. Nun hätte ihn seine Tochter davontragen können. Ein Bündel Mensch war er geworden.

«Jedes Jahr an Chanukka, wenn dann am letzten Tag alle Kerzen im Leuchter brannten, schickte ich ein kleines Gebet zu Gott, dass er uns am nächsten Lichterfest zusammenkommen lässt und keiner von uns verlorengeht.» Er sah zu Elisabeth, ob sie seine leisen Worte hörte. Sie nahm seine Hand. «Jetzt gehe ich verloren.»

«Ja, Vater», sagte sie. Lächerlich, ihm zu widersprechen. Der alte Mann wusste, wie es um ihn stand.

«Ich weiß, dass du mir nicht versprechen kannst, glücklich zu sein. Doch gib nicht auf, es zu versuchen. Theo ist ein guter Mann.»

Auch da gab es keinen Grund zu widersprechen. Sie streichelte seine Hand.

«Wir haben viel Geld verloren beim Börsencrash. Doch noch ist genug da, um dich und deine Mutter wohl zu versorgen.»

«Ich habe meinen Beruf, Vater.»

Er nickte. «Ich bin stolz auf dich, Kind. Hab ein Auge auf deine Mutter. Vielleicht sollte sie zu Betty nach England gehen. Dieses Haus war immer zu groß, auch in deiner Kindheit, als wir zu dritt hier lebten, doch für sie allein wäre es ein Labyrinth.»

«Theo und ich werden für alles sorgen. Streng dich nicht so an, Vater.»

Fritz Liebreiz schwieg und schaute auf die englischen Rosen, hellrosa, weiß, orange. *York and Lancaster* oder *Great Maiden's Blush* hießen sie. Auch die Rosenstöcke Geschenke seiner Schwägerin. Er schöpfte Atem und sog den Duft ein, Genuss, den sein Magen noch vertrug.

«Hitler wird nicht an die Macht kommen. Notorische Schwarzseher, die das behaupten. Die Deutschen sind nicht so dumm.»

Nun war es Elisabeth, die schwieg. Möge ihr Vater doch recht haben.

«Lasst mich weiter in eurer Mitte sein, auch wenn ich tot bin.»

Elisabeth hatte Mühe, auf dem kleinen Korbschemel hocken zu bleiben. Lieber wäre sie tief in den Garten hineingelaufen, um endlich loszuheulen, doch sie hielt seine Hand. Erst als ihr Vater in einen kleinen Schlaf gefallen war und sie seinen ruhigen Atem wahrnahm, löste sie den Griff und stand auf, um zu den Eichen am Ende des Gartens zu gehen. Noch war es nicht vorbei.

Ida verbrachte den Vormittag ihres neunundzwanzigsten Geburtstages vor einer Wickelkommode, legte zum wiederholten Male eine Windel um den properen Babypopo und demonstrierte die Handhabung der Wickeltechnik. Diese junge Mutter schien schwer von Begriff.

Idas weißer Kittel und das Sommerkleid darunter waren noch nass vom Baden des kleinen Jungen, der mit Armen und Beinen gestrampelt hatte, als sie ihm die Hand unters Bäuchlein schob, um ihn im Wasser der großen Emailleschüssel zu halten.

Gleich würde sie die Broschüre von Henkel & Cie. auf den Tisch legen und der Mutter zur Lektüre empfehlen. *Unser Kleinstes – Winke zu seiner Wartung*. Im Kursus hatte Käthe sich über den Titel aufgeregt, klang ja wie die Anleitung zur Pflege eines Automobils. Doch Käthes Kritik war darüber hinausgegangen. Machten sie sich nicht zu Handlangern der Industrie, wenn sie Henkels Broschüre unter die Leute brachten? Doch nicht jede Mutter fand Zeit, einen Wälzer wie Professor Birks jüngst erschienenes *Lehrbuch der Wöchnerinnen* zu lesen.

Dass sie sich mit Käthe gut verstand, war eine Überraschung für Ida gewesen, ihr eigenes Geschick im Umgang mit den Säuglingen die noch größere. Vielleicht schlummerten doch Talente in ihr.

Den Geburtstagmorgen hatten Mia und die Laboe gestaltet, der Gatte weilte in Berlin wie so oft in den letzten Monaten. Ihr sollte es recht sein, wenn es auch einige Verdachtsmomente gab, die stark auf eine außereheliche Tätigkeit Campmanns hinwiesen. Er ließ Restaurant- und Hotelrechnungen offen liegen, wollte sie provozieren.

Die Laboe hatte eine Geburtstagstorte gebacken und darauf eine 29 mit Sahne gespritzt. Auf die vorwitzigen Ziffern hätte Ida verzichten können, auch auf Mias Gesang. Doch alles war gut gemeint.

Paps hatte sie zum Mittagessen ins Atlantic eingeladen, dort war einst im kleinen Kreis ihr achtzehnter Geburtstag gefeiert worden. Er schien also wieder Geld zu haben, im Restaurant Pfordte würde sie sich weder mit Pastetchen noch einer Carlsbader Schnitte zufriedengeben, da musste er schon tiefer ins Portemonnaie greifen, wenn sie die Hummersuppe aß und danach vielleicht einen Zander mit Austern.

Ida verließ Mutter und Kind und schielte schon im Treppenhaus auf ihre Armbanduhr, die sie vorsorglich in die Handtasche gesteckt hatte, damit sie nicht unter Wasser geriet. Die kostbare Schweizer Uhr war ein früheres Geschenk von Campmann. Den heutigen Geburtstag schien er ignorieren zu wollen.

Vielleicht war die Wahrheit über den Verbleib des Eherings doch zu hart für ihn gewesen. Hätte sie es nicht einfach *verlieren* nennen können, musste sie denn sagen, dass sie den Ring in voller Absicht in die Alster geworfen hatte? Wenigstens das Krötchen aus weißer Jade, das von ihr verschont worden war, ließ sie unerwähnt.

Ida sprang die Stufen zur Beletage hoch. Mia öffnete schnell, als habe sie hinter der Tür gestanden. Der Laboe hatte Ida freigegeben. Als Dank für die Torte und weil sie heute auswärts aß.

«Ich bin in großer Eile, Mia. Bitte telefoniere eine Taxe herbei, muss mich nur noch schnell umziehen. Und rufe Frau Peters an, dass es bei unserer Verabredung heute Abend bleibt.»

Das Auto stand schon vor der Tür, als sie im weißen Pikeekleid aus dem Ankleidezimmer kam. «Ist was für Sie abgegeben worden», sagte Mia. *Später* wollte Ida sagen, doch da hielt sie bereits ein winzig kleines Päckchen in der Hand.

Ihr Vater saß an einem Tisch nahe dem Brunnen im Innenhof. Er stand auf und küsste ihr die Hand. «Ach Paps», sagte sie verlegen. Eigentlich liebte sie ihn doch, trotz des finanziellen Schlamassels, das er immer wieder schuf und als dessen Leidtragende sie sich sah.

Das kleine Päckchen öffnete Ida, als sie allein vor dem großen Spiegel in der Damentoilette stand. Das Gesicht im Spiegel zeigte Erstaunen.

«Ist was passiert auf der Toilette?», fragte ihr Vater. «Mir scheint, du hast in den zehn Minuten eine Veränderung erfahren.»

Ida schüttelte den Kopf und bestellte Pfirsich à l'Aurore. Die weißen Pfirsiche schwammen in rosa Champagner und verteuerten das Menü noch einmal sehr. Doch ihr Vater zuckte nicht einmal.

Sie wehrte ab, als er den Portier bitten wollte, eine Taxe herbeizuwinken. Es war nicht weit vom Atlantic zum Hofweg-Palais. Ein Gang an der Alster entlang. Der würde ihr guttun.

Zu Hause zog sie eine der Schubladen ihrer Frisierkommode auf und griff tief in die Lade, die mit grauem Samt ausgelegt war. Ida setzte das weiße Krötchen auf ihre flache Hand und stellte den winzigen Elefanten aus schwarzer Jade daneben. Ihn hatte kein Brief begleitet, er war ohne eine einzige Zeile zu ihr gekommen.

Erst nach einer Weile verließ Ida das Zimmer, um Mia zu fragen, wer das Päckchen abgegeben hatte.

«Sah ganz normal aus. Kein Chinese», sagte Mia.

Ida ließ sie nicht aus dem Blick.

«Ein Mann halt. Hatte eine Mütze auf wie die vom Hafen.»

«War er jung? Alt?» Ida zweifelte diese Ahnungslosigkeit an.

Mia hob die Schultern. «Mittel», sagte sie.

Ida seufzte. Was konnte es anderes bedeuten, als dass Tian den Kontakt wieder aufnehmen wollte?

Köln. Bonn. Koblenz. Boppard. Assmannshausen.

Lina hatte den Baedeker in der Handtasche, doch Louise kannte ihre Route. Eine Kindheit voller Sonntagsausflüge war ihr im Kopf. Der Wind heulte ihnen in den Ohren, trotz der Seidentücher, die sie trugen. Der Himmel über dem Rheintal war blau, auch durch die Sonnenbrillen gesehen.

Alles war herzlich gewesen in Köln, und doch waren sie froh weiterzufahren, das Spiel, keine Liebenden zu sein, nicht länger spielen zu müssen. Louise hatte zwei Zimmer im Hotel Krone reservieren lassen, auch das eine Erinnerung an die Kinderzeit. Reblaub, das um die Terrassen rankte, luxuriöse Zimmer, den Rhein vorne, die Weinberge hinten.

«Ich habe um nebeneinanderliegende Zimmer gebeten», sagte Louise. «Vielleicht hören sie die Nachtigall trapsen. Doch das ist mir egal.»

Lina nahm es nicht so locker, doch waren zwei Freundinnen, die eine große Nähe zueinander hatten, nicht selbstverständlich? Damit tröstete sich auch Grete Stein. Dennoch vermisste sie Enkelkinder. Louises Vater lehrte noch an der Universität, in zwei Jahren stand seine Emeritierung an, Louise hoffte, dass dann nicht die Langeweile ins Haus im Kölner Stadtteil Lindenthal einzöge und der Ruf nach Enkeln lauter.

Am ersten Abend in der Krone lernten sie zwei junge Engländer kennen, die einen kleinen Verlag in London hatten. Ein heiteres Essen zu viert auf der Terrasse, viel Wein. Louise war davon überzeugt, dass den beiden daran lag, Heterosexualität zu demonstrieren.

Hugh und Tom wollten am anderen Tag ihren Roadster stehen lassen und mit dem Schiff zur Loreley fahren, die Frauen entschieden, die nächsten Tage in der Krone zu verbringen, in den Weinbergen zu wandern, im Rhein zu baden. Eine Verabredung wurde getroffen, sich auf der Rückreise den Drachenfels in Königswinter gemeinsam zu erklimmen.

Später am Abend schlich Louise hinüber in Linas Zimmer, das doch zwei Türen weiter lag. Auf dem Flur begegnete ihr Hugh im Pyjama, der den Finger auf die Lippen legte. Louise grinste.

Tage später erkundeten sie den Drachenfels, wenn auch nicht zu Fuß, viel zu heiß. Auch gegen Esel und Zahnradbahn entschieden sie sich, Hugh hatte die Kutschen in der Altstadt von Königswinter entdeckt.

Durch das Nachtigallental fuhren sie und waren einander so zugetan, dass die alte Andenkenverkäuferin vor dem Ausflugslokal dachte, sie seien zwei Paare auf Hochzeitsreise.

«Sind wir doch auch», sagte Louise und küsste Lina auf die Lippen, Tom küsste Hugh. Um den Schrecken der freundlichen Frau zu lindern, kauften sie vier Gläser mit aufgeprägten Bildern der Burgruine.

Zum Abschied tranken sie auf der Terrasse des Gasthauses Zur Traube vier Flaschen 1927er-Riesling von Schloss Vollrads und gingen jeder ins eigene Zimmerchen. Keiner schlich über den Flur.

Vor Henny stand eine Silberschale Halbgefrorenes nach Art des Fürsten Pückler, durch das sie den Löffel längs zog, um den Geschmack der drei Sorten Erdbeer, Vanille, Schokolade zu vereinen. Das hatte sie als Kind schon so gemacht, staunend sah sie, wie Ernst sich erst dann der nächsten Sorte zuwandte, wenn er das kleinste Rosa in der Vanille und das kleinste Weiß in der Schokolade getilgt hatte.

War er großzügig und doch kleinlich?

Sie saßen auf der Dachterrasse des neuen Karstadt, das vor zwei Jahren mit viel Glanz und Gedöns eröffnet worden war.

«Die vielen Schaufenster», hatte Else damals gesagt, «das kann ich alles gar nicht gucken. Wer soll das denn kaufen?»

Die Tanzkapelle spielte. Sie löffelten das Eis zu Ende. *Auch du wirst mich einmal betrügen.* Den Film zum Lied hatten sie im April gesehen, ihr erster gemeinsamer Kinobesuch. *Zwei Herzen im Dreivierteltakt.* Sah Ernst nicht aus wie Willi Forst?

Jetzt wischte er sich mit der kleinen Papierserviette über den Mund. «Darf ich dich um diesen Tanz bitten?»

«Es ist vier Uhr am Nachmittag und mitten in der Woche. Ich bin ganz alltäglich angezogen.»

«Du wärest auch in der Kittelschürze schön.»

Sie wiegten sich im Walzer. Zu ihnen war ein zweites Paar auf die Tanzfläche gekommen, Hennys Verlegenheit ließ nach. «Wenn der weiße Flieder wieder blüht», sang der Sänger in das Mikrophon. Über ihr der Hamburger Himmel und sechsundzwanzig Meter tiefer die Häuser und Straßen, in denen sie ihr Leben verbrachte.

Ernst führte sie zum Tisch, und sie bestellten noch zwei Kännchen Kaffee und Weinbrand dazu, der Alltag schien fern.

«Hast du deine Freundin Käthe in letzter Zeit gesehen?»

«Vor gut zwei Stunden im Kreißsaal.»

«Ich bin ihr am Gänsemarkt begegnet. Dort verteilte sie zusammen mit anderen Kommunisten Flugblätter.»

Hennys Herz wurde kühl. «Und? Hast du ein Flugblatt genommen?»

«Nein.» Ernst hob das Glas und lächelte ihr zu, schien nicht zu merken, dass er sie verärgert hatte. «Es geht um den Aufmarsch am Sonntag.»

«Ich habe davon gehört», sagte Henny. Käthe hatte es ihr erzählt.

Ernst Lühr sah einen Augenblick lang beunruhigt aus. «Du hast doch hoffentlich nicht die Absicht hinzugehen?»

«Nein. Natürlich nicht.» Sie sympathisierte nicht mit der KPD, das wusste er doch längst.

«Das wird wieder eine Schlacht werden. Wundert mich, dass es nicht schon längst mehr Tote auf beiden Seiten gegeben hat.»

Ernst verstand sich wunderbar mit Else. Sollte ihr das zu denken geben? Ach was. Sie dachte da was hinein in ihn.

«Du siehst mich so nachdenklich an», sagte Ernst.

Henny schüttelte den Kopf.

«Sie wollen am Sonntag nicht nur durch Barmbeck ziehen, wo sie ja durchaus Sympathien genießen, sondern auch nach Eilbeck hinein.»

«Und da sitzen Nazis und lauern?»

Ernst Lühr rührte in seinem Kaffee. Er drehte sich zur Kapelle um, die pausiert hatte und nun mit einem Lied aus dem *Blauen Engel* einsetzte.

Den Film hatten sie auch miteinander gesehen. Im Palasttheater.

Die Klarinette klang heiser, nein, nahezu lasziv. *Ich bin von Kopf bis Fuß auf Liebe eingestellt.*

«Lass uns von was Gutem reden», sagte Lühr und nahm Hennys Hand. «Ich liebe dich und bitte dich um diese Hand.»

Die Lucky Strikes störten ihn, von denen Joan viertelstündlich eine anzündete. Dauernd traf er nun auf Frauen, die rauchten. Im Film. Im Leben. In Joans Küssen lag der Geruch der Zigaretten, doch er vergaß es, wenn sie ihre langen roten Nägel in die Haut seines Rückens krallte und Laute ausstieß, die er nie gehört hatte, nicht einmal von Carla.

Er hatte überhaupt noch keine Frau gekannt, wie Joan Broadstreet eine war, die als Korrespondentin für den Philadelphia Inquirer arbeitete. Augenblicke gab es, in denen er sich nach seiner von ihm abhängigen Gattin sehnte. Joan neigte dazu, die Dinge sehr in die Hand zu nehmen, sie hatte das Geld dazu und brauchte keine gnädige Zuwendung von ihm. Wenn er Einspruch erhob, weil sie wieder etwas entschieden hatte, ohne ihn zu fragen, und sei es nur die Gestaltung des Abends, dann lächelte sie und zündete sich eine Lucky Strike an.

«Dann werde ich zu dir nach Hamburg kommen, und du führst mich in all die Cabarets und Bars in eurem Rotlichtviertel», sagte sie, als er ihr ankündigte, längst nicht mehr so oft in Berlin sein zu können. Das Büro am Jungfernstieg war ein wenig verwaist gewesen in der letzten Zeit.

Joan in Hamburg. Kein Gedanke, der ihm gefiel. In der Hauptstadt konnte sein Finger des Eherings ledig sein, doch in Hamburg galten andere Gebote. An Ida dachte er nicht einmal dabei, viel mehr an die Herren in der Dresdner Bank. Tratsch konnte er kaum brauchen auf seinem Weg zur Spitze.

Joans Deutsch war fast fehlerfrei, wenn sie es auch mit starkem Akzent sprach. Ihm gefiel das, und er lächelte, wenn er an seinen Annäherungsversuch damals im Adlon dachte.

«Du warst so süß», sagte Joan gelegentlich. Hatte das je eine andere zu ihm gesagt? Campmann aalte sich darin in diesen Zeiten. Alles war anstrengend geworden. Die Politik mischte sich in die Arbeit der Banken ein, forderte Maßnahmen, auf denen kein Glück lag. Der Reichskanzler saß ihnen im Nacken, der Reichsbankpräsident sowieso. *Nordwolle. Danat.* Alles Themen, die ihnen noch den Kopf zerbrechen würden.

Doch nun erst mal einen Abend im Horcher, einem der angesagtesten Restaurants in Berlin zurzeit. Dann in die Kantstraße, in Joans Wohnung, die sie *Apartment* nannte.

Ida. Fehlte sie ihm? Er hatte sie erst am Abend ihres Geburtstages angerufen, sie war einsilbig gewesen, diese Hebamme saß bei ihr. Sicher eine Kränkung, dass sie nicht von ihm beschenkt worden war. In seinem Hotelzimmer lag noch Hermann Hesses *Narziß und Goldmund*, gerade in die Buchhandlungen gekommen. Er wusste nicht, ob es Ida gefiel. Er war sonst großzügiger gewesen.

Campmann zog den leichten Anzug an. Die zweifarbigen Schuhe, die ihm Joan aufgedrängt hatte. Sah er damit nicht aus wie ein Gigolo?

Er trat aus dem Hotel, und eine Taxe wurde herbeigewinkt. Er nannte die Adresse, Lutherstraße 21, und der Chauffeur nickte. Gäste des Adlons fuhren oft ins Horcher.

Campmann ließ das glitzernde laute Berlin an sich vorübergleiten. Ein tiefer Seufzer, der ihm entfuhr.

Eigentlich wollte er doch nur eine liebe Frau.

Die Dreizehnjährige, die da vor ihm lag, atmete ruhig in der leichten Narkose, die Landmann gesetzt hatte. Die Untersuchung hätte er ohne Betäubung ausführen können, doch er hatte das Kind nicht noch weiter belasten wollen. «Eindeutig Notzucht», sagte er zu Käthe. «Verständigen wir die Polizei. Rufen Sie am besten im Revier Oberaltenallee an.»

Das Kind war von der Tante in die Klinik gebracht worden. «Ich fürchte, dem Friedchen hat man was angetan», hatte sie gesagt und leider recht behalten. Elfriede Lüttjen war vergewaltigt worden.

«Versorgen wir Friedchen gut und legen sie auf die Privatstation in ein Einzelzimmer. Eine Liege für die Tante dazu, die bitte die ganze Nacht bei ihr bleibt. Ich übernehme die Kosten, die zusätzlich anfallen», sagte Kurt Landmann. Das Kind nur nicht in einen Saal mit fünfzehn Frauen legen, die alle was zu sagen wussten aus dem Schatz ihrer Erfahrungen. Der Schaden war schon groß genug.

«Gibt es einen Verdacht?», fragte Käthe, als Friedchen auf das Zimmer gebracht worden war.

«Das soll die Tante den Polizisten erzählen», sagte Kurt Landmann.

Er trat ans Waschbecken und wusch sich die Hände, als ob er die Welt in Unschuld waschen könnte. «Sehen Sie mal zu, dass Sie von den Schokoladenflocken oben in der Diätküche einen ordentlichen Kakao kochen und ihn den beiden aufs Zimmer bringen.» Er lächelte sie an. «Diesmal ganz legal und mit ärztlicher Erlaubnis.»

Käthe wurde nur ein klein wenig rot.

«Was macht Ihr Mann, Käthe? Geht es ihm gut?»

«Er weiß nun, wofür er kämpfen muss», sagte Käthe. «Wir werden an der großen Demonstration am Sonntag teilnehmen.»

«Der Aufmarsch der Linken? Hoffentlich geht das gut», sagte Kurt Landmann. «Könnte ein Gemetzel werden.»

Guste hatte ihm Geld geliehen und milde gelächelt, als Bunge sagte, er habe beste Aussichten, demnächst eine größere Summe zu verdienen. Ida war ihm im Pfordte teuer gekommen. Aber diesmal hatte er sich vor ihr keine Blöße gegeben.

Doch er hatte tatsächlich was am Laufen. Eine Plattenproduktion vom Feinsten. Mit einem Mann von der Norag war er schon im Gespräch. Der Funk war das Schaufenster der Phonoindustrie, wenn die ein Lied am Tage mehrmals laufen ließen, strömten die Leute in die Läden.

Momme hing ihm an den Lippen. Er schätzte den Jungen, freute sich, ihm das Großstadtleben nahebringen zu können, ins Trocadero waren sie gegangen, in die Lichtspielhäuser, gab es ja alles nicht in Dagebüll, nur immer Schafe auf dem Deich.

St. Pauli stand noch auf dem Plan, ein künftiger Buchhändler musste doch ein Wissen haben, wie sollte man dem Käufer die *Anna Karenina* empfehlen oder gar *Lady Chatterleys Liebhaber*, wenn man nichts wusste vom Vergnügen und auch von den Zumutungen des Lebens?

Im Garten saß Guste und hatte begonnen, Bohnen zu putzen. Die Saison für *Birnen, Bohnen und Speck* begann. Ein Gericht, das er liebte. Es war doch ein Glück, hier zu sein, dass er sich so schwergetan hatte. Oft erkannte er zu spät, was gut für ihn war.

Die junge Sängerin, die er da im Auge hatte, sang auch Couplets, so wie es Margot und Anita damals getan hatten, doch eine ganz andere Klasse, der Mann von der Norag war jedenfalls angetan. Vielleicht sollte er die liebenswerte Wienerin herbitten mit ihrem Mann, damit Guste nicht auf den Gedanken kam, er sei erneut auf fremden Pfaden unterwegs.

Die besten Ideen waren ihm doch oft gekommen, wenn er aus Fenstern schaute. Er winkte Guste zu, die den Kopf gehoben hatte und zu ihm hochsah. Ihr liebes Gesicht, das von diesen widerspenstigen rötlichen Haaren umgeben war. Und immer ohne Schminke.

Bunge wandte sich ab vom Fenster, entschlossen, in den Garten zu gehen und sich zu Guste zu setzen. Doch erst einmal ging er in die Küche, öffnete die Tür des Prachtkerls von Eisschrank, den Guste im Sommer angeschafft hatte. Immer die Nase vorn für alles Neue.

Er nahm die angebrochene Flasche Mosel aus dem Bosch und zwei Gläser aus der Vitrine. Was hatten die damals in den Kolonien gesagt? *Keinen Alkohol vor Sonnenuntergang.* Darauf konnte man im August nichts geben. Bunge guckte auf die Küchenuhr. Fünf Uhr war gut.

Guste brauchte keinen Alkohol, um beschwingt zu sein.

Sie entfädelte die Bohnen auch so mit leichter Hand. Doch ihm kam dann viel leichter von den Lippen, das neue Projekt anzupreisen. Guste ließ ihn doch gelegentlich spüren, dass sie seine kaufmännische Begabung nicht wirklich zu würdigen wusste.

Friedchens Tante konnte es kaum fassen. Dass man Elfriedes Vetter nicht zum Kind ins Zimmer legen konnte. Hätte sie ihn doch nur auf dem Kanapee in der Küche schlafen lassen für die eine Nacht.

Wo waren denn die Eltern des Kindes?

Der Vater noch in den letzten Kriegswochen gefallen. Die Mutter in Stellung auf dem Land. Friedchens Tante schluchzte vor sich hin.

Weinte noch mehr um den eigenen Sohn als um Friedchens Unschuld. Was sollte denn nun werden aus dem? Wo er doch in Bremerhaven auf dem Bau gearbeitet hatte. Nun saß er vor dem Kommissar, und dann würde es wohl ins Holstenglacis gehen, in Untersuchungshaft.

«Aber kaputtgegangen ist nichts bei ihr?», fragte Friedchens Tante.

«Ihre Seele wird wohl Schaden genommen haben», sagte Landmann.

«Ich meine untenrum.»

Ziemlich brutal war der Zwanzigjährige mit der Cousine umgegangen, doch das würde heilen. Untenrum.

Friedchens Tante war sicher eine fürsorgliche Frau. Die ungebändigte Begierde eines schlichten Mannes von zwanzig Jahren, die hatte sie nicht im Sinn gehabt. Opfer. Allesamt.

Henny legte sich das gerade geborene Kind in den Arm und träufelte ihm die Höllensteinlösung in die Augen. Ein scheußlicher Akt für ein Menschlein in den ersten Minuten seines Lebens. Doch so ließ sich einer Infektion durch den Tripper-Erreger vorbeugen. Lieber einmal zusammenzucken und wenigstens dieser Gefahr entkommen sein.

Gestern war ein kleiner Junge an der Nabelschnur erstickt.

«Wir werden immer weniger zulassen wollen, dass Dinge geschehen, die schicksalhaft sind», hatte Unger zu Henny gesagt. «Die Medizin ist weit gekommen, und doch erstickt uns ein Kind an der Nabelschnur, oder das Kindbettfieber bricht aus. Das, was die Studenten in unserem neuen Hörsaal lernen, ist viel mehr, als die Generation vor ihnen von der Frauenheilkunde wusste. Doch es wird nie genügen.»

Nein. Es würde nie genügen.

«Mit seinen Sinnen, seinen Händen, seinem Kopf muss der Arzt die Diagnose machen», hatte Landmann im Hörsaal gesagt und danach die Röntgenstrahlen gepriesen. «Wir werden uns das monokausale Denken in der Medizin abgewöhnen müssen. Zu einer neuen Vielfältigkeit finden.»

Wenn ihr Dienstplan es erlaubte, setzte sich Henny in die Vorlesungen im Hörsaal der Finkenau, der zwei Jahre zuvor eingeweiht worden war. Sie wunderte sich, warum Kurt Landmann nicht längst als designierter Nachfolger des Klinikleiters galt.

«Weil er Jude ist», hatte Käthe gesagt.

«An den großen Kliniken sind überall Juden. Und überhaupt in der ganzen Wissenschaft. Guck dir doch diesen Einstein an.»

Am Sonnabend beendeten Käthe und sie gleichzeitig ihre

Schicht. «Wollen wir einen Kaffee trinken gehen?», fragte Henny.

«Ich treff mich noch mit den Genossen.»

«Käthe, willst du wirklich morgen zu dem Aufmarsch gehen?»

«Was ist das denn für eine Frage. Dein Lehrer tut dir nicht gut. Was erzählt er dir? Ruhe sei die erste Bürgerpflicht?»

«Du und ich haben uns noch nie über Politik gestritten.»

«Werden wir auch nicht. Doch einfach nur zugucken und abwarten, Henny, das haut nicht mehr hin. Das hat auch Rudi verstanden.»

«Passt bloß gut auf euch auf», sagte Henny. Sie umarmte Käthe, die es eilig hatte, zu den Genossen zu kommen. Eine Weile stand sie noch am Fenster und sah der Freundin nach.

Er wäre lieber nicht hingegangen. Rudi hasste die Aufmärsche, doch Käthe glaubte an den auferstandenen Kommunisten in ihm, seit er Hans aus dem Sternkeller geholt hatte. Er durfte sie nicht enttäuschen. Auch Hans nicht und Erich und all die anderen, die sich am Schleidenplatz in Barmbeck sammelten, um gegen die Faschisten zu marschieren. Viele Rotfrontkämpfer unter ihnen, trotz des Verbots des RFB, des paramilitärischen Arms der KPD.

Ein heißer Augusttag, die Hitze würde alle noch empörter sein lassen. Bierflaschen wurden durch die Reihen gereicht, er sah, dass Hans eine nahm. Rudi war dankbar für des Schicksals Fügung, dass Käthe die Schicht einer erkrankten Kollegin hatte übernehmen müssen, obwohl ihr Geschimpfe ihn jetzt noch schaudern ließ.

«Du hast gar keine Fahne, Genosse. In den vorderen Reihen nur die Fahnenträger.» Der Mann mit der Lotsenmütze brüllte es nach hinten.

Erich kam, die rote Fahne in der Hand, gefolgt von Hans, der in der anderen Hand noch die Flasche hielt. Rudi wurde wieder nach vorne gedrängt und stand in der Reihe hinter Erich und Hans, als sich die Masse Mensch in Marsch setzte.

Erst durch die Lohkoppelstraße am Häuserblock der *Produktion* vorbei, dem Wohnprojekt der Linken, wo sie an den Fenstern standen, ihnen winkten. Über den Barmbecker Markt zur Dehnhaide und in die Von-Essen-Straße hinein. Alles schien gutzugehen. Auch als sie dann ins Eilbecktal kamen. Er hatte sich völlig grundlos Sorgen gemacht.

«Wo ist Käthe?», fragte ein Mann, der sich zu ihm vorgearbeitet hatte.

«Im Kreißsaal», sagte er, «eine hoffnungsvollere Generation auf die Welt bringen.» Glaubte er das?

«Gut», sagte der Mann, «dafür kämpfen wir.»

Die Atmosphäre um sie herum veränderte sich. Keine Zustimmung mehr in den Fenstern. Die Eilbecker standen hinter den Gardinen. Hatten sie Angst, eine Schlacht zu erleben wie bei der Revolte im Oktober 1923, als es viele Tote gegeben hatte?

«Schlagt die Faschisten, wo ihr sie trefft.» Der Satz vervielfältigte sich, wurde nun von allen Seiten skandiert. Sie kamen in die Maxstraße, nicht mehr weit, und sie würden die Grenzen zu Wandsbeck überschreiten.

Der Tumult ging im nächsten Moment los. Aus der Eckkneipe brachen Horden SA-Leute mit Knüppeln und Messern. Adlerhorst, las Rudi aus den Augenwinkeln. Hatte denn keiner gewusst, dass hier eine Hochburg der Nazis war, oder wurde die Route genau darum so festgelegt?

Er kriegte einen Schlag und fiel hin, hatte Mühe, nicht niedergetrampelt zu werden. Überall Polizisten, die hatten sich wohl während des ganzen Marsches im Hintergrund gehalten. Rudi stand auf. Taumelte.

Schüsse. Von wem kamen die? Wer hatte hier Karabiner? Schoss die Polizei? Er schmeckte Eisen im Mund, musste sich beim Sturz auf die Zunge gebissen haben. Er sah den Mann mit der Lotsenmütze, der am Schleidenplatz nach den Fahnenträgern gerufen hatte. Blut quoll unter der Mütze hervor. Hans. Erich. Wo waren die?

Etwas umklammerte seine Beine, versuchte, ihn nochmals zu Fall zu bringen, etwas, das stark war wie ein Bär. Rudi brauchte den Bruchteil einer Sekunde, um zu kapieren, wer da klammerte. Es gelang ihm, den blutenden Körper vor eine Ladentür zu schleppen. Die Schrift auf dem Schaufenster fiel ihm entgegen wie alle Wörter in seinem Leben: *Schnittblumen und Pflanzen.* Etwas so Friedliches wie ein Blumenladen, an dessen geschlossener Tür er nun sitzend lehnte, Hans Fahnenstichs Kopf in seinem Schoß, und nach den Sanitätern schrie.

Hans schlug die Augen auf. Wasserblaue Augen. Wie die vom Kaiser. Von Hitler. Was dachte er denn da? Vorstufen des Verrücktwerdens.

Hans Fahnenstichs Augen waren weit und starr, als die Sanitäter endlich kamen, um einen Toten auf ihre Trage zu nehmen.

Rudi stand mühsam auf und lief mit, wollte Zeugnis geben, wer dieser Mann auf der Trage gewesen war. Seit Luds Tod sein bester Freund.

Karl war keiner, der Gefahr witterte. Die ganze Spökenkiekerei ging an ihm vorbei. Doch an diesem Sonntag kam ihm in den Kopf, was er vor Jahren zu Käthe gesagt hatte: *Da bin ik bang vör.*

Dass ihm die Kinder zwischen die Fronten gerieten, davor war ihm bang. Zwischen? Käthe lief doch ganz vorne bei den Kommunisten mit. Der Jung war da zurückhaltender. Ging Krawall aus dem Weg.

Dumm, dass Anna und er keinen Radiokasten hatten, die brachten bestimmt was über den Aufmarsch. Eben hatte er aufgeregte Stimmen vor dem Fenster gehört, Leute mit zerrissenen roten Fahnen unten in der Humboldtstraße.

Was hatte Anna gesagt? Dass Käthe nun doch Dienst habe? Gar nicht mitmarschiere? Oder hatte er sich da verhört? Wenn doch Annsche hier wäre. Die wusste immer das Richtige zu tun. Die war auch flink auf den Beinen, hätte loslaufen können, sich umhören. Doch sie stand bei den feinen Pinkeln in der Küche und kochte ein Festessen.

Karl zuckte zusammen, als es klingelte. Abgehackt, als sei das ein verabredetes Zeichen. Er ging zur Tür. Öffnete sie. Hörte, dass sich einer die erste Treppe hochschleppte.

«Rudi, min Jung.» Karl zog ihn hinein, als seien die Häscher im Flur. Leeven Herrgott. Ganz blutig war der Junge. Ihn erst mal absetzen auf den Küchenstuhl. Wasser warm machen für die Wunden. All das Blut. Wenn doch bloß die beiden Weiber hier wären.

Als die ersten Nachrichten von der Schlacht beim großen Aufmarsch in die Finkenau gedrungen waren, von drei Toten die Rede gewesen war, hatte Käthe gerade ihre Schicht beendet, die Hebammentracht abgelegt. Beinah wäre sie in der Unterwäsche losgelaufen.

In der Bartholomäusstraße kein Rudi. Das kleine Ladenlokal der KPD in der Humboldtstraße geschlossen. Ihre nächste Station war die nahe Wohnung ihrer Eltern. Sie klingelte Sturm.

Die Tür war angelehnt, Käthe lief in die Küche hinein und sah ihren Vater, der den Küchentisch umhinkte, und dann Rudi. Im Nu war sie beinah so blutig wie er, so sehr umarmte sie ihn.

«Vorsicht», sagte Karl, «du tust ihm weh.»

Der Wasserkessel pfiff. Karl war dankbar, was so Nützliches tun zu dürfen wie heißes Wasser in die Schüssel geben, mit kaltem mischen. Aus dem Schlafzimmer ein sauberes Handtuch holen.

Käthe tupfte Rudis Gesicht mit Essigwasser ab. Am linken Auge eine Schwellung, an der Stirn tiefe Schrammen, die Lippen blutig, unter dem zerrissenen Hemd ein Hämatom.

«Wer sind die Toten?», fragte Käthe leise.

«Hans ist dabei.» Rudis Stimme schien tonlos zu sein. «In meinen Armen gestorben.»

Karl Laboe horchte auf. Der Jung, der das Buffet mit hochgetragen hatte. So'n anständiger Kerl. Karl ging zum Buffet und kramte darin. Da war doch noch eine Flasche Kümmel gewesen. Der Jung brauchte einen Schnaps. Dass er da nicht gleich draufgekommen war.

Er fand die halbe Flasche Kümmel, fragte nicht lange, schenkte drei Kurze ein, die er auf den Tisch stellte. «Trinkt», sagte er. «Is keine Lösung, macht aber weich im Kopp.» Sie tranken. Keiner traute sich zu fragen, wer Hans Fahnenstich erschossen hatte. Wusste es Rudi denn? Die Nazis hatten Knüppel und Messer gehabt, Schusswaffen nur die Polizei. Oder?

Hans war zweiunddreißig Jahre alt geworden, ein guter Kerl mit Idealen. Der Mann mit der Lotsenmütze lebte auch nicht mehr. Ihm war der Schädel eingeschlagen worden, eindeutig die Tat eines Nazis. Auch ein Siebzehnjähriger aus Hammerbrook hatte sein Leben gelassen.

«Scheun Schiet», sagte Karl, fand, dass das doch viel zu schwach klang für das Geschehene, und schenkte noch mal Kümmel ein.

Käthe setzte sich auf den Stuhl neben Rudi und legte ihm ihre Hand auf die Schulter. «Heul doch mal», sagte sie, «vielleicht hilft das.»

Doch Rudi saß nur da und guckte in eine Ferne. Es schien, als habe er vor, die Verantwortung zu übernehmen für die Toten.

Karl setzte sich seufzend auf das Kanapee und streckte das steife Bein unter den Küchentisch. Was hatte er schon alles ausgehalten. Den Tod von den Lütten. Er hoffte, dass Rudi darüber wegkommen konnte, wie fast alle Menschen irgendwann drüber wegkamen, was das Leben ihnen so zumutete. Doch das zu sagen, dafür war es zu früh.

Konnte sie Mia vertrauen? Ihr glauben, dass sie seit Jahren keinen Kontakt zu Ling gehabt und nur gehört hatte, dass die Geschwister nicht länger in der Schmuckstraße lebten?

Idas erster Gedanke war gewesen, genau dorthin zu fahren und auf Spurensuche zu gehen. Gab es die Garküche noch? Eine Frage, die sie Mia stellte, doch die schüttelte den Kopf und gab sich ahnungslos. Was ließ Ida an ihr zweifeln?

Zwei Wochen waren seit ihrem Geburtstag vergangen. Einmal hatte sie in dem Buch geblättert, das Campmann ihr doch noch geschenkt hatte. Sie konnte sich weder für Narziß noch für Goldmund erwärmen, verschrobene Typen, die beiden, was hatten sie mit ihr zu tun? Den Elefanten aus schwarzer Jade hatte sie schon vielfach in der Hand gehabt. Eine kleine Sentimentalität zum Geburtstag einer ehemals Geliebten? Eine Kontaktaufnahme? Warum hörte sie dann nichts?

Tian war wenige Wochen vor ihr neunundzwanzig geworden. Konnte es denn sein, dass er noch immer allein lebte? Ida beschloss, in eine Bibliothek zu gehen und ins Adressbuch zu sehen. St. Pauli und der Hafen.

Ein Mann halt. Hatte eine Mütze auf wie die vom Hafen.

Bei all den Arbeitslosen auf Hamburgs Straßen fand sich leicht einer, dem man eine Münze in die Hand drücken konnte, um ihm einen Botengang anzudienen. Hatte Tian das getan?

Nein. Er hatte einen Vertrauten geschickt. Dessen war Ida sicher.

Ach, diese Chinesen und ihre Geheimnistuerei. Er hätte telefonieren können, Campmanns Nummer stand im Telefonbuch, vielleicht besaß Tian sie ja noch. Ida hatte vergeblich nach Tians Namen gesucht. Er war kein Fernsprechteilnehmer.

Der Name Kollmorgen kam ihr spät in den Sinn. Das Kaffeekontor war in der Großen Reichenstraße gewesen. Warum sollte es dort nicht mehr sein? Hinnerk Kollmorgen war wohl ein solider Kaufmann, der auch Wirtschaftskrisen zu überstehen verstand.

Vermutlich wusste die Grämlich, wo Tian sich aufhielt. Ida klang noch immer deren *Ich hörte* in den Ohren, diese Salve, die Fräulein Grämlich damals im Fährhaus losgelassen hatte.

Doch nicht einmal Idas unruhiges Herz hätte sie zu der Alten geführt, lieber trug sie die Große Reichenstraße als Hoffnung vor sich her. Jetzt galt es nur noch, die nötige Courage aufzubringen.

Fritz Liebreiz starb friedlich. Seine Frau saß neben ihm an seinem Bett im Schlafzimmer des großen Hauses am Klosterstern. Elisabeth war da und Theo und auch Betty, seine Schwägerin. Er starb einen Tod, wie ihn Jahre später kaum einer seines Glaubens in diesem Land mehr sterben durfte. Ein luxuriöser Tod am Nachmittag des letzten Augusttages.

«He has passed away», sagte Betty. «Good old Fritz. Very liebevoll.»

Liebreiz' letzte Worte hatten nicht seiner Religion gegolten. Ihm war kein *Schma Jisrael* über die Lippen gekommen, das sein Vater noch beim Sterben gesprochen hatte. Er sagte: «Passt gut aufeinander auf.» Seine Familie zu segnen, dazu fehlte ihm die Kraft in den letzten Sekunden seines irdischen Daseins. Doch sie fühlten sich alle gesegnet von diesem gütigen Menschen, dessen Liebe und Fürsorge immer ihnen gegolten hatte.

Betty bot an, die Handlungen vorzunehmen, ihn zu waschen und das lange weiße Totenhemd anzulegen, das schon lange in seinem Besitz gewesen war. «Geht zu den Rosen», sagte sie, «nehmt euch Zeit zu trauern. I know what to do. I did it all for Joseph.»

Bettys verstorbener Mann Joseph war der frommere Jude gewesen, Fritz Liebreiz' Bedürfnis nach ritueller Handlung sicher kaum vorhanden, doch keiner von ihnen hatte Einwände gegen ihr Angebot. Alle waren dankbar, in den Garten zu kommen und des Ehemanns und Vaters zu gedenken, dem es gefallen hätte, dass sie um den runden Korbtisch saßen und die Köchin baten, Sandwiches und Getränke zu servieren.

Ein Jahr hatten sie nun Abschied genommen von ihm.

«L'chaim», sagte Theo Unger, als sie die Gläser hoben. Auf das Leben. Er wollte alles tun, um die Frauen des Fritz Liebreiz zu beschützen.

Erst später, als er in die Klinik kam und Kurt Landmann

vom Tod seines Schwiegervaters erzählte, fühlte auch er sich auf einmal unbehütet. Doch was fehlte ihm? Er hatte Elisabeth an seiner Seite und die Eltern draußen in Duvenstedt, wo sein Vater die Praxis nicht mehr mit ganzer Kraft führte und hoffte, dass sein Sohn Theo sie übernehmen würde. Unger wusste, dass er kein Landarzt sein wollte, doch er hatte sich noch nicht getraut, es vor dem Vater auszusprechen.

«Wir sitzen alle auf unseren Karussellpferdchen und werden im Kreise gedreht», sagte Landmann.

«Und uns wird schön schwindelig dabei.»

«Wann wird die Beerdigung deines Schwiegervaters sein?»

«Schon in zwei Tagen», sagte Unger und klang noch überrascht.

«Ja, wir Juden sind schnell», sagte Kurt Landmann.

APRIL 1933

Henny hob den Kinderwagen an, um die hohe Stufe zum Laden des Textilgeschäftes zu nehmen. Den SA-Mann nahm sie nur aus dem Augenwinkel wahr, doch er tat einen Schritt vor und versuchte, ihr den Weg zu verstellen.

«Wissen Sie, dass das ein Judengeschäft ist?»

Sie blickte in das Milchbubengesicht, das ihr bekannt vorkam.

«Mit dem heutigen Tag hat der Führer zum Boykott gegen die Judengeschäfte aufgerufen. Kauft nicht bei Juden.»

Die Stimme des jungen SA-Mannes zitterte vor Wichtigkeit. Nun erkannte sie ihn. Der Sohn der Lüderschen. «Lass mich durch, Gustav, was soll der Quatsch?»

Gustav zögerte. «Henny Godhusen», sagte er. Schon lange nicht mehr. Aus ihr war nun Henny Lühr geworden. Wie sie die Namen hinter sich ließ. Nur Schall und Rauch.

«Weiß deine Mutter, dass du hier bist?»

Gustav warf den Kopf nach hinten, dass ihm die Schaftmütze herunterzufallen drohte. «Ich verbitte mir das.»

«Nun lass mich zu Simon rein. Ich brauche neue Kissenbezüge.»

Gustav Lüder sah sich um. Kein anderer SA-Mann in der Nähe. Es gab kaum jüdische Geschäfte in der Herderstraße. Das nächste war das von Moritz Jaffe auf Höhe der Humboldt.

Eine Kinnbewegung von Gustav, die andeutete, sie solle

sich beeilen und schnellstens in dem Laden von Textil Simon verschwinden.

«Du kannst mir mal die Tür aufhalten», sagte Henny, «damit ich mit dem Kinderwagen hineinkomme.»

Er war genügend verblüfft, um zu tun, was sie verlangte.

Die Simons konnten es kaum fassen, dass da ein SA-Mann der Kundin die Tür aufhielt. Sie wären Henny am liebsten entgegengeeilt, doch sie trauten sich nicht hinter ihrem Tresen hervor. Aber Gustav war schon verschwunden, als könne er sich die Beulenpest in dem Laden holen, den er seit seiner Kindheit kannte.

Frau Simon hatte verweinte Augen und schniefte vor sich hin, als sie auf die Trittleiter stieg, um die Lade mit den Kissenbezügen aus Leinen aufzuziehen. «Wir haben sie auch mit Hohlsaum», sagte sie.

«Ich nehme zwei von den schlichten.» Im Kinderwagen wühlte Klaus, der die Szene vor der Tür verschlafen hatte, und setzte sich auf.

«Der ist ja bald zu groß für den Wagen», sagte Simon.

Henny nickte. Der Junge wuchs und wuchs, dabei war er noch keine anderthalb. Marike war in dem Alter ein Elflein gewesen. Es ging wieder alles zu schnell in ihrem Leben. Heirat. Schwangerschaft.

Nun auch noch Hitler, der die Märzwahlen gewonnen hatte. Henny hatte SPD gewählt und dabei eine tiefe Sehnsucht nach Lud verspürt. Sie wollte nicht wissen, wem Ernst die Stimme gegeben hatte, hoffte, dass es wenigstens nur die nationalliberale DVP gewesen war.

Frau Simon packte die Kissenbezüge ein, und Henny zahlte. Herr Simon war verlegen, als er ihr ein kleines Päckchen übergab. «Nur ein Tüchlein», sagte er, «aber beste Baumwolle.»

«Wofür?», fragte Henny.

«Weil Sie so freundlich waren, heute in den Laden zu kommen.»

Henny spürte ihr Gesicht heiß werden. «Das kann ich nicht annehmen», sagte sie. «Das ist doch selbstverständlich. Ich kaufe seit Jahren bei Ihnen.»

«Nehmen Sie es als Dank für die Jahre der Treue.»

«Sie sind doch die Frau Peters», sagte Frau Simon.

«Ja», sagte Henny, «doch seit zwei Jahren heiße ich Lühr. Wie wird es denn nun weitergehen mit dem Laden?»

«Der Spuk kann ja nicht lange dauern. Mein Mann will zu Verwandten nach Holland, doch dann sitzen wir in Maastricht, und Hitler ist über alle Berge, und wir haben den Laden ganz umsonst aufgegeben.»

«Helene», sagte Simon streng.

«Ich werde Ihnen als Kundin erhalten bleiben.»

Diesmal war es Helene Simon, die ihr die Tür aufhielt. Gustav hatte sich in Luft aufgelöst. Doch so einfach sollte es nicht überall sein an diesem 1. April 1933.

Am Tag vor ihrer Hochzeit hatte Henny den Granatring vom Finger gezogen und in das Kirschbaumkästchen gelegt. Nicht der einzige Abschied in jenen Tagen, Ernst hatte erklärt, dass er nicht in der Canalstraße leben wollte, sondern Neuland betreten.

Neuland fanden sie dann in einem der fünfstöckigen Häuser am Mundsburger Damm. Große vier Zimmer. Hell. Im dritten Stock. Mit einem Balkon vorne und einem Balkon hinten. Beinah großbürgerlich. Näher zu Lina und zur Finkenau hin, nur für Ernst war der Weg zur Schule in der Bachstraße weiter geworden.

Henny schob den Kinderwagen von der Herderstraße in

den Winterhuder Weg und wurde wehmütig, als sie an ihrer alten Wohnung vorbeikam. Eigentlich war sie gelebt worden vom Leben. Dabei hatte sie mit neunzehn einen Plan gemacht.

Der Kleine versuchte, aufzustehen in seinem Kinderwagen, gut, dass ihn die Gurte hielten, sonst wäre er kopfüber auf die Straße gestürzt.

Hatte sie dieses Kind gewollt? Nein. Doch sie liebte es, wie sie Marike liebte. Das Schicksal wurde ihr übergestülpt.

Alles kehrte sich um. Käthe hatte Sorge, dass Rudi ganz und gar in den Strudel der KPD geriet. War das nicht von ihr forciert worden, als es noch nicht lebensgefährlich gewesen war, Kommunist zu sein?

An der Ecke Hamburger Straße ging Henny zu Mordhorst, kaufte ein Rundstück für Klaus und Franzbrötchen für Ernst und Marike. Der Kleine streckte die Händchen nach der Tüte aus. Dieses Kind hatte immer Hunger. Zur Freude von Else, die Marike noch immer *krüsch* nannte.

In einer halben Stunde würde Marike aus dem Lerchenfeld kommen, wo sie gerade in die Sexta eingeschult worden war, nicht zu ihrer Tante in die Klasse, Lina unterrichtete die höhere Stufe.

Ernst müsste schon zu Hause sein, am Sonnabend hatte er nur vier Stunden Unterricht, dann konnte er Klaus übernehmen, wenn sie ihren Dienst in der Finkenau antrat. In den anderen Fällen hütete ihre Mutter das Kind, wie sie die Enkelin gehütet hatte.

Zwei Kinder. Ein Ehemann. Eine große Wohnung. Die vertraute Arbeit. Ging es ihr gut? Henny wusste es nicht. Sie mochte geglaubt haben, ihr Leben aus der Politik heraushalten zu können, doch es schien nicht zu gelingen. Henny fürchtete sich vor der neuen Zeit.

«Sie sollten wissen, dass es mir schwerfällt, lieber Kollege Landmann. Kein Geheimnis, wie hoch ich Sie schätze. Doch mir sind die Hände gebunden. Das neue Gesetz ist gestern in Kraft getreten.»

«Ich werde sofort meine Sachen packen», sagte Kurt Landmann.

Sein Chef hob die Hand zum Einspruch. «Ich bitte Sie, bis Ende des Monats April zu bleiben. Wir wollen nicht noch schneller vollziehen, was sich die neuen Herren ausgedacht haben, und es gibt hier noch einiges zu regeln für uns.»

Landmann zögerte. Warum unter dem Fallbeil herumtrödeln?

«Sie haben im November selbst angeregt, zwei neue Kollegen zu uns zu holen. Dr. Kolb aus Marburg ist ebenfalls mosaischen Glaubens und kommt nun leider nicht länger in Frage. Der Bonner Kollege kann die Stelle zum 1. Juni antreten.»

Kurt Landmann sah am Klinikleiter vorbei, durch das große Fenster, das auf die Finkenau hinausging. Draußen blühten die Bäume, der Frühling fühlte sich nicht gestört.

«Vielleicht können wir noch vor der Karwoche gemeinsam über neue Kandidaten sprechen.»

Landmann sah auf. Die feinfühlenden fünf Minuten waren wohl zu Ende. Sollte er seinen Nachfolger suchen?

«Haben Sie schon einen Plan B? Vieles ließ sich ja seit dem 30. Januar vorausahnen.»

Landmann schüttelte den Kopf. Seit Jahren sah er schwarz, doch dass er nur wenige Monate nach Hitlers Machtergreifung gleich seine Stellung als leitender Arzt der Finkenau verlieren könnte, hatte nicht einmal er geglaubt.

Sein Chef stand auf. Zeit, es ihm gleichzutun.

Kurt Landmann nahm die ausgestreckte Hand.

Theo Unger saß auf dem kalten Granit der Fensterbank. Half es nicht, ungewohnte Orte zu suchen, neue Plätze einzunehmen, wenn einem Unheil widerfuhr? Als gewähre die hohe Fensterbank eine Perspektive auf das Geschehen, die der Stuhl vor Landmanns Schreibtisch nicht geben konnte. Er erinnerte sich, dass Elisabeth die halbe Nacht an der Heizung im Salon lehnend verbracht hatte, als die Nachricht von der tödlichen Erkrankung ihres Vaters gekommen war.

«Gesetz zur Wiederherstellung des Berufsbeamtentums», sagte Landmann, als murmele er eine Formel, um Gift zu mischen.

«Welch eine infame Verschleierung, dieser Name», sagte Unger.

«Du siehst, ich habe noch nicht schwarz genug gesehen.»

«Was wirst du nun tun?»

Landmann zuckte die Achseln.

Unger straffte sich auf seiner Fensterbank. «Gilt dieses Berufsverbot auch für niedergelassene Ärzte?», fragte er.

«Noch nicht. Nur für die in den Kliniken.»

«Könntest du dir vorstellen, Landarzt in Duvenstedt zu sein?»

Kurt Landmann blickte ihn überrascht an.

«Du weißt, dass meinem Vater die Kräfte ausgehen. Er hätte gerne gehabt, dass ich zu ihm in die Praxis komme, doch mein Entschluss steht fest, es nicht zu tun.»

«Und du denkst, dass dein Vater in diesen Zeiten einen jüdischen Arzt in seine Praxis holen will und ihn den Patienten präsentieren?»

Jetzt nicht zögern. Wenn Unger auch gerade in den Kopf kam, dass er schon mal zu zuversichtlich gewesen war, als es um die Begeisterung für eine jüdische Schwiegertochter ging. Doch alles hatte sich gefügt. Seine Eltern mochten Elisabeth von Herzen gern.

«Ich spreche mit ihm, wenn du es dir vorstellen kannst. Vielleicht willst du aber lieber ins Ausland gehen, nach Zürich oder Wien?»

«Ich werde einundfünfzig in diesem Jahr und fange doch an, sehr häuslich zu sein», sagte Landmann. «Die Reisefreudigkeit lässt nach.»

«Dann werde ich mit meinem alten Herrn sprechen», sagte Unger.

Käthe hatte es nicht anders erwartet. Statt der Brosche der Vereinigung Deutscher Hebammen zierte nun das Parteiabzeichen die Bluse von Hildegard Dunkhase. Das Klima war seit dem Antritt der Dunkhase vor drei Jahren kaum gesünder geworden, nur wenige arbeiteten gern mit ihr, doch seit Hitler voll und ganz über das Volk gekommen war, lief sie zur Hochform auf.

Im Schwesternzimmer verteilte sie Handzettel für die *Reichsfachschaft deutscher Hebammen*, durch die Gleichschaltung der Berufsverbände nun die einzige Standesorganisation, und kündigte Schulungen zur Erbforschung und zu Rassefragen an.

Dr. Landmann war von ihr seit dem Tag der Machtergreifung im Januar geschnitten worden, doch das Gerücht seiner Entlassung, das durch die Flure und Säle der Klinik lief, ließ sie nun hohnlachen. «Gut, dass der keine deutschen Jungen und Mädchen mehr anfasst», sagte sie, und Henny hielt Käthes Hand, die zum Schlag ausholte, im letzten Moment fest. Ihr entging nicht der Triumph im Gesicht der Dunkhase.

«Du bringst dich in große Gefahr, Käthe», sagte Henny, als sie allein vor ihren Spinden standen. «Die haben dich eh schon auf dem Kieker. Seit dem Reichstagsbrand sind sie außer Rand und Band.»

«Ich kann da nicht stillhalten.»

«Die Dunkhase schneidet dich in kleine Stücke, salzt, pfeffert und frühstückt dich, sobald du ihr die Gelegenheit gibst.»

«Rudi hat heute Nacht neue Instruktionen aus Moskau gekriegt. Alle arbeiten daran, Hitler zu stürzen. Es kann nicht lange dauern.»

Henny legte den Zeigefinger auf die Lippen, als hörten die Wände mit.

«Schieben die bei euch Zettel unter die Tür?», fragte sie leise.

«Er hört Radio Moskau. Die geben da verschlüsselte Instruktionen. Danach werden die Flugblätter entworfen und verteilt.» Käthe flüsterte.

«Im Stadthaus ist es schon zu schlimmen Folterungen gekommen. Die Geschäftsleute am Neuen Wall beschweren sich über Schreie.»

Henny wollte nicht wissen, woher Käthe das wusste. Eigentlich wollte sie, dass Käthe schwieg, als sei das Schreckliche dann nicht existent.

«Vielleicht kommst du mal zu uns», sagte Käthe. «Da können wir auch wieder ein offenes Wort sprechen. Bei dir zu Hause bin ich ja nicht mehr wohlgelitten. Wenn ich daran denke, wie wunderbar es war mit uns vieren. Du und ich. Rudi und Lud.»

Dass man das Glück meist zu spät erkannte.

«Wie soll es hier weitergehen ohne Landmann?», fragte Käthe. Er hatte seine Hand schützend über sie gehalten. Doch nicht nur darum würde er fehlen. Ein Bruder im Geiste, den sie da verlor.

«Gibt es bei Friedländer schon Ärger?», fragte Henny. «Meinst du, die müssen dichtmachen, und Rudi verliert seinen Arbeitsplatz?»

«Bisher läuft noch alles. Ihn hat es getroffen, dass die das Hamburger Echo verboten haben. Dort hat er doch gelernt.»

«In welche Zeiten habe ich den Klaus nur hineingeboren? Vielleicht warst du klug, keine Kinder zu kriegen.»

«Ich verrate dir ein Geheimnis, aber hüte es, Henny.» Käthe drehte sich um und sah der Freundin ins Gesicht. «Ich kann keine Kinder kriegen. Mich hat eine Engelmacherin verpfuscht.»

Vierzehn Jahre hatte sie geschwiegen, und auf einmal war da das Bedürfnis, es auszusprechen. Als ob sie reinen Tisch machen müsste.

«Du warst bei einer Engelmacherin? Wann war denn das?»

«Nachdem ich das erste Mal mit Rudi geschlafen habe. Da haben wir vor lauter Eifer nicht aufgepasst. Nachher hat er Fromms genommen. Die hätte er sich sparen können, doch das hab ich erst erfahren, als wir es dann auf ein Kind anlegten. Rudi weiß nichts davon.»

«Hast du dich von Landmann untersuchen lassen?»

Käthe schüttelte den Kopf. «Ich war woanders.»

Henny dachte an die Praxis in der Emilienstraße und das Pessar, das sie Lud verschwiegen hatte. Eine neugewonnene Macht, die Frauen da ausübten. Führte Macht denn zwangsläufig zu Missbrauch?

«Die Engelmacherin würde Rudi mir nicht verzeihen», sagte Käthe, «dass ich ein Kind von uns hab wegmachen lassen. Er hätte doch am liebsten gleich nach dem Kennenlernen geheiratet.»

«Du solltest es ihm sagen.»

Käthe schüttelte den Kopf. «Du hast deinem Lud auch keinen reinen Wein eingeschenkt.»

«Und das liegt mir mächtig auf dem Gewissen», sagte Henny.

Die Tür ging auf, und Hildegard Dunkhase blickte in ihre angespannten Gesichter. «Dann grämen Sie sich mal ordentlich», sagte sie. «Und Sie, Frau Odefey, werden wir auch noch los.»

Louise hielt den Atem an. «Doch nicht meinetwegen?», fragte sie, als sie endlich Luft geholt hatte.

«Warum deinetwegen?»

«Weil ich jetzt aussätzig bin.»

«Blödsinn. Das hat mit dir gar nichts zu tun», sagte Lina.

«Vor kurzem sagte einer der Bühnenarbeiter zu mir, ich sähe jüdisch aus», sagte Louise. «Bilde dir also nicht ein, dass ich hier inkognito lebe mit meiner blonden Braut.»

«Du bist deinem Vater wie aus dem Gesicht geschnitten.»

«Da siehst du mal, wie hirnrissig alles ist. Warum musst du das Lerchenfeld verlassen?»

Nun war es Lina, die Luft holte. «Das neue Gesetz erlaubt nur noch Studienräten mit einer Universitätsausbildung, an Gymnasien zu lehren. Ich habe lediglich das Höhere Lehrerinnenseminar absolviert. Das halbe Kollegium ist davon betroffen.»

«Du bist im September drei Jahre in diesem Laden.»

«Und nun sind die Nazis da und erlassen neue Gesetze.»

Louise setzte sich auf das korallenrote Sofa, verschränkte die Arme und stützte das Kinn in die Hand. Ihre Denkerpose. «Mannomann», sagte sie.

Ein neues Losungswort?

«Ich kann versuchen, an die Telemannschule zurückzugehen. Oder zur Lichtwarkschule. Doch das wollen viele. Von diesem Gesetz ist ja nicht nur das Lerchenfeld betroffen.»

«Und wenn wir nach London gehen? Vielleicht haben Hugh und Tom in ihrem Verlag was für uns.»

«Das stellst du dir einfacher vor, als es ist. Und überhaupt. Du fühlst dich doch wohl am Thalia.»

«Wer weiß, wie lange noch. In Künstlerkreisen wird heftig emigriert.»

Lina schüttelte den Kopf. Emigration war nichts für sie. Ihr bedeutete das alles hier viel zu viel. Henny, Marike und Klaus, die sie noch immer als ihre Familie betrachtete. Diese bezahlbare Wohnung mit Blick auf den Kanal. Und Louise galt doch nicht als gefährdet. Sie hatte einen arischen Elternteil. Wie selbstverständlich sie schon in dem dämlichen Terminus dachte.

«Ich habe Kurt für Gründonnerstag eingeladen», sagte Louise. «Ich dachte, das sei ein guter Tag für ein Zusammensein. Jesus setzt sich mit seinen Jüngern an den Tisch und so.»

«Aber zum letzten Abendmahl. Ob das ein gutes Omen ist?»

«Ach was. Ich besorge Leckereien und was Gutes zu trinken.»

«Hängt er sehr durch?»

«Du kennst Kurt. Er spottet es weg.»

«Wird deine Mutter gut durch diese Zeiten kommen?»

«Ich hoffe doch. Sie hat meinen Vater.» Louises Stimme klang aufgeraut. Das alles war absurdes Theater.

All diese Häschen und bunten Eier, die Guste an Ostern im Garten verstecken wollte. Er hatte das Zuckerzeug mit ihr in dem Süßigkeitenladen am Eppendorfer Baum gekauft. Zwei alte Jüdinnen darin, noch immer verstört von den SS-Leuten, die vor ihrem Geschäft gestanden hatten am 1. April. Dass man den Menschen Angst machte. Bunge hatte stets dafür plädiert, großzügig zu sein. In allen Bereichen. Was blieb einem denn, als sich in die Privatheit zu begeben? Das hatte doch alles keinen Charme mehr da draußen.

Guste packte an. Wie immer. Nicht, dass sie noch die neuen Herren ungünstig auf sich aufmerksam machte. Dagegen war der Kaiser doch ein Weltmann gewesen. Vieles, was man für überholt gehalten hatte, hätte sich doch in diesen Tagen als nützlich erwiesen.

Im Dachzimmer, dem kleinsten im Haus, lebte ein junger Mann, der den braunen Herren in Berlin dumm aufgefallen war. Fast ein Kind noch. «Guste, Guste», hatte Bunge gesagt, «nicht, dass es uns noch an den Kragen geht wie dem armen Marinus.» Der junge Niederländer, den sie für den Brand im Reichstag verantwortlich machten. Da waren doch sicher noch ganz andere Hände schmutzig geworden.

Carl Christian Bunge hatte ein paar von den Schokoladeneierchen genascht, die Guste im Eichenbuffet des Esszimmers lagerte, konnte er ja noch ersetzen, Ostern war erst nächsten Sonntag. Die mit Weinbrand gefüllten waren die besten.

Ida würde er ein dickes Pralinenei von Hübner am Neuen Wall kaufen. Das Kind war noch immer nicht geerdet. Campmann und sie schienen getrennt von Tisch und Bett. Der liebe Schwiegersohn dabei, eine noch größere Karriere zu machen. Wie geerdet doch das Eichhörnchen und er dagegen gewesen waren.

Ah. Dieses Krokantei war gut. Gleich morgen würde er zu dem Laden am Eppendorfer Baum gehen, damit diese Gier während der Fastenzeit nicht weiter auffiel. Er konnte dann ja Momme bei Heymann besuchen. Sollte der Junge ruhig wissen, dass er ein wohlgefälliges Auge auf ihn hatte. Gönner. Patriarch. Er fühlte sich wohl in diesen Rollen, wenn er auch eher ein geldloser Gönner war. Die wahre Führerin blieb Guste. Eine Matriarchin, wie man sie sich nicht schöner hätte malen können.

Dachte Ida, er drucke das Geld? Campmann fasste nicht, wie viel sie davon verbrauchte. Vielleicht nahm sie es als Entschädigung dafür, dass er eine Geliebte hatte, so wie andere Frauen Juwelen und Pelze forderten? Ida wollte Bares und nannte es Apanage.

Erst hatte er gedacht, sie stecke es dem Pleitier Bunge zu. Doch der schien vor allem von der Pensionswirtin zu leben. Die Schallplatte, die er produziert hatte, stand in ihrem Grammophonschrank, sie war verhallt wie alles, was sein Schwiegervater nach dem Kriege angefangen hatte.

Campmann wartete auf Gleis 5 am Hauptbahnhof und blickte auf die Uhr. Eben war eine zweiminütige Verspätung für den Zug durchgesagt worden. Wenn ab nächsten Monat der *Fliegende Hamburger* planmäßig fuhr, dann waren es nur noch 142 Minuten vom Lehrter Bahnhof und Joan noch schneller bei ihm und er in Berlin.

Gestern Abend hatte Ida ihn zu einem Galadiner ins Vier Jahreszeiten begleitet. Das tat sie, wenn die Einladung auf *Dr. Friedrich Campmann und Gemahlin* lautete. Ida liebte die große Gesellschaft, egal was sie sagte. Diese glanzvollen Auftritte lagen ihr sicher mehr, als in ärmlichen Wohnküchen zu stehen und Säuglinge zu wickeln. Doch auch die Gattinnen anderer Bankiers und Wirtschaftsgrößen übernahmen karitative Aufgaben. Sollte Ida Babys baden, die

Außenwirkung war gut. Mehrere Herren hatten ihn schon darauf angesprochen.

Die Einfahrt des Zuges aus Berlin wurde angekündigt. Gleich entstieg Joan dem Speisewagen. Sie saß meistens dort und nicht im Abteil, eine Marotte von ihr. Doch ihre Marotten lockten ihn auch nach drei Jahren noch, obwohl Joans Vergnügungslust, die vor allem auf die Nachtclubs rund um die Reeperbahn zielte, ihn anzustrengen begann. Die neuen prüden Ansagen, dass Nacktheit und gar Prostitution nur noch in aller Heimlichkeit stattfinden durften, waren doch pure Heuchelei.

Gestern Abend hatte ihm einer der Reeder eine Adresse zugesteckt. Striptease vom Feinsten. Nicht das alberne Kartenangeln, bei dem der Tänzerin die mit kleinen Magneten versehenen Spielkarten vom Körper geangelt wurden, bis sie schließlich nackt dastand.

Doch als Erstes hatte er eines der Séparées in Cölln's Austernstuben reservieren lassen. Joan liebte Austern. Ihm war schon öfter zu Ohren gekommen, dass Frauen Austern schätzten. Wahrscheinlich war in einer Illustrierten zu lesen gewesen, der hohe Eiweißgehalt verhelfe zu einem strahlenden Teint. Anders konnte er sich die Leidenschaft für Geglibber kaum erklären, er gab Kaviar den Vorzug.

Doch heute Abend freute er sich auf sein Lieblingsgericht bei Cölln's. Das hohe Filetmittelstück mit blonden Zwiebeln und Bratkartoffeln. Das gab Kraft, und die konnte er brauchen für die Nächte im Hotel Jacob an der Elbchaussee. Weit genug weg von Hofweg und Jungfernstieg.

Dann würde Joan ihn ausziehen und *meine süße Nazimann* zu ihm sagen. Ihr Deutsch wurde schlechter, seit Hitler an der Macht war. Vielleicht wollte sie sich abgrenzen.

Ah. Da war sie ja. Hinreißend sah sie aus in dem engen

Kostüm. Campmann winkte und fasste die Krempe seines weichen Hutes.

Ida nahm die knisternden Hundertmarkscheine, die sie am Nachmittag vor Campmanns Augen nahezu achtlos in die Tasche ihres Cardigans gesteckt hatte, und tat sie in die eiserne Kassette, die eigens von ihr angeschafft worden war, um in der hinteren Ecke ihres ausladenden Kleiderschrankes das wachsende Vermögen zu verwahren.

Es war ein Schein mehr als sonst. Vielleicht der Komplimente wegen, die er für sie eingesackt hatte gestern Abend im Vier Jahreszeiten. Oder weil seine amerikanische Schlampe nach Hamburg kam und er sich gleich für zwei Abende verabschiedete.

Ida dachte nicht daran, Campmann zu verlassen und der Amerikanerin das Feld zu überlassen. Sie würde ausharren, bis sich genügend Geld angesammelt hatte, um ihr ein gutes unabhängiges Leben zu erlauben.

Sie hatte keine Eile, seit sie Tian an jenem Septembertag nach ihrem neunundzwanzigsten Geburtstag in der Großen Reichenstraße gesehen hatte mit einer anderen Frau in seinen Armen. Damals war ihr der Gedanke gekommen, der kleine schwarze Elefant sei gar nicht von ihm. Doch Campmanns Phantasie reichte nicht aus, ihr einen solch infamen Schmerz anzutun. Ling? Hatte sie das Jadetierchen geschickt? Warum hätte sie das tun sollen, Tians Schwester war sicher dankbar, dass Ida aus seinem Leben gegangen war.

Sie trat in den Flur und hörte die Stimmen von Mia und der Laboe in der Küche. Mia war am Palmsonntag in Wischhafen gewesen und glühte von dem Eindruck, den der Ortsgruppenleiter bei ihr hinterlassen hatte, ihr Schwager, Lenes Mann.

«Ich hätt nich gedacht, dass aus dem Uwe was wird.» In Mias Stimme schwang Stolz ob dieser Verwandtschaft. «Der Fritz hat ein Glück. In einem Jahr kann er dann zu den Pimpfen und is auch einer von denen.»

Die Laboe war klug genug zu schweigen. Ida blinzelte ihr zu, als sie in die Küche trat.

«Haben Sie schon gehört von meinem Schwager?», fragte Mia sogleich.

«Ausreichend», sagte Ida und setzte sich an den Küchentisch.

«Ein Stück Braten? Frisch aus dem Ofen. Ich will ihn gerade aufschneiden. Eine Remoulade rühr ich noch an», sagte die Laboe.

Ida schüttelte den Kopf.

«Warum fragt mich keiner?», maulte Mia.

Ida hatte nach Käthe fragen wollen. Doch das war nichts für Mias Ohren. Nachher rannte das dumme Ding noch zum Ortsgruppenleiter. Hier in ihrer Küche trafen die deutschen Extreme aufeinander.

«Isst der gnädige Herr heute mit?», fragte Anna.

«Nein. Er ist geschäftlich unterwegs.»

Boshaftigkeit in Mias Gesicht. Ida wusste nicht, warum sie Mia noch immer duldete. Wahrscheinlich aus Gewohnheit.

«Da wird noch vielen bange werden. Die den Uwe immer kleingehalten haben», sagte Mia. «Zum Stall ausmisten war er gut genug.»

Die Laboe stellte einen Teller mit Butterkuchenstücken auf den Tisch. Vielleicht wollte sie Mia das Maul stopfen. Mia guckte kurz zu Ida, nahm ein Stück und schmatzte los.

«Die Ratten betreten das sinkende Schiff», sagte Anna Laboe.

Ida sah sie erstaunt an.

«Doch erst mal macht es noch eine hohe Bugwelle», sagte Anna.

Ida kam der Gedanke, dass ihre Köchin von vielem mehr Kenntnis hatte als sie. Diese Laboe war eine erstaunliche Frau.

Mia schmatzte weiter und verstand kein Wort.

Der Abschied von dem großen Haus am Klosterstern schien seiner Schwiegermutter leichtgefallen zu sein. Das hatte Unger gewundert. Doch nun hielt er es für eine glückliche Fügung, dass sie konsequent gewesen war, dies alles gleich nach Fritz Liebreiz' Tod aufzugeben.

Große Teile des noch vorhandenen Vermögens waren auf Elisabeth überschrieben worden, doch Ruth war der Devisenverordnung des Reichspräsidenten Hindenburg zuvorgekommen und hatte Geld nach England transferieren können. Liebreiz' Wunsch, seine Frau möge bei ihrer Schwester Betty leben, war in Erfüllung gegangen.

Auch Unger war entlastet. Dankbar für jeden, der versorgt war. Das Gespräch mit seinem Vater stand ihm bevor. Landmann unterbringen.

Doch es lief leichter als gedacht, wenn seine Mutter auch sagte: «Was machst du aus diesem evangelischen Haus?» Er nahm an, dass sie es nicht ernst meinte. Lotte hatte eine sarkastische Ader. Da konnte ihr Kurt Landmann nur gut gefallen.

Seine Eltern hatten Landmann auf Elisabeths und seiner Hochzeit gesehen, doch kaum Erinnerung an ihn. Das Haus am Klosterstern war voll von Menschen gewesen.

«Bring ihn her», hatte sein Vater gesagt. «Einen guten Arzt werde ich schon erkennen. Da verlass dich auf mein Gespür.»

Es war herzlich zugegangen im Sprechzimmer seines Vaters, Lotte und er hatten in der Diele gestanden und dem Lachen zugehört.

Die beiden traten aus dem Zimmer und klopften sich auf die Schulter, als hätten sie gemeinsame Studienjahre in Heidelberg hinter sich. Unger chauffierte Landmann im 170er-Mercedes von Elisabeth zurück in die Stadt.

«Wie war es?», fragte er.

«Wir werden gut miteinander auskommen», sagte Landmann. «Doch der Traum deines Vaters wäre gewesen, dich in der Praxis zu wissen und deine Frau mit drei Kindern im Haus nebenan.»

«Träumen dürfen wir alle», sagte Theo.

«Warum wolltest du nicht zu ihm?»

«Weil ich in der Finkenau gebraucht werde.»

«Das habe ich auch mal gedacht.»

«Verzeih», sagte Theo Unger.

«Ich habe vorher nicht gewusst, dass die Klinik mein Leben ist.»

«Magst du mich noch zu einem Kognak einladen? Mit Blick auf die Negerfigur von Maetzel und die Badenden von Hopf?»

«Unbedingt.»

«Das Leben geht weiter», sagte Unger.

«Unbedingt», sagte Kurt Landmann.

«Bleib so stehen», sagte Ernst und hielt die Agfa Box auf sie gerichtet.

Wochenend und Sonnenschein und du und ich im Wald allein.

Nein. Allein waren sie nicht. Else hielt Klaus an der Hand, der erste Gehversuche machte. Marike sammelte Tannenzapfen. Henny hatte das Kleid an, das sie vor sieben Jahren in einem Garten an der Johnsallee getragen hatte. Dunkelblau mit kleinen Punkten und weißem Kragen.

«Genau so», sagte Ernst, «du siehst schön aus.»

Karfreitag. Ernst hatte keine Schule und Henny keinen Dienst. Warum nicht die Osterfreuden vorwegnehmen?

«Nachher kehren wir noch in die Waldesruh am Mühlenteich ein und essen Lammbraten», sagte Ernst.

Henny sah zu Marike, deren Gesicht sich verfinsterte. Schweinchen aß sie noch, obwohl die auch niedlich waren. Lämmchen blieben tabu.

«An Karfreitag wird Fisch gegessen», sagte Else.

Klick machte die Agfa Box. Viele Bilder mit Büttenrand. Ernst würde sie alle einkleben in das Fotoalbum. Erinnerungen schaffen. Er genoss die neue Zeit. Endlich wieder stabile Verhältnisse. Die Demokratie hatte Deutschland nichts gebracht.

«Darf ich Ostermontag bei Thies schlafen?», fragte Marike.

«Kommt nicht in Frage», sagten Ernst und Else im Chor.

«Warum nicht?», fragte Henny. Das Kind sah sie hoffnungsvoll an.

«Am besten gleich im gemeinsamen Bett», sagte Ernst.

«Das besprechen wir noch», sagte Henny und nahm einen besonders gut erhaltenen Zapfen aus Marikes Hand entgegen.

«Jetzt ist erst einmal Karfreitag», sagte Ernst und sah seine Schwiegermutter an. «Also Forellen in der Waldesruh.» Er setzte den quengelnden Klaus in den Korbwagen.

«Bein weh», sagte Klaus.

«Ob wir überhaupt mit dem Kind ins Lokal können?», fragte Else.

«Ich hab ein Osterhasenbuch dabei», sagte Henny.

Sie kehrten um und gingen wieder Richtung Mühle. Das Moos dämpfte ihre Schritte. Ernsts jäh hochgestreckter Arm gebot ihnen, stehen zu bleiben. «Da vorne ist ein Reh», flüsterte er.

Klick machte die Agfa Box. Doch das Reh war schon geflüchtet.

Flugblatt Nr. 10. Ein Jubiläumsblatt. Rudis gequältes Lächeln sah keiner. Er hörte auf, die Kurbel des Spritdruckers zu drehen, und horchte in die Wohnung hinein. Nein. Alles still.

Die Angst war ständig da. Warum tat er sich das an? Ab und zu bildete er sich schon ein, er habe es dem sterbenden Hans versprochen, doch zwischen ihnen war an jenem Sonntag kein Wort gewechselt worden. Aus Fahnenstichs Mund war nur noch Blut gekommen.

Hundert Blätter, die er heute gedruckt hatte vom Flugblatt Nr. 10. Viel zu wenig, nur ein kleiner Kreis, der sich so erreichen ließ. Stünden ihm die Druckmaschinen von Friedländer zur Verfügung, dann hätte er ganz Hamburg vollzetteln können. Doch die jüdische Litographieanstalt und Druckerei stand ohnehin schon unter der Beobachtung der Behörden.

Karfreitagstimmung bei ihm trotz der Sonne vor den Fenstern. Käthe in der Klinik. Tat gemeinsam Dienst mit Dr. Landmann. Dass der denen die Brocken nicht vor die Füße warf.

Rudi hüllte den Spritdrucker in den Bettbezug und stellte ihn in den Wäschekorb. Packte die alten Pferdedecken drauf, die er im Keller der Druckerei gefunden hatte. Der Schlüssel für den Dachboden lag noch auf dem Küchentisch. Er steckte ihn in die Hosentasche und griff nach dem großen Korb aus Weide.

Gut, dass sie im vierten Stock wohnten. Nur eine Stiege trennte sie vom Dachboden. Er hatte sie gerade erreicht, als sich die Tür nebenan öffnete. Der Nachbar, ein gemütlicher Mann, den sie seit Jahren kannten. Brach auf zum täglichen Spaziergang, Hut und Stock in der Hand. «Moin, Herr Odefey. Großes Aufräumen bei Ihnen? Meine Frau wischt auch schon den ganzen Tag, als sei der Karfreitag dafür da. Doch Freitag ist bei ihr Putztag und basta.»

«Meine Frau hat ausgemistet. Soll aber erst mal auf den Dachboden.»

«Jaja. Die Frauen. Immer haben sie kleine Aufgaben für unsereinen.»

Er setzte den Hut auf und begann den Abstieg.

War ihm aufgefallen, dass sich im Wäschekorb unter den Decken ein großer sperriger Kasten befand? Ach was. Rudi stieg die schmalen Stufen hoch, kaum besser als eine Hühnerleiter, diese Stiege. Nicht einfach, das Gleichgewicht zu halten mit dem steinschweren Korb. Das laute Getrampel unten im Erdgeschoss trug nicht zu seiner Balance bei.

Wenn ihm jetzt die Staatspolizei die Tür einschlüge, würden sie eine rote Blechdose von *Hermann Laue Därme und Gewürze* finden und darin hundert Flugzettel. Er hatte nicht einmal den Deckel zugeklappt.

Die Blechdose hatten Karl und er in Grits Wohnung gefunden. Er konnte sich nicht erinnern, sie je zuvor gesehen zu haben. Wann hatte seine Mutter Därme und Gewürze gekauft? Die Dose war leer gewesen, bis auf ein paar Haarkämme und Schleifen, die sich Rudi kaum an Grit vorstellen konnte.

Gelächter unten. Die Staatspolizei lachte nicht. Eine Wohnung zu durchsuchen, war kaum der Augenblick für große Heiterkeit. Rudi hatte die Tür zum Dachboden geöffnet und schleppte den Korb ans hintere Ende zu dem Verschlag, der ihnen zugewiesen war.

«Denkt an die Leiden unseres Herrn», hörte er die schrille Stimme der Hausmeisterin, als er zurück ins Treppenhaus trat. «Dass ihr euch nicht schämt an diesem Tage.»

Rudi lugte über das Treppengeländer und sah die Zwillinge aus dem ersten Stock mit einem dritten Jungen unten stehen.

«Nun raus mit euch und tut Buße.»

Rudi schlich in seine Wohnung und schenkte sich einen Schnaps ein.

Tian stand am Fenster und sah die Gläubigen in die Synagoge gehen, wie sie es an jedem Sabbat taten. Noch schien sich nichts geändert zu haben, doch die Unruhe hier im Viertel war größer als in der Großen Reichenstraße oder am Rödingsmarkt, wo in den Kontoren eher ein Aufschwung zu spüren war.

«Frühstückst du mit mir?»

Er drehte sich zu seiner Schwester um, die den Tisch für zwei gedeckt hatte. Die Teekanne auf dem Rechaud. Ein Porzellanteller mit Toast.

«Du bist spät nach Hause gekommen», sagte Ling.

«Ich war noch lange im Kontor und bin dann zu Fuß gegangen. Die Luft war so angenehm.» Tian setzte sich und griff nach einer Scheibe Toast. Ling und er aßen nicht mehr das kantonesische Essen, das für den Morgen gedämpfte Teigtaschen vorsah. Vor Jahren schon hatten sie ihre Gewohnheiten geändert, als sie in die eigene Wohnung in den Grindelhof zogen. Nur Tee tranken sie noch kannenweise, obwohl sie beide im Kaffeehandel arbeiteten.

Ling war verlobt gewesen und hatte die Verlobung gelöst.

Nun lebten sie wie ein altes Ehepaar, er bald zweiunddreißig Jahre alt und sie noch dreißig. In China, der Heimat ihrer Eltern und Ahnen, hätten sie längst als Übriggebliebene gegolten. Vertrocknete Blumenstöcke.

«Ich hatte gehofft, du hättest dich mit einer Frau getroffen.»

Tian lächelte. «Du solltest dich nicht länger sorgen.» Ling liebte ihre eigene Unabhängigkeit, doch ihn versuchte sie zu verkuppeln. Einen letzten Versuch hatte sie mit Traute gemacht, die bei Kollmorgen als Kontoristin arbeitete und ihn seit dem ersten Tag anhimmelte.

Tian dachte ungern an den Tag, an dem Traute in seine Arme gefallen war und ihn anflehte, sie zu lieben. Es war beiden nicht leicht geworden, sich weiterhin im Kontor zu begegnen. Doch er hatte in diesen Zeiten der Arbeitslosigkeit Traute nicht bitten wollen zu gehen.

«Versuche bloß nicht, noch mal etwas einzufädeln wie mit Traute», sagte er und tat von der Orangenmarmelade auf seinen Toast.

«Das ist Jahre her», sagte Ling.

«Ich lebe gerne allein mit dir.»

Ling schüttelte den Kopf. «Du liebst Ida noch immer.»

«Nein», sagte Tian.

«Zu heftig, dieses Nein», erwiderte die kluge Ling.

Tian legte die Toastscheibe auf den Teller. Hatte Ida ihn gesucht und nicht gefunden, damals nach ihrem neunundzwanzigsten Geburtstag?

Sie hätte nur zu Kollmorgen ins Kontor kommen müssen, wenn ihr an ihm gelegen gewesen wäre. Er hatte geglaubt, ihr Herz zu rühren mit dem kleinen Elefanten. War sie hart geworden und er sentimental?

Ling seufzte. «Iss auf. Du bist dünn geworden.»

Tian nahm den Toast und hielt ihn in der Hand, ohne davon abzubeißen. Nein. Einen neuen Versuch, Ida nahezukommen, würde es nicht geben. Ihn verletzte es noch immer, dass auch der kleine schwarze Elefant sie nicht zu ihm geführt hatte.

Zeiten des Flammens und Zeiten des Erkaltens. Hin und wieder griff Tian auf Laotse, den Philosophen seiner Ahnen, zurück.

Eine Frage des Überlebens. Alles.

Landmann löffelte die Linsensuppe aus dem Topf. Er hatte keine Lust, den Tisch zu decken, einen Teller hinzustellen, die Hohlsaumserviette und einen der silbernen Löffel aus dem Erbe seiner Mutter aufzulegen.

Die Suppe hatte ihm die Zugehfrau gekocht, an den Sonnabenden tat sie das. Sie würde ihm sicher treu bleiben. Weil sie eine gute Seele war. Weil er einen höheren Lohn zahlte als in Hamburg üblich.

Er hoffte, sich noch lange sicher fühlen zu dürfen in seinem Gehäuse. Mit Ungers Vater hatte er ausgemacht, während der Woche draußen in Duvenstedt zu bleiben, im einstigen Kinderzimmer von Theo und Claas.

Das Bild von Okke Hermann war seine neueste Erwerbung. Nicht das beste seiner Sammlung, doch die Konturen vor der großen Düne ließen ihn an Agnes Miegels *Frauen von Nidden* denken. Der blassrote Band mit Balladen, in denen Oda während der Tage in Westerholz gelesen hatte, war ihm beim Betrachten des Bildes in den Sinn gekommen, und dann hatten ihn die Erinnerungen zugedeckt wie die Düne die Frauen von Nidden. Oda, die ihm die Ballade vorlas. Die Sommerabende am Strand der Ostsee.

Vier Wochen danach war der Krieg ausgebrochen, und sie

hatten einander nicht mehr gesehen. Als habe Oda sich in Luft aufgelöst.

Einmal war sie hier in dieser Wohnung in der Bremer Reihe gewesen, kurz nachdem er eingezogen war, 1912, er hatte gerade seine erste Stelle in St. Georg im Lohmühlenkrankenhaus angetreten.

Kurt Landmann stellte den Topf in das Steingutbecken, später würde er spülen. Nur nicht verkommen jetzt nach der jähen Wende in seinem Leben. Die Löffelei aus dem Topf musste eine Ausnahme bleiben.

Ab Mai nun also Landarzt in Duvenstedt. Er war Theo dankbar und dessen Vater. Die Dame des Hauses schien ihn noch mit Skepsis zu betrachten, doch das Arzthaus war groß, man stand sich nicht auf den Füßen, wenn es ihm auch lieber gewesen wäre am Abend in die eigene Wohnung zurückzukehren, doch Theos Vater ging es vor allem um die nächtliche Bereitschaft. In den ländlichen Walddörfern zögerten die Leute nicht, nachts um zwei vor der Tür zu stehen oder den Doktor telefonisch aus dem Bett zu holen.

Das Bild von Oda hatte all die Jahre in dem Tagebuch gelegen, das er während der Kriegsjahre geführt hatte. Abgegriffen das Bild und das Buch, er hatte beides an allen Fronten dabeigehabt.

Es hatte noch ein zweites Bild gegeben, da saßen Oda und er im Strandkorb und lachten den Fotografen an, der mit seiner Kamera durch den Ort an der Flensburger Förde gezogen war.

Landmann sah auf die Uhr. Die Zeit schien ihm zäh. Noch zehn Stunden, bis er den Dienst antreten konnte. Er vertrat Theo gerne an diesem Ostersonntag. Nur noch vierzehn Tage, dann kam der 1. Mai.

«Sie hat mir all das Geld aus der Kaffeekanne gegeben», sagte Jacki. «Das ist ihr Versteck. Vorher hatte sie es einfach so im Küchenschrank hinter dem Zucker, doch das hat mein Vater spitzgekriegt. Dann kann er nicht anders und trägt es in die Kneipe.»

«Lass das Geld mal stecken», sagte Guste Kimrath. «Das Zimmerchen kriegst du umsonst von mir.» Sie betrachtete den Jungen, der die Mutter mitten in der Nacht geweckt hatte mit der Nachricht, er müsse fliehen, sofort. «Ist es hier denn sicherer als in Berlin?», fragte Guste. «Bei uns ist die Staatspolizei doch auch schon fix dabei.» Fünfzehn Jahre alt war Jacki. Sie hatte das schmale Hemd mit den struppigen blonden Haaren für noch jünger gehalten.

«Hier hab ich keine Flugblätter verteilt.»

«Meine Mutter schickt mich», hatte Jacki gesagt, als er vor der Tür gestanden hatte. War ihr Ruf, eine Sammlerin von Strandgut zu sein, schon bis nach Berlin gedrungen? Doch in dem Moment hatte sie es nicht hinterfragt.

«Mutter arbeitet in der Schneiderei von der Volksbühne. Da hat ihr eine von Ihnen erzählt. Dass Sie keinen wegschicken, der in Not ist.»

Guste nickte. Theaterleute gaben sich die Klinke in die Hand bei ihr. «Weiß sie denn, dass du gut bei mir angekommen bist?»

Jacki schüttelte den Kopf. «Könnten *Sie* mal im Theater anrufen? Ich hab mich nicht getraut. Die kennen da doch meine Stimme.»

Guste kam mit Mühe vom Kanapee im kleinen Dachzimmer hoch. Ganz schön durchgesessen. Musste auch mal was anderes her. «Die Nummer hast du nicht vielleicht?»

Jacki ging an den Tornister, den er als einziges Gepäckstück dabeihatte. Vermutlich sein alter Schultornister.

Guste nahm den Zettel mit der vierstelligen Nummer des Theaters am Bülowplatz. «An Ostern wird da wohl keiner sein», sagte sie.

«Nee. Nicht in der Schneiderei.»

«Hier bist du», sagte ein schnaufender Bunge, der bis unters Dach gestiegen war. «Da unten stehen zwei Polizisten. Momme beschäftigt die gerade. Doch sie wollen dich sprechen, Guste.»

«Und dann steigst du hier hoch und zeigst ihnen den Weg zu Jacki?»

«Glaub ich nicht, dass es um Jacki geht, dann kämen nicht die Udels, sondern die von der Staatspolizei.»

Den älteren der Polizisten kannte Guste. Er sah verlegen drein. «Tut mir leid, Frau Kimrath, wir haben einen Hinweis, dass das Meldebuch nicht ordentlich geführt wird. Das müssen wir überprüfen.»

«Aber gern, meine Herrn. Ich nehme an, der Hinweis kam anonym. Na. Die Konkurrenz schläft nicht. Schüttet gern mal Kiesel vor die Füße.»

«Wenn ich denn da mal reingucken dürfte.»

Guste holte das Meldebuch hinter dem Tresen hervor und wies auf einen der Samtsessel im Entree. «Setzen Sie sich.»

Er ließ sich Zeit mit der Lektüre, als schmecke er jeden Namen auf der Zunge. «Sie haben auch Juden unter ihren Gästen?»

«Das ist doch nicht verboten.»

«Nein. Das ist es nicht.» Er gab ihr das Buch und erhob sich. «Dann nichts für ungut», sagte er. «Da wollen wir uns mal wieder die Füße vertreten. An Ostern wüsste man auch Besseres zu tun.»

Die Doppeltür des Salons wurde aufgeschoben, und Bunge trat hervor mit einem kleinen Korb in der Hand. Guste nahm an, dass er die ganze Zeit hinter der Tür gestanden hatte.

«Darf ich Ihnen ein Schokoladenei anbieten und die Arbeit versüßen?»

«Das wird ja wohl keine Bestechung sein», sagte der Ältere und hatte schon die Hand ausgestreckt, als er zu seinem Kollegen sah, dem die Missbilligung im Gesicht stand.

«Tut mir leid», sagte er zum zweiten Mal und zog die Hand zurück.

«Dann lassen Sie sich mal nichts zuschulden kommen, Frau Kimrath», sagte der jüngere der Polizisten. «Sie stehen ja im Ruf, hier ein buntes Völkchen zu beherbergen.»

Ein zweistimmiges «Heil Hitler». Dann verließen sie die Pension.

NOVEMBER 1933

Sie kamen um vier Uhr morgens. Sturmriemen unter dem Kinn. Die Pistolen an der Lederkoppel. Gummiknüppel in den Händen. Hamburger Schupos, die das schmutzige Geschäft der Staatspolizei vollstreckten.

Käthe und Rudi waren aus dem Bett gesprungen und hatten nach ihren Kleidern gesucht, als es Sturm an der Tür klingelte. Käthe stand noch im Unterrock, da wühlten sie schon in den Schränken, stülpten Schubladen um, warfen Kartons auf den Boden und ließen den Inhalt herausplatzen.

Rudi war ganz still, doch Käthe schrie sich heiser. Wonach suchten sie? Was wollten sie? Den Spritdrucker, dachte Rudi. Käthe wusste nicht, dass er im Verschlag auf dem Dachboden stand, sie vermutete die Werkstatt im Keller der Druckerei Friedländer.

Doch sie fragten nicht nach dem Dachboden.

Käthe verstand nicht, warum Rudi auf einmal den Mantel anhatte. Dass er hinausgestoßen wurde in den regnerischen allzu frühen Novembermorgen. Er drehte sich um zu ihr, doch sie ließen keine Umarmung, keinen Abschied zu.

Die Tür der Nachbarn ging auf. Der gemütliche Mann, der seit zwölf Jahren neben ihnen wohnte. Er nickte, als er Rudi sah. Warum nickte er? Nicht zum Gruße.

Am Anfang des Jahres hatte es Fackelzüge gegeben. Warum keinen Aufstand gegen das Unrechtsregime? Gemütliche Männer, die nickten.

Käthe lief zum Fenster. Rudi hob den Kopf, sah zu ihr hoch, wollte die Hand heben, um zu winken. Doch einer der Männer rempelte ihn an, dass er beinahe fiel.

Käthe zitterte am ganzen Körper, als sie den Rock anzog, den Jumper.

Sie setzte sich an den Sekretär, der aussah wie ausgeweidet, und weinte. Wohin brachten sie Rudi? Ins berüchtigte Stadthaus oben am Neuen Wall? Vielleicht kam er heute schon wieder zurück. Der Satz pochte in ihr. Wenigstens den Sekretär aufräumen, Rudis Heiligtum.

Sie hatten gewaltsam gesucht, doch nicht gründlich. In der hinteren Lade lag das Päckchen, in ein Stück Zeitungspapier vom Hamburger Echo gewickelt, das seit März nicht mehr erschien.

Die Krawattennadel von Rudis unbekanntem Vater.

Weggehen, dachte Käthe, wie sie es noch nie gedacht hatte. Vielleicht nach Dänemark oder Schweden. Die Nadel brachte genügend Geld. Weg aus diesem Land. Anna und Karl zurücklassen?

Käthe fing an, das Chaos aufzuräumen. Noch drei Stunden Zeit, bevor ihr Dienst anfing. Wäre doch nur Landmann noch in der Finkenau.

«Viel Glück und viel Segen», sangen Henny, Ernst und Marike, obwohl es Klaus noch ganz egal war, dass sie es sangen. Sein zweiter Geburtstag. Bilderbücher bekam er, einen Baukasten mit vielen Säulen und Atlanten, eine Trommel, die hatte Else gerade noch gefehlt. Ohnehin war sie viel lärmempfindlicher geworden. Doch sie war noch nicht da, an diesem Geburtstagsmorgen. Erst am Vormittag wurde sie erwartet.

Henny hatte einen freien Tag heute. Ein freundlicher

Zufall, der sich da ergeben hatte, kein Entgegenkommen. Vieles war anders geworden in der Klinik, der Arzt aus Bonn ein schwieriger Vorgesetzter, in einem Moment den Jovialen gebend, im nächsten unnachgiebig und strafend. Nur wenige trauerten Dr. Landmann nicht nach.

Ernst ging aus dem Haus, am Nachmittag würde er zeitig zu Kaffee und Kuchen zurück sein. Marike verabschiedete sich ins Lerchenfeld.

Unger rief an. Das konnte nichts Gutes bedeuten, dachte Henny. Sollte sie doch zum Dienst?

«Käthe sitzt bei mir», sagte er. «Ihr Mann ist heute verhaftet worden.»

Henny hob das Geburtstagskind in den Kinderwagen und lief zur Finkenau. Vergaß ganz, dass Else mit einem Napfkuchen angekündigt war. Rudi, lieber Rudi. Der Nieselregen gab ihrer Stimmung den Rest.

Sie schob den Kinderwagen an der Dunkhase vorbei, die schon zu wissen schien von Käthes Leid. Vorbei auch an Dr. Aldenhoven, dem Arzt aus Bonn. «Sie stehen nicht auf dem Dienstplan, Frau Lühr, schon gar nicht mit Kinderwagen», sagte er. Ihm gefiel nicht, dass sie in das Sprechzimmer von Dr. Unger ging. Ohne anzuklopfen. Die Vertrautheit zwischen dem Kollegen und den Hebammen Lühr und Odefey fand er fragwürdig. Aldenhoven hielt viel von Hierarchie.

«Soll ich deinen Dienst übernehmen?», fragte Henny, als Käthe in ihren Armen lag. «Dann kannst du ins Stadthaus gehen.»

Rudi suchen. Das wollte Käthe. Dankbar nahm sie Hennys Angebot an. Wartete nur noch ab, bis Klaus bei der Großmutter war.

«Schweig bitte», hatte Henny zu Else gesagt, die genau wusste, dass es so hatte kommen müssen mit Käthe. Damals schon beim Geburtstag von Henny kurz nach dem Krieg.

«Wie sie über den Kaiser geredet hat», sagte Else Godhusen, «und übers Vaterland. Die setzt sich doch überall in die Nesseln. Ist doch klar, dass sich Hitler nichts von den Kommunisten gefallen lassen kann.»

«Ich muss jetzt zurück. Danke, dass du einspringst.»

«Ach du armer Klausemann», sagte Else. «Deinen Geburtstag haben du und ich uns anders vorgestellt. Der Kuchen ist auch ganz traurig.»

«Den Kuchen könnt ihr doch fröhlich essen, sobald Ernst und Marike da sind. In der Kammer steht für mittags ein Kartoffelauflauf, der muss nur noch in den Ofen.» Henny hatte die Klinke schon in der Hand.

«Ein Glück, dass *du* einen vernünftigen Mann hast», sagte Else.

Doch Henny hörte es schon nicht mehr. Sie lief die Treppen hinunter und stand auf dem Mundsburger Damm.

«Wer sich in Gefahr begibt, kommt darin um», sagte Else da gerade zu ihrem Enkel Klaus und schüttete ihm den Baukasten aus.

Eine Stunde hatte Käthe ausgeharrt, um dann zu erfahren, dass der in Schutzhaft genommene Odefey nicht in der Leitstelle der Staatspolizei, dem Stadthaus, war. Der Folterkeller dort schien ihm erspart geblieben zu sein.

«Dann gehen Sie den mal im Kola-Fu suchen», hatte ein Beamter gesagt, der wie ein gewöhnlicher Udel aussah. «Bisschen Kleidung können Sie ihm bringen. Wird nicht mehr sauber sein, was er anhatte.»

Hatten sie ihn buchstäblich durch den Schmutz gezogen?

Käthe fuhr in die Bartholomäusstraße und packte ihre Einkaufstasche voll. Wäsche. Eine warme Strickjacke. Seife. Die Zahnbürste. Was hatte sie für Hoffnungen im Kopf, dass sie ihm den Gedichtband einpackte, der noch aufgeschlagen auf Rudis Nachttisch lag.

Ein kleines Lied. Marie von Ebner-Eschenbach.

Strafanstalt Fuhlsbüttel, hinter deren Mauern nun auch das *Kola-Fu* errichtet worden war, das Konzentrationslager Fuhlsbüttel. Käthe näherte sich dem Torhaus, das mit den beiden Türmen und den roten Backsteinen nicht einmal bedrohlich aussah.

Der SS-Mann, der ihr die Tasche abnahm und deren Inhalt auf einen großen schwarzen Tisch kippte, flößte ihr dafür umso mehr Angst ein. Er pfiff, als er den Band mit den Gedichten der Ebner-Eschenbach sah, schüttelte ihn und ließ die Seiten durch seine Finger sausen, als sei das Büchlein ein Daumenkino. Keine heimlichen Botschaften, die er fand. Er warf ihr den Band vor die Füße.

«Die Jacke nehmen Sie auch wieder mit. Verwöhnen ist hier nicht», sagte er und warf die Jacke dem Büchlein hinterher.

«Darf ich meinen Mann sprechen?»

Das Hohnlachen hörte Käthe noch, als sie wieder in der U-Bahn saß, die Einkaufstasche auf dem Schoß, in der die warme Jacke lag, die Gedichte und die Leibwäsche, die ihr schließlich nach befohlener Warterei ausgehändigt worden war, Hemd und lange Unterhose, die Rudi um vier Uhr morgens hastig angezogen hatte. Blutige Wäsche.

Käthe scherte sich nach wie vor nicht viel um die Gedichte, die Rudi las. Doch nun setzte sie sich an den Küchentisch und guckte die zwei kurzen Verse an. Das glaubte sie ihm schuldig zu sein.

Ein kleines Lied. Wie geht's nur an,
Daß man so lieb es haben kann,
Was liegt darin? Erzähle!

Es liegt darin ein wenig Klang,
Ein wenig Wohllaut und Gesang
Und eine ganze Seele.

Heile Welt hatte er gesucht, ihr Rudi. Käthe klappte das Büchlein zu und ließ die Tränen laufen. Sie nahm das Gedicht als Liebeserklärung.

«Vorbereitung zum Hochverrat», sagte sie in der Küche ihrer Eltern.

«Haben die denn was gefunden bei euch?», fragte Henny, die hier saß statt in der eigenen Wohnung, wo es bald Schnittchen geben sollte zur Feier des Geburtstages von Klaus. Sie dachte an die Flugblätter, von denen ihr Käthe im Frühling erzählt hatte. Was wussten die Laboes?

«Nichts», sagte Käthe, «nichts haben die gefunden.»

«Du klingst, als ob dich das wundert», sagte ihre Mutter. «Kind, was suchen die bei euch? Was macht ihr? Die KPD ist verboten, seit der Reichstag gebrannt hat.»

«Annsche, du willst gar nich wissen, was die Kinners tun», sagte Karl. «Und du darfst es auch nich, sonst holen sie dich auch noch.»

Anna Laboe sah ihren Mann an. «Und was weißt du?», fragte sie.

«Reim mirs einfach zusammen. Rudi wird nich aufgehört haben mit den Zetteln, nur weil denen in Berlin die Bude brennt.»

«Wenn die nichts gefunden haben, müssen sie ihn doch

freilassen», sagte Henny. «Du musst zu einem Anwalt gehen, Käthe. Vielleicht kann Unger dir einen nennen. Es gibt doch sicher Rechtsmittel.»

Käthe sah sie an, als sei Henny von einem anderen Stern gefallen. «Da gibt es nur noch Unrechtsmittel», sagte sie.

War das der Staat, an den Ernst glaubte? Die stabilen Verhältnisse?

«Ich werde mal nach Hause gehen», sagte Henny. Ihre Schicht war seit zwei Stunden vorbei. Das wussten Ernst und Else. Als sie in den Flur ging, um ihren Mantel anzuziehen, folgte Käthe ihr. Henny lag es auf der Seele zu sagen: *Komm zu mir, wann immer dir danach ist*. Zu Luds Zeiten hätte sie das ganz selbstverständlich gesagt.

«Ich danke dir», sagte Käthe, «dass du heute Morgen gleich für mich eingesprungen bist und überhaupt.»

«Käthe, ich komme zu dir, wann immer dir danach ist.»

«Du denkst doch auch, dass Rudi bald wieder da ist?», fragte Käthe und lehnte ihren Kopf an die Schulter der Freundin.

«Das denke ich», sagte Henny und streichelte Käthe über das Haar.

«Nu heul ich dir auch noch den Mantel nass.»

«Ich hab dich von Herzen lieb.»

«Ich dich auch», sagte Käthe und löste sich von ihrer Schulter. «Dann geh mal zu den Kindern und deinem Ernst.»

Henny verließ das Haus in der Humboldtstraße und sah zu den dunklen Fenstern im zweiten Stock des Eckhauses gegenüber, die elterliche Wohnung, in der sie aufgewachsen war.

In Hennys Küche stand jetzt Else und bereitete die Platte mit den Schnittchen vor. Nicht nur die alltäglichen Wurstsorten, Henny hatte vom Westfälischen Knochenschinken gekauft, echten Schweizer Käse und für Ernst ein Stück Aal.

Else würde die kleinen Essiggurken mit dem spitzen Küchenmesser längs fächern und die Silberzwiebeln zwischen die Schnittchen legen, als seien sie Perlen. So hatte sie es schon in Hennys Kindheit gemacht.

Und da schlich sich Dankbarkeit bei Henny ein, dass sie nur noch ein kurzer Weg von diesem Zuhause trennte und sie die Verzweiflung des Tages hinter sich lassen durfte.

«Wo bleibst du denn?», fragte Else, als sie in den Flur trat.

«Hattest du nicht schon um vier Uhr Dienstschluss?», fragte Ernst. «Es ist gleich halb sieben.»

Henny ließ sich auf keinen der Vorwürfe ein, entschuldigte sich auch nicht, sie nahm die kleine heiße Hand, die ein aufgeregter Klaus ihr hinhielt, um sie in das Wohnzimmer vor einen hohen Klötzchenturm zu führen, den er im nächsten Augenblick zum Einsturz brachte.

«Nicht schon wieder, Klaus», sagte Ernst. «Lass doch mal den Turm.» Doch der Kleine schien sich schieflachen zu wollen.

«Dann können wir ja essen», sagte Else und holte die Platte aus der Küche. Gefächerte Essiggurken. Silberzwiebeln wie Perlen aufgereiht. «Mach du mal das Bier für deinen Mann auf.»

«Nun schnapp ich dich. Nun schnapp ich dich», rief Ernst und griff seinen jauchzenden Sohn, um ihn in den Hochstuhl zu setzen. Marike saß still am Tisch. War Rudis Verhaftung Thema gewesen? Vor den Ohren der Kinder? Marike mochte Rudi gut leiden.

«Ich nehme an, du warst noch bei Käthe», sagte Else.

«Jetzt wird Geburtstag gefeiert», sagte Ernst. Er goss sich das schäumende Bier ins Glas. «Auf die Mütter. Auf die Kinder.»

«Eigentlich könnte ich ein Gläschen Wein vertragen», sagte Else, «zur Feier des Tages.»

«Entschuldige. Daran hätte ich denken können.» Ernst schob seinen Stuhl zurück. «Da muss ich aber mal in den Keller.»

«Nur keine Umstände», sagte Else. Doch Ernst zog schon die Tür hinter sich zu. «Also, was ist nun mit Rudi?», fragte Else. «Man will es doch wissen.» Marike setzte sich ganz gerade auf und sah Henny an.

«Er wurde nach Fuhlsbüttel gebracht.»

«Ins Centralgefängnis?», fragte Else.

«In ein Lager für politische Häftlinge, das sie da errichtet haben.»

«Werden sie ihm etwas tun?», fragte Marike.

«Wir hoffen, dass er bald wieder bei Käthe ist.»

Else schnalzte. In Ungläubigkeit oder weil sie die Wohnungstür hörte?

«Du bist aber schnell», sagte sie zu Ernst, «all die Treppen.»

Ernst war geschmeichelt, doch außer Atem. Er entkorkte den Wein und holte zwei der Römer aus der Vitrine. «Dann sagen wir noch mal Prost.» Er hob das Bierglas. Kaum noch Schaum auf dem Bier, Ernst sah verärgert aus. «Vielleicht noch Musik, die Damen?» Er stand auf. Stolzer Besitzer eines neuen Grammophons. *Liebling, mein Herz lässt dich grüßen*, sangen Lilian Harvey und Willy Fritsch. Ernst ging in die Küche, ein frisches Bier holen.

Erst im Bett fragte er nach Käthe und Rudi, und Henny war erleichtert, dass kein Tadel und keine Häme in seiner Stimme lagen.

Louise saß auf dem Rand der Badewanne und sah zu, wie sich die Fichtennadeltablette auflöste. Das Wasser färbte sich grün. «Dein Bad ist gleich fertig», sagte sie laut genug, dass Lina es nebenan hörte.

Lina trat ein und hielt die Hand ins Wasser. «Hervorragende Temperatur. Du solltest Bademeisterin werden und ich wohl auch.»

«Bademeisterin? Vielleicht im Puff. Du hast ein völlig falsches Bild vor Augen. Die bereiten keine grünen Bäder, sondern stehen am Rand des Beckens und betätigen schrille Pfeifen.»

Lina legte ihren Kimono ab und stieg ins Wasser. «Wir haben gestern viel zu viel getrunken», sagte sie. «Kurt hat immer wieder eingeschenkt.»

«Wer Sorgen hat, hat auch Likör.»

«Hattest du nicht den Eindruck, dass es gut läuft in Duvenstedt?»

«Doch. Es ist nur nicht seins. Soll ich uns Rollmöpse servieren? Das hilft gegen den Kater.»

«Wir haben keine Rollmöpse», sagte Lina und tauchte tiefer ein ins Grün. «Du meinst, dass er niemals Landarzt sein wollte?»

«Und keinen freundlichen alten Doktor neben sich haben, der ihm dauernd auf die Finger schaut.»

«Der alte Unger kann schlecht loslassen.»

«Ich hoffe, die Nazis starten nicht die nächste Stufe und erteilen ein totales Berufsverbot für jüdische Ärzte.»

Lina seufzte und legte den Kopf zurück, bis sie das kühle Emaille im Nacken fühlte. Was sollte aus ihnen allen werden? Dabei war ihr noch nichts Schlimmeres passiert, als dass ihre Laufbahn als Studienrätin am Gymnasium beendet wurde. Andere hatte es schlimmer getroffen.

Ihre Kollegin Dorothea Bernstein hatte als Jüdin das Lerchenfeld verlassen müssen und war mit vierzig Jahren ohne jedes Gehalt in den Zwangsruhestand versetzt worden.

«Du siehst gerade düster aus», sagte Louise. «Soll ich zu dir in die Wanne kommen?»

«Du denkst, das hilft?» Lina lächelte. Draußen läuteten die Glocken der nahen Gertrudkirche zum Sonntag, und sie lag hier in der Badewanne. Ein lockeres Leben, das sie führten in dunklen Zeiten. «Am kommenden Sonntag ist die Reichstagswahl», sagte sie.

«Da geh ich nicht hin», sagte Louise. Sie streifte das Hemd ab. «Mach mal Platz.» Sie stieg in die Wanne, und die Wellen wogten.

«Das kann man einfach? Nicht hingehen?»

«Deswegen werden sie uns nicht abführen. Du kannst da eh nichts wählen. Der Austritt aus dem Völkerbund hat stattgefunden, und sich das durch Volkes Stimme bestätigen zu lassen, ist Heuchelei. Und sonst darfst du dich entscheiden zwischen NSDAP und NSDAP.»

«Vielleicht werden sie die Listen nach Nichtwählern durchsuchen.»

«Du bist ein Angsthase.»

Bangbüx. Wie kam dieses Wort in ihren Kopf? Hatte ihr Vater Lud so genannt? Lud hätte es bei Nagel und Kaemp komfortabel gehabt. Die waren rein arisch und von keinen Repressalien betroffen.

«Eigelb mit Worcestersauce und Pfeffer und Salz», sagte Louise.

«Was?»

«Das nimmt mein lieber Vater zu sich, wenn er verkatert ist. Frische Eier haben wir da und Worcestersauce auch. Die habe ich für die Königinpasteten gekauft.»

«Dann sind wir ja gerettet», sagte Lina.

«Vielleicht sollten wir doch nach England gehen?»

«Was soll eine deutsche Studienrätin da tun?»

«Geht es dir denn gut an der Ahrensburger Straße?»

«Die haben auch ein reformpädagogisches Konzept.»

«Noch.» Louise begann, unruhig zu werden im nicht mehr ganz so warmen Badewasser. Sie stieg aus der Wanne und hüllte sich in das große Leintuch mit den Initialen von Linas Mutter.

«Und ich?», fragte Lina.

«Ist nur ganz wenig feucht.»

«Du bist ein typisches Einzelkind.»

«Frau mit lila Augen. Komm aus dem Wasser. Geh mit mir ins Bett.»

«Erst wenn du uns das Überlebenseigelb deines Vaters kredenzt hast», sagte Lina. Wer hätte das alles gedacht.

Kurt Landmann guckte aus dem Fenster auf die Bremer Reihe, der Nebel war dabei, die Häuser auf der anderen Straßenseite zu verhüllen. Vielleicht sollte er doch schon am heutigen Abend nach Duvenstedt fahren, morgen um sieben war seine Präsenz gefordert, da konnte er sich keine schwierigen Wetter erlauben.

Der Jud, sagten die Leute, doch sie respektierten ihn, hatten ihn als guten Arzt erkannt. Und mit dem alten Unger arrangierte er sich. Glück, dachte Landmann, er hatte Glück gehabt.

Theodor Unger, der Ältere, verzog sich mit dem *Fremdenblatt* und *Reclams Universum* bei gutem Wetter in den Garten und des Winters in die Stube, wenn das Wartezimmer leer geworden war. Die Hausbesuche oblagen nun Landmann, der sie mit dem Fahrrad erledigte. Hätte er geahnt, dass das Leben ihn aus dem großstädtischen Dasein herauskatapultierte, wäre er dem Erwerben einer Fahrerlaubnis gegenüber wesentlich aufgeschlossener gewesen.

«Da kümmt der neue Doktor auf'm Fahrrad angeeiert.»

Das hatte der alte Harms gesagt, sein Lieblingspatient, dem er eine tägliche Insulinspritze gab. Doch mittlerweile war Kurt Landmann zum König der Pedale geworden.

Er trat vom Fenster weg und entschied, zu Hause zu bleiben. Die Abende waren doch trist in Duvenstedt, seit es Herbst geworden war. Lotte Unger lud ihn ein, in die Stube zu kommen, doch er wollte ihnen nicht auf der Pelle hocken und blieb dann im ehemaligen Zimmer der Jungen unter dem Dach, in dem noch die gerahmten Urkunden von Reiterturnieren hingen, an denen Theos jüngerer Bruder Claas teilgenommen hatte.

Lotte war eine patente Frau, das schätzte er. Zu den Hühnern und Hasen hatte sie im Frühjahr einen Gemüsegarten angelegt, dafür die letzten Blumenbeete geopfert. «Das geht nicht gut mit dem Mann», hatte sie Landmann anvertraut und Hitler gemeint. Der alte Unger war da doch deutlich zuversichtlicher, was Frieden und Stabilität unter der neuen Führung anging.

Landmann trat in die Küche und nahm die gespülten Gläser vom Abtropfbrett, trug sie zur Biedermeiervitrine, auch die ein Erbstück aus dem Haushalt seiner Mutter. Was hatten sie gestern gesoffen, vor allem er und Louise, Lina war wie immer kontrollierter gewesen.

Das Bild von Okke Hermann hing schief. Er hatte es gestern vom Haken genommen, damit die Damen es besser betrachten konnten. Wahrscheinlich hatte er nicht mehr gerade auf den Beinen gestanden, als er das Bild an seinen Platz zurückhängte.

Louise hatte die Dünenmalerei umgedreht und einen kleinen Schrei ausgestoßen. «Das ist ja ein heiterer Titel», hatte sie gesagt. Er hatte von keinem Titel gewusst. Für ihn waren es die *Frauen von Nidden* gewesen, die er dem Galeristen abgekauft hatte.

Lina las den Titel und schüttelte leicht den Kopf. «Das will mir nicht gefallen, Kurt, du kaufst ein Bild, das den Titel *Der Tod* trägt?»

Edvard Munchs *Der Schrei* kam ihm in den Sinn, vielleicht hatte der Künstler an diesen großen Kollegen anlehnen wollen.

«Ich wusste nicht einmal, dass es so heißt. Habe es nur einer Erinnerung wegen gekauft.»

«Erzähl», hatte Louise gesagt und sich an ihn geschmiegt.

Doch so betrunken war er nicht einmal gestern Abend gewesen, dass er das getan hätte, den beiden Frauen von Oda zu erzählen.

Elisabeth hatte das Raunen um den Schauspieler Hans Otto gehört, von einem forcierten Fenstersturz aus dem dritten Stock der Voßstraße war die Rede, dort wo die Berliner Gauleitung der NSDAP saß.

Sie fröstelte, als sie an der Voßstraße vorbeikam und das große Banner an der Fassade hängen sah. *Ein Volk, ein Führer, ein Ja.* Das war den Nazis gelungen mit ihrer Einheitsliste. War es beruhigend zu wissen, dass sie jederzeit zu ihrer Mutter und Betty nach England ausreisen konnte? Doch was sollte aus Theo werden?

Zum Lehrter Bahnhof nahm sie eine Taxe, mit dem *Fliegenden Hamburger* würde sie in zweieinhalb Stunden zu Hause sein. Sie war froh darüber, Berlin für einige Zeit zu verlassen.

Im Januar hatte sie die Premiere von *Faust II* im Staatstheater erlebt, Hans Otto hatte da mit Gründgens und Werner Krauß auf der Bühne gestanden, und nun lag er schwerst verletzt und würde wohl sterben, weil er sich nach der Entlassung aus dem Theater kommunistisch betätigt hatte. 33 Jahre war er alt. So alt wie dieses Jahrhundert, zwei Jahre älter als sie selbst. Alles geriet aus den Fugen. Wie gut es war, sich damals gegen das Kind entschieden zu haben.

Elisabeth hatte keine Ahnung, wie es beruflich für sie weitergehen sollte. Noch nahmen *Die Dame* und die *Vossische Zeitung* ihre Texte gerne an, doch in den Redaktionen hatte sich viel verändert, vertraute Leute waren entlassen worden, keiner wusste, wie lange Ullstein noch standhalten konnte. Das Damoklesschwert der Arisierung hing über dem Verlag wie über vielen anderen auch.

Sie stieg in ein Abteil erster Klasse und fand einen anderen Fahrgast vor, der höflich aufstand, als sie ihren Platz einnahm, um sich dann wieder seiner Zeitung zu widmen. *La Stampa*. Kurz hinter Ludwigslust legte er die Zeitung zusammen, sah aus dem Fenster und betrachtete die Landschaft. Es fing schon an, dunkel zu werden.

Erst jetzt kam ihr in den Sinn, wie unklug es war, das Buch von Erich Maria Remarque, in dem sie las, offen zu präsentieren. Doch wusste ein Italiener, dass *Der Weg zurück* zu den Titeln gehörte, die im Mai auf dem Berliner Opernplatz und an anderen Orten verbrannt worden waren, weil Autoren und Inhalte von den neuen Machthabern angeprangert wurden? Mussolini gehörte immerhin zu den Verbündeten Hitlers. Vielleicht war der attraktive Mann ihr gegenüber in dessen Diensten.

Er hatte wohl ihre Gedanken gelesen, er lächelte jedenfalls. «Ich habe *Im Westen nichts Neues* gelesen, dieses kenne ich noch nicht», sagte er in einem tadellosen Deutsch mit deutlichem Akzent.

«Es ist eine Art Fortsetzung», sagte Elisabeth.

«Remarque ist nicht mehr gut gelitten. Ich hörte, bei der Premiere des Films hat Herr Goebbels weiße Mäuse im Kinosaal laufen lassen.»

«Sie sind gut informiert.»

«Verzeihen Sie. Mein Name ist Garuti. Ich bin Kulturattaché.»

Also doch. Elisabeth spürte eine leichte Röte im Gesicht aufsteigen.

«Aber ich bin weder Spitzel noch Denunziant.»

«Das würde ich Ihnen nicht unterstellen.» Wie alt mochte er sein? In seinen Fünfzigern? In dem dichten lockigen Haar zeigten sich schon erste Spuren von weiß. Dann war es doch eher wahrscheinlich, dass er bereits vor Mussolini in diplomatischen Diensten gestanden hatte.

Als sie in Hamburg einfuhren, gab er ihr seine Visitenkarte. *Dott. A. A. Garuti.* Erst auf dem Bahnsteig, als er sich verabschiedete und davoneilte, fiel ihr ein, ihm nicht ihren Namen genannt zu haben.

«Ein deutscher Junge, wie man ihn sich nur wünschen kann», sagte Dr. Aldenhoven und zeigte der erschöpften Mutter das Neugeborene, das in Hennys Armen zappelte.

«Ist alles dran?»

«Was soll denn nicht dran sein?» Aldenhoven lachte sein lautes joviales Lachen, das Henny jedes Mal zusammenzucken ließ.

«Na, Frau Lühr. Ihre Nerven sind nicht die besten», sagte der Arzt. «Alle Fingerchen sind dran, alle Zehen und ein prächtiger Schniedel.»

Aber den Arm zum deutschen Gruß hebt er noch nicht, dachte Henny. Gestern hatte ihr Unger ein neu erschienenes Buch gezeigt. *Lehrbuch für Säuglings- und Kinderschwestern.* Das dralle Baby auf dem Buch hatte den rechten Arm erhoben.

«Wie soll er denn heißen?», fragte Aldenhoven.

«Heiner.»

«Das ist ja auch ein germanischer Name. Können nicht alle Adolf oder Hermann heißen.» Der Arzt dröhnte erneut.

Henny überließ Käthe die Bereitschaftsdienste mit Unger und Geerts, soweit es möglich war. Seit die leitende Hebamme ein Leiden hatte und immer häufiger Fehlzeiten, war sie dafür zuständig und kam mehr und mehr in die Position einer Leitenden. Für Käthe war es eine schwere Zeit in der Klinik, seit die Dunkhase allen erzählt hatte, dass Käthes Mann im Konzentrationslager Fuhlsbüttel einsaß.

Aldenhoven war ein guter Arzt, doch er zog mit der neuen Zeit, ihm fehlte allerdings die Niedertracht der Dunkhase.

Keine Nachrichten von Rudi. Zweimal hatte ihm Käthe Wäsche bringen dürfen, die, die sie zurückbrachte, war wieder blutig gewesen.

«Sie werden ihm einen ordentlichen Prozess machen», sagte Ernst. «Wenn er unschuldig ist, wird das bewiesen werden.»

Er schien es tatsächlich zu glauben. Henny tat es nicht.

«Freu dich doch mal auf die Adventszeit», sagte Else. «Du hast zwei Kinder. Da bist du in der Pflicht.»

Doch noch stand der Totensonntag vor der Tür, und Henny fuhr mit Marike nach Ohlsdorf zum Friedhof und legte ein Tannengesteck auf Luds Grab. Marike tat eine Zeichnung dazu, die schon vom Regen aufgeweicht war, als sie das Haupttor erreichten. Luds Tochter hatte ihren kleinen Bruder gezeichnet und Henny und sich selbst.

Am Tag nach Totensonntag traf Henny sich wieder mal mit Ida, doch die hatte anderes im Kopf, sie litt weder mit Käthe noch an Deutschland. Ida war verliebt.

«Er hat herrliche Hände», sagte Ida.

«Und was macht er damit?», fragte Henny.

Ida schenkte ihr einen langen Blick der Missbilligung. «Er spielt Klavier im Vier Jahreszeiten», sagte sie.

Das klang in Hennys Ohren nach Eintänzer, doch sie tat dem Pianisten unrecht. Er hatte es nur nicht in die Konzertsäle geschafft.

Das gibt's nur ein Mal, das kommt nicht wieder, das ist vielleicht nur Träumerei, das kann das Leben nur ein Mal geben, vielleicht ist's morgen schon vorbei.

Texter und Komponist waren schon emigriert, doch davon wussten weder Ida noch Henny und keiner im Vier Jahreszeiten.

«Ich wusste nicht, dass du im Vier Jahreszeiten verkehrst.»

«Mit Campmann dauernd.»

«Doch da ganz offensichtlich ohne Campmann oder schaut der deinen Techtelmechteln zu?»

«Du bist langweilig geworden an Lührs Seite.»

Henny sah auf ihre Hände und den breiten Ehering. Vielleicht stimmte das sogar. «Lass mich teilhaben an der großen Welt», sagte sie.

Ida hörte keine Ironie. Sie erzählte mit dem Enthusiasmus der heimlich Verliebten, die endlich offene Ohren gefunden hat.

Nur für ein Weilchen fällt auf uns nieder
vom Paradies ein goldner Schein.

«Er spielte das Stück zu Ende und ist von seinem Flügel aufgestanden und zu mir an den Tisch gekommen», sagte Ida.

«Und dann?»

«Hat er sich verbeugt und mir seine Karte gegeben. Er dürfe sich leider nicht zu mir setzen, das sehe die Direktion nicht gerne.»

«Und du hast ihn tatsächlich angerufen?»

«Du ahnst nicht, wie sehr ich dürste. Jef sieht blendend aus und hat es mir leicht gemacht. Er kommt aus Belgien.» War das eine Erklärung?

«Ich finde das alles nicht gut. Was ist mit dem kleinen Elefanten und Tian? Schaff endlich mal Fakten mit Campmann.»

«Hast du vergessen, dass eine andere Frau in Tians Armen lag?»

«Verzeih ihm. Ihr seid schon Jahre getrennt. Da kann er sich doch nicht immer nur kasteien.»

«Soll ich ihm nachlaufen?»

«Was hast du denn jemals für deine große Liebe getan?»

Sie waren laut geworden. Wie gut, dass Mia Ausgang hatte und Campmann ohnehin nicht da war. Als sie auseinandergingen an diesem Abend, waren sie erschöpft und traurig.

Henny ging den Hofweg entlang und in die Papenhuder Straße hinein, bis sie den Mundsburger Damm erreichte. Sie hatte nicht den kürzesten Weg nach Hause gewählt. Vielleicht drückte sie sich auch vor der einen und anderen Wahrheit.

«Das ist nicht richtig, was die mit den Itzigs machen», sagte der alte Harms. Er rollte den Ärmel seines Hemdes runter, nachdem Landmann auf die Einstichstelle der Spritze ein kleines Pflaster geklebt hatte.

«Nein», sagte Kurt Landmann, «das ist nicht richtig.»

«Wenn Sie mal abends ein Lütt un Lütt trinken wollen, dann kommen Sie ruhig zu mir. Der alte Doktor ist ja nicht so für Schnaps.»

Wie kam Landmann jetzt Helbings Kümmel in den Sinn, mit dem er vor vielen Jahren den jungen Unger abgefüllt hatte? Vielleicht wäre Henny Lühr, damals Godhusen, doch die richtige Frau für Theo gewesen.

«Also wenn das jetzt eine Einladung ist, da sag ich nicht nein.»

«Jederzeit, Herr Doktor, jederzeit. Seit meine Frau nich mehr is, sind die Abende einsam hier auf dem Dörp und das Haus zu groß.»

«Ja, das kenne ich», sagte Kurt Landmann, «einsame Abende.»

«Wir verstehen uns, Herr Doktor. Auch wenn Sie ein Itzig sind.»

«Das tun wir. Uns verstehen.» Landmann fühlte sich erheitert. Der Alte in seiner Offenheit tat ihm wohl wie schon lange nichts mehr.

Vielleicht ginge es ja doch noch eine Weile gut, und man ließe ihn hier praktizieren zwischen Pferdekoppeln und alten Landhäusern. Hamburg und das Stadthaus und auch Fuhlsbüttel schienen weit weg zu sein.

Im Hof pickten die Hühner, im Stall saßen die Hasen, und im Sommer gab es Bohnen, die von den Stangen gepflückt wurden und Köpfe von Endiviensalat, kraus und glatt.

Als er zurückkam, stand Louises grüner Dixi vor der Tür der Praxis.

«Wollte nur mal nach dir sehen. Lina macht sich Sorgen.»

«Und du nicht?» Landmann grinste.

«Du bist wie ich. Einer, der nicht aufgibt», sagte Louise.

«Du warst schon keck, als du geboren wurdest.»

«Ach was. Lass uns eine Runde drehen.»

Er sah auf die Uhr. Eine Stunde, bis die Sprechstunde wieder begann. Irgendwas stimmte nicht bei Louise.

«Ist bei deinen Eltern alles in Ordnung?», fragte er, als er im Auto saß.

«So weit. Ich weiß nichts anderes.»

Sie fuhren durch einen Schleier von Regen. Wie gut, dass der Dixi auch ein Dach hatte. «Was ist los?», fragte Landmann.

«Im Theater haben sie mir nahegelegt zu gehen», sagte Louise.

Sie würden es vorantreiben. Bis zum bitteren Ende.

«Denk daran, dass du bist wie ich», rief er ihr nach, als das Auto schon um die Ecke bog. «Eine, die nicht aufgibt.»

Dann ging er in die Praxis, um ein Furunkel aufzuschneiden und sich mehrere belegte Zungen anzugucken.

Idas Pianist spielte ein Lied, das gerade in einem Club in Harlem zum ersten Mal gesungen worden war: *Stormy Weather*. Er spielte *Smoke gets in your Eyes* von Jerome Kern und *Isn't it a Pity* von den Brüdern Gershwin. Er spielte sich in Kalamitäten hinein, weil auch die neuen Herren in der Kaminhalle saßen, selten in ihren braunen Uniformen, das war nicht wohlgelitten im eleganten Hause. Doch Idas Pianist wurde gebeten, zu deutschem Liedgut zurückzukehren.

Als Ida ins Vier Jahreszeiten kam, war er nicht mehr da. Von einem Tag auf den anderen. «Ein Engagement in Amsterdam», sagte der Mann am Empfang bedauernd, er hatte die Klänge aus der Kaminhalle auch geschätzt. Doch der junge Mann am Klavier war nicht bereit gewesen, sein Repertoire zu ändern und den Wünschen der Nazis anzupassen.

Das kann das Leben nur ein Mal geben, und was vorbei ist, ist vorbei.

Ida setzte sich in die weihnachtlich dekorierte Kaminhalle und zupfte an ihren hellen Handschuhen.

«Darf ich Ihren Mantel zur Garderobe bringen, gnädige Frau?»

Sie ließ sich den Wildledermantel mit dem Pelzfutter abnehmen und bestellte gleich einen Hummersalat und dazu Sherry. Sonst hatte sie nur immer Tee getrunken. Nun brauchte sie andere Stimulanzien.

Am Flügel saß ein Bürschlein und spielte *Adieu, mein kleiner Gardeoffizier*. Der Komponist Robert Stolz war wohlgelitten.

Ida trank den Sherry zu schnell und spürte Bitterkeit, dass ihr nichts gelang, nicht einmal einen Liebhaber länger als zwei Wochen zu halten. Campmann hatte seine Geliebte schon seit drei Jahren.

Sie hätte gern Joans Kleider mit einer scharfen Schere zerschnitten, würde ihr nur Zugang zum Kleiderschrank gewährt. In ihr wuchs der Zorn, wie völlig ungehemmt Campmann und diese Amerikanerin ihrer Liebschaft inzwischen nachgingen.

Eines Sonntags hatte er sich im neuen seidenen Hausmantel an den Frühstückstisch gesetzt und Ida freudig aufgeklärt, dass der von Joan geschenkt und für ihn bei *Saks Fifth Avenue* gekauft worden sei und sie nicht nur einen guten Geschmack, sondern auch Geld besitze. Ja. Er genoss seine Rache für die Lieblosigkeiten vergangener Jahre.

Ida gab das Zeichen für einen zweiten Sherry.

Eine entwürdigende Situation, noch immer den Tisch

mit ihm zu teilen, wenn auch lange schon nicht mehr das Bett, diese Frau am Telefon zu haben, die Campmann zu sprechen wünschte, ihr Parfüm in der Nase, ihre dunklen Haare auf den Hemdkragen. Doch den Gedanken, dass die Amerikanerin einziehen und an Idas Stelle in der Beletage leben könnte, fand Ida noch unerträglicher.

Würde diese Pendlerin zwischen der Alten und der Neuen Welt sich entschließen, zurück nach Philadelphia zu gehen oder nach New York, wohin auch immer auf dem großen Kontinent Amerika, Ida hätte die Scheidung im nächsten Augenblick gefordert.

Doch es galt, Joans Rückzug abzuwarten. Längst noch nicht genügend Geld in der Kassette, und Campmann war geizig geworden mit der Apanage, seit er nichts mehr heimlich tat.

Eine Dame winkte ihr von einem der Nachbartische zu. War es nicht die Gattin des Handelskammermenschen? Ida hatte keine Freundinnen in den eigenen Kreisen. Vielleicht sollte sie das ändern.

Ihre Strategie bei Campmann schadete ihrer Beziehung zu Henny. Luxus statt Freiheit. Henny hatte das Gesinnungslumperei genannt und obendrein keinerlei Verständnis gezeigt, dass Ida nun auch noch die Säuglingspflege aufgab.

Sie fühle sich noch immer fehl am Platze, hatte Ida gesagt.

Zu viele Erbsen für die Prinzessin, hatte Henny erwidert.

Dabei ließ Ida doch nur alle Hoffnung fahren. Hatte Henny denn keine Sensibilität für ihre Sorgen?

Am Tag nach Totensonntag hatte Henny Ida eine Egozentrikerin genannt und Ida Ernst Lühr einen grässlichen Spießer. Seitdem war Funkstille zwischen ihnen. Wurde Zeit, sich zu vertragen.

Ida aß den Hummersalat schnell, wie sie den Sherry getrunken hatte. Er war ihr in den Kopf gestiegen.

Wie sehr sie Jef vermisste. Seine Hände. Auch auf ihr hatte er herrlich spielen können. Da war eine große Sehnsucht in ihr gewesen, begehrt zu sein. Jung und rosa schimmernd. Von Kopf bis Fuß.

Rudi kehrte am Freitag vor dem ersten Advent zurück. Kahl geschoren war er, und ihm wurde kaum mehr warm. Käthe dankte dem Zufall, dass sie zu Hause war, als er kam. Sie packte ihn in Decken und bettete ihn auf das Sofa, auf das schon Hans Fahnenstich gebettet worden war.

Sie legte noch mehr Holz in den Kachelofen und gab ihm heißen Tee mit Honig zu trinken. Doch er fror, fror, fror. Landmann kam am Abend und sah sich die Spuren der Folter an. Ließ Salbe da, Tabletten gegen die Schmerzen an Leib und Seele und eine Flasche Kognak. Henny brachte einen Topf mit Hühnersuppe. Doch all das konnte Rudi nicht wärmen. Er hatte die nasse Kälte des Novembers im Körper und die Grausamkeit seiner Peiniger.

In der Nacht lag Rudi in Käthes Armen und schlief kaum, und wenn er schlief, schreckte er hoch, und sein Keuchen schienen unterdrückte Schreie zu sein. Käthe bat ihn, von den Qualen zu erzählen, um sie von sich zu lösen, und schließlich tat er es.

«Lass uns Deutschland verlassen», sagte Käthe.

«Und deine Eltern?», fragte Rudi. «Sie fangen an, alt zu werden.»

«Die Krawattennadel ist noch da.»

«Dann bleibt sie uns als Sicherheit, wenn es ganz schlimm kommt.»

Wie schlimm sollte es denn noch werden?

MAI 1938

Eine Ausstellung bedarf einer langen Vorbereitung», sagte Dottor Garuti und lachte Elisabeth an, die an der Seite ihres Mannes das Museum für Kunst und Gewerbe besuchte. «Damals in der Eisenbahn haben Sie mir Ihren Namen nicht verraten, doch nun fügt es sich aufs schönste, Signora.»

Ja. Es fügte sich. Dass die Diskriminierungen für Elisabeth Unger erträglich waren trotz der *Gesetze zum Schutze des deutschen Blutes und der deutschen Ehre*, die seit September 1935 existierten. Theo Unger schützte sie in dieser «Mischehe». Wie dankbar war sie, dass ihr Vater die Nürnberger Gesetze nicht mehr erfahren hatte und ihre Mutter mit Betty in England lebte. Elisabeth hatte lange über eine Emigration nachgedacht und war noch zu keinem Entschluss gekommen. Nun stand sie in der Ausstellung italienischer Töpferkunst, die an diesem Abend eröffnet wurde, betrachtete Krüge und Schalen, Fliesen und Reliefs aus sechs Jahrhunderten, und der Herr aus der Eisenbahn hatte schlohweißes Haar.

Die Gattin des Klinikleiters war Kuratorin dieser Ausstellung, der Besuch für den leitenden Arzt Dr. Unger Pflicht. «Wie schön, dass Sie kommen konnten», sagte die Gattin und lächelte Theo Unger eine Spur länger an als Elisabeth. Vermutlich gab sie Männern den Vorzug.

Garuti nahm Gläser vom gereichten Tablett. «Trinken Sie Wein mit mir auf diese Wiederbegegnung. Ein einfacher aus den Abruzzen, doch sehr *abboccato*. Tatsächlich fehlt mir gerade das deutsche Wort dafür.» Er reichte Elisabeth ein Glas und das zweite Unger, bevor er sich eines nahm. «Salute», sagte er und seine Augen beteten Elisabeth an, was Unger nicht störte, er fand ihn charmant, diesen Italiener.

«Süffig», sagte Garuti. «Das ist das Wort, das ich suchte.»

«Das ist er», sagte Theo Unger. «Und Sie haben meine Frau in der Eisenbahn kennengelernt?»

«Von Berlin nach Hamburg. Doch es ist Jahre her, die an Ihnen ohne Spuren vorübergegangen sind, Signora, nur ich bin ein alter Mann mit weißen Haaren geworden.»

«Sie sind öfter in Hamburg?»

«Leider nein. Nur zur Vorbereitung dieser Ausstellung. Ich bin der Berliner Botschaft unterstellt.»

Unger hätte gern gefragt, woher er dieses nahezu tadellose Deutsch sprach, doch vermutlich wäre es unhöflich gewesen. Ein Kulturattaché, der in Berlin ansässig war, tat das wohl. Doch Garuti hatte sich schon damals in der Eisenbahn als Gedankenleser erwiesen.

«Ich habe in Deutschland studiert», sagte er, «vor einer Ewigkeit. Ich liebe Ihr Land und die Frauen dieses Landes.»

«Ich würde Sie gerne zu uns zum Essen einladen», sagte Elisabeth.

«Leider, leider bin ich schon morgen wieder in Berlin», sagte Garuti. «Doch wir werden uns diesmal nicht aus den Augen verlieren.» Er sah Theo Unger dabei an. Dottor Garuti wusste, was sich gehörte.

Doch Unger gönnte Elisabeth die Verehrung von Herzen. Sie hatte in vielen Bereichen zurückstecken müssen in den vergangenen Jahren. Ullstein war arisiert, *Die Dame* erschien nun im Deutschen Verlag und vergab keine Aufträge an nicht arische Autoren. Elisabeths zweiter Auftraggeber, die *Vossische Zeitung*, hatte sich schon im März 34 aus politischen

Gründen selbst abgeschafft. *Die Aufgabe eines Blattes im Stil der Vossischen Zeitung ist nach unserer Ansicht beendet*, hatte die Redaktion den Lesern mitgeteilt. Nun schrieb Elisabeth die Texte für die Kataloge des Modehauses Robinsohn am Neuen Wall.

Wer wusste, wie lange es Robinsohn noch geben würde? Vieles war schlimmer gekommen, als es Kurt Landmann in düsteren Prognosen vorhergesagt hatte.

Kurt und er trafen sich an den dienstfreien Sonntagen. Nächstens stand eine kleine Landpartie an, mit dem Mercedes, den er sich von Elisabeth ausleihen würde. «Im grünen Monat Mai», hatte Landmann gesagt, «lass uns die Gelegenheit beim Schopfe packen.»

Dottor Garuti warf Elisabeth einen letzten langen Blick zu, als sie sich verabschiedeten. Auch ein schlohweißer Italiener war noch glutäugig.

«Dass ich nu achtzig werd, darauf wolln wir mal anstoßen, Herr Doktor, ohne Sie hätt ich das nich geschafft.»

Der alte Harms hatte vier kleine Gläser vor sich stehen, von denen er zwei mit Kümmel und zwei mit Bier füllte. Kurt Landmann kannte die Prozedur schon, Bierglas zwischen Daumen und kleinen Finger, das Glas mit dem Köm zwischen Mittel- und Ringfinger. Der Schnaps lief ins Bier und beides in den Mund. Landmann hatte in Duvenstedt nicht nur Rad fahren gelernt, sondern auch Lütt un Lütt trinken.

Theodor Unger, der Ältere, hatte sich aus der Praxis zurückgezogen mit seinen vierundsiebzig Jahren, selten nur noch, dass er Landmann zur Seite stand, wenn das Wartezimmer zu voll wurde oder Hilfe bei einer kleinen Operation erforderlich war.

Kurt Landmann hatte ihm schon öfter nahegelegt, sich

um einen jüngeren Nachfolger zu kümmern. Doch davon hatte der Alte nichts wissen wollen. «Zehn Jahre können Sie das doch noch gut und gern machen», hatte er gesagt. «Wir wollen uns keinen Jungspund hier reinholen, der die Medizin neu erfindet.»

«Noch mal twee, Herr Doktor?»

Landmann lachte. «Sie wollen mich nur noch mal auf dem Fahrrad eiern sehen.»

«Sie sind doch ein statschen Kerl», sagte der alte Harms, «da stecken Sie die Lütten weg wie nix.»

Lotte Unger war acht Jahre jünger als ihr Mann und hellsichtiger. Dass ihr Sohn Claas nun in der schwarzen Uniform der SS auf dem Pferd saß und der Reiterstandarte angehörte, erfüllte sie mit großem Unbehagen. Claas glänzte durch Abwesenheit in seinem Elternhaus, seit Landmann da war. Schon mit der Schwägerin hatte er sich schwergetan. Claas' Kinder waren zwanzig, neunzehn und siebzehn Jahre alt, und nur Nele, das Nesthäkchen, fand noch zu den Großeltern nach Duvenstedt, das nun nicht mehr ganz ländlich war, sondern seit dem vorigen Jahr zu Hamburg gehörte.

«Ich bringe Sie um Ihren Sohn», hatte Landmann gesagt.

Doch Lotte hatte heftig mit dem Kopf geschüttelt. «Der soll erst mal wieder normal werden. Dann kann er gerne kommen.»

«Nu muss ich aber los», sagte Landmann zum alten Harms. «Da sitzen sicher schon welche im Wartezimmer.»

«Dann sagen Sie denen, der Harms wird heut achtzig.» Der Alte lachte herzlich. «Dat hat keiner von denen geglaubt, als ich mit dem Zucker anfing. Doch mit Ihnen schaff ich noch mehr Runden, Herr Doktor.»

«Und mit dem guten Insulin», sagte Landmann.

Über dem Sofa im Wohnzimmer hing ein altes Plakat von Friedländer. *Löwe auf Elefant.* Rudi hatte es rahmen lassen, als 1935 alles zu Ende ging in der Druckerei. Zwei Jahre hatten die Söhne des Firmengründers noch gewährt bekommen, weil sie Devisen ins Reich brachten. Doch dann war es endgültig vorbei, das letzte Blatt mit der Nummer 9078 gedruckt.

Rudi hatte Arbeit bei einer Druckerei in der Zimmerstraße gefunden, Visitenkarten, Briefpapier, Anzeigen für Geburt, Hochzeit, Tod. Er hörte noch Radio Moskau, doch der Spritdrucker stand nicht länger auf dem Dachboden. Er rottete im Keller eines leerstehenden Hauses vor sich hin, dessen Bewohner es über die dänische Grenze geschafft hatten.

Käthe und er hielten noch immer stand und versuchten, stillzuhalten. Ließen sich nichts zuschulden kommen außer Radio hören. Sprachen keine verräterischen Sätze ins neu gelegte Telefon. Doch Rudi wusste, dass die Geheime Staatspolizei ihn im Visier hatte, seit er Häftling im KZ Fuhlsbüttel gewesen war.

Zwei Mark hatte er vor einigen Tagen gespendet zur Unterstützung von Familien verhafteter Genossen. Hätte er ahnen können, dass die einzelnen Spender von der offiziell gar nicht mehr existierenden *Roten Hilfe* in einer ordentlichen Liste geführt wurden, als wären sie Mitglieder eines Bau- und Sparvereins?

Wie war die Liste in die Hände der Gestapo geraten? An diesem friedlichen Sonntagmorgen suchten sie jeden der Spender auf und führten ihn ab. Odefey, den Letzten auf der Liste, trafen sie nicht an.

Ein Zufall, dass Rudi in aller Herrgottsfrühe in die Finkenau gerufen worden war, um seine Käthe abzuholen, die während der Schicht einen Schwächeanfall erlitten hatte.

Käthe und er waren gerade von der Bachstraße in den Schützenhof gebogen, als sie den schwarzen Mercedes vor ihrem Haus sahen.

Da kamen sie schon aus der Tür. In zivilen Anzügen, doch es bedurfte keiner Uniform, um sie als Gestapoleute zu erkennen.

Käthe und Rudi gingen rückwärts in die Bachstraße zurück.

«Was wollen sie von dir?», fragte Käthe.

«Ich weiß es nicht», sagte Rudi. Ihm brach der Schweiß aus.

Noch brachte er die Spende in keinen Zusammenhang. Nur, dass sie nicht nach Hause gehen konnten, war ihm klar.

«Wir fahren nach Duvenstedt», sagte Käthe. «Landmann wird helfen.»

Woher nahm sie den Glauben, dass er es konnte? Ein Arzt, der aus der Klinik verjagt worden war als Fluchthelfer für einen Kommunisten?

«Traust du dir den Weg zu, Käthe? Wie geht es dir?»

«Besser. Der Schreck hat den Blutdruck hochgetrieben.»

«Kann es sein, dass du schwanger bist?»

«Nein», sagte Käthe und schwieg, wie sie stets geschwiegen hatte.

Sie saßen schon in der Walddörferbahn, als Käthe der Gedanke kam, Kurt Landmann könne am Sonntag in der Bremer Reihe und nicht in Duvenstedt sein. «Dann machen wir einen Spaziergang im Wald und denken darüber nach, wie es weitergeht», sagte Rudi.

«Hast du einen Witz über Hitler gemacht?», fragte Käthe.

Rudi schüttelte den Kopf.

Die Dunkhase, dachte Käthe. Doch was konnte sie Käthe anhängen?

«Ich habe zwei Mark für die Familien verhafteter Genossen gegeben.»

«Das wird es sein. Woher wissen die denn das?»

Als sie am Mühlenweg ankamen, sahen sie wieder einen Mercedes vor dem Haus stehen. Einen dunklen 170er.

«Ganz ruhig», sagte Rudi. «Wenn wir jetzt kehrtmachen und rennen, haben wir uns verraten.»

Kurt Landmann trug gerade einen kleinen Korb mit Backwaren und die Thermoskanne zum Auto, eine erste Mahlzeit, die während der Fahrt ins Holsteinische zu genießen war, bevor sie dann später im Waldhaus an der Drosselbek einkehrten, bei Frau Fobrian zu Mittag aßen und den Schwänen zuguckten.

Theo Unger war ins Haus gegangen, um seine Eltern zu begrüßen, ein früher Morgen noch, der sich prächtig anließ an diesem Maitag, doch die alten Herrschaften waren schon längst munter.

Landmann setzte den Korb ziemlich unsanft auf das Dach des blauschwarzen Mercedes ab, der Elisabeth gehörte, so überrascht war er, dort vorne in der Straße Käthe und ihren Mann zu sehen. Das konnte nichts Gutes bedeuten, kaum zu glauben, dass sie einfach so einen Ausflug in die Walddörfer machten.

Käthe fing an zu laufen, als sie Landmann erkannte, lief auf ihn zu und fiel ihm in die Arme. Vier Wörter brauchte sie, um alles zu erklären.

«Gestapo vor unserem Haus.»

Unger brauchte kein einziges Wort zur Erklärung, Landmanns Blick genügte ihm. Er stellte seinen Eltern, die zur Verabschiedung an den Zaun getreten waren, Käthe wahrheitsgemäß als Hebamme aus der Finkenau vor nebst Ehemann vor, die Freunde besuchen wollten und ein Stück des Weges mit ihnen teilen würden.

Sie fuhren in den Wohldorfer Wald und aßen Milchhörnchen am Ehrenmal der Gefallenen des Großen Krieges und tranken Kaffee. «Und nun?», fragte Unger.

Einfach nach Hause in die Bartholomäusstraße zurück kam nicht in Frage. Die Gestapo ließ keinen Bissen aus den Zähnen.

Landmann saß auf einem Baumstumpf und hörte den Vögeln zu und dachte an einen alten Mann im zu großen Haus. «Ich werde den alten Harms fragen. Für die ersten Tage, dann muss eine andere Lösung her. Notfalls in den Untergrund gehen.»

In den Untergrund, dachte Rudi. Wegen zwei Reichsmark für die Familien der Verhafteten. War es besser, sich zu stellen? Sich in den Kellern des Stadthauses foltern lassen oder im Konzentrationslager? Damals im November wäre er beinah zerbrochen daran.

«Du gefährdest den alten Mann», sagte Unger.

«Ich habe eine Krawattennadel mit einer Orientperle von meinem Vater geerbt. Eine ähnliche hat auf einer Auktion zweitausend Mark gebracht.»

«Nach Dänemark», sagte Käthe, «oder Schweden.» Nicht in den Untergrund. Wo war der denn überhaupt?

«In diesen Zeiten werden viele Juwelen in den Handel gebracht», sagte Landmann. «Es wird weder leicht sein noch schnell gehen.»

Rudi war wie betäubt. Flucht. Das hatte er nicht gewollt.

«Ich will niemanden gefährden», sagte er.

«Dann zu mir in die Bremer Reihe», sagte Landmann. «Mich kann keiner gefährden. Versuchen Sie, die Nadel zu verkaufen, Rudi.»

Käthe legitimierte sich durch Antworten. Nannte den Namen des besten Freundes ihres Mannes. Sagte, wie er zu Tode gekommen war.

«Welcher Preis wurde für eine ähnliche Nadel erzielt?»

«Zweitausend Reichsmark in Leipzig. Diese Summe haben Sie meinem Mann genannt», sagte Käthe.

Jaffe nickte. «Ich fürchte, das gelingt nicht mehr.»

«Es sind zu viele Juwelen im Handel?»

«Vor allem sind meine Verbindungen nicht mehr gut. Kaum noch einer, der mit mir ein Geschäft abschließen will. Ich habe Verständnis, wenn Sie den Verkauf einem anderen anvertrauen.»

«Mein Mann möchte es in Ihren Händen wissen.»

«Warum kommt er nicht selber?»

«Er versteckt sich vor der Gestapo.»

«Kommen Sie morgen Abend», sagte Moritz Jaffe. «Ich werde es versuchen.»

«Wenn die bunten Fahnen wehen», sagte Mias Fritz, «das kennst du doch, Mutti. Es ist dieselbe Melodie.»

Mia nickte.

«Als die goldne Abendsonne sandte ihren letzten Schein, zog ein Regiment von Hitler in ein kleines Städtchen ein.»

Fritz war vierzehn und mollig wie seine Mutter. Er hatte gerade den Stimmbruch hinter sich und klang heiser. Da stand er in der Küche der Campmanns in der Uniform der Hitlerjugend mit kurzen Hosen und sang. Mia sah ihren Sohn gerührt an.

«Was macht Onkel Uwe?», fragte sie. «Ist er noch Ortsgruppenleiter?»

«Er jagt den Leuten ganz schön Angst ein», sagte Fritz. «Knallt dauernd mit der Peitsche rum.»

Hatte Uwe denn ein Pferd? Mia konnte sich nicht erinnern.

Anna Laboe stellte die Teller mit den Waffeln widerwillig auf den Tisch. Die Brut auch noch füttern. Doch Fritz konnte nichts dafür, der Hellste war er ohnehin nicht. Was sollte aus dem Jungen auch werden, wenn er bei einem Nazi aufwuchs, der sich bei den Leuten mit einer Peitsche wichtigmachte?

«Und Lenes Jungs? Sind die auch in der HJ?»

«Klar», sagte Fritz. Er war schon bei der zweiten Waffel, das braune Hemd bestäubt vom Puderzucker. «Du musst mal wieder zu uns nach Wischhafen kommen, Mutti. Wir haben jetzt auch einen Fahnenmast vor dem Haus.»

«Und die Lehre?», fragte die Laboe.

«Die fängt erst im August an.»

«Deine Vettern gehen auch zum Bauern?»

«Nee», sagte Fritz. Er fand die Fragerei blöd.

«Die lernen in Glückstadt beim Schifffahrtsamt», sagte Mia.

«Darf ich von deinen Waffeln noch eine haben, Mutti?»

«In unseren Augen, da muss der deutsche Junge schlank und rank sein, flink wie ein Windhund, zäh wie Leder und hart wie Kruppstahl», sagte Friedrich Campmann, der in die Küche getreten war. «Ein Glas Milch bitte, Frau Laboe», sagte er und warf dem am Küchentisch mampfenden Fritz einen ungnädigen Blick zu. «Wer hat das gesagt?», fragte er den Jungen.

«Der Führer», sagte Fritz, «vor der HJ.»

Campmann nickte. Das immerhin wusste der Bursche.

Anna Laboe gab dem gnädigen Herrn ein Glas mit eiskalter Milch, so trank er sie am liebsten.

«Und nun raus aus meiner Küche, Fritz», sagte Campmann. «Flitz um die Alster wie ein Windhund. Das kann dir nur guttun.»

Jaffe hatte Käthe in das kleine Zimmer hinter dem Laden geführt. Auf dem Tisch lag die Krawattennadel. «Es tut mir leid», sagte er. «Keiner mehr, der mir ein faires Angebot macht. Ich könnte die Nadel nur weit unter ihrem Wert verkaufen, und das kann ich Ihnen nicht raten.»

«Was würden Sie an meiner Stelle tun? Zu einem der großen Juweliere am Jungfernstieg gehen?»

Moritz Jaffe hob die schmalen Schultern. «Sie können es versuchen. Die werden wohl erkennen, dass die Perle auf dem falschen Körper ist und von hohem Wert. Doch die Zeit eilt. Das werden die Herrn Juweliere ahnen und den Preis drücken.»

«Ich versuche es. Mir bleibt nichts anderes übrig.»

«Ihr Mann ist in einem guten Versteck?» Jaffe nahm eine kleine Tüte, tat die Krawattennadel hinein und gab sie Käthe.

«Ja», sagte Käthe, «doch da kann er nicht bleiben.» Wusste man denn, ob die Gestapo die Wohnung eines jüdischen Arztes nicht schon längst im Blick hatte?

«Grüßen Sie Ihren Mann von mir.»

«Was haben *Sie* vor, Herr Jaffe?»

«Ich habe für den Kaiser gekämpft.»

Ob ihm das helfen würde? Käthe sah den Zweifel in Moritz Jaffes Augen. «Ich bin nicht vermögend und habe keine Verwandtschaft im Ausland», sagte der kleine Mann. «Mir bleibt nichts anderes übrig, als den Illusionen anzuhängen.» Er lächelte. «Seien Sie behütet.»

«Sie auch», sagte Käthe und ließ die Türglocke klingen, als sie Jaffes Laden verließ.

Nur noch Eis in Louises Glas. Vielleicht sollte sie doch zu Longdrinks übergehen. Sie stand auf vom Korallenroten und trug das Glas in die Küche. Sie trank zu schnell. Ihrem Vater war das auch aufgefallen, als Louise die Eltern in Köln besucht und er sie ins Brauhaus Unkelbach nahe dem Barbarossaplatz ausgeführt hatte.

Ihre Mutter verließ das Haus kaum mehr. *Weil sie kränkelte* war die offizielle Version, doch sie traute sich nicht auf die Straße, obwohl Louises Vater keine Kenntnis davon hatte, dass ihr dort Schlimmes geschehen war. «Eine Agoraphobie», sagte Joachim Stein. «Sie ist mit den Nazis gekommen.»

Louise hatte die Gabel fallen lassen und hastig den Blauen Portugieser ausgetrunken, als ihr Vater sie bat, zurück nach Köln ins Elternhaus zu kommen. «Du bist geschützter bei deinem arischen Vater», hatte er gesagt und traurig gelächelt. «Lina kann dich nicht schützen, und dann geht es auch um die Finanzen.»

«Ich hab noch Geld. Lina hat in all den Jahren darauf bestanden, die Miete allein zu bezahlen. Da konnte ich sparen.»

Nun wurde Joachim Steins Lächeln heiterer und breiter. «Meine Tochter und Sparen», sagte er, «das geht nicht zusammen.»

«Ich bleibe bei Lina. Da bin ich gut aufgehoben.»

«Und wie geht es bei dir beruflich weiter?»

«Lektorate für einen Theaterverlag. Ich werde überwintern.»

«Überwintern. Wenn das nur nicht die neue Eiszeit ist.»

Sie hatten dann beide je zwei Schnäpse auf ex getrunken.

Nein. Nicht nach Köln zurück. Hier war ihr Leben. Louise trat an das große Fenster mit den drei Flügeln und blickte über den Eilbeckkanal in die blühenden Bäume. Ein Idyll.

Noch immer. Erst recht mit einem Drink in der Hand. Sie kehrte zum Sofa zurück und schlug eine neue Seite in *Harry Craddocks Savoy Cocktail Book* auf, das ihnen Hugh und Tom zu Weihnachten geschickt hatten. Brandy Toddy. Die Zutaten waren vorhanden. Weinbrand. Wasser. Ein Zuckerwürfel. Simple as that.

Vorgestern in Köln war ihr optimistischer zumute gewesen. Oder hatte sie nur so getan, um ihrem Vater Sorgen zu nehmen? Er hatte nach Kurt gefragt und von einem Gerücht erzählt, dass jüdische Ärzte ihre Approbation verlieren sollten. Nicht das noch.

«Warum sitzt du hier im Dunkeln?», fragte Lina, die gerade nach Hause gekommen war und das Licht andrehte.

«Dämmerung», sagte Louise, «keine Dunkelheit. Romantischere Seelen bezeichnen es auch als blaue Stunde. Hast du was gegessen?»

«Belegte Brote bei Henny und Ernst. Was trinkst du da?»

«Brandy Toddy. Er ist langweilig.»

«Was ist aus dem guten alten Gibson geworden?»

«Wir haben keinen Wermut mehr.»

Lina streifte die Schuhe ab und setzte sich zu Louise aufs Sofa. «Henny macht sich große Sorgen um Käthe», sagte sie. «Das hat sie mir erzählt, als wir kurz allein waren. Für Ernst ist Käthe ja leider ein Unthema.»

«Was ist mit Käthe?» Kriegte man in diesen Zeiten nicht gleich schon ein Kratzen in der Stimme?

«Ihr Mann versteckt sich vor der Gestapo. In Kurts Wohnung.»

«Ach du liebe Güte. Die haben Kurt doch vielleicht schon auf dem Kieker. Wer weiß denn alles davon?»

«Nur Henny, Unger, wir beide und die handelnden Personen.»

«Das darf Lühr auch auf keinen Fall wissen.»

Lina kannte Louises Misstrauen gegenüber Ernst, doch sie hielt es für übertrieben. Ernst Lühr mochte das Regime gutheißen, doch deswegen war er noch kein Denunziant.

«Er muss da weg. Sonst sitzt Kurt bald im Konzentrationslager.» Louises Stimme kratzte nun sehr.

«Käthe versucht, eine kostbare Krawattennadel zu verkaufen, um die Flucht nach Dänemark oder Schweden zu ermöglichen.»

Louise seufzte. «Mir ist gerade ganz klein zumute», sagte sie. «Wenn es nur keinen Krieg gibt. Nachher marschieren wir überall so ein wie in Österreich. Die haben ja noch gejubelt.»

Lina kamen ihre Eltern in den Sinn, die im letzten Krieg verhungert waren, um den Kindern das Überleben zu ermöglichen. Dieses Jahrhundert war eine einzige Zumutung.

Louise blätterte erneut in Harry Craddocks Buch. Die meisten Zutaten gab ihr Haushalt nicht mehr her. Höchste Zeit, einen Gang zu Michelsen zu machen, auch wenn sie vorsichtig sein sollte mit den Ausgaben. «Ich empfehle einen leichten Mosel», sagte sie, «davon haben wir noch eine Flasche da.»

«Lass uns mal ausgehen», sagte Lina. «In der Deichstraße soll es ein nettes Weinlokal geben, in dem die Stimmung aufgeschlossen ist.»

«In der Gegend war ich lange nicht mehr», sagte Louise.

«Dann los, gucken wir uns die Hamburger Altstadt an.» Eigentlich war das Louises Part, das aushäusige Leben zu planen. Doch Lina hatte den Eindruck, dass ihre Freundin traurig aus Köln zurückgekehrt war.

Käthe hatte sich den Vormittag Zeit genommen, um die Krawattennadel zu verkaufen. Eine letzte Adresse in der Spitaler Straße, an der sie nun ihr Glück versuchte. Warum beschämte es sie, die Nadel anzubieten?

Abfällige Äußerungen über das Doublé, das sie doch keinem als Gold andrehen wollte. Sie merkte die Veränderung, wenn die Juweliere ihre Lupe ins Auge steckten und die große Orientperle betrachteten. Doch dann nannten sie Ankaufspreise, als sei die von der Kirmes und Käthe ein dummes Ding, das sich leicht über den Tisch ziehen ließe.

Der Juwelier aus der Spitaler bot zweihundert. Weit unter Wert, aber immerhin mehr, als die anderen geboten hatten. Doch wie lange konnte Rudi damit überleben? Käthe bat um Bedenkzeit, ging den kurzen Weg in die Bremer Reihe und zog den Zweitschlüssel hervor, den Landmann ihr gegeben hatte. Viermal Klopfen für Rudi. Fünfmal für Käthe. Nach allen Seiten drehte sie sich um, lauschte ins Treppenhaus hinein. Dann schloss sie die Tür auf, fand Rudi dahinter an die Wand gedrückt.

Als sie in Landmanns Küche saßen und gerade darüber sprachen, dass es keinen anderen Ausweg gab, als den Schmuck zu verschleudern, zu einem Zehntel des geschätzten Wertes, hörten sie den Schlüssel im Schloss.

Kurt Landmann trat ein mit einer großen Tüte voll Delikatessen. Räucherlachs. Spargelsalat. Erdbeeren. Henkersmahlzeit? Landmann hatte schon angekündigt, dass die Wohnung am Sonnabend leer sein müsse, dann kam die Zugehfrau. Noch zwei Tage.

«Haben Sie Zeit, Käthe? Dann essen Sie mit uns.»

Er hatte etwas zu bereden und rückte erst nach dem Essen damit raus. «Ich habe einen Käufer für die Krawattennadel.»

«In der Spitaler haben sie mir zweihundert geboten», sagte Käthe.

Landmann schüttelte den Kopf. «Kommt nicht in Frage. Hans Hansen zahlt zweitausend.»

Wer war Hans Hansen?

«Eines der Patenkinder meiner Mutter», sagte Landmann. «Hans ist ein Schöngeist, der Schmuck liebt. Meine Mutter hat ihm einen ihrer Ringe vererbt, ein rosa Turmalin im Perlenkranz. Gestern habe ich mich daran erinnert und ihn gleich kontaktiert. Zum Glück ist Hans noch immer ein wohlhabender Mann.»

Er nahm eine Erdbeere und löste sie von ihrem kleinen grünen Strunk. «Vertrauen Sie mir die Nadel an, Käthe? Morgen haben Sie das Geld, und dann geht es erst einmal nach Flensburg und weiter über die Förde nach Egernsund, und Rudi ist in Dänemark. Ich habe alles recherchiert. Für die sieben Kilometer über die Förde werden wir einen Fischer finden. Soll ein neues Geschäftsmodell da oben sein.»

Kurt Landmann fühlte sich, als spiele er Räuber und Gendarm. Nun musste er nur noch Unger gewinnen für die Fahrt nach Flensburg in Elisabeths Mercedes. Wer hätte denn geglaubt, dass eine Fahrerlaubnis noch einmal ein so nützliches Gut sein könnte.

«Ich träume nicht?», fragte Käthe.

«Nein. Sie träumen nicht, Käthchen. Müssen nur Ihren Mann eine Weile entbehren. Hoffen wir, dass es bei der Weile bleibt.»

«Er will die Perle unbesehen kaufen? Für das viele Geld?» Rudi konnte es kaum fassen. «Weiß er, dass die eigentliche Nadel nur Doublé ist?»

«Ihm geht es um die Orientperle. Da vertraut er mir voll und ganz.»

Landmann sah zufrieden aus, als er eine weitere Erdbeere aß.

«Und wenn ich mit nach Dänemark komme?», fragte Käthe. «Kann doch nicht für ewig sein. Das ist eine Lappalie, dein Vergehen, da wird sogar die Gestapo Gras drüber wachsen lassen.»

«Sie würden Ihre Stellung verlieren, Käthe.»

Rudi fasste nach Käthes Hand. «Dr. Landmann hat recht», sagte er. «Ich bleibe ja nicht lange weg, bald bin ich wieder bei dir. Und denk auch an Anna und Karl.»

Rudi war den Tränen nahe, sosehr er auch Dankbarkeit empfand, dass Landmann einen Käufer für die Krawattennadel gefunden hatte. Wäre es nicht besser, sich zu stellen, statt in die Fremde zu gehen? Rudi senkte den Kopf, schloss die Augen und saß still da.

«Ich denke an Ihre Verletzungen. Damals im November.»

Rudi hob den Kopf und nickte. Er hatte auch Bilder vor Augen gehabt. Die Zelle. Der verdreckte Klokübel. Galle kotzen, weil der leere Magen nur noch das hergab. *Ich hab schon ganz andere zum Sprechen gebracht.* Mit Händen und Füßen in Eisen gehängt an der Wand, weil man keine Namen nannte. Die Tritte. Die Schläge. Das Geschrei. *Schweig doch, bis du verreckst, du Kommunistenschwein.*

«Wie kommt Rudi nach Flensburg? Mit der Eisenbahn?»

Landmann ging nach nebenan, dort, wo das Telefon stand. Sie hörten, dass er sprach, doch nicht, was er sagte. «Morgen früh um acht», sagte er, als er in die Küche kam. «Unger holt uns ab.»

«Da hab ich Dienst», sagte Käthe.

«Sie sollen auch nicht mit. Das macht es nur noch schwerer.»

Nun sah Käthe aus, als ob sie in Tränen ausbrechen wollte.

Was sollte er Unger, dem Älteren erzählen, wo er morgen hinwollte?

Das würde ihm kaum passen, Landmann in der Praxis zu vertreten.

«Große Koffer sollten Sie nicht aus Ihrer Wohnung heraustragen. Würde mich wundern, wenn die nicht auf der Lauer lägen.»

«Aber Rudi hat doch kaum Kleidung hier», sagte Käthe.

«Kommen Sie heute Abend mit Ihrer Einkaufstasche, Käthe, und das Fehlende kaufen Sie in Dänemark, Rudi. Geld haben Sie dann ja.»

«Die Krawattennadel», sagte Käthe und holte die kleine Tüte aus der Tasche. «Sie haben die noch gar nicht gesehen.»

Landmann legte sich das kleine Teil auf die flache Hand. «Fällt es Ihnen schwer, sie herzugeben?»

Rudi schüttelte den Kopf. «Aber den Vater dazu, den hätte ich gern kennengelernt.»

Aldenhoven guckte sich die Frösche an, alle hatten gelaicht. Ihnen war vor vierundzwanzig Stunden der Urin von drei Frauen injiziert worden, denen durfte er nun die Nachricht überbringen, in guter Hoffnung zu sein. «Die können zurück in den Keller in ihr Planschbecken», sagte er und zeigte auf die Frösche. Die Lernschwester gefiel ihm, die war fix.

Zwei der Frauen hatten angegeben, das Buch der Herren Knaus und Ogino gelesen zu haben und nach deren Methode zu verhüten. Da konnte er nur den Kopf schütteln. *Die periodische Fruchtbarkeit und Unfruchtbarkeit des Weibes* schien eher ein Ratgeber zur Fortpflanzung zu sein, als dass es verlässliche Erkenntnisse zur Verhütung böte. Hoffentlich löste er mit den Nachrichten keine große Erschütterung aus. Die eine hatte bereits sechs Kinder, und die Freude des Fräuleins würde sich wohl auch in Grenzen halten.

Zum Glück schien heute nicht viel los zu sein, Dr. Ungers kurzfristige Ankündigung, dem Dienst fernzubleiben, war zwar ärgerlich, doch das Chaos blieb aus. Auf einer Landpartie mit seinen Lieblingshebammen war Unger jedenfalls nicht, die arbeiteten beide, wenn Käthe Odefey ihm auch zum wiederholten Mal fahrig vorkam.

Er sollte sie sich mal vorknöpfen, am besten gleich auch das üble Klima zwischen ihr und der Dunkhase zur Sprache bringen. Die beiden provozierten sich gegenseitig, selbst wenn sie nur nebeneinander im Kreißsaal standen und die Gebärenden zum Pressen aufforderten. Nun verbreitete die Dunkhase, die Gestapo habe Käthe Odefeys Mann erneut im Visier wegen kommunistischer Agitation.

Dennoch. So wenig er die politischen Ansichten von der Odefey teilte, sie schien ihm verlässlicher zu sein als die Dunkhase, die eine geborene Denunziantin war. Den Blick, den sie ihm zugeworfen hatte, als er das Witzchen erzählte, ließ ihn noch im Nachhinein frösteln. Dabei war es nur darum gegangen, sich die arische Rasse blond wie Hitler, schlank wie Göring und groß wie Goebbels vorzustellen.

Aldenhoven ging den Flur im ersten Stock entlang und sah an dessen Ende Käthe Odefey am Fenster stehen. Weit geöffnet, die beiden Flügel des Fensters, der Himmel da draußen porzellanblau, die Maienluft duftete, doch die Odefey'schen Schultern bebten.

«Kann ich helfen? Geht es um Ihren Mann?»

Käthe fuhr herum und schüttelte heftig den Kopf.

«Nehmen Sie sich den Nachmittag frei», sagte Dr. Aldenhoven. «Ist ja nicht viel los heute.» Er freute sich, einer zu sein, der gönnen konnte.

Karl Laboe zog sich am Geländer in den ersten Stock hoch. Das steife Bein schien steinschwer zu sein, die Pumpe machte ihm auch Mühe. Dabei war er gerade mal sechzig, Anna war genauso alt, doch die wirkte gegen ihn wie ein junger Hupfer. Er stockte auf der vorletzten Stufe, da stand doch wer.

«Papa. Ich bin's», kam Käthes Stimme.

Karl griff sich ans Herz. «Is was passiert, min Deern?» Mochten ihn die Weiber für phantasielos halten, da liefen Bilder in seinem Kopf. Rudi, der im Blute lag, auf einen Lastwagen geworfen wurde, wie ein Lumpen.

«Is was mit Rudi?», fragte er. Wie hatte aus dem sanften Jungen, der Gedichte las, einer werden können, der sich in Todesgefahr begab und darin umzukommen drohte?

«Er ist mit Dr. Landmann und Dr. Unger in dessen Auto hoch nach Flensburg», sagte Käthe. «Und dann soll er mit einem Kutter über die Förde nach Dänemark.»

War das nun eine gute Nachricht? Karl Laboe zerrte seinen Schlüssel aus der Hosentasche und schloss die Wohnungstür auf. «Komm erst mal rein», sagte er. «Muss ja keiner hören.»

«Papa. Vielleicht sehe ich ihn nie mehr wieder.»

«Da oben is er doch erst mal gut aufgehoben. Hat er denn wat zum Bezahlen im Büdel?»

Käthe dachte an das Kuvert mit den Scheinen. Gestern Abend schon, als sie die Tasche mit Rudis Sachen in die Bremer Reihe brachte, hatte Landmann ihm das Kuvert ausgehändigt. Zwanzig Hunderter. Drei davon hatte Rudi ihr geradezu aufgezwungen.

«Dr. Landmann ist es gelungen, die Krawattennadel von Rudis Vater zu verkaufen.»

Diese Doktors. Da konnte er nur den Hut ziehen, wie die halfen. Früher hatte er ja Zweifel gehabt, was die Studierten anging. Doch diese zwei hatten das Herz auf dem richtigen Fleck und Hände zum Anpacken. Karl Laboe ließ sich auf das Kanapee fallen, heute ging es ihm nicht gut. «Hören wir denn, wenn unser Rudi gut bei den Dänens angekommen is?»

«Dann soll er bei Unger anrufen.»

«Da nutzt dir dein schöner Fernsprecher wohl nix.»

«Da können die mithören.»

Karl Laboe nickte. Diese Technik war doch Teufelszeug. «Gib uns mal nen Kümmel», sagte er.

«Tut der dir jetzt gut? Papa, ich will, dass du mal zum Arzt gehst.»

«Bin ich doch dauernd. Die Herzdrüppens sind nur so teuer.»

«Dann kaufe ich dir die Tropfen», sagte Käthe.

«Erst mal nen Köm», sagte Karl.

«Kann ich heut Nacht bei euch schlafen?»

«Auf dem ollen Kanapee?»

Käthe nickte. «Ich muss nur Henny sagen, dass ich hier bin. Unger wird sich bei ihr melden, wenn Rudi auf dem Kahn ist.»

«Ihr Deerns seid euch immer noch nah. So wie damals.»

«Ja», sagte Käthe Odefey.

Der Dieselmotor tuckerte schon, als Rudi an Bord ging. Ein Einmaster, der *Helge Branstrüp* hieß, wer immer das gewesen war. Da lagen Netze an Bord, doch das einträglichere Geschäft schienen die Flüchtenden zu sein, zweihundert Reichsmark kosteten die sieben Kilometer.

Landmann und Unger standen ein Stück weiter entfernt am Ufer, sie winkten nicht, es war kein KdF-Dampfer, der da die Leinen losließ.

«Ist das für dich keine Option?», fragte Unger. «Die Flucht über die Förde? Nach Schweden vielleicht?»

«Was soll ich da?»

«Was soll Rudi Odefey da?»

«Er ist jung.»

«Du bist nicht alt.»

«Noch geht es ja gut draußen bei deinem Vater. Er sollte sich nur mal nach einem jüngeren Nachfolger umgucken. Für alle Fälle.»

Der Kutter glitt in die Dämmerung. Liefen die Fischer sonst nicht am frühen Morgen aus? Eine Zeit, die sie mit der Gestapo gemein hatten.

«Sollen wir warten bis die *Helge Branstrüp* zurückkommt? In einer Stunde wird sie wieder da sein.»

«Traust du dem Fischer nicht?»

«Doch», sagte Landmann. «Sein Geschäft scheint solide.»

«Da drüben ist eine Fernsprechzelle.» Unger kramte Münzen und den Zettel mit Hennys Nummer hervor. «Morgen wird die Zwillingsgeburt auf acht Uhr vorgezogen» lautete der Text, der mit ihr abgesprochen war.

Henny war sofort am Apparat. «Ich werde pünktlich sein», sagte sie.

«Und wir gehen zu Piet Henningsen», sagte Landmann, als Unger aus der Telefonzelle kam. «Essen Maischolle und trinken Bier.»

«Bist du morgen in Duvenstedt?»

«Dein Vater lässt mich Sonnabend und Sonntag nachsitzen. Weil er heute einspringen musste. Erst Sonntagabend habe ich frei.»

«Woher kennst du dich so gut aus hier an der Förde?»

«Tja», sagte Kurt Landmann, «es war einmal.»

«Wer ist Hans Hansen, Kurt?»

«Ein Name wie eine Nadel im Heuhaufen.»

Theo Unger nickte. «Das habe ich mir gedacht», sagte er.

«Wo willst du noch hin?», fragte Ernst. «Es ist schon nach neun.»

«Nur kurz zu Else. Dass sie morgen früher kommt. Dr. Unger will die Geburt der Zwillinge vorziehen.»

«Höchste Zeit, dass sich deine Mutter ein Telefon legen lässt. Du kannst doch nicht immer zu ihr hinlaufen.»

«Ja», sagte Henny und zog die Tür hinter sich zu.

Käthe trippelte vor dem Haus in der Humboldtstraße herum. «Hab es oben nicht mehr ausgehalten», sagte sie. «Er muss doch schon längst in Dänemark sein.»

«Ist er auch. Alles gutgegangen.»

«Glaubst du, dass ich Rudi wiedersehen werde?»

«Aber ja», sagte Henny.

«Ich wünschte, du könntest die nächsten Nächte bei mir schlafen.»

«Das würde ich gern tun, doch Klaus ist noch zu klein.» Das stimmte nicht. Klaus blieb bei seinem Vater und Marike, wenn sie Nachtdienst hatte. Ein kluger Junge von sechs Jahren, der im April in die Schule gekommen war. In die Klasse seines Vaters, was Henny nicht guthieß. Neue Einflüsse täten besser.

Käthe schwieg. Henny hatte beide Ehen zu schnell geschlossen. Lud war ihr ein guter Mann gewesen, sehr anhänglich, doch stets darauf bedacht, Henny Freiheiten zu lassen. Der Lehrer Lühr fand aus seinem schulmeisterlichen Denken auch nach dem Unterricht nicht hinaus.

«Entschuldige, Käthe. Du und ich wissen, dass es eine doofe Ausrede ist. Klaus wäre gekränkt, dass ich ihn zum Kleinkind mache.»

«Du hast Angst vor Ernst.»

«Nein. Doch ich hab die Diskussionen mit ihm satt.»

In Käthe tat sich eine Sehnsucht nach Rudi auf, die ihr Herz rasen ließ. Welch ein großzügiger Geist war er doch, Rudi hatte ihr Tun unterstützt, selbst wenn es seinen eigenen Wünschen widersprochen hatte.

Henny nahm sie in die Arme. «Er ist in Sicherheit», sagte sie. «Alles wird gut.» Nichts wurde gut. Wer hätte denn 1933 gedacht, was da auf sie zukommen würde? Dass man von der Gestapo verfolgt wurde, weil man zwei Mark für notleidende Menschen spendete.

«Hast du morgen Abend Dienst?»

«Nein», sagte Henny, «den frühen.»

«Vielleicht erlaubt Ernst, dass du und ich in den Biergarten im Stadtpark gehen, wenn das Wetter so schön ist wie heute.»

Ernst würde das kaum gutheißen. Morgen war Samstag, da läutete er schon den Sonntag ein und wollte seine Familie versammelt sehen. «Um sechs am Bahnhof Mundsburg», sagte Henny. Kostete das auch den häuslichen Frieden.

Nun war er tatsächlich schon einundsiebzig. Kleine Feier im Garten mit Bowle. Das große Fest hatte ihm Guste ja letztes Jahr ausgerichtet. Da war Jacki aus Berlin gekommen, ein junger Mann von zwanzig Jahren, der brav geworden war und bei der Bank gelernt hatte. Ordentlich frisiert. Keine Faxen mehr. Nichts gegen die Nazis.

Bunge konnte sich mit denen auch arrangieren. Ob Kaiser. Ob Hitler. Er kriegte das hin. Obwohl er doch den Kopf hatte schütteln müssen, als er den Sportplatz im Turmweg passierte und da den HJ-Führer und die Pimpfe gesehen und gehört hatte.

Was sind wir? Pimpfe. Was wollen wir werden? Soldaten.

Das hatte ihm nicht gefallen. Die Kindsköppe hatten doch keine Ahnung, was das hieß. Obwohl er auch keine Fronterfahrung hatte, war ja schon 47 Jahre alt gewesen bei Kriegsausbruch und dann noch Kaufmann für Kautschuk. Kriegswichtige Industrie.

Gut am Altwerden war, dass keiner mehr erwartete, er solle klotzig Geld verdienen. Auch Ida lamentierte nicht länger wegen des Kredits von Campmann. Sie saß noch immer in ihrer Etagenvilla am Hofweg. Wer hätte das gedacht, kein Haus an der Elbchaussee, obwohl sein Schwiegersohn sich das bestimmt leisten konnte. Vermutlich gingen dessen Ressourcen in Hitlers Finanzgeschäfte und die Berliner Geliebte.

«Sind noch Lachsschnittchen von gestern da», sagte Guste, die mit einem Teller in der Doppeltür erschien. Bunge winkte ab, das Brot unter dem Lachs war längst pappig.

«Ich lade dich ein», sagte er, «auf das erste Eis der Saison.»

Ein kleiner Spaziergang tat ihnen gut, über die Rothenbaumchaussee ins Grindelviertel hinein, dort gab es eine neue Eisdiele. Das Mädchen konnte ein Auge auf den Empfang und ankommende Gäste haben.

Der Stoff von Gustes neuem Kleid war sehr großblumig, für Vorhänge im hohen Saal des Atlantic gut geeignet, doch auf ihrem prallen Körper vielleicht zu viel. «Prachtvoll siehst du aus», sagte er, als sie durch die Johnsallee gingen und dann oben in die Schlüterstraße hinein. «Also ich nehme drei Schokoladenkugeln mit Eierlikör.»

«Das Viertel hat sich verändert», sagte Guste. «Da ist eine große Nervosität in allem. Doch wen wundert es.»

«Finde ich nicht», sagte Bunge und steuerte einen der kleinen Tische vor der Gelateria Cadore an. Vielleicht doch drei Kugeln Vanille mit Erdbeeren? Das nahm Guste immer.

Er leckte gerade an seiner Waffel, als ein hochgewachsener Chinese im eleganten Leinenanzug nebenan aus dem Haus trat. Sie sahen sich an, bevor er davoneilte. Bunge war sicher, Tian erkannt zu haben.

Kurt Landmann war gerade in der Bremer Reihe eingetroffen, als es an der Tür läutete. Ein jüngerer Herr schien es ihm im ersten Augenblick, doch dann zog der eine ovale Marke an einem Kettchen hervor, wo Herren ihre Taschenuhr hatten. Landmann warf einen kurzen Blick auf die Marke der Gestapo mit Reichsadler. Ein Einzelner von denen am Sonntagabend? Landmann ließ ihn ein. Was blieb ihm übrig.

«Sie haben oft Gäste, die hier übernachten?»

Beinah hätte Landmann gefragt, wen das was anginge. «Es kommt vor, wenn die Gäste zu tief ins Glas geschaut haben.»

Der Gestapomann lächelte. «Ich denke eher an einen Gast, der sich über Tage bei Ihnen aufgehalten hat.»

«Ist das verboten?»

«Sollte sich Ihr Gast vor uns verstecken, dann schon.»

Wer konnte von Rudi wissen und das der Gestapo verraten haben? Kurt Landmann strengte sich an, gelangweilt zu gucken. «Gelegentlich habe ich Kollegen zu Gast. Weibliche und männliche. Ich bin Arzt.»

Der Mann nickte. «Sie sind 1933 entlassen worden im Rahmen des *Gesetzes für die Wiederherstellung des Berufsbeamtentums.*» Er blieb vor den Bildern von Emil Maetzel und Eduard Hopf stehen.

Wusste er auch von Ungers in Duvenstedt? Kurt Landmann war beunruhigt, nicht, dass diese freundlichen Menschen durch ihn in Schwierigkeiten gerieten. Doch keiner hatte ihm verboten, als niedergelassener Arzt zu praktizieren.

«Sie sammeln Negerkunst?»

«Auf Maetzels Bild ist eine Negerfigur. Da haben Sie recht.»

Da lächelte er wieder, der Gestapomann, und strebte der Tür zu und sagte zu Landmanns Überraschung: «Guten Abend.»

Was war das gewesen? Ein Warnschuss? Landmann hatte schon den Telefonhörer in der Hand, doch er legte ihn auf die Gabel zurück und sah das Telefon tadelnd an. Wurden seine Gespräche mitgehört?

Warum nicht an einem lauen Maiabend zu Fuß in die Eilenau gehen, in der Hoffnung, dort Lina und Louise anzutreffen? Über das Schicksal der Bilder sprechen. Oder waren sie gar nicht gefährdet an seinen Wänden? Er veranstaltete ja keine Vernissagen. Lauerten sie vielleicht vor dem Haus, hofften darauf, dass er sie zu Rudi führte?

Blauäugig, dachte er. Welch ein seltsames Synonym für *naiv*. Das war doch deren Ideal. Blaue Augen. Wasserblau wie die von Hans Albers. Seine Augen waren braun. *Bernsteinfarben* hatte Oda gesagt.

Kurt Landmann nahm das Schlüsselbund vom Schreibtisch, verließ die Wohnung und schloss hinter sich ab. Doch noch zur Eilenau gehen. Er hatte das große Bedürfnis, mit Freunden zu reden.

Sechs Tische nur auf der kleinen Terrasse am Nikolaifleet, eben waren noch die Klänge von Harry James' Jazztrompete über das Fleet geweht. *Dream a little dream of me*. Doch die

Nadel wurde eilig von der Platte genommen, die Stimmen wurden leiser. *Ich werde jede Nacht von Ihnen träumen*, sang nun Johannes Heesters.

Nur der Wirt hielt sich im Innern des holzgetäfelten Lokals auf, keiner der Gäste wollte den Frühlingsabend in gediegenem Dunkel verbringen, auch die Herren nicht, die sich an den Tisch gesetzt hatten, der dem von Lina und Louise am nächsten stand.

Sie fielen aus dem Rahmen in der *Alten Spieluhr*, die beiden in den Uniformen der SS. Träumte Lina, dass ihr einer der Herren zuzwinkerte, kaum dass er seinen Blick von der Getränkekarte genommen hatte?

«Das haben wir deinen blonden Haaren zu verdanken», flüsterte Louise. «Nur nicht zu abweisend sein. Das könntest du dir leisten, wenn du hier ohne mich säßest.»

Der jüngere der SS-Männer schien eindeutig Gefallen an Lina zu finden, während der mit den auffallend weißen Wimpern Louise lange betrachtete, seine Blicke waren weniger wohlwollend.

Hätte man Lina gefragt, ob Louise jüdisch aussehe, sie hätte es klar verneint. Dunkle Haare. Dunkle Augen. War es das? Nein. In Louises Gesichtszügen fand sich eine südliche Apartheit, die sie unterschied vom Frauenideal der neuen Herren. Sie hätte eine Römerin sein können. Doch sah sie nicht aus wie ihr Vater? Hatten die Kölner denn keine römischen Gene?

Das Gespräch erstarb, dabei wäre es gut gewesen, einen harmlosen Disput anzufangen, die Wörter fließen zu lassen, bevor ihnen einer der Herren zu nahe kam, ob in freundlicher oder feindlicher Absicht. Doch Lina und Louise guckten auf das Fleet und hielten sich an ihren Gläsern fest.

«Trink deinen Wein aus», sagte Lina, «und lass uns gehen.»

Der SS-Mann mit den Albinoaugen gab dem Kellner ein Zeichen. «Zwei Pilsener.»

«Sehr wohl», sagte der Kellner und wollte sich zurückziehen.

«Und Sie lassen Juden in Ihr Lokal? Oder irre ich mich, was die Dame am Nebentisch angeht?»

Der Kellner lief rot an. Auf der Terrasse war das große Schweigen eingekehrt. Unter den Tischen scharrten Schuhsohlen.

Ich wollt, ich wär ein Huhn, sangen Lilian Harvey und Willy Fritsch jetzt. Eine Verzweiflungstat des Wirts, der aufmerksam geworden war auf diese Szene, auch er kein Held, doch er stellte das Grammophon lauter.

«Lass uns gehen», sagte Lina nun drängender und stand auf. Sie kannte ihre Freundin und fürchtete, der Abend könnte mit einem Verhör im Stadthaus oder Schlimmerem enden.

«Bedauerlich, dass Sie sich in dieser Gesellschaft befinden», sagte der jüngere der beiden und sah Lina an.

«Da haben Sie recht», sagte Lina. «Es ist nicht länger angenehm hier, und darum gehen wir jetzt auch.»

«Ich werde morgen kontrollieren lassen, dass hier ein Juden-unerwünscht-Schild an der Tür hängt», sagte der SS-Mann.

«Und was machen wir nun mit diesem Abend?», fragte Louise, als sie auf der Straße standen. «Unser Glück anderswo versuchen?»

«Lass uns nach Hause gehen», sagte Lina. «Ich habe genug vom aushäusigen Leben.»

Als der Dixi ins Lerchenfeld fuhr, glaubten sie Kurt Landmann zu sehen, der aus der Eilenau kam und gerade die Straße überquerte, um stadteinwärts zu gehen. Louise hupte. Er schien sie nicht zu hören.

«Das war doch Kurt», sagte Louise. «Denk mit daran, dass wir ihn heute noch anrufen. Er sah traurig aus.»

Lina hatte das nicht erkennen können. Doch sie sollten sich auf jeden Fall mehr kümmern um ihn.

Den Anruf vergaßen sie an diesem Abend.

Ernst gefielen Geranien besser als Fuchsien. Auf dem südlichen Balkon im dritten Stock am Mundsburger Damm gediehen sie gut, und in ihrer schönsten Blüte im Juli und August rankten sie bis zu den Nachbarn im zweiten Stock hinunter.

Die roten Geranien in den Kästen, die kleine weiße Hohlsaumdecke auf dem Balkontisch, die guten Gläser, feinste Florentiner vom Konditor in der Kristallschale. Silberlöffel. Sonne am Nachmittag.

Henny servierte den Wein mit je einer hauchdünn geschnittenen Erdbeere darin, sie wollte alles besonders gestalten, selten, dass Ida auf diesem Balkon saß und nicht sie beide auf der viel größeren Loggia im Hofweg, die eleganter war.

Ihre Freundschaft kannte Höhen und Tiefen. Am Anfang waren Idas tröstende Arme gewesen, am Tag, als Lud verunglückte. Eine Weile lang waren sie fasziniert von dem Lebensstil der jeweils anderen, und schließlich fremdelten sie genau aus diesem Grund.

Anna Laboes Berichte aus der Küche der Campmanns hatte ihr einzig ernsthaftes Zerwürfnis bald zu einem guten Ende geführt. Anna erzählte Henny von einer Ida, die nicht nur nach Luxus lechzte und die begriff, dass sie Joan hasste, weil der gelungen war, Campmann zu begehren.

Ida trank ein erstes Glas Wein, ließ sich ein zweites einschenken, und Henny schnitt eine neue Erdbeere hinein. Ihre Freundin schien sich Mut anzutrinken.

«Mein Vater hat Tian gesehen. Aus einem Haus im Grindelhof ist er gekommen. Sie hatten Augenkontakt.»

«Und?», fragte die Pragmatikerin Henny.

«Mein Vater hat auf das Klingelschild geguckt. Da stehen nur die Namen von Tian und Ling.»

«Er lebt mit seiner Schwester zusammen.»

«Du weißt doch, dass ich ihn damals in den Armen einer Frau gesehen habe. Vor dem Kontorhaus in der Reichenstraße.»

«Das ist bald acht Jahre her, Ida. Ich staune ohnehin, dass du dir deiner Leidenschaft und deiner Liebe noch so sicher sein willst.»

«Es hat keine andere Liebe in meinem Leben gegeben. Das mit Jef war eine Liebelei.»

«Vielleicht ist die Liebe zu Tian nur noch eine sentimentale Erinnerung.»

Ida schüttelte den Kopf. «Ich liebe Tian noch immer», sagte sie und klang beinah trotzig. «Ich liege nachts wach, beschwöre sein Bild und bin um den Schlaf gebracht, denn dann klopft mein Herz wie wahnsinnig.»

Sie ließ sich noch ein drittes Glas Wein einschenken, diesmal ohne Erdbeere, Henny war zu sehr am Fortgang der Geschichte interessiert.

«Und wie geht es nun weiter?», fragte Henny.

«Bunge sagt, ich solle Kontakt zu ihm aufnehmen.»

«Seit wann nennst du deinen Vater *Bunge?*»

«Das Wort *Paps* ist mir irgendwie verlorengegangen.»

«Und warum rät er, Kontakt aufzunehmen nach all der Zeit?»

«Er sagt, das Leben sei zu kurz, um auf die einzige Liebe zu verzichten, die einem begegnet ist.»

«Ein Philosoph», sagte Henny und blickte in die Geranien.

«Was soll ich tun?»

«Ihm schreiben.»

«Ich werde den kostbaren Füllfederhalter zerkauen.»

«Keine Ergüsse. Nur Ort, Tag und Uhrzeit.»

Ida sah sie groß an. «Soll ich mich in die Eisdiele setzen?»

«Ist da eine?»

«Nebenan. Da haben Bunge und Guste gesessen, als Tian aus dem Nachbarhaus kam.»

«Dann setz dich in die Eisdiele. Bald.»

«War Lud deine große Liebe?»

Henny zögerte einen Lidschlag lang. «Ja», sagte sie dann. Sie hatte vieles überstürzt in ihrem Leben, doch dass sie Lud geliebt hatte, daran ließ Henny keinen Zweifel zu.

«Und wie geht es dir mit Ernst?»

«Als ich ihn kennenlernte, hat er mir Elsa Herzogs *Wie mache ich meinen Mann glücklich* geschenkt. Ich hoffe, es gelingt mir.» Henny lachte. Welch eine Antwort auf diese Frage. Henny sah zu Ida, ob ihr das auffiel, doch deren Gedanken waren schon weitergewandert.

«Dann bitte ich dich um Briefpapier. Den Füllfederhalter habe ich in meiner Tasche», sagte Ida. «Jetzt oder nie.»

Es regnete an dem Tag. Ein ausdauernder Regen, den man auch in der Stadt Landregen nannte. Ida hatte sich in das Lokal gesetzt, an einen der kleinen Tische mit Marmorplatte, und tat, als seien die Malereien an den Wänden, in denen das Mittelmeer am Fuße der italienischen Alpen lag und mit Gondeln befahren wurde, das Faszinierendste, das ihr je vor Augen gekommen war.

Was, wenn Tian nicht käme? Sie beschämen wollte? Vielleicht gefielen sie einander nicht mehr. So viele Jahre waren vergangen, und sie waren älter geworden. Viel älter. Tian und sie wurden in diesem Sommer siebenunddreißig Jahre alt.

Idas Hände waren zu Fäusten geballt, die Fingerknöchel weiß, doch das sah keiner, sie steckten in den tiefen Taschen der karamellbraunen Kostümjacke, und die linke Hand umklammerte das Elefantchen.

Ida wartete, und ihr kam es wie eine Ewigkeit vor, doch es waren nur Minuten. Minuten, in denen Tian im wettergeschützten Eingang des Hauses nebenan stand und Mut zu fassen versuchte, um ein paar Schritte zu gehen, in die Eisdiele Cadore, die der Gelatiere Ugo nach einem Tal in den Dolomiten benannt hatte, seiner Heimat.

In Tians linker Sakkotasche war der Brief, den Ida ihm geschrieben hatte und den er in der letzten Sekunde vor Lings Blick versteckt hatte. Hatte er um seiner Schwester willen keinen Kontakt mehr zu Ida gesucht? War es die Furcht gewesen, dass ihm noch mal eine Demütigung widerfuhr?

Ida hörte seine Schritte auf dem Terrazzoboden nicht, als er dann endlich kam. Ihr war heiß, und ihre Ohren schienen taub. Vielleicht wurde sie krank. Ein jähes Fieber.

Tian stand vor ihr und sah sie an. Dann nahm er ihre Hand und küsste diese. Er räusperte sich, um so komplizierte Silben wie *Ida* zu sprechen.

Keiner von ihnen sagte an diesem Nachmittag, dass er den anderen noch immer liebte. Doch sie hielten einander an den Händen, erzählten lange und leise und zweifelten nicht im Geringsten daran.

O ja. Tian fand Ida verändert. Keine deutlichen Spuren der Jahre in ihrem Gesicht. Doch nun war sie eine Frau, die vom

Leben wusste, und er schien sich auf einmal sicher, ihrem Wort vertrauen zu dürfen.

Ida sah nur ihren jungen Tian, der noch immer blendend aussah, ganz anders als jener Jef, dessen Schönheit glatter gewesen war. Wenn sie eine Veränderung wahrnahm, dann war es eine Traurigkeit in Tians Augen.

Doch war er nicht immer der Reflektierendere von ihnen beiden gewesen?

Konnte Ida lachen über das große Missverständnis in der Großen Reichenstraße an einem Tag im September 1930? Die vergeblich liebende Traute, die sich in Tians Arme geworfen hatte.

Nein. Kein Lachen. Zu viel Zeit war verloren worden durch diese voreilige Annahme. Weil sie ihm keine neue Chance gewährt hatte. Wie gnadenlos sie gewesen war.

Ugo kam herbei und brachte zwei Gläschen eines Limonenlikörs aus seiner italienischen Heimat. Er hatte längst verstanden, dass diesem Paar gerade etwas sehr Besonderes geschah.

Schwierige Zeiten, in denen sie sich endlich zu ihrer Liebe bekannten.

Wie gut. Es war noch nicht zu spät.

NOVEMBER 1938

Eine Tradition, erst einmal in das Schaufenster von Schrader zu gucken, obwohl die Auswahl an Spielzeug bei Karstadt vielfältiger war. Hier in der Herderstraße hatte Marike ihr Näschen an der Schaufensterscheibe platt gedrückt, und nun tat es Klaus. Sein siebter Geburtstag war in der nächsten Woche, es galt, die Liste der Wünsche zu vervollständigen.

Schienen und eine Lokomotive von Märklin standen ganz oben auf der Liste. Von Else wünschte er sich dazu einen grünen und einen roten Waggon mit der zweiten und dritten Wagenklasse. Spur null. Dazu hatte Ernst geraten, das war etwas Vernünftiges.

«Erzähl Marike, dass ich noch Figuren will», sagte Klaus und zeigte auf ein ganzes Heer aus Elastolin.

Hennys Blick streifte die Figürchen in der Uniform der SA, den Hitler mit beweglichem Arm.

«Die beiden Rotkreuzhelferinnen will ich, und denkst du, Marike hat noch Geld für das Pferd?»

Klaus war ein Segen. Wenn Henny mit Ernst haderte, dachte sie daran, dass es ohne ihn den Jungen nicht gäbe. Er tat ihnen allen gut, entspannte auch das Verhältnis von Ernst und der nun sechzehn Jahre alten Marike, die sich gegen ihren Stiefvater auflehnte. Außerdem hielt Klaus Else auf Trab, die nur schlechte Laune kriegte, wenn sie herumsaß.

«Ich erzähle ihr jedenfalls davon», sagte Henny. Das Pferd würde sie noch dazutun. Von Marikes Taschengeld gingen schließlich schon Kinobesuche mit Thies und kleine Schminkereien ab. Der Freund der frühen Kindheit begleitete Marike auch durch ihre Backfischjahre. Henny hielt es nicht für ausgeschlossen, dass Thies ihr Schwiegersohn werden würde.

«Besuchen wir noch Tante Käthe?», fragte Klaus.

«Willst du das?»

Ein langgezogenes Ja von Klaus. Er hing an Käthe wie Marike an Rudi, der nun seit einem halben Jahr oben in Jütland lebte, da, wo sich Ostsee und Nordsee trafen.

Käthe kränkelte. Seelisches Ausgelaugtsein, nannte es Landmann, der zu Käthe nach Hause kam und sie behandelte, obwohl ihm das verboten war. Den jüdischen Ärzten war mit Wirkung zum 30. September die Approbation entzogen worden, ein Schlag für Kurt Landmann, doch auch für Unger, den Älteren, der keinen anderen Nachfolger ausgeguckt hatte als den ihm so lieb gewordenen Landmann. Nun war der alte Arzt wieder tätig, von ihm kam die Krankschreibung für Käthe.

Kurt Landmann injizierte Käthe eine Lösung, die Eisen enthielt und Vitamine, empfahl Hopfenbäder und einen Zaubertrank von Ungers Mutter, der vor Jahren schon mal zu medizinischen Erfolgen geführt hatte: Rotwein mit Ei. Er ließ ihr nie mehr als ein paar Tabletten gegen ihre Schlaflosigkeit da, obwohl er kaum glaubte, dass Käthe in Gefahr war, sich das Leben zu nehmen. Sie wollte ihren Rudi wiederhaben.

«Wollen wir Käthe Kuchen mitbringen?», fragte Henny.

«Jaaaah», sagte Klaus.

Schade, dass es die kleine Konditorei von den Löwensteins in der Humboldtstraße nicht mehr gab. Die wäre auf dem Weg gewesen. Der Bäcker hatte keine Buttercreme. Henny kaufte drei Rosinenschnecken, ein Zuckerplätzchen für Klaus und ein Stück Bienenstich extra für Käthe. Nervennahrung. Frankfurter Kranz wäre besser gewesen.

Käthe lugte durch den Türspalt, der mit einer Kette gesichert war. Gegen die Gestapo, die sie immer mal wieder heimsuchte, half aber auch die Kette nicht. Auf dem Sekretär lagen Briefe, die Rudi an den alten Harms in Duvenstedt schickte. «Dat is min Neffe in Dänemark», hatte der Alte zum Briefträger gesagt. «Der ist nu ganz rappelig nach seinem alten Onkel. Vielleicht denkt er ans Erben.»

Der Briefträger nickte und nahm die Briefe nach Skagen mit. Adresse postlagernd. Er hinterfragte nichts.

«Wat kann mir denn noch passieren, Doktor», hatte der alte Harms zu Landmann gesagt, als der mit der Bitte zu ihm gekommen war. «Wenn Sie mir nur mal wieder meine Spritze geben dafür. Von Ihnen hab ich die am liebsten.»

Den Briefen zufolge ging es Rudi besser als Käthe. Doch wie viel Wahrheit war darin? Stimmte es denn, dass er gut untergebracht war, Arbeit in einer Druckerei gefunden hatte, die auch Plakate für das kleine Museum druckte? Einmal hatte er eine Kunstpostkarte in den Brief gelegt, ein Bild der Malerin Anna Ancher. *Sonnenschein in der blauen Stube*. Rudi entwarf ein Idyll für Käthe.

«Am Montag komme ich zum Dienst», sagte Käthe. «Kurt meint, das sei besser, als allein zu Hause zu sein.»

«Du duzt ihn?»

Käthe nickte.

«Wie geht es Landmann?»

«Er wirkt immer stark», sagte Käthe. «Doch wie es ihm wirklich geht, vermag ich nicht zu sagen.»

«Darf ich noch deinen Bienenstich essen, Tante Käthe?»

«Nimm ihn dir, Klauseken. Ich kann nicht mehr.»

Käthe ging es wirklich nicht gut.

Joan sprach davon, zurück nach Amerika zu gehen. Das betrübte ihn.

«Dein Land mag ich nicht mehr», sagte sie zu Campmann. «Zuletzt war es hier bei der Olympiade schön.» Die Olympiade in Berlin war schon zwei Jahre her.

Noch drängte Campmann diese Abschiedsgedanken beiseite, die Bankgeschäfte spannten ihn zu sehr ein. Seit Ende des vergangenen Jahres war die Dresdner Bank nahezu judenfrei. Wer hätte das gedacht bei einem Haus, das als das jüdische unter den Großbanken gegolten hatte. Die neuen Verhältnisse waren nicht zu seinem Schaden gewesen, wenn es auch durchaus noch Steigerungen gab.

«Dann kommst du mit mir nach Philadelphia», sagte Joan, doch sie meinte es nicht ernst. Was wollte sie dort mit einem Bankier, der half, die Nazis zu finanzieren?

Campmann hielt sich nun häufiger auf im Hofweg-Palais, Ida schien kaum noch Interesse an ihm und dem Haushalt zu haben, sie gingen sich aus dem Weg. Doch die Laboe schmiss den Laden, die einfache Arbeiterfrau wuchs über sich hinaus. Das imponierte ihm.

Er trank die eiskalte Milch nun gern in der Küche bei ihr, wenn Mia nicht dort saß. Die kam ihm mehr und mehr vor wie ein dicker Molch, der primitive Parolen quakte. Keiner hinderte ihn daran, Mia vor die Tür zu setzen. Doch in diesen Dingen war er phlegmatisch geworden.

Interessierte ihn, ob Ida einen Liebhaber hatte? Vermutlich hielt sie sich viel in der Johnsallee bei Bunge auf. Da konnten sie gemeinsam das eigene Versagen verdrängen.

Ida war untüchtig wie der Alte. Dass sie Möbel aus dem Haus trug, bekam er nicht mit. Er hatte schon lange keinen Fuß mehr in Idas Boudoir oder ihr Schlafzimmer gesetzt.

Die Laboe schwieg, und selbst Mia hielt den Mund. Sie konnte Campmann nicht leiden, warum ihm in die Hände spielen.

Ida ahnte nichts von Campmanns Gedanken zu ihrer Untüchtigkeit. Sie genoss es, endlich anzupacken. Das Leben. Die Liebe. Momme hatte ihr geholfen, die Möbelstücke aus dem Hofweg in die Johnsallee zu transportieren im von Guste Kimrath organisierten Lieferwagen des Weinhändlers Gröhl, Guste war eine gute Kundin.

Die gelben Sesselchen aus dem Kükenboudoir waren dabei gewesen, die Frisierkommode, die schon in der Fährstraße gestanden hatte. Die Lampe mit Reiherfuß ließ Ida stehen. Ein schwacher, wenn auch teurer Ersatz für den Schalmei spielenden Schäfer war die stets gewesen. Am liebsten kaufte sie Neues ein für die gemeinsame Zukunft. Tian tat, als sorge er sich um eine Übermöblierung des Zimmers im ersten Stock. Doch er genoss die Erfüllungen seiner Hoffnung. Sie waren ein Paar. Jetzt mussten noch die Nazis überstanden werden.

Welch ein Glück es war, Ida zu lieben.

Ling hatte es mit großer Zurückhaltung aufgenommen, dass ihr Bruder und Ida zueinandergefunden hatten. Ihre Zweifel ließen erst nach, als die Zeit verging und Ida noch immer an Tians Seite war.

Ida warb vorsichtig um Lings Vertrauen. Dazu gehörte, dass sie nicht in die Wohnung der Geschwister einfiel, sondern Guste Kimrath gebeten hatte, ihr dieses Zimmer in der Johnsallee zu überlassen, in dem sie mit Tian lebte, so oft es eben ging. Guste als Verbündete an der Seite zu wissen, war eine Erleichterung, wie Ida sie sich nie hatte vorstellen können. Sie fing an, ihren Vater zu verstehen.

Die Abende um Gustes Küchentisch waren konspirativ zu nennen, keine Freunde von Hitler, die sich da trafen. Bunge beschlich gelegentlich die Angst, dass sich eines Tages ein Spitzel dazusetzen könnte. Guste erschien ihm immer so unbesorgt. Dass Ida und ihr Chinese hier zusammenlebten, würden die Nazis schon als Rassenschande handeln. Guste hatte ihn allerdings dazu verdonnert, nur noch von «Tian» zu sprechen. Alles andere sei entwürdigend. Tian also. Seine Guste. Die machte hier glatt noch Familienzusammenführung.

Momme war auch wieder dauerhaft da, er hatte nach einem Intermezzo in Husum nun eine Stelle in der Buchhandlung von Kurt Heymann angetreten. Der Ruf der Großstadt war doch größer als das Heimweh nach der Nordsee.

Eines Tages saß Ling am Küchentisch. «Bringen Sie bitte mal Ihre Schwester mit», hatte Guste Kimrath gesagt. «Das würde mich freuen.»

Zeiten, in denen man zusammenhalten musste. Hoffentlich hatte die Staatspolizei kein Auge auf das bunte Völkchen.

«Wenn das deren erstes Kind ist, fresse ich einen Besen», sagte die Dunkhase. Sagte es laut und im Kreißsaal. Unger schickte sie vor die Tür. Es war nicht an die große Glocke zu hängen, wenn die Mutter des neugeborenen Kindes gelogen hatte. Das ging die Hebamme nichts an. Ihn auch nicht, dennoch nahm er sich vor, die Wöchnerin darauf anzusprechen. Vielleicht steckte Not hinter der Lüge.

«Ich habe zwei Kinder weggegeben», sagte sie, als er sie

im großen Saal aufsuchte und sich zu ihr ans Bett setzte. Keine Lauscher, die Betten nebenan waren nicht belegt. «Mein Mann weiß das nicht, dass ich ledig Mutter geworden bin. Das war ja auch vor seiner Zeit.»

«Das hätte er Ihnen übel genommen?»

«Er ist streng.»

«Und wo sind die Kinder? Was wissen Sie von ihnen?»

«Die sind von Kinderlosen angenommen worden.»

Das hatte Elisabeth auch einmal vorgehabt. Heute sprach sie davon, wie dankbar sie sei, nicht auch noch Verantwortung für ein Kind zu tragen in diesen schrecklichen Zeiten.

«Es tut mir leid, dass die Hebamme laut geworden ist. Frau Dunkhase hat sich wohl hintergangen gefühlt. Einer erfahrenen Geburtshelferin kann man da nichts vormachen.»

«Hauptsache, mein Mann erfährt nichts.»

«Dafür werde ich sorgen», sagte Dr. Unger. «Ist denn der glückliche Vater schon informiert?»

«Nach dem Dienst will er kommen. Er arbeitet im Stadthaus.»

Unger stand auf. *Sein* Dienst war eigentlich zu Ende, er fühlte sich erschöpft. Die Arbeit in der Klinik, die Aufgaben, die er in Duvenstedt übernahm. Die Sorge um Kurt. Quälend, der Gedanke, dass ein solch hervorragender Mediziner wie Landmann nicht mehr praktizieren durfte. Und gleich kam der glückliche Vater aus dem Stadthaus, in dem er vielleicht Menschen verhört hatte und gefoltert oder auch nur vor einer Schreibmaschine gesessen, um die Grausamkeiten zu protokollieren.

Unger ging in sein Sprechzimmer, zog den weißen Kittel aus, dachte einen Augenblick lang daran, den Kognak aus dem Schrank zu nehmen. Doch er wollte nach Hause fahren. Vielleicht war Elisabeth schon da, die heute die neuen Kataloge bei Robinsohn besprochen hatte.

Der Mercedes war unweit der Klinik geparkt. Er fuhr ihn nun, um die Wege nach Duvenstedt zu erleichtern. Elisabeth hatte sich ein kleines DKW Cabrio gekauft. Geld war noch genügend da, wenn auch nun er als Verwalter des Vermögens fungierte, Elisabeths Konto nur wenige tausend Mark aufwies und sich nichts mehr ins Ausland transferieren ließ.

Theo Unger parkte vor der Garage in der Körnerstraße und blickte auf das hell erleuchtete Haus, in dem Elisabeth auf ihn wartete. Feuer im Kamin. Eine Platte auf dem Grammophon. Ihnen ging es gut. Trotz allem. Wenn es doch nur eine Weile noch so bliebe.

«Es spitzt sich da was zu», hatte Geerts heute in der Klinik gesagt und der Schwester das neugeborene Kind in die Arme gelegt. «Friedlichen Zeiten wird dieser Knabe wohl kaum entgegengehen.»

Das zweite Mal, dass ihn die Gestapo aufsuchte. Die Herren standen in langen Mänteln vor der Tür. Kein Leder, eher Gummi, Regentropfen darauf. Dieser November war noch zu mild und regnerisch.

Der Ton hatte sich verändert, zum Scharfen hin. Wussten sie, dass er dem alten Harms gelegentlich eine Insulinspritze gab, Käthe mit Eisen und Vitaminen versorgte? Die Post für den gesuchten Regimegegner Rudi Odefey organisierte?

Sie sahen sich um in seiner Wohnung und blieben vor den Bildern stehen. Entartete Kunst?

«Sie haben noch Patienten?»

«Nein», sagte Kurt Landmann, «leider nicht.»

«Was sagt Ihnen der Name Odefey?»

«Käthe Odefey war eine meiner Hebammen in der Finkenau.» Beobachteten sie das Haus in der Bartholomäusstraße, wenn er da mit seinen Vitaminen und dem Zaubertrank von Ungers Mutter erschien?

«Ihnen ist bekannt, dass Sie nur noch als Krankenbehandler für ausschließlich jüdische Patienten tätig sein dürfen?»

«Das ist mir bekannt.»

«Sind Sie Frontkämpfer?»

Auch das bestätigte Landmann.

«Dann können Sie Unterhalt beantragen.»

Was wollten die Herren hier? Ihm den Lebensunterhalt sichern? Ihn beunruhigte der Blick, den sie den Bildern gaben. Landmann hatte gehört, dass sie Kunst einzogen wie Approbationen. Kunsthändler wurden beauftragt, im Ausland hohe Preise für die beschlagnahmten Bilder *entarteter Kunst* zu erzielen.

Doch die Bilder hingen noch, als die Herren gingen. Erst nach einer schlaflosen Nacht nahm Landmann sie von den Wänden und hüllte sie in Leintücher, um sie Lotte Unger zu bringen.

«Du liebst diese Bilder», sagte Louise, als er Maetzels *Stillleben mit Negerfigur*, Hopfs *Badende am Elbstrand* und Bollmanns *Süllberg* hinter die Sitzbank des kleinen Dixis stellte.

«Darum beschütze ich sie auch.» Er war am Morgen zum Bahnhof hinübergegangen und hatte dort von einer Fernsprechzelle Lina und Louise angerufen und Lotte Unger in Duvenstedt. Er hatte gute Gründe, dem eigenen Telefon zu misstrauen. Die Gestapo wusste viel über ihn.

«Sie werden dir schrecklich fehlen.»

Landmann lächelte Louise an. «Erinnerst du dich? Als ich dir das Auto schenkte, habe ich gesagt, du könntest mich chauffieren, wenn ich alt und klapprig bin.»

«Das bist du doch gar nicht.»

«Aber in Not», sagte Kurt Landmann. Er sah sich in der Bremer Reihe um, als fürchte er, die Gestapo könnte hinter den Säulen der Häuser aus der Gründerzeit stehen oder sich in den Souterraineingängen verstecken. Doch nur spielende Kinder waren zu sehen und vor der Artistenklause einer der Kellner, der Kisten schleppte.

«Das kenne ich gar nicht an dir. Angst», sagte Louise.

«In diesen Tagen ist es dumm, keine zu haben.»

Hatte er denn Angst? Oder fühlte er nur einen großen Überdruss, da die Welt nicht zu retten gewesen war nach dem großen Krieg? *Frieden für unsere Zeit* hatte der britische Premier Neville Chamberlain im frühen Herbst zum Münchner Abkommen gesagt, in dem die Regierungschefs von Großbritannien, Frankreich, Italien dem Deutschen Reich Teile der Tschechoslowakei zum Fraße vorgeworfen hatten. Eine Politik der Beschwichtigung, die der Welt nicht half. Am selben Septembertag hatte er die Zulassung als Arzt verloren.

Es fing zu schneien an, als sie auf der Landstraße nach Duvenstedt waren, ein Schnee, der nicht liegen blieb.

«Das Verdeck ist undicht», sagte Landmann.

«Es ist ein Schönwetterauto.»

«Läuft es noch mit den Lektoraten? Kommst du mit dem Geld aus?»

«Leidlich», sagte Louise, «beides.»

Eine friedliche Welt hier draußen in Duvenstedt. Er vermisste das *Dörp*, die beiden Ungers, den alten Harms. Vielleicht war er zum letzten Mal glücklich gewesen, als er Rudis

Flucht vorbereitete. Räuber und Gendarm. Lotte Unger hatte keine Sekunde gezögert, als er sie bat, die Bilder für ihn zu verwahren.

«Was wirst du tun, Kurt?», fragte Louise.

«Die Grenzen testen», sagte er, «was ich noch doktorn darf. Und du?»

«Überwintern. Das habe ich schon meinem Vater gesagt. Er will mich am liebsten nach Köln zurückholen.»

«Du wärest dort geschützter als Abkömmling einer Mischehe.» Kurt Landmann lauschte den eigenen Worten nach. «Welch ein schauerlicher Schwachsinn», sagte er.

«Das bin ich auch in Hamburg, Abkömmling einer Mischehe.»

Lotte Unger öffnete ihre Haustür, als das Auto vorfuhr. «Kommt rein», sagte sie, als habe man sich immer schon geduzt. «Ich habe gerade den Kuchen aus dem Ofen geholt. Harms kommt auch vorbei. Er hat Post.»

Ein warmes Licht, das auf diesen Nachmittag fiel. Trotz des grauen Novemberhimmels vor den Fenstern. Noch wusste keiner von ihnen, dass an diesem Tag ein verzweifelter Siebzehnjähriger in Paris auf den deutschen Diplomaten Ernst vom Rath geschossen hatte, um die Zwangsdeportation seiner Familie zu rächen. Keiner von ihnen hätte sich vorstellen können, was das in zwei Tagen auslösen sollte.

Käthe schrak zusammen, als sie die Töne des Horns hörte. Sie trat ans Fenster und sah das Zucken des Blaulichts auf der nassen Straße. Keine Polizei, die zu ihr wollte, ein Krankenwagen stand vor dem Haus.

Eilige Schritte auf den Treppen. Sie öffnete die Tür und sah zwei Männer mit einer Trage gegenüber zum Nachbarn gehen. Vor fünf Jahren hatte er in seiner Tür gestanden, als sie Rudi holten. Morgens um vier. Käthe hatte die Tür gleich wieder schließen wollen, doch sie blieb stehen, als täte das gut. Der gemütliche Mann, ihr Nachbar seit siebzehn Jahren, lag auf der Trage, die Augen geschlossen, die Lippen blau.

«Glotzen Sie nur», sagte seine Frau. «Viel Aufregung hat er gehabt Ihretwegen. Zu viel fürs Herz. Immer die Gestapo im Haus.»

Was war aus dieser Nachbarschaft geworden? «Ein ehrenwertes Haus», hatte damals der Besitzer gesagt, als sie die Wohnung besichtigten. «Ehepaare. Familien.» Er hatte ihnen die Wohnung vermietet, obwohl sie da noch nicht verheiratet gewesen waren. Ein freundlicher alter Herr, lange schon tot. Doch auch mit seinen Erben hatte es noch nie Schwierigkeiten gegeben.

Sie kehrte in die Küche zurück, um das Geschenk für Klaus zu verpacken, eine Arztfigur aus Elastolin, die sie Henny mitgeben wollte. Die Figur war ein Zubehör von Märklin. Sollten Eisenbahnunglücke nachgespielt werden? Mit medizinischem Personal?

Es klingelte an der Tür. Spät schon. Henny hatte noch Dienst.

War Käthe je so schreckhaft gewesen?

Landmann erschien am oberen Treppenabsatz. «Ich bringe dir was», sagte er und sah zur Tür des Nachbarn, ob die Ohren habe.

«Die sind nicht da. Er ist ins Krankenhaus gebracht worden.»

«Ein Brief aus Dänemark», sagte Kurt Landmann.

«Willst du nicht reinkommen? Ich koch uns Kaffee.»

«Nein», sagte Landmann, «ich habe schon geschätzte zwei Kannen bei Lotte Unger getrunken. Nun will ich nach Hause.»

Er hoffte, dass nicht noch die Gestapo vorbeischaute bei ihm. Dann konnte er ihnen nur noch die *Frauen von Nidden* bieten. Das einzige Bild, das in der Bremer Reihe geblieben war.

«Wo hast du denn den Affen her?», fragte Henny, die Ordnung im Kinderzimmer schaffen wollte, bevor das neue Spielzeug am nächsten Morgen auf dem Gabentisch lag.

«Das ist Jocko», sagte Klaus. «Den hat mir Bert geschenkt.»

«Bert aus deiner Klasse? Er schenkt dir einen teuren Affen von Steiff zum Geburtstag?»

«Nicht zum Geburtstag. Den hab ich schon im Oktober gekriegt, als er und seine Eltern wegmussten. Er durfte nur ein Tier mitnehmen, da hat er den Bären genommen und mir den Jocko geschenkt.»

Henny setzte sich auf Klaus' Bett. «Was ist das für eine Geschichte?», fragte sie. «Warum mussten Bert und seine Eltern weg?»

«Weil die aus Polen sind. Dahin mussten sie zurück.»

«Weiß Papa davon?»

«Klar. Er war ja auch Berts Lehrer. Ich sollte dir nichts erzählen, weil du dich nur aufregst. Darum saß Jocko unten in der Spielkiste.»

Henny nahm Jocko unter den Arm und ging ins Wohnzimmer.

«Hast du den Affen also gefunden», sagte Ernst. Er legte die Zeitung auf den Tisch. Else, die Volants an das Tanzstundenkleid von Marike nähte, sah auf. «Das ist aber ein schöner Affe», sagte sie.

«Also? Die Geschichte zum Affen.»

«Ich hab sie dir doch schon erzählt», sagte Klaus hinter ihr.

«Ich möchte sie noch einmal von deinem Vater hören.»

«Die Krones sind polnischstämmige Juden.»

«Sie leben seit Jahren hier», sagte Henny. «Das Kind ist in Hamburg geboren. Der Vater hat Arbeit. Sie haben eine Wohnung.»

«Die polnische Regierung hat allen Polen, die länger als fünf Jahre im Ausland leben, Ende Oktober die Staatsangehörigkeit entzogen. Darum wurden sie rechtzeitig ausgewiesen.»

«Rechtzeitig ausgewiesen. Klingt, als ob du das gutheißen würdest.»

«Bert hat ganz doll geweint, und seine Mutter auch», sagte Klaus.

«Zum Donnerwetter», sagte Ernst.

«Hitler weiß das nicht», sagte Else.

Ernst stand auf, um den Reichssender einzuschalten. Alles war ihm recht, was von diesem Gespräch ablenkte. Der Diplomat Ernst vom Rath sei in Paris seinen Verletzungen erlegen, sagte der Sprecher

Henny nahm Klaus an die Hand, kehrte mit ihm und Jocko ins Kinderzimmer zurück und schloss die Tür hinter sich.

«Ich darf Jocko doch behalten?»

«Aber ja. Ich bitte dich, immer gut auf ihn aufzupassen. Das freut den Bert, wenn er weiß, dass sich Jocko wohl bei dir fühlt.»

«Weiß er das denn?»

Henny blieb ihm die Antwort schuldig.

In der Nacht wachten sie vom Fackelschein auf. Ernst ging ans Fenster im Wohnzimmer und zog die Gardinen zur Seite. Brannte es?

Ein heller Schein, der auf den festlich gedeckten Gabentisch fiel, an den das tief schlafende Geburtstagskind in einigen Stunden treten sollte. Der Mond erleuchtete ihn, nicht die Fackeln drei Stockwerke tiefer.

«Was ist das?», fragte Henny, die hinter Ernst ans Fenster trat. Horden bewegten sich durch den Mundsburger Damm. Scherben klirrten weiter vorne in Richtung Hamburger Straße.

«Ich weiß es nicht», sagte Ernst, «lass uns schlafen gehen.»

Moritz Jaffe übernachtete auf dem Kanapee im Hinterzimmer, das kam vor, wenn er noch lange am Abend Schmuck reparierte, dann kehrte er nicht zurück in die zwei Zimmer in der Schenkendorfstraße.

Er schreckte hoch, als die Schaufensterscheibe zerbrach, doch er ließ das Licht aus, schlich nur zur Zimmertür, um sie zu verschließen. Jaffe hielt den Atem an, als er dort stand und lauschte.

«Juda verrecke. Juda verrecke. Juda verrecke.» Sie skandierten es johlend und jauchzend. Ein Scheppern, noch mehr Scherben. Doch sie drangen nicht in den Laden ein. Sie zogen weiter. Vielleicht zu Textil Simon im oberen Teil der Herderstraße.

Hätten sie ihn erschlagen, wenn sie gewusst hätten, dass er hier war? Jaffe ließ viel Zeit vergehen, bevor er die Tür öffnete und in den vorderen Laden trat. Unter seinen nackten Füßen lagen die Scherben, und er ging zurück, um Schuhe anzuziehen.

Er fegte den Laden aus, tat das zerbrochene Glas in einen festen Karton, ließ nur die Scherben auf dem Samt in der Auslage liegen.

Das Eiserne Kreuz Erster Klasse, das er als Soldat des Kaisers im Großen Krieg nach der Schlacht von Verdun erhalten hatte, verwahrte er im Hinterzimmer in einem Lederkästchen.

Moritz Jaffe nahm den Orden aus dem Kästchen, legte ihn zwischen die Scherben, die im Licht der nahen Straßenlaterne glitzerten. Eine letzte Auslage. Jetzt war jegliche Schonzeit vorbei.

«Im Alsterfleet schwimmen die Schaufensterpuppen von Robinsohn und Hirschfeld», sagte Lina. «Alles ist kaputt.»

«Setz dich erst einmal», sagte Henny und sah ihre Schwägerin bittend an. Es würde Klaus den Geburtstag verderben, wenn sie vor den Ohren von Ernst davon sprach.

Sie schnitt den Marmorkuchen an, in dessen Mitte die weiße Kerze mit den Kleeblättern stand. Klaus musste sie auspusten. Das brachte Glück.

«In der Innenstadt ist kaum noch eine Scheibe heil.»

Klaus guckte zu der Lokomotive und den Waggons der zweiten und dritten Wagenklasse. «Sind die Scheiben bei Schrader auch kaputt?»

«Nein», sagte sein Vater, «bei Schrader nicht.»

Klaus wollte erst noch Linas Geschenk auspacken, ehe er Kuchen aß.

«Die Bücher von Kästner sind verboten», sagte Ernst.

«*Emil und die Detektive* nicht», sagte Lina. «Da kommt auch unser Reichspropagandaminister nicht dran vorbei.»

«Klaus ist noch zu klein dafür», sagte Ernst.

«Bin ich nicht», sagte Klaus. «Ich lese gern Bücher, die nicht so viele Bilder haben. Tante Lina sucht mir immer die besten aus.»

Lina lächelte. Ihr gefiel es, den Jungen an eine Kinderliteratur heranzuführen, die fern der neuen Ideologie lag. «Sind Marike und Else denn gar nicht da?», fragte sie.

«Marike ist noch mit Thies in der Tanzstunde, und Else sollte eigentlich längst hier sein», sagte Ernst. Der Kursus in der Tanzschule Bartels vorn im Ufa-Haus war teuer genug, da wollte man nicht schwänzen.

Lina wartete nicht ab, bis Else kam. Sie konnte Ernst Lühr heute schlechter als sonst ertragen und lechzte danach, mit Louise auf dem Korallenroten zu sitzen und über die Ungeheuerlichkeiten zu sprechen, die in der Nacht vom neunten auf den zehnten November in diesem Land geschehen waren.

So erlebte sie nicht, wie verstört Else Godhusen war, als sie endlich eintraf zum siebten Geburtstag ihres Enkels Klaus.

«Die haben den Simon vom Textilgeschäft verschleppt», sagte sie, «weil der sich seinen Laden nicht kaputt machen lassen wollte. Das hat mir die Lüdersche erzählt und war noch stolz darauf. Wahrscheinlich hat ihr Gustav da die Scheiben eingeschmissen. Ich bin dann hin und hab der Frau Simon ein paar Astern gebracht.»

Henny guckte ihre Mutter in selten großer Liebe an. Else hatte Herz und Mut. In nächster Zeit würde sie ihr vieles verzeihen.

Ling stand allein am Fenster, das zum Grindelhof hinausging, und sah zu der brennenden Synagoge am gegenüberliegenden Bornplatz. Sie war zu entsetzt, um sich zu sorgen, dass das Feuer auf andere Häuser der Straße übergreifen könnte. *Reichskristallnacht*. Den Namen hatten sie der gestrigen Nacht gegeben. Als sei es ein glanzvolles festliches Spektakel gewesen. Doch es schien noch nicht vorbei zu sein.

Sie sorgte sich um die Eltern in der Schmuckstraße, deren Garküche geschlossen war, seit die Kontrollen der Behörden permanent und nur noch zum Zwecke der Demütigung durchgeführt wurden. Hoffentlich saßen die alten Leute sicher in der Stube und mieden die Straße.

Doch der *spontane Volkszorn*, den Joseph Goebbels beschwor, schien allein auf die Juden niederzugehen in diesen Tagen. Erleichterte sie das? Nein. Ling hatte Angst. Auch um Tian, dem die Nazis einen Strick drehen konnten ob seiner Beziehung zu Ida.

Und sie selbst? Was wurde aus ihr? Ling trat zurück vom Fenster und ging in das kleine Zimmer, das zum Hof hinaus lag. Sie wollte nichts mehr brennen sehen.

Kurt Landmann schwenkte den Kognak und trank ihn, während er das Glas durch die Zimmer trug, einzelne Gegenstände betrachtete, Bücher aus den Regalen zog, als bereite er eine Auktion vor.

Er kehrte zum Schreibtisch zurück und verschnürte die Päckchen, chirurgische Knoten, die konnte er noch immer. Nun rüber zum Postamt am Hühnerposten, dass die drei Päckchen auf den Weg gebracht waren. Dann zum eigentlichen Teil des Tages.

Was wohl aus Oda geworden war? Ob sie noch lebte? Er blickte zu den *Frauen von Nidden*.

Eine halbe Stunde brauchte er zum Hühnerposten und zurück, ziemlich viele Leute, die um diese Zeit in der Post anstanden. Nun den nächsten Kognak. Nicht mehr viel drin in der Flasche.

Das Röhrchen. Von großer Qualität, diese Tabletten. Es war doch von Vorteil, Arzt zu sein, selbst wenn einem die Approbation fehlte. Er ging in die Küche und füllte ein Glas mit Leitungswasser.

Den letzten Rest Kognak. Dann die Tabletten. Oda, dachte

er, Louise, Lina, Käthe. Ganz zum Schluss dachte er an Lotte Unger und die Bilder und an Lottes Sohn Theo.

Landmann blickte zu den *Frauen von Nidden*, nicht das beste Bild seiner Sammlung.

Doch er ließ sich von der Düne zudecken.

Theo ahnte, was es bedeutete, als er das Päckchen öffnete. Noch hoffte er, sich zu täuschen, doch als Erstes kam ihm die Krawattennadel mit der Orientperle in die Hände. Dann las er den Brief.

Nein, dachte er und betete vor sich hin. Doch eigentlich wusste er, dass hilflose Bitten an ein höheres Wesen nicht halfen. Kurt Landmann, Freund seit vielen Jahren, war tot.

Ein Kriegstagebuch. Zwischen den Seiten vier Hundertmarkscheine und das Bild einer jungen Frau. *Oda* stand mit grüner Tinte hinten auf der Fotografie. All die Geheimnisse. Auch Unger hatte welche.

Guck, was du aus der Wohnung kriegen kannst, hatte Landmann geschrieben. *Und verteile die Kostbarkeiten meiner Mutter auf Lina, Louise und Käthe. Und mach keine Umstände. Ich bin nicht religiös und habe nichts dagegen, verbrannt zu werden. Geld ist im Tagebuch.*

Theo Unger, der Nachlassverwalter.

Als Elisabeth nach Hause kam, saß er da und weinte.

Vor Louise lag ein Ring mit rosa Turmalin im Perlenkranz und ein Kuvert mit tausend Reichsmark. *Leb weiter, mein schönes Kind*, hatte Kurt Landmann geschrieben. *Du bist noch jung genug, um zu kämpfen. Mich hat die Kraft verlassen.* Louise brauchte lange, um sich nicht mehr im Stich gelassen zu fühlen.

Käthe war erstaunt, dass sie erstarkte durch Landmanns Tod. Als sei sie in der Pflicht bei ihm. Sie packte den blassroten Band mit den Gedichten aus, die sie Rudi überlassen sollte, und vierundzwanzig silberne Löffel.

Wer weiß, wozu sie gut sein werden, hatte Kurt Landmann geschrieben.

JULI 1940

Ein erster großer Angriff, der am 18. Juni auf Köln geflogen worden war. Dass Grete Stein an diesem Tag das schützende Gehäuse in Lindenthal verlassen hatte, war einer der Zynismen des Lebens. Sie starb in einem Haus nahe dem Chlodwigplatz, nicht mal in den Keller schafften sie und ihre Freundinnen es, die sie so lange überredet hatten, doch nur ein Mal wieder am Leben draußen teilzunehmen.

Der Bombenschütze war zweiundzwanzig Jahre alt und in Bristol aufgewachsen, dort, wo Elisabeths Mutter und Tante lebten. Er und seine Kameraden wurden noch über dem Rheinland abgeschossen.

Louise war erschüttert wie noch nie zuvor, nicht einmal Kurts Tod hatte das in ihr ausgelöst. Vielleicht, weil der Tod von Grete Stein ihr so viel grausamer erschien als der von Landmann, der doch fast friedlich auf dem Sofa in der Bremer Reihe gestorben war.

Lina sorgte, verwöhnte, liebte. Sie dachte an die Zeit nach Luds Tod, in der Louise sie davor bewahrt hatte, verrückt zu werden.

Joachim Stein in Köln versuchte, tapfer zu sein, er lud zwei junge Leute ein, mit ihm im Haus in Lindenthal zu leben. Sie hatten das Studium der Philosophie nicht fortsetzen dürfen, jeder von ihnen hatte ein jüdisches Großelternpaar, nun arbeiteten beide in den Büros der Ford-Werke in Niehl. Die abendlichen Gespräche taten allen dreien gut.

Ein warmer Sommerabend, an dem Lina und Louise vor dem Fenster saßen, dessen drei Flügel geöffnet waren und den Blick auf den Kanal freigaben. Der Himmel hatte eine samtblaue Färbung, doch er war nicht länger unverdächtig. Weder in Köln noch in Hamburg. Wenige Tage war es her, dass ein einzelner Bomber nahe der Fuhlsbütteler Straße durch die Wolkendecke gestoßen war und mit seinen Sprengbomben spielende Kinder getötet hatte.

Bis zum Frühjahr hatten die Briten nur Flugblätter über Hamburg abgeworfen, nun folgten die Bomben. Nach einem ersten Angriff auf den Hafen, St. Pauli und Altona im Mai war das Heulen der Sirenen Alltag geworden. Doch in die Luftschutzkeller ging kaum jemand, und jetzt im Sommer bedeutete auch die Verdunklung, die gleich am Tag nach Kriegsbeginn am 1. September 1939 befohlen worden war, keine große Einschränkung.

Louise trank einen Schluck Wein und dachte an das, was sie doch eigentlich zu verdrängen versuchte. Dass sie den Status, Kind einer privilegierten Mischehe zu sein, verloren hätte, wäre ihr Vater statt der Mutter in den Bomben umgekommen. Vogelfrei wären Grete und sie für die Nazis geworden.

Sie hob ihre Hand und hielt sie in einen der letzten Sonnenstrahlen des Tages hinein, dass er den rosa Turmalin leuchten ließ.

«Du denkst an Kurt», sagte Lina. Henny hatte es genauso mit dem Granatring getan. Ihn leuchten lassen und an Lud gedacht.

Kurt Landmanns Wohnung hatte die Gestapo versiegelt, kaum dass er gefunden worden war. Die Kostbarkeiten seiner Mutter hatten keine von ihnen erreicht. Wahrscheinlich waren sie zum Wohle des Volkes versteigert worden oder auch nur zum Wohle der Gestapo verteilt. Unger war es später lediglich gelungen, sich der Urne zu bemächtigen und sie im Grab von Landmanns Eltern an der Ilandkoppel beizusetzen, dem jüdischen Teil des Friedhofes in Ohlsdorf.

«Ja», sagte Louise, «ich denke an Kurt. Er könnte hier sitzen und mir Trost geben. Er hat meine Mutter viele Jahre gekannt.»

«Grete war nicht glücklich über deine Beziehung zu mir.»

«Dein einziger Fehler war für sie, dass du kein Mann bist.»

«Ich denke, sie hat sich bis zuletzt nicht eingestanden, dass wir ein Liebespaar sind», sagte Lina.

Das tat auch ihre Vermieterin nicht, der das Haus am Eilbeckkanal gehörte. Frau Frahm war genauso alt, wie Grete Stein gewesen war, und bei aller Aufgeschlossenheit wäre ihr kaum in den Sinn gekommen, dass es diese Lebensform gab.

«Was denkst du, wie lange der Krieg noch dauert? Nun haben sie ihren Westfeldzug gehabt, in Dänemark und Norwegen sitzen sie auch. Warum kriegen die den Hals nicht voll?»

«Du erinnerst dich an Momme, den Jungen aus Dagebüll, der bei Guste wohnte und Buchhändler geworden ist?»

«Das klingt, als sei er tot», sagte Louise

«Das will ich nicht hoffen. Er hat im April Dänemark besetzt, als Soldat der Marine. Nun hockt er in Aalborg. Und Jacki aus Berlin ist in Belgien.»

«Sieht so aus, als müsste Guste die ganzen Soldaten stellen.»

«Wahrscheinlich wird es schrecklich lange dauern. Beim letzten Krieg wollten sie auch Weihnachten wieder zu Hause sein.» Lina kam ein Zeichenlehrer in den Sinn, der in Frankreich gefallen war.

Sie stand auf, ging ins Schlafzimmer und nahm das Medaillon aus Lindenholz vom Frisiertisch. Sie kehrte zum Fenster zurück und legte es in Louises Schoß. «Öffne es.»

«Du willst, dass ich dein Geheimnis lüfte?»

«Das wolltest du doch immer.»

«Dunkel wie meines», sagte Louise, als sie das Medaillon geöffnet hatte. «Doch ich habe glattes Haar.»

«Ich habe ihn geliebt, den Mann, dessen Locke das war.»

«Wer war es?»

«Mein Zeichenlehrer. Ich war sechzehn und er vierundzwanzig.»

«Das wäre doch gegangen», sagte Louise.

«Er ist an der Somme gefallen. Soll ich dir eine Haarsträhne abschneiden, oder willst du es selber tun?»

Louise schloss das Medaillon. «Ich danke dir, dass du mir dein Geheimnis geschenkt hast», sagte sie. «Doch ich fände es schön, wenn genau diese Locke drinbliebe. Wie hat er geheißen?»

«Robert», sagte Lina.

«In Erinnerung an Robert», sagte Louise. «Ich darf ja mit dir leben.»

Es war spät und das Haus dunkel. Schwarze Rollos vor den Fenstern, vorbei die Zeiten, wo die schmale Stadtvilla mit den drei Stockwerken in die Nacht hinausgestrahlt hatte wie ein prächtiges Juwel.

Elisabeth war bis morgen in Berlin bei einer Freundin. Der Wohlstand, der sich um sie hüllte wie ein Kaschmirplaid von Betty, schien sie zu schützen. Keiner der braunen Herren hatte sie je belästigt. Die Aura der *grande dame* schüchterte ein. Unger hoffte, es möge so bleiben.

Wenn ihm etwas geschah, war Elisabeth in höchster Gefahr als der jüdische Teil dieser Ehe. Vom Ausbruch des Krieges waren sie beide überrascht worden, gerade hatten sie sich mit dem Gedanken vertraut gemacht, dass Elisabeth doch nach England ginge.

Die Zeiten waren zu gewaltig, ein einziges Entsetzen für die Menschen mit ihren kleinen Träumen vom privaten Glück.

Wo wäre Landmann heute? Im Ausland? In der Bremer Reihe? Kurt fehlte ihm an allen Ecken seines Lebens. Diese Großzügigkeit, die er gehabt hatte. Im Geistigen und im Materiellen.

Der Abend in Flensburg, als sie Rudi Odefey auf den Kutter gesetzt hatten und zum Fischrestaurant von Piet Henningsen gegangen waren, gehörte zu den Schätzen in Ungers Erinnerungen.

Die Krawattennadel mit der Orientperle lag noch in dem kleinen Safe hinter dem Ölporträt der Schwestern Ruth und Betty. Sie war nach wie vor Rudis Eigentum, Unger hoffte sehr, dass ihm das Schicksal nicht die Chance nahm, sie Rudi zurückzugeben.

Der letzte Brief von ihm an Käthe trug das Datum des 2. April. Eine Woche später hatte die Wehrmacht Dänemark überfallen und der alte Harms in Duvenstedt seitdem keine Post mehr erhalten.

Ich komme zurück, hatte Rudi geschrieben. *Zwei Jahre sind genug. Ich will nicht länger ohne dich leben, Käthe.*

Käthe war in sein Sprechzimmer gekommen und hatte ihn gebeten, den Brief zu lesen, ob er eine Antwort darin fände, wo Rudi sei.

Du sollst nicht länger leiden, während ich gemütlich in Dänemark sitze. Sie werden mich kaum länger wegen eines Kinkerlitzchens verfolgen, sie haben jetzt andere Sorgen.

Nein. Theo Unger hatte keine Antwort auf die Frage gefunden, wo sich Rudi aufhielt. War er inhaftiert worden? Es gebe noch keine Lager, hatte ein Kollege erzählt, der aus Kopenhagen gekommen war.

«Seine Briefe werden abgefangen», hatte er Käthe gesagt. Ein Versuch des Trostes, doch durchaus denkbar. Erst wurde einmarschiert und besetzt, dann kümmerte man sich um die kleinen Schikanen im großen Geschehen. Doch Käthe ließ sich nicht trösten, sie war längst ein Nervenbündel geworden. Henny hatte ihm anvertraut, dass sie zu vermeiden versuchte, Käthe allein im Kreißsaal zu lassen.

Er hatte Käthe erzählt, dass Kurt der Käufer der Krawattennadel gewesen war und Hans Hansen nur ein Name. Sie hatte es zur Kenntnis genommen ohne einen Kommentar und ihn nur gebeten, die Nadel für Rudi aufzubewahren und die vierundzwanzig Silberlöffel. Käthe hielt Elisabeths und sein Haus für einen sichereren Ort als die Wohnung in der Bartholomäusstraße.

Ein Geräusch vor der Tür schreckte ihn auf. War er eingenickt?

Er blickte auf die Kaminuhr, Mitternacht lang schon vorbei. Unger stand aus dem Ledersessel auf und merkte, dass er fror. Vielleicht hatte er sogar tief geschlafen. Stimmen im Flur. Die Tür zum Salon öffnete sich.

«Elisabeth», sagte er, «ist etwas geschehen?» Er sah Garuti hinter ihr stehen, Elisabeths Koffer in der Hand. «Ich dachte, du seiest in Berlin?»

«Alessandro war so freundlich, mich in seinem Auto mitzunehmen. In den nächsten Tagen hat er in Hamburg zu tun.»

«Du hattest doch ein Ticket für die Eisenbahn?» Er war so erstaunt, dass er vergaß, Garuti zu begrüßen.

«Gib uns bitte erst einmal etwas zu trinken, es war eine anstrengende Autofahrt.» Elisabeth ließ sich in den Ledersessel fallen, aus dem er gerade aufgestanden war.

«Was darf ich dir geben? Und für Sie, Alessandro?»

«Etwas Hartes», sagte Elisabeth. Garuti widersprach nicht.

Theo Unger öffnete den Kognak, schenkte davon in drei Schwenker ein und verteilte die Gläser.

«In den Berliner Bahnhöfen haben sie die Menschen aus den Zügen geholt und abgeführt», sagte Alessandro Garuti. «Erst am Anhalter Bahnhof, dann auch im Lehrter.»

«Warum?», fragte Unger.

«Sie haben die Pässe kontrolliert und alle Juden herausgesiebt. Ich hatte in unserer Botschaft davon gehört.»

Theo Unger wandte sich seiner Frau zu. «Du hast doch gar kein J in deinem Pass», sagte er.

«Soll ich zusehen, wie alle, die solch einen Stempel haben, abgeführt werden, und ich sitze da und fahre Eisenbahn? Du bist unsensibel.» Elisabeths Stimme klang höher und schriller als sonst.

Garuti versuchte zu beschwichtigen. «Da ist eine große Anspannung in Berlin», sagte er, «überall in den Lokalen diese Verbotsschilder. Alles lauert. Schon am Nachmittag, als wir auf dem Kurfürstendamm einen Kaffee getrunken haben, schien es mir, als käme ein Gewitter, dabei war der Himmel strahlend.»

«Und ich sage dann, dass ich der *jüdische Teil einer privilegierten Mischehe* bin, wenn sie mich kontrollieren?»

«Ja», sagte Theo Unger. Er hatte seinen Kognak schon ausgetrunken und stand auf, um nachzuschenken.

«Ich traue mich trotzdem bald nicht mehr auf die Straße.» Elisabeths Stimme kippte in eine hysterische Tonlage.

«Du bist erschöpft von diesen Zumutungen und der langen Fahrt durch die Dunkelheit», sagte Unger. «Ich gebe dir ein leichtes Mittel, damit du gut schlafen kannst.»

Elisabeths Handbewegung deutete energische Ablehnung an.

«Ich habe Ihre Frau im Grunewald angerufen und vorgeschlagen, sie im Auto mitzunehmen.»

«Danke für Ihre Fürsorge, Alessandro», sagte Unger. Regte sich da ein Hauch Eifersucht in ihm? Er widersprach nicht, als Garuti rasch aufstand und sich verabschiedete. Es war auch schon halb drei.

«Ich hoffe, Ihnen kommt morgen Abend nichts dazwischen», sagte Elisabeth. «Es muss doch endlich mit einem Essen bei uns klappen.»

Unger geleitete Garuti zum Alfa Romeo, der vor dem Haus in der Körnerstraße stand. «Dann bis morgen», sagte er.

«Elisabeth ist sehr angespannt, sie leidet unter der Situation», sagte Garuti. «Sie müssen ihr verzeihen. Sie wollte in kein Lokal gehen, in denen Juden unerwünscht sind, doch es gibt kaum andere mehr.»

Theo Unger blickte ihm nach und war beunruhigt.

Nun war er im Mai zweiundachtzig geworden ohne den Doktor. Mit ihm wäre es schöner gewesen. Der alte Harms hatte seine Lütt un Lütt ganz alleine getrunken und an Landmann gedacht. Den vermisste er wie schon lange nichts mehr. Keiner setzte die Spritzen wie er.

Der Briefträger hatte heute nur einen Versandkatalog für Zierpflanzen gebracht, die gingen schlecht, hatte Harms beim Gärtner gehört, alle wollten Gemüse für den Garten. «Da hat Ihr Neffe in Dänemark wohl aufgegeben, auf das Haus zu schielen», sagte der Briefträger.

Harms schaltete nicht gleich.

«Der hat doch dauernd geschrieben, weil er erben wollte.»

«Nee. Der ist nich mehr in Dänemark. Der tut sich in Frankreich um mit der siegreichen Armee», sagte Harms. Gerade noch die Kurve gekriegt, aufpassen musste man in diesen Zeiten. Er würde mal den jungen Dr. Unger fragen, was aus dem Burschen im Nachbarland geworden war, nachdem die wackere Wehrmacht sich da tummelte.

«Feldpost tragen wir auch aus. Na. Bei den Franzweibern wird er wohl abgelenkt sein. Da denkt man nicht an den ollen Onkel.»

Der alte Harms war einverstanden mit der Erklärung.

Käthe ging in die Dänische Seemannsmission am Hafen, doch auch da konnte ihr keiner helfen. Hatten sie denn je davon gehört, ob deutsche Exilanten in Lager oder Gefängnisse gekommen waren?

Doch man blieb sehr vorsichtig in der Seemannsmission mit Äußerungen, aus Furcht, deutsche Behörden zu provozieren. Die Besetzung in Dänemark lief friedlicher ab als die in anderen Ländern, die Nazis betrachteten die Dänen beinah als ein germanisches Brudervolk. Als Käthe das Büro verließ und schon auf der Treppe war, folgte ihr eine junge Frau.

«Der Gestapo sind sämtliche Immigrationsakten der dänischen Polizei in die Hände gefallen», sagte sie. «Ich habe von Repressalien gehört, einige Exilanten sind ins Gefängnis gekommen.»

Käthe hielt sich am Geländer der Treppe fest.

«Aber vielen ist auch die Flucht über den Öresund nach Schweden gelungen», sagte die Frau. «Brauchen Sie ein Glas Wasser?»

Käthe schüttelte den Kopf, das Zittern überkam sie jäh in letzter Zeit, doch es ging dann auch wieder vorbei.

«Ich hoffe, dass Ihr Mann lebt und Sie bald von ihm hören.» Die Freundlichkeit der Fremden tat gut.

Käthe ging zu den Landungsbrücken und stieg in die Hochbahn. Um ein Uhr fing ihr Dienst an, ihr fiel es immer schwerer, sich auf die Arbeit zu konzentrieren. Wo war Rudi? Wäre er über den Öresund in das noch sichere Schweden geflohen, dann hätte sie von ihm gehört. Konnte man sich vorstellen, dass in den dänischen Gefängnissen nicht einmal eine Nachricht nach draußen erlaubt war? Das war ja sogar in den Kerkern der Gestapo in Deutschland möglich.

«Hast du schlechte Nachrichten?», fragte Henny, als Käthe sich umzog. «Du bist ganz blass mitten im Juli.»

«Er ist tot», sagte Käthe.

Henny fuhr herum. «Was sagst du da?»

«Ich fühle es.»

Henny atmete durch. «Hör auf damit, Käthe. Das zerstört dich nur.»

Da kam es wieder, das Zittern. Diesmal hielt es länger an.

«Du kannst so nicht arbeiten», sagte Henny. «Stell dir vor, dir unterläuft ein Fehler. Die Dunkhase lauert nur darauf.» Sie führte Käthe zur Liege und sorgte dafür, dass sie sich hinlegte, dann ging sie Unger suchen.

Doch es war Dr. Aldenhoven, der ihr folgte. Unger war nicht da.

Er untersuchte Käthe sorgfältig und nahezu sanft. «Ich verbiete Ihnen, den Dienst anzutreten», sagte er. «Sie sind arbeitsunfähig, Frau Odefey.»

Doch Käthe hörte ihn nicht, sie war in eine Ohnmacht gefallen, das war das Gnädigste, das ihr geschehen konnte in diesem Augenblick.

Als sie aufwachte, lag sie auf einem Zimmer der Privatstation. Unger saß neben ihr und sagte, dass sie hier ein paar Tage bliebe, bis alle Untersuchungen abgeschlossen seien.

«Das kann ich nicht bezahlen.»

«Aber ich», sagte Theo Unger. Er hatte eine reiche Frau geheiratet, die heute Abend Dottor Garuti empfing zu einem kleinen delikaten Essen. Von Henny war er aufgeklärt worden, dass da keiner war, der Käthe hätte versorgen können außer Henny selbst, und sie hatte alle Hände voll zu tun. Käthes Mutter verdiente das Geld und war als Köchin eingespannt, und Karl Laboe schaffte es nicht mehr in den vierten Stock.

«Wenn Käthe ein Lebenszeichen von Rudi hätte, würde sie wieder gesund werden», sagte Henny.

Vielleicht sollte er nach Skagen fahren, dachte Unger, und auf die Suche nach Rudi gehen. Kurt Landmann hätte genau das getan. Konnte er Elisabeth allein lassen? Doch zunächst musste er das Huhn aus Duvenstedt holen, dem seine Mutter für das heutige Abendessen den Hals umgedreht hatte.

Freute er sich auf das Essen? Alessandro Garuti schien ihm ein sehr anständiger Mensch zu sein. Unger nahm an, dass kein Grund zur Eifersucht bestand.

«Und dann steht er vor mir», sagte Else Godhusen, «in Uniform, und hat den Totenkopf auf den Kragenspiegeln.»

«Dass Gustav Karriere macht bei den Nazis», sagte Henny.

«Ich red nicht von Gustav. Es geht um Gotha.»

Der Handelsreisende Ferdinand Gotha hatte vor Karstadt auf der Mönckebergstraße vor Else gestanden und vertraut getan.

«Er ist also bei der SS. Ist er nicht zu alt dafür?»

Bloß nicht noch eine Sorge, Henny war froh gewesen,

dass Gotha aus Elses Leben gegangen war. Hatte Else vor, den Kontakt zu erneuern?

Käthes Zusammenbruch, die Dunkhase, die mit dem Meldezettel hinter ihr herlief, weil ein Kind mit Wasserkopf geboren worden war. Seit August vergangenen Jahres waren sie verpflichtet, Neugeborene mit Behinderungen zu melden. *Das Gesetz zur Verhütung erbkranken Nachwuchses* schrieb es vor. Henny hätte sich gern zu Käthe in das Zimmer auf der Privatstation gelegt, ihr wurde alles zu viel.

Hinten auf dem Geranienbalkon saßen die beiden Achtzehnjährigen, Marike war es seit wenigen Tagen und Thies kaum viel länger, doch sie sahen sich in die Augen, als stünde die Verlobung kurz bevor. So gern Henny Thies mochte, Marike sollte nicht ihren Fehler wiederholen und alles zu schnell tun. Holterdiepolter hatte Käthe damals gesagt, als die Heirat mit Lud ins Haus stand, und sie hatte recht gehabt.

Wo war Rudi? Tot? Das wollte sie so wenig glauben wie Käthe, die seinen Tod beschwor, um die bösen Geister zu beschwichtigen. Wer das Schlimmste annahm, der wurde verschont.

«Vielleicht können Marike und Thies mal den Balkon freimachen und spazieren gehen. Ich hätte gerne mit dir einen sommerlichen Moment.»

«Dann sag es ihnen», sagte Henny zu Ernst. Doch eigentlich fand sie, dass es genauso Marikes Balkon war.

Der Lebenswille ließ nach. Wäre er im Herbst und Winter hierhergebracht worden, das Lager hätte ihn bereits zerbrochen.

Im April waren die Deutschen vom Lande, aus der Luft und über den Seeweg gekommen, hatten das kleine Dänemark mit den Soldaten der Wehrmacht überrannt, ein gelungener Feldzug. Die Flucht über den Öresund war ihm, anders als vielen sozialdemokratischen Exilanten, nicht gelungen, die Sozialdemokraten waren straffer organisiert und grenzten die Kommunisten erbarmungslos aus.

Wie war er in diese Verhaftungen hineingeraten? Er wusste es bis zum heutigen Tage nicht. Wurde ihm wieder eine Druckerpresse zum Verhängnis, die er dieses Mal gar nicht genutzt hatte, um Flugblätter und anderes Propagandamaterial herzustellen? Auf einem Kraftwagen der Wehrmacht hatten sie ihn mit vier Leidensgenossen nach Aalborg transportiert. Dann aufs Schiff. Viel weiter als Schweden.

Die Landschaft vor dem Stacheldraht erschien ihm selbst in dieser lieblichen Jahreszeit abweisend, doch es gab andere im Lager, die sehnsüchtig erzählten von dem flussdurchzogenen Land des Danziger Werders, vom nahen Haff und der Ostsee, ein Paradies, das sie aus friedlichen Zeiten kannten.

Es waren vor allem Polen, viele Zivilisten unter ihnen, die mit ihm hier einsaßen im *Waldlager Stutthof*, wie es die deutschen Wachmänner euphemistisch nannten, nichts anderes als ein Konzentrationslager, eingerichtet, um die Gefangenen zu vernichten.

In den ersten Tagen nach seiner Ankunft hatte er eine Karte schreiben dürfen und hoffte nur, dass sie Käthe erreicht hatte. Keinem hier war ein Kontakt zu den Lieben zu Hause gelungen, er konnte kaum erwarten, da bevorzugt zu werden. Doch nichts von Käthe zu hören in diesen Tagen des Hungers und der körperlichen und seelischen Züchtigungen, war ihm beinah die größte Qual.

Ohne Lotte wäre das delikate Abendessen kaum möglich gewesen. Sie lieferte das Huhn und Rosmarin, um es zuzubereiten. Aus Lottes Garten kamen auch die Früchte des Sommers für die rote Grütze, *Nutzgarten* war das Zauberwort. Lotte zauberte noch Kartoffeln und Bohnen, und Unger brachte alles von Duvenstedt in die Küche der Körnerstraße, in der Käthes Mutter stand und das Essen zubereitete. Als Dank für das, was er Käthe Gutes tat.

Theo Unger ging in den Keller, die Weine auszuwählen. Er hatte den Wunsch, Dottor Garuti deutsche Lebenskultur zu demonstrieren. Einige kostbare Flaschen kamen noch aus dem Keller des Hauses der Liebreiz' am Klosterstern. Wein gelang es doch am besten, die Zeiten in allen Wettern zu überstehen.

Er zog zwei Flaschen Château Haut-Brion 1921 aus dem Holzregal und eine Flasche Beerenauslese desselben Jahrgangs von Schloss Johannisberg, den er zum Dessert reichen wollte. Knapp drei Jahre war der Krieg her gewesen, als die Trauben zu diesen Weinen gepflückt worden waren, und nun stand Deutschland wieder in einem Krieg.

Der Tisch im Esszimmer war lange nicht mehr so festlich gedeckt gewesen, Theo Unger erlebte Tage der großen Kontraste. Er schnitt die silbernen Kapseln der Rotweinflaschen ab, entkorkte den Wein und stellte die Flaschen in die Fensternische. Im Vorgarten blühten die Rosen wie einst im Garten seiner Schwiegereltern.

Er hoffte sehr, dass es Ruth und Betty in Bristol gutging, eine Korrespondenz war seit Kriegsausbruch nicht möglich, von einem fernmündlichen Kontakt ganz zu schweigen. Sicher strapazierte auch das Elisabeths Nerven, vielleicht tat ihr Garutis Verehrung einfach gut.

Wenn er dieses Essen überstanden hatte, würde er ernsthaft planen, nach Skagen zu fahren. Acht Stunden musste er für eine Fahrt rechnen, die Abwesenheit war mit den Kollegen zu klären, ohne dass sie Verdacht schöpften.

«Deine Mutter ist ein Schatz», sagte Elisabeth, «all die guten Dinge.»

Er drehte sich zu ihr um. «Du siehst wunderbar aus in diesem Kleid», sagte er. Weißes Leinen mit halblangen Ärmeln und enger Taille. Sie hatte eine der kupferfarbenen Rosen aus dem Garten geschnitten und angesteckt. Das sah wunderbar aus zu ihrem rotblonden Haar.

«Zieh dich auch um», sagte Elisabeth, «er kommt schon um sieben.»

«Sehr früh für einen Italiener», sagte Unger.

«Ich habe ihn darum gebeten, damit wir das Tageslicht noch nutzen können, ehe wieder verdunkelt werden muss.»

«Ich werde mich wohl auch für Leinen entscheiden.»

«Nimm den silbergrauen Anzug und die Krawatte, die ich dir gekauft habe, das passt zu meiner Rose.»

Gott. Welch luxuriöse Gespräche. Was mochte Käthes Mutter in der Küche denken über diesen Abend?

Garuti kam pünktlich und überreichte Elisabeth ein Rosenbukett in Orange, als habe er die Farbgebung des Abends erahnt, und dem Hausherrn eine Flasche gut gekühlten Asti Cinzano.

Sie tranken den Sekt als *Aperitivo*, wie Alessandro Garuti sagte, und schlenderten mit den Gläsern in den Garten hinter dem Haus. Eine gelöste Stimmung, die sich hielt, als sie sich zum Essen setzten und das Mädchen auftrug. Garuti war voll des Lobes ob des Rosmarinhuhns, ein Rezept seiner Heimat, wie er sagte. Ein südlicher Garten, den Lotte Unger da hegte und pflegte. Die Geschichte des Nutzgartens wurde erzählt, von Hühnern und Hasen gesprochen.

«Sie haben eine sehr schöne Krawattennadel, Alessandro», sagte Elisabeth, als sie die rote Grütze gegessen hatten und noch ein letztes Glas von der Beerenauslese tranken. «Das ist ein Baguette Brillant? Er wirkt grau, beinah anthrazit.»

«Ja. Er würde gut zum Anzug Ihres Gatten passen. Sie stammt von meinem Vater. Mein Bruder und ich haben einige Stücke geerbt.»

«Zeig Alessandro doch mal die Orientperle», sagte Elisabeth.

Unger stand auf und ging hinüber in den Salon, nahm das Ölbild von der Wand und öffnete den Safe. Er entnahm ihm die Krawattennadel und kehrte zurück in das Esszimmer.

Alessandro Garuti betrachtete das Schmuckstück lange. «Die Perle ist wertvoll», sagte er. «Ich will Sie nicht kränken, doch die Nadel ist es nicht.»

«Das wissen wir», sagte Unger.

«Ich hatte eine ähnliche Perle. Doch die Goldarbeit war aufwendiger.»

Er legte die Krawattennadel zurück auf Ungers Handfläche. «Ist sie auch aus Familienbesitz?»

«Gehen wir doch alle in den Salon», sagte Theo «und trinken noch einen Kognak zum Kaffee. Dann erzähle ich Ihnen von der Perle.»

«Es ist so kultiviert bei Ihnen. Ich genieße es sehr. Die Gespräche in der Gesellschaft Berlins haben sich doch verändert.»

Das letzte Licht des Tages, das in den Salon fiel. Gleich würden sie die schwarzen Rollos herunterziehen müssen und das Licht anschalten. Der Kaffee wurde serviert, der Kognak eingeschenkt, und Theo Unger erzählte von einem Kommunisten, der ihm so jung vorgekommen war, als Kurt

Landmann und er mit ihm nach Flensburg fuhren, doch von Käthe wusste er, dass Rudi in diesen Julitagen vierzig Jahre alt wurde.

Wie viel durfte er dem Kulturattaché der italienischen Botschaft erzählen von dieser Flucht, dem Verschwinden, der Ungewissheit? Italien war ein Verbündeter Hitlers.

Spürte Garuti dieses Zögern? «Ich habe Elisabeth in Berlin anvertraut, dass ich kein Anhänger der Faschisten bin», sagte er. «Ich hoffe, auch Ihr Vertrauen zu haben, Theo.»

«Der letzte Brief von Rudi Odefey ist vom 2. April. Seitdem hat seine Frau nichts mehr von ihm gehört. Die Köchin des Abends, die uns so verwöhnt hat, ist übrigens seine Schwiegermutter.»

«Ist sie noch da? Ich würde mich gern bei ihr bedanken», sagte Alessandro Garuti, doch er klang abwesend.

«Sie wird gleich nach Hause gehen», sagte Elisabeth.

«Dann darf ich Sie bitten, mich in die Küche zu begleiten?»

Anna Laboe hatte gerade die Schürze abgelegt, als der Dottore vor ihr stand, ihre Kochkunst lobte und sie verlegen machte. Sie stand noch da und staunte, als Elisabeth und Garuti längst wieder im Salon saßen.

«Ich würde Ihnen gern behilflich sein, Rudi zu finden. Vielleicht erfahre ich in Berlin etwas über die Gestapoarbeit im besetzten Dänemark. Ist Ihnen der Jahrgang des Vermissten bekannt?»

«1900», sagte Theo Unger.

«Seien Sie vorsichtig», sagte Elisabeth. «Nicht, dass Sie unseretwegen in Gefahr geraten.»

Garuti schüttelte den Kopf. «Gestatten Sie mir eine Frage», sagte er. «Ich habe den Namen vielleicht nicht richtig verstanden. Odefey?»

«Genau», sagte Unger.

«Nicht viele heißen so?»

«Der Name ist eher selten», sagte Elisabeth.

Alessandro Garuti stand auf. «Ich danke Ihnen beiden sehr für Ihre Gastfreundschaft. Ich hoffe, sie bald erwidern zu können.»

Elisabeth und Unger begleiteten ihn aus dem Haus. Kein Alfa Romeo. Garuti war mit dem Taxi gekommen und wollte zu Fuß zur anderen Alsterseite gehen. Ein Spaziergang könne ihm nur guttun, sagte er.

Henny horchte auf, als Momme von Dänemark sprach, dem Krieg, der Wehrmacht, dem Heimaturlaub, und sie erzählte ihm von Rudi.

Momme guckte sich im Garten um, als säßen dort Lauscher in den Bäumen, die ganz schnell zu Denunzianten mutieren könnten. Doch da waren nur Henny und Guste, je eine Schüssel auf dem Schoß und eine Gabel in der Hand, um die Johannisbeeren von den Rispen zu lösen, die Momme gerade gepflückt hatte. Nicht einmal Ida war da, um derentwillen Henny hier in der Johnsallee saß. Im Hofweg traf sie die Freundin kaum noch an.

«Mit den Dänen sind sie noch vorsichtig, doch die Exilanten fassen sie ganz hart an», sagte Momme. «Die Gestapo soll einige von Aalborg nach Danzig gebracht haben.»

Danzig?

«Sie haben die im ganzen Land eingesammelt. Alles Kommunisten. Und dann nach Osten verschifft. Bei Danzig gibt es ein KZ.»

Warum hatte Henny das Gefühl, dass Rudi dabei gewesen war?

«Kann ich telefonieren, Guste?»

«Ich hoffe, dass sie uns nicht abhören.»

Henny riskierte es und rief Unger an.

«Ein Konzentrationslager in der Nähe von Danzig?», fragte Unger. Davon hatte er noch nie gehört. Er würde sich erkundigen.

«Ich glaube nicht, dass Rudi noch in Dänemark ist.» Doch sie glaubte, dass er lebte. War das nicht das Beste?

«Sollen wir es Käthe sagen?», fragte Theo Unger.

«Ich spreche mit ihr», sagte Henny und kehrte in den Garten zurück. Setzte sich in den weißen Korbstuhl und löste die Johannisbeeren von den Rispen.

«Ida kriegt ein Kind», sagte Guste. «Neununddreißig wird sie im August. Doch besser spät als nie.»

Henny hätte beinah die Schüssel vom Schoß fallen lassen.

«Ist immer ein Glück, so ein Kind», sagte Guste, «fast immer.»

«Ihr kriegt das Gartenzimmer», hatte sie gesagt, als Ida und Tian sie einweihten. «Das ist hell und groß. Bunge und ich gehen unter das Dach.»

Bunge hörte es nicht gern, all die Treppen, die vielen Stufen. Doch es ging um das Wohl seines Enkelkindes. Wer hätte noch daran geglaubt?

«Wie weit ist die Schwangerschaft?», fragte Henny.

«Im vierten Monat, sagt Ida.»

«Sieht man es schon?»

Guste schüttelte den Kopf. «Dann ließe ich sie nicht mehr gemeinsam losziehen», sagte sie. «Sonst werden Tian und Ida noch von der Straße weg wegen Rassenschande verhaftet.»

«Aber er ist doch kein Jude», sagte Momme.

«Für die Chinesen haben die sich auch was ausgedacht», sagte Guste. «Chinesen verlieren die Aufenthaltserlaubnis und werden ausgewiesen, wenn sie ein Verhältnis mit einer deutschen Frau haben und daraus gar ein Kind entsteht.»

«Sind sie denn jetzt gemeinsam unterwegs?» Henny wollte nicht länger warten und stand auf, um die Schüssel in die Küche zu tragen. Lieber zu Unger in die Klinik fahren, der hatte heute Sonntagsdienst. Und dann mit Käthe sprechen.

«Tian ist bei Ling», sagte Guste. «Wo Ida ist, weiß ich nicht.»

«Ich habe dich gesucht», sagte Friedrich Campmann.

Ida schob die Sonnenbrille ins Haar. «Warum?», fragte sie.

«Ich will mich verabschieden. Ich fahre für ein paar Tage nach Berlin.»

Er setzte sich ihr gegenüber in einen der neuen schmiedeeisernen Terrassenstühle, die alten aus Korb hatte er bequemer gefunden. Doch Ida hatte die Loggia im Frühjahr neu möbliert.

«Ist Joan mal wieder da? Oder sind es die Geschäfte?»

«Beides», sagte Campmann. Er staunte, dass sie *Joan* sagte.

«Dann spreche ich *jetzt* mit dir», sagte Ida, «Campmann, du hast die große Chance, zu einem Schlag gegen mich auszuholen. Viel schlimmer noch, du kannst Tian und mich vernichten.»

«Was soll das, Ida? Ich weiß seit Kriegsbeginn, dass er dein Liebhaber ist. Wir gehen viele Jahre schon unsere eigenen Wege, du und ich.»

«Ich kriege ein Kind von ihm.»

Campmann saß still auf dem kleinen Kissen mit Rosenmuster und schwieg.

«Es gibt seit zwei Jahren eine *Zentralstelle für Chinesen* in

Berlin. Der Gestapochef persönlich steht der vor. Es existiert ein Erlass, der die Beziehung von Chinesen zu deutschen Frauen verbietet.»

«Das ist mir bekannt», sagte Friedrich Campmann.

«Und du hast noch nichts unternommen?»

«Die Tragik unserer Ehe ist, dass du stets davon ausgegangen bist, ich wolle dir Böses. Doch ich habe dich geliebt. Die großen Gefühle haben nachgelassen, aber Böses wünsche ich dir noch immer nicht, Ida.»

«Das heißt, du wirst uns nicht anzeigen?»

«Nein. Wo werdet ihr wohnen?»

«Tians Schwester hat uns ihre Wohnung angeboten, im Tausch mit dem Zimmer in der Johnsallee. Doch Tian will auf keinen Fall Ling die Wohnung wegnehmen. Wir werden erst einmal bei Guste bleiben.»

«Der zukünftige Großvater lebt ja auch da», sagte Campmann. «Ich habe nichts dagegen, dass du die Räume hier gelegentlich nutzt, ohne deinen Chinesen selbstverständlich.»

«Schadet es dir geschäftlich, dass die Frau, mit der du noch verheiratet bist, ein Kind von ihm bekommt?»

«Willst du die Scheidung?»

«Du?», fragte Ida.

«Tian darfst du nicht heiraten.»

«Ich weiß.»

«Bitte sei diskret, Ida. Es muss keiner in unseren Kreisen wissen, dass du ein Balg von einem Chinesen austrägst.» Nun wusste er, warum sie *Joan* gesagt hatte und nicht *deine amerikanische Schlampe*.

«Ich verzeihe dir den *Balg*», sagte Ida. «Danke, Friedrich.»

Sie hatten in Ungers Sprechzimmer gesessen und über die *Sachlage* gesprochen, wie Theo Unger Mommes Informationen und Hennys Glauben, dass Rudi lebte und in der Gegend von Danzig war, nannte.

«Vielleicht schüren wir falsche Hoffnungen», hatte Unger gesagt.

Henny war auf die Privatstation zu Käthe gegangen. Hauptsache, Hoffnung. Käthes fahles Gesicht hatte schon nach den ersten Sätzen Farbe bekommen. Sie hing an Hennys Lippen.

«Ich bin überzeugt davon, dass er lebt, Käthe.»

«Kommt man aus einem KZ auch wieder nach Hause?»

«Ja», sagte Henny, «er ist doch nur ein kleiner politischer Häftling.»

Und kein Jude, dachte sie. War Kurt Landmann wirklich so unrettbar gewesen, dass er seinem Leben lieber ein Ende bereitet hatte?

«Kann ich da hinfahren und ihn holen?»

«Nein», sagte Henny. Keine Verzweiflungstaten am Stacheldrahtzaun, sie kannte Käthe lange genug. Nachher säße sie auch hinter dem Zaun.

«Sag Unger, dass ich morgen nach Hause gehe. Ich werde auf mich aufpassen und Kraft sammeln für Rudi.»

«Und für dich», sagte Henny.

Dottor Garuti legte die offizielle Visitenkarte mit der geprägten Signatur der italienischen Botschaft auf das blanke Holz des Schreibtisches aus schwarzer Mooreiche. *Dott. A. A. Garuti.* Er war bis zum Leiter des Standesamtes für die Hamburger Neustadt vorgedrungen und stand kurz davor, die Daten aus dem Geburtenregister einsehen zu dürfen. Herr Poppenhusen in angenehmem Zivil erklärte sich bereit, die Folianten des Jahres 1900 herbeizuholen für den Herrn Kulturattaché.

Garuti sah sich im Dienstzimmer um. Ein Bücherschrank aus dem gleichen schwarzen Holz wie der Schreibtisch. Schwere Schnitzereien, hinter Glas waren in Leder gebundene Bücher zu erkennen, vergoldete Sammeltassen mit Landschaftsmotiven. Der Dottore guckte auf seine Taschenuhr, es schien nicht einfach, die Folianten zu finden.

Die Tür öffnete sich. «Hier hab ich es», sagte Poppenhusen. Er legte das Geburtenregister vor Garuti hin.

Vor- und Zuname: Rudolf Odefey

Geboren (in Buchstaben): Zwanzigster Juli Neunzehnhundert

Vor- und Zuname sowie Stand des Vaters: unbekannt

Vor- und Geburtsname der Mutter: Margarethe Odefey

Dottor Alessandro Garuti atmete hörbar aus. Da war die tugendhafte Margarita geschwängert worden.

«Ich habe hier noch das Sterberegister. Der gleiche Nachname. Das gleiche Datum», sagte der Amtsleiter. Er schlug die Seite für Garuti auf.

Therese Odefey. Geboren 20. August 1880. Gestorben 20. Juli 1900.

Am Tag der Geburt des Kindes Rudolf.

Teresa, dachte Dottor Garuti. Verzeih mir. Das habe ich nicht gewusst. Er sah zu Poppenhusen hoch.

«Ich bedaure, dass es eine schlechte Nachricht zu sein scheint.»

«Es ist beides», sagte Garuti, «gut und schlecht. Was bin ich Ihnen schuldig für diese Auskünfte?»

Poppenhusen schüttelte den Kopf. «Das tun wir gerne für den Diplomaten eines uns verbundenen Staates», sagte er.

Karls Herz schien ihr zu schwach für weitere Aufregungen, darum hatte sie geschwiegen. Doch drei Tage nach dem Abendessen, das Ungers für den freundlichen Italiener gegeben hatten, der eigens zu ihr in die Küche gekommen war, platzte es aus Anna Laboe heraus.

«Dieser Gast, für den ich am Sonnabend gekocht habe, der sieht aus wie unser Rudi. Rudi mit weißen Haaren.»

Wenn er die nun nicht längst hatte, die weißen Haare, dachte Karl. Bei allem, was der Jung wohl durchmachte. Doch er war viel gelassener, als Anna es vermutet hatte. «Dat hab ich immer gesagt, der Vater vom Rudi war wat ganz Feines. Von der Grit hat der Jung dat nich.»

«Glaubst du denn, es könnte sein, dass er Rudis Vater ist?»

«Da soll Käthe mal den Doktor fragen und der den Italiener.»

«Käthe halten wir da erst mal raus, ich bin froh, dass die sich ein bisschen erholt hat, nachdem sie nun denkt, dass Rudi in Danzig ist.» Ihr kam in den Kopf, wie schrecklich es wäre, wenn nun der Vater da wäre und kein Rudi mehr. Dass er doch tot sein könnte und nicht in Pommern bei den Kaschuben. Sie sah zu Karl rüber, der sich das Herz hielt. «Hast du deine Tropfen genommen?»

«Ich bin nur so ergriffen», sagte Karl. «Hoffentlich erleb ich noch, dat der Jung seinen Vater kennenlernt. Kannst *du* denn nich mal den Doktor fragen? Vielleicht weiß der ja wat.»

«Nein. Das werde ich nicht tun», sagte Anna und klang verlegen. Vielleicht hatte sie sich getäuscht, vor lauter Aufregung über das Lob.

«Graf is er wohl nich, der Italiener.»

Anna schüttelte den Kopf.

«Eigentlich schade», sagte Karl Laboe.

Käthe hatte Jaffe kaum erkannt, so ausgezehrt sah er aus, als er ihr auf dem Winterhuder Weg begegnete. Sie hatte ihn nach der Pogromnacht nicht mehr gesehen. Das kleine Ladenlokal stand leer, nur die Scheibe des Schaufensters war ersetzt worden. Jaffe schien nie mehr dorthin zurückgekehrt zu sein.

«Die Orientperle», sagte er, «ist Ihnen der Verkauf gelungen?»

«Ja. Mein Mann hat damit seine Flucht finanziert. Doch die Gestapo hat ihn in Dänemark verhaftet und in ein Lager nahe Danzig gebracht.»

Moritz Jaffe senkte den Kopf. «Sie haben Nachricht von ihm?»

Sollte Käthe sagen, dass sie sich an eine Hoffnung ohne jeden Beweis klammerte? Mutmaßungen? Kaum mehr?

«Ja», sagte sie. Das war es, was sie glauben wollte.

«Möge er bewahrt bleiben», sagte Moritz Jaffe.

«Und Sie?»

«Ich bin ein alter Mann.» War er das mit achtundfünfzig Jahren?

Käthe sah ihm nach, als er sich verabschiedet hatte. Er drehte sich nicht mehr um, als er den Winterhuder Weg hinunterging. Sie folgte ihm und sah Jaffe in der Schenkendorfstraße in das Souterrain eines der vorderen Häuser gehen.

Käthe kehrte um und lief nach Hause. Eine einzige Dose von den Schokoladenflocken war noch da. Sie hatte lange nichts geklaut.

Das Einkaufsnetz mit der in Zeitungspapier verpackten Dose hängte sie an die Klinke von Jaffes Tür. Eine Gabe für Jaffe und die Götter.

Vielleicht half sie, Rudi zu retten.

SEPTEMBER 1940

Wie gut, dass die Nächte noch warm waren, als Rudi an der Straße nach Westen stand und auf ein Auto hoffte, dass ihn ein Stück des Weges mitnahm, vielleicht bis Pasewalk.

Bei allem Zerschundensein an Leib und Seele fühlte er sich fast stark, seit er den Entlassungsschein des Lagers Stutthof in der Tasche hatte. Die Entlassung schien so jäh und willkürlich über ihn gekommen zu sein wie die Verhaftung.

Von Danzig aus war er im Zug gereist, erst kurz vor Stettin fiel auf, dass er keine Fahrkarte besaß. Der Schaffner hätte ihn abführen lassen können, der Erschleichung einer Leistung der Reichsbahn wegen, doch er hatte es unterlassen und ihn nur aus dem Zug geworfen.

Ein Lastkraftwagenfahrer nahm ihn mit, der Zementsäcke auf der offenen Ladefläche hatte. Rudi konnte sein Glück kaum fassen, dass er bis Rostock fuhr. Der Fahrer war schweigsam wie er und wunderte sich nur, dass Rudi in den Kanten Brot biss, den er ihm anbot, als sei er ein Wolf, der ein Schaf riss.

Eine Illusion zu glauben, vom Rostocker Hafen auf dem Seeweg nach Hamburg zu gelangen, auch eine Fahrgelegenheit nach Lübeck suchte er zwei Tage vergeblich, schlief hinter einem Schuppen, deckte sich mit Zeitungen zu, die er auf Parkbänken fand, hatte Sorge, aufgegriffen zu werden. In Stutthof hatte es geheißen, auch Bettler und Landstreicher kämen in die Konzentrationslager. Der Hunger war quälend, er schlich am Hafen herum, wühlte in Abfallkörben, und wäre er schneller gewesen als die Möwen, Rudi hätte ihnen die Brotkrumen gestohlen.

Endlich nahm ihn ein Handelsvertreter in seinem Ford Eifel mit, den Kofferraum voller Textilien, von denen er ihm ein Hemd abgab, dessen Ärmel schlecht eingesetzt waren und als Muster nicht von Wert. In diesem Hemd erreichte Rudi Hamburg.

Einer der Zwillinge aus dem ersten Stock schloss die Haustür in der Bartholomäusstraße auf, als er vergebens klingelte. Käthe war nicht da. «Wir haben unseren Einberufungsbefehl erhalten», sagte der Junge. «Mein Bruder und ich sind im August achtzehn geworden.» Rudi glaubte, Vorfreude herauszuhören.

Rudi saß auf der obersten Treppenstufe im vierten Stock. Die Witwe des gemütlichen Nachbarn wohnte nicht mehr nebenan. Keiner kam, eine Wohnung zu betreten, bis Käthe endlich die Stufen der Treppe hochstieg und ihn dort sitzen sah.

«Dann wollen wir mal», sagte der Mann von der Gestapo. Er wirkte jovial, wenn es vorstellbar war, dass er diesen Eindruck erwecken wollte. Guste ging mit ihm durch das Haus, und als sie schließlich vor dem Zimmer von Ida und Tian standen, sandte sie Stoßgebete.

Guste trat mit ins Gartenzimmer ein und nahm sich vor, doch wieder an Gott zu glauben. Keine Spur von Ida im Zimmer. Nur Tian darin, der über ein Buch gebeugt war und nun vom Schreibtisch aufstand. Der Gestapomensch zog ein Schriftstück aus der Tasche. Ging es doch um die beiden? Und sie stieg mit dem durch das ganze Haus?

«Chang Tian? Leben Sie allein hier?»

«Ja», sagte Tian.

«Sie arbeiten für Kollmorgen in der Großen Reichenstraße?»

«Ich bin der Geschäftsführer.»

«Gemeldet sind Sie im Grindelhof 21.»

«Ich lebe nur zeitweise hier, während ich ein Buch schreibe. Mit Blick auf den Garten. Das ist inspirierender als der Bornplatz.»

«Die Synagoge ist ja nun weg und beleidigt kein Auge mehr», sagte der Gestapomann und trat heran, um das Buch mit den chinesischen Schriftzeichen zu betrachten. «Keine Schreibmaschine? Es sieht nicht danach aus, als ob Sie hier tätig wären.»

«Ich bereite das Buch noch vor. Es hat den vielfältigen Handel zwischen dem Deutschen Reich und China zum Thema.»

«Der Kaffeehandel gehört aber nicht dazu.»

«Nein», sagte Tian, «das Schreiben ist mein privates Vergnügen.»

Hatte ihn jemand bei der Gestapo denunziert, seine Beziehung zu Ida angezeigt? Idas Mann? Doch das nahm er eigentlich nicht an.

Der Mann sah sich im Gartenzimmer um. Das hatte Guste schon in der Zwischenzeit getan und nur die Tierchen aus weißer und schwarzer Jade entdeckt, die Ida gehörten. Unverdächtig, weil chinesisch, genau wie die blau-weiße Teekanne und die Trinkschalen auf der Kommode. Wo waren Idas Kleider, ihr vieler Krimskrams?

«Es geht vor allem um Porzellan», sagte Tian und trat zur Kommode, als stünden dort die Belege für das Buch.

«Die Firma Kollmorgen ist in deutscher Hand.»

«Das war sie immer», sagte Tian. «Nach dem Tod des Firmengründers Hinnerk Kollmorgen, von dem ich ausgebildet worden bin, verwalte ich sie für den Erben Guillermo Kollmorgen, der in Costa Rica lebt.»

Doch der Mann von der Gestapo schien das Interesse verloren zu haben und wollte nur noch Gustes Meldebuch sehen. Das war schon ganz abgegrabbelt, so oft hatte die Gestapo es in den Händen gehabt.

«Du solltest wirklich ein Buch schreiben», sagte Guste zu Tian, als sie wieder allein waren. «Einfälle hättest du genug.»

«Der Held des Tages ist Idas Vater», sagte Tian und sah zur Tür, durch die Bunge zwei große Jutesäcke zog, in denen sie Ende September immer das Laub sammelten. Doch die Säcke waren schon jetzt prall gefüllt.

«Sauber werden Idas Sachen nicht mehr sein», sagte Bunge und leerte die Säcke, bis alles auf dem gebohnerten Eichenparkett lag und aussah wie zwei Haufen aus der Kleidersammlung für die Winterhilfe. «Ich bin in den Schuppen und hab die Säcke geholt, als du mit dem Heini oben warst, und dann haben Tian und ich alles reingepackt, was nach Idas Kram aussah, und dann weg damit in den Schuppen.»

«Ich bau dir ein Denkmal», sagte Guste.

«Ida wird wohl weniger begeistert sein.»

«Und ob die begeistert sein wird. Die Alternative wäre gewesen, dass Tian nun in den Kellern der Gestapo säße.»

«Das darf uns nicht noch mal passieren», sagte Tian.

«Wir brauchen einen Plan zur schnellen Evakuierung», sagte Guste. «Wo ist Ida denn überhaupt?»

«Im Hofweg. Ihr Mann ist noch in Berlin.»

«Hoffentlich dauert das nicht mehr lange.» Guste ließ offen, ob sie Idas Ehe oder die Nazis meinte.

Käthe hätte ihn abküssen können von Kopf bis Fuß, doch Rudi wehrte sich verlegen. Er war dreckig und stank und wollte erst mal eines, alles abwaschen. Das Wiedersehen mit Käthe hatte er in all der Zeit als das größte Glück vor Augen gehabt, doch nun fühlte er Befangenheit und eine Erschöpfung, die ihm bis auf die Knochen ging. Wäre doch Kurt Landmann da und stünde ihnen zur Seite mit seiner Klugheit, auch Käthe, deren Enttäuschung in der Luft lag, dass er vor Freude nicht mit ihr durch die Zimmer tanzte.

Die Haut brannte ihm, als er endlich sauber war, er hatte sie mit der Wurzelbürste bearbeitet, ebenso die Nägel, unter denen noch die Erde des Lagers zu kleben schien. Erst danach nahm er das blassrote Buch in die Hand, das Landmann ihm hinterlassen hatte. Die Gedichte von Agnes Miegel. *Die Frauen von Nidden.*

Er kannte die Umstände von Landmanns Tod. Käthe hatte sie ihm Ende November 1938 in einem Brief geschildert.

«Ich weiß, wie schwer es für dich war. Doch ich bitte dich um Zeit, Käthe. Ich komme von einem anderen Stern.»

Und Käthe ließ ihn erst einmal allein, ging zu Karl, um ihm die gute Nachricht zu bringen, dann noch zu Henny, in der Hoffnung, dass Ernst Lühr nicht da war, und zu ihrer Mutter in den Hofweg, die vielleicht ein paar Leckereien aus der Küche der Campmanns für Rudi hatte.

Sie trug die Freude fast aller zurück nach Hause. Eier, ein Stück Emmentaler, vier saftige Birnen aus Annas Vorräten und auch die Erinnerung an den Blick von Hennys Mann, den er ihr über die Zeitung hinweg zugeworfen hatte, aus der er einen Text über die Luftschlacht um England vorlas. Von einer Fernsprechzelle rief sie Unger an, sie hatte gehofft, es von Hennys Apparat tun zu können, doch die Anwesenheit von Ernst Lühr verhinderte das.

Erst als sie dann am Tisch saßen und Rudi in kleinen Happen das Omelett aß, über das Käthe vom Emmentaler gerieben hatte, und von den Vierteln einer Birne, da tat sich das Glück zwischen ihnen auf, das Glück, überlebt zu haben und zusammen zu sein.

Diese Koinzidenzen, von denen Theo Unger in dem Augenblick noch nichts ahnen konnte. Kaum dass er den Hörer auf die Gabel gelegt hatte, beglückt über Rudis Rückkehr, klingelte das Telefon erneut, und Alessandro Garuti bat um die Gelegenheit zu einem Gespräch. Er komme gerne in die Klinik, doch er müsse Theo sprechen, er sei nur einen Tag in Hamburg und habe es schon viel zu lange aufgeschoben.

Was dachte Unger? Dass sich Dottor Garuti nun erklärte und seine Liebe zu Elisabeth gestand?

«Ich hoffe sehr, Sie nicht aufzuhalten», sagte Garuti, als er vor Ungers Schreibtisch im Sprechzimmer saß.

«Die Parade ist durch, und Operationen liegen auch nicht an.»

«Die Parade?», fragte Garuti.

«So nannte mein verstorbener Freund und Kollege Dr. Landmann die große Visite», sagte Unger.

Alessandro Garuti nickte. «Ich danke Ihnen für die Zeit, die Sie mir zur Verfügung stellen. Das, was ich vortragen will, ist kompliziert.»

Also doch Elisabeth, dachte Unger.

«Ich kam vor ziemlich genau einundvierzig Jahren zum ersten Mal in Ihre Stadt. Im September 1899. Als Student der Literaturwissenschaft. Die Sprache beherrschte ich da schon gut, meine *bambinaia*, die Kinderfrau kam aus Ihrem Land.»

Garuti zögerte, als setze er an, neuen Atem zu schöpfen

für seine Erzählung. Unger hatte keine Ahnung, auf was der Italiener hinauswollte.

«Als ich im Juli bei Ihnen zu dem köstlichen Essen eingeladen war, fiel ein Name. Der Ihres verschollenen Freundes Odefey.»

Unger wollte ihn erst unterbrechen, die Neuigkeit verkünden, doch er tat es nicht. Erst einmal hören, was Garuti zu erzählen hatte.

«Ich verliebte mich damals, in den ersten Tagen schon. In ein junges Fräulein, zwei Jahre jünger als ich, der ich gerade einundzwanzig war. Wir hatten ein Liebesverhältnis, sehr zum Missfallen der älteren Schwester, mit der Teresa nach dem Tod der Eltern zusammenlebte. Als ich dann im Dezember nach Italien zurückfuhr, um Weihnachten mit der Familie zu verbringen und im Frühjahr in Bologna zu studieren, lag eine sehr schöne Zeit hinter uns. Da Teresa in armen Verhältnissen lebte, ließ ich ihr eine goldene Uhrkette da und eine Krawattennadel mit einer Orientperle. Ich dachte, sie könne den Schmuck verkaufen, sich das Leben erleichtern und all die schönen Dinge gönnen, die ich ihr möglich hatte machen können in jenen Monaten.»

Angespannte Erwartung in Unger, den eine Ahnung überkam. «Wie hieß Ihre junge Freundin, Alessandro?»

«Therese Odefey, lieber Theo.»

Unger schüttelte den Kopf. «Ich glaube gehört zu haben, dass Rudi Odefeys Mutter Grit hieß, das kam wohl von Margarethe.»

«Dann ist Margarita auch tot?»

«Sie hat sich 1926 das Leben genommen.»

Garuti seufzte. «All diese Tragödien», sagte er. «Ich war auf dem Standesamt und habe die Bestätigung bekommen. Die Mutter Ihres Freundes, meine Teresa, ist am Tag der Geburt gestorben. Margarethe hat sich als seine Mutter erklärt. Warum auch immer.»

«Dann sind Sie Rudis Vater.»

«Davon bin ich überzeugt. Es passt genau in der Zeit, und Teresa war keine leichtfertige Frau. Ich habe mich verabschiedet von ihr und nicht gewusst, dass sie guter Hoffnung ist. Vermutlich wusste sie es selber noch nicht. Doch ich habe viel zu schnell vergessen, als keine Antwort auf meine Briefe kam.»

«Verzeihen Sie, Alessandro, aber haben Sie denn nicht an die Konsequenzen gedacht, als Sie mit einer so jungen Frau schliefen?»

«Dottor Unger. Wir waren beide sehr jung. Liebe, Leidenschaft und die Verhütungsempfehlung meines Vaters.»

«Coitus interruptus.»

Garuti nickte.

«Es ist jedenfalls ein wunderbarer Mensch daraus entstanden», sagte Unger.

«Doch ich habe Leid zugefügt», erwiderte Garuti.

«Ihr Sohn hat viele Jahre versucht, seinen Vater zu finden.»

«Und nun ist er selber verschollen. Eine Ironie des Schicksals. Ich habe lange darüber nachgedacht, ich würde gerne seine Frau finanziell unterstützen.»

«Wollen wir einen Kognak trinken?»

«Gehört er zur Ausstattung eines Sprechzimmers?»

«Unbedingt», sagte Unger und glaubte Landmann zu hören. Er füllte die Gläser, bevor er erzählte, was er heute von Käthe erfahren hatte.

Garuti hielt an seiner Rückkehr nach Berlin fest. In der zweiten Hälfte des Septembers wollte er nach Hamburg zurückkehren und seinem Sohn begegnen, wenn Rudi sich ein wenig gefestigt hatte nach den Erlebnissen von Flucht, Emigration und Konzentrationslager.

Doch er bat Unger darum, die Odefeys schon aufzuklären. «Ich will nicht wie der *Arlecchino* aus der Kiste springen», sagte er.

Keine Frage, dass auch Garuti Zeit brauchte. Mit zweiundsechzig Jahren war er Vater eines Sohnes geworden und hörte staunend, dass der dunkle Locken habe und die Gedichte liebe.

Theo Unger dachte die ganze Nacht darüber nach, wann und wo er mit Käthe und Rudi sprechen wollte, und entschied schließlich, es in deren Wohnung in der Bartholomäusstraße zu tun. Am besten bald.

Nicht bei ihm zu Hause. Kein Lokal, in dem es laut und unruhig war, wenig geeignet für einen Augenblick von großer Privatheit.

Er fiel erst kurz vor vier Uhr morgens in unruhigen Schlaf und träumte davon, dass Landmann wieder in Duvenstedt sei.

Vom Tod des alten Harms erfuhr er von Lotte am nächsten Tag.

Vielleicht war es mal wieder Zeit, zur Ilandkoppel zu gehen, Blumen auf die Gräber der Landmanns und von Fritz Liebreiz zu legen. Die Toten saßen doch noch immer in der zweiten Reihe und sahen dem Tun der Lebenden in der ersten Reihe zu.

«Er hat Landmanns Nachfolger nicht vertraut», sagte Lotte Unger, als sie zu dem Haus des alten Harms gingen, wo er aufgebahrt lag.

«Vertraust *du* ihm?», fragte Unger seine Mutter.

«Ich nehme nicht an, dass er ein hundertprozentiger Anhänger unseres Führers ist, doch er tut so. Ein Opportunist eben. Wie viele. Doch er ist ein ganz guter Arzt. Dein Vater vertraut ihm.»

Einer der Nachbarn ließ sie ein und führte Unger und Lotte in die gute Stube. «Erst mal einen Lütt un Lütt», sagte der längst nicht mehr junge Mann. «Das hätte Harms gefallen.»

Lotte suchte eine Vase für die tiefroten Dahlien, ihr gefiel nicht, die nur neben den Toten zu legen und dort voreilig welken zu lassen. Blumen aus ihrem Vorgarten, im hinteren wuchs nur noch Obst und Gemüse.

«Ich denke viel über die Vergänglichkeit nach», sagte Theo Unger.

«Muss ich mir Sorgen machen?», fragte Lotte.

«Wie geht es Landmanns Bildern?»

«Sie stehen gut verpackt im Keller. Seit der Neue da ist, traue ich mich nicht, sie hochzuholen. Und wie geht es bei Elisabeth und dir?»

«Als ich damals in der Villa am Klosterstern stand und mich verlobte, hätte ich nie gedacht, dass ich der Joker in Elisabeths Leben werden würde. Ich schütze sie, weil ich *arisch* bin. Es tut unserer Ehe nicht gut.»

«Claas' Ehe tut es nicht gut, dass aus ihm ein Nazi geworden ist.»

Unger hatte nicht vor, etwas zu seinem Bruder zu sagen. Sie sahen sich seit Jahren kaum.

«Euer Vater wird nicht mehr lange leben», sagte Lotte Unger.

«Was sagst du da? Ist er krank? Warum weiß ich davon nichts?»

«Er ist einfach nur des Lebens müde», sagte Lotte. «Er findet, sechsundsiebzig Jahre seien genug.»

«Vater wird sich doch nichts antun?»

«Nein. Einfach nur einschlafen. Er neigt zur Sturheit, wenn er sich in den Kopf gesetzt hat, sein Leben sei zu Ende, wird es so sein.»

«Dann wärest du ganz alleine hier draußen in Duvenstedt.»

«Alles hat seine Zeit», sagte Lotte und sah ihren Sohn liebevoll an. «Sorg dich nicht. Ich werde noch eine Weile Gefallen finden am Leben.»

Warum wollte Unger mit ihnen beiden sprechen? Wenn es um ihre Arbeit ginge, würde er doch wohl kaum zu ihr nach Hause kommen.

«Du sorgst dich zu sehr», sagte Rudi.

Dazu hatte Käthe seit Jahren auch allen Grund.

Sie stellte belegte Brote auf den Tisch. Schnitt Tomaten auf und Radieschen. Eine Köchin war sie nicht. Alle Versuche Annas, ihr die Kochkunst nahezubringen, waren schon vor Jahren für fehlgeschlagen und beendet erklärt worden.

Wenn gekocht wurde, dann tat es Rudi, der für den Abend zwei Flaschen Riesling gekauft hatte.

Er versuchte, sich seine Welt zurückzuerobern, Freude am Genuss zu finden. Er fuhr mit der Hochbahn durch die Stadt und sah sich Hamburg an, als wolle er mit eigenen Augen sehen, dass es das alles noch gab. Zeit, bald eine Arbeit zu suchen in einer Druckerei. Rudi hoffte, nie mehr in das Fadenkreuz der Gestapo zu geraten.

«Ich falle mit der Tür ins Haus», sagte Unger und stotterte dann doch nur herum. «Viele Zufälle haben dazu geführt.»

Rudi brauchte eine Weile, bis er verstand, dass er einen Vater hatte, der nun von ihm wusste und sich zu ihm bekannte. Er fing an zu weinen, und alle Tränen fielen aus ihm heraus, die er nicht geweint hatte, seit er aus dem Danziger Werder gekommen war.

«Er war der Geliebte von Grit?»

«Nein», sagte Unger, «von Therese. Grits jüngerer Schwester. *Sie* ist Ihre Mutter, Rudi. Sie starb bei Ihrer Geburt.»

Rudi wusste nichts von Therese, doch er stand auf, eine Fotografie zu holen. Zwei junge Frauen. Ein abgegriffenes Bild der jungen Grit, die Arm in Arm mit einer noch jüngeren Frau in einem Garten stand. In weißen Kleidern. Hohe Kragen, die ihre Hälse umschlossen. Die Haare so straff hinter den Ohren zu einem Knoten gefasst, dass es aussah, als hätten die beiden jungen Frauen kurze Haare.

«Das habe ich gefunden, als ich die Wohnung meiner Mutter auflöste.»

«Ihre Mutter ist Therese, die ihr Vater *Teresa* genannt hat.»

An all das musste sich Rudi gewöhnen. Was machte das Leben mit ihm? Von Skagen über Aalborg nach Danzig. Von Stettin nach Pasewalk und Rostock. Von Hamburg in die italienische Botschaft nach Berlin.

«Am 20. September wird Alessandro Garuti in Hamburg sein, und er würde sich sehr freuen, seinen Sohn kennenzulernen», sagte Theo Unger. Er legte Rudi die Visitenkarte des Kulturattachés hin und überlegte zum ersten Mal, wofür das zweite A in den Vornamen stand.

«Doch een Graf», sagte Karl, als er die Visitenkarte sah. Es war nur die geprägte Signatur der Botschaft in Berlin in der Tiergartenstraße, dem Diplomatenviertel. *Ambasciata Italiana.* Karl scheiterte an dem Wort.

Und das alles hatte mit Rudi zu tun, seinem Schwiegersohn. So viel Vornehmheit in der Familie. «Hast du doch recht gehabt, Annsche, dass er aussieht wie Rudi.»

«Er sieht aus wie ich?», fragte Rudi.

«Er sieht dir sehr ähnlich», sagte Anna.

Rudi konnte es kaum glauben. Er hatte Angst vor dem 20. September.

Vater und Sohn standen in der Halle des Hotels Reichshof, in dem Garuti abgestiegen war. Er hielt bei der Begrüßung lange Rudis Hand.

«Lass uns an eurer schönen Alster entlanggehen», sagte er. «Ich will dir erzählen, wie wunderbar Teresa war, deine Mutter.»

Jeder hätte sie als Vater und Sohn erkannt, wie sie da am Ufer der Alster gingen, der eine mit dem weißen dichten Haar, der andere mit noch dunklen Locken, durch die sich erste weiße Fäden zogen. Selbst ihr Gang ließ es erkennen, kaum zweiundzwanzig Jahre trennten sie.

Auf der Schwanenwikbrücke blieben sie zwischen den beiden hohen gusseisernen Laternen stehen und legten ihre Hände auf die Balustrade. Die gleichen langen schmalen Hände. Garuti fing zu lachen an.

«*Mani di pianista* hat meine Mutter gesagt. Klavierhände. Gar nicht geeignet, um ein Landgut zu führen. Gut, dass mein Bruder der ältere von uns ist.»

«Meine Großmutter.» Rudi sah erstaunt aus.

«Und dein Onkel. Er lebt noch.»

Blieb ihnen Zeit, sich kennenzulernen und die Kluft von vierzig Jahren zu schließen?

Garuti schenkte Rudi die Gesänge des Dichters Giacomo Leopardi, der 1837 in Neapel gestorben war, und Rudi übergab ihm einen seiner größten Schätze, einen frühen Textband von Erich Mühsam, der nach dem Reichstagsbrand verhaftet worden war und das Lager Oranienburg nicht lange überlebt hatte.

Beide liebten sie die Wörter.

Als sie sich verabschiedeten, lagen sie einander in den Armen.

Der Einberufungsbefehl kam am letzten Tag des Septembers. Der Montag nach einem Wochenende, an dem man sich fast im Frieden wähnte, so sonnendurchtränkt waren die Tage an der Alster gewesen, der Abend im Uhlenhorster Fährhaus, ein Vorkriegsgefühl. Konnte es denn sein, dass man einen zu den Soldaten holte, der eben erst aus dem KZ entlassen worden war?

Eine andere Form der Vernichtung.

Konnte es denn sein, dass sie wieder getrennt wurden? Rudi wäre fahnenflüchtig geworden, hätte er nur die Kraft dazu gehabt, in eine neue Illegalität zu gehen. Konnte es denn sein?

Käthe war fassungslos. Was sollte das alles noch, wenn keine Freiheit des Handelns mehr existierte, über einen verfügt werden konnte, als sei man eine Figur aus Elastolin in einem Spielzeugheer.

JULI 1943

Die roten Geranien rankten in einer Fülle, als grüßten sie die Geranien von Rottach am Tegernsee, wo der elfjährige Klaus mit der Sexta des Gymnasiums in der Kinderlandverschickung war. Sie schienen verkünden zu wollen, wie schön doch ein Sommer hoch oben im Norden sein konnte. Einen solchen hatten die Hamburger lange nicht erlebt.

Henny und Marike lebten auf dem Balkon in diesen ersten Julitagen, gingen nicht einmal bei jedem Alarm in den Keller, seit dem 19. Juni hatte es keinen größeren Angriff mehr auf die Stadt gegeben.

Trotz aller Angst vor den Bomben und der Sorge um Thies und Rudi, die in Russland waren, genossen sie die Zeit zu zweit in der Wohnung am Mundsburger Damm. Ernst war mit seiner Schulklasse ins Mecklenburgische evakuiert worden und sollte erst Anfang August zurückkehren.

Marike hatte Semesterferien und Henny ein paar freie Tage, an denen sie Ausflüge mit den Fahrrädern unternahmen. Gestern waren sie mit Tüten voller Kirschen aus dem Alten Land gekommen. Ernst würde zufrieden sein, wenn er das Dutzend Gläser mit eingemachten Kirschen auf dem oberen Brett der Speisekammer vorfände.

Thies war im Baltikum stationiert, die Heeresgruppe Nord, Ende Juni hatte Marike zuletzt von ihm gehört, und er war beunruhigt gewesen von den Nachrichten über die Bombardierung deutscher Städte.

Flogen ihm an der Front nicht dauernd Kugeln um die Ohren, fielen Granaten? In den Hamburger Zeitungen füllten die Todesanzeigen mit dem Eisernen Kreuz ganze Seiten, und sie beteten um das Leben und die Unversehrtheit ihrer Lieben.

Käthe kam zum zweiten Mal in diesen Tagen zu einem Abendessen auf den hinteren Balkon der großen Wohnung, die ihr noch viel schöner erschien ohne Ernst darin.

Dass Rudi in gefahrvollen Kämpfen an der russischen Front stand, ertrug sie gefasster als die Zeit im Frühling und Sommer 1940, als er verschollen schien. Hier gab es eine Feldpostnummer und Briefe, die ihre Angst allerdings nur für kurze Zeit stillten, was konnte ihm alles widerfahren sein, seit er den Brief auf die Reise geschickt hatte?

Vier große reife Tomaten, die Käthe vor Henny hinlegte. «Herzliche Grüße von Theo», sagte sie. «Er war heute in Duvenstedt. Ich hab noch Himbeeren für dich.»

«Hast du dir denn auch davon genommen?»

«Ich hab sie Karl gebracht.»

Karl Laboe wurde von Tag zu Tag schwächer, doch er hatte sich vorgenommen, Rudis Heimaturlaub Ende Juli zu erleben. Käthe war bei ihm, wann immer ihr Dienst es erlaubte, doch auch Anna hatte mehr Zeit, seit sie nur für Campmann kochte und dessen Wohnung sauber hielt.

Mia war zu ihrer Schwester nach Wischhafen gegangen, nachdem deren Söhne gefallen waren, der eine auf dem Balkan und der andere vor Stalingrad. Lenes Herz war gebrochen von all dem Leid, und Uwe hatte nichts Besseres zu tun gehabt, als sich einer Landfrau aus dem nahen Kehdingen an den Hals zu hängen.

«Gut, dass es ruhig am Himmel ist», sagte Käthe, «in den Keller schafft es Karl nicht mehr.»

Dass Irrsinn zur Gewohnheit werden konnte. In den Keller gehen. In den Bunker. Luftschutz. Schutz vor dem, was aus dem Himmel fiel. Bomben. Verdrängten sie das nicht an jedem Tag, an dem es ruhig blieb?

Söhne, Brüder, Väter in die Züge setzen, ihnen hart gekochte Eier mitgeben, Butterbrote und Radieschen, Reiseproviant, um an die Front zu fahren.

Und hoffen, dass sie wiederkämen. Heil, wenigstens am Leib, wenn schon nicht an der Seele.

Was waren sie doch für eine betrogene Generation, die zwei Weltkriege erleben musste. Die es nach dem ersten hatte besser machen wollen und dennoch daran gescheitert war, den zweiten der Kriege zu verhindern.

«Morgen ist mein letzter Urlaubstag», sagte Henny. «Hast du am Nachmittag frei, dann können wir um die Außenalster spazieren?»

Käthe schüttelte den Kopf. «Ich will die zwei vollen Wochen haben, wenn Rudi da ist. Dafür schaffe ich mir zusätzliche Tage.»

«Da seid ihr ja beide», sagte Marike. Sie kam von Thies' Eltern, die nun in der Armgartstraße in einer größeren Wohnung lebten, und sah erhitzt aus. «Es gibt ein Gerücht, dass die Engländer Flugblätter abgeworfen hätten, in denen sie die Zerstörung Hamburgs ankündigen.»

Feindgeschwätz, hätte Ernst Lühr gesagt. Doch er war nicht da.

Die drei Frauen blickten sich angstvoll an und versuchten, die Gedanken zu verdrängen für den Rest dieses Sommerabends, lieber in die Sterne gucken, die friedlich am Himmel standen.

Die Alster lag blank in der Sonne und schien sich selbst überlassen zu sein ohne Segelboote und Liniendampfer. Nur die Binnenalster tarnte eine Abdeckung, um die Besatzungen der Bomber zu irritieren. Doch Henny nahm den Weg über die Krugkoppelbrücke nach Rothenbaum.

Sie stand auf der Brücke und nahm die Aussicht in sich auf, die Türme der Stadt, die Villen am Ufer, das viele Grün. Hamburg sah unversehrt aus. Vielen Städten waren große Wunden geschlagen, Louise berichtete Schreckliches von Köln, und Lübeck war seit dem Palmsonntag des vergangenen Jahres zerstört. Ein Flächenbombardement wie in Lübeck, war es das, wovor die Flugblätter warnten, die vom Himmel gefallen sein sollten?

Henny versuchte, an die Johnsallee zu denken, das kleine Glück am Rande des großen Geschehens. Kein besserer Ort für Ida und Tian und das Kind als Gustes Pension. Zwei Zimmer bewohnten sie, das große Gartenzimmer von Ida und der Kleinen, das andere von Tian, in dessen Zimmer sich nie eine Spur seiner Familie fand.

Tian sah es als glückliche Fügung, dass in Florentines Gesichtchen noch keine chinesischen Züge zu erkennen waren. Ida konnte an die Alster mit ihr gehen und die Enten füttern, für die Guste noch immer ein paar Brocken Brot hatte, und keiner der Spaziergänger, denen sie begegneten, wäre darauf gekommen, dass das kleine Mädchen mit den lackschwarzen Haaren und den blauen Augen seiner Mutter einen chinesischen Vater hatte.

Bunge trabte oft mit, das Tempo eines Kindes von zweieinhalb Jahren kam ihm entgegen. Florentinchen blieb an jeder Blume stehen, staunte allen Hunden nach und brachte Ruhe in den Spaziergang.

Ihr Großvater schaffte es, trotz der knappen Zuteilungen

auf den Lebensmittelkarten kaum von seiner Leibesfülle einzubüßen. Vielleicht schaffte das eher Guste, die eine große Organisatorin vor dem Herrn war. Das Fass Salzheringe, das auf Vermittlung Mommes aus Dagebüll gekommen war, ernährte sie seit Wochen.

Henny bekam einen Hering serviert, als sie in der Johnsallee eintraf, es gab sogar eine Pellkartoffel dazu. Guste war jetzt sechsundfünfzig Jahre alt, zwanzig Jahre jünger als Bunge, und nicht nur er hoffte, dass diese Frau kraftvoll blieb.

Sollte Henny erzählen von den Flugblättern? Sie tat es nicht. Fragte nur, wie sicher der Keller unter dem Haus in der Johnsallee sei.

«Ein sehr solides Gewölbe», sagte Tian, «da sind wir geschützt.»

«Festungsmauern», sagte Ida. Sie wirkte heiter und stark. Trotz der Heimlichkeit, die vonnöten war. Trotz des Krieges. Sie hatte sich sehr verändert an Tians Seite. Wie gut, eine Entscheidung zu treffen. Welch ein Glück, wenn es die richtige war.

Guste gab Henny noch Johannisbeeren aus dem Garten mit, nur eine hohe Tasse voll, doch auch die bedeutete viel in diesen Tagen, in denen stundenlang für einen Salatkopf angestanden wurde.

Henny nahm sich vor, sie ihrer Mutter vorbeizubringen, die ein wenig verloren war ohne Klaus, den sie jeden Mittag bekocht hatte, bevor er mit seiner Schulklasse nach Bayern abfuhr.

Die vertraute Wohnung Ecke Humboldt- und Schubertstraße, in der Henny aufgewachsen war. Else freute sich. Hatte auch noch Zucker für die Johannisbeeren und verteilte sie auf zwei Schüsselchen. Henny trat ans Fenster und sah zu den offenen Fenstern der Laboes hinüber. Ein heißer Tag. Wenn es das alles nicht mehr gäbe? Nein. Auch diesmal weigerte sie sich, den Gedanken zu Ende zu denken.

«Lass mich mal auf dem Kanapee liegen, Annsche», sagte Karl Laboe. «Ik will doch bei dir sein.» Er würde nicht durchhalten, bis der Rudi kam, das war klar, doch Karl behielt die Erkenntnis für sich. Das Herz setzte sekundenlang aus. Konnte nicht mehr lange dauern, bis es vergaß, dann wieder anzufangen mit dem Schlagen.

Wenn die Sonne am höchsten stand und die Hitze in der Küche fast unerträglich war, dann sah er die Bilder vor sich. Die Jungen, die er 1910 verloren hatte an der Diphtherie, die kamen immer in dem Bilderbogen vor. Aber auch seine Eltern und die von Annsche. Und die Brüder, von denen der eine im Kindesalter gestorben war und der andere gleich im September 1914 an einem französischen Ort, dessen Namen er sich nie hatte merken können. Hätten Käthe und Rudi Kinder gekriegt, dann würden sie sich sorgen um die Kinners in diesem neuen Krieg. Die wären auch nur Kanonenfutter geworden.

«Ik slap ein, Annsche», sagte er.

Anna trat heran mit der Tasse, benetzte ihm die trockenen Lippen mit kühlem Wasser und streichelte sein Gesicht. «Warte noch, Karl», sagte sie, «gleich kommt unsere Käthe.»

«Soll mal hinne machen», sagte Karl.

Anna setzte sich auf den Stuhl neben dem Kanapee und hielt seine Hand. Kalt war die in der Hitze. Sie drehte sich um, als sie schließlich den Schlüssel im Schloss hörte. Käthe trat in den Flur.

«Komm rein, Kind», sagte Anna. «Papa ist gerade gestorben.»

«Oh Mama», sagte Käthe. Sie kniete sich vor das Kanapee und fing an, Karls Gesicht zu streicheln. Anna ließ seine Hand nicht los.

Ein sanfter Tod. Noch ahnte keine von ihnen, was Karl Laboe erspart geblieben war.

Das Haus war leer, Elisabeth war bei Lotte in Duvenstedt, um Erbsen und Bohnen zu ernten, Mangold und Endivien. Wer hätte das gedacht von Elisabeth Liebreiz, die nur englische Rosen im Garten gekannt hatte. *Lady Emma Hamilton* und *The Generous Gardener*. Die beiden Frauen verstanden sich noch besser, seit sein Vater nicht mehr lebte. Dabei hatte der doch nie im Wege gestanden.

In der Klinik hatte es heute eine Luftschutzübung gegeben im Operationsbunker und den Schutzräumen für die gebärenden Frauen.

Wie weit würde es kommen?

Langsam wurde es dunkel. Theo Unger kam aus dem Garten und ging in den Salon. Er guckte nicht, welche Platte auf dem Grammophon lag, setzte einfach den Tonarm auf.

Bei dir war es immer so schön
und es fällt mir unsagbar schwer zu gehen
denn nur bei dir war ich wirklich zu Haus
doch der Traum den ich hier geträumt ist aus.

Lizzi Waldmüller war die Sängerin. Hatte Elisabeth die Platte gekauft?

Vielleicht würden die Zerstörungen, die andere Städte erlebt hatten, an Hamburg vorbeigehen. Anglophil, wie diese Stadt seit jeher war.

Unger dachte an keine Engländer, er dachte an einen Italiener. War Garuti noch in Berlin? Sie hatten lange nichts voneinander gehört. Wie würde er die Lage einschätzen, in der sie sich befanden? Oder saß er längst wieder auf seinem Landgut in der Nähe von Pisa?

Er hörte die Haustür und wartete darauf, dass Elisabeth in den Salon trat. Da kam sie schon. Mit einem Korb Gemüse. «Du sitzt im Dunkeln», sagte sie. Licht einschalten hieße, die schwarzen Rollos hinunterzuziehen. Dazu hatte er keine Lust. Der Tag war anstrengend gewesen. Eine große Gereiztheit lag in der Luft.

Morgen würde Henny wieder Dienst haben, seit Tagen hatte er es mit der Dunkhase zu tun. Das hielte er nicht länger aus.

«Liebe Grüße von deiner Mutter», sagte Elisabeth.

«Alles gut in Duvenstedt?», fragte er.

«Sie ist doch recht einsam.»

Wer war das nicht, dachte Unger.

«Ich bin gefragt worden, warum ich keinen Judenstern trage.»

Jetzt hatte sie Ungers volle Aufmerksamkeit. «Von wem?», fragte er.

«Vom Nachfolger deines Vaters.»

Lorenzen, dieser Mitläufer.

«Und du hast das Sprüchlein von der *privilegierten Mischehe* aufgesagt?», fragte Unger.

«Ich habe ihm eine Ohrfeige gegeben.»

Wenn das nur ohne Folgen blieb. Unger sank in den Ledersessel und schloss die Augen.

«Ich bin eine Last für dich, Theo.»

«Nein», sagte er. Wenn er eines nicht wahrhaben wollte, dann das.

Im Frühjahr war sie an der Kinderlandverschickung vorbeigekommen, es hatte genügend Freiwillige für die achten

Klassen gegeben. Lina wollte nicht von Louise getrennt sein, wer wusste denn, was ihr dann geschah in diesen Zeiten, wo Juden sich auf der Moorweide nahe dem Dammtorbahnhof einfinden mussten, um nach Lodz deportiert zu werden oder nach Minsk und Riga, in die Ghettos, die von den Nazis dort errichtet worden waren.

Sie mochte längst keine Lehrerin mehr sein im Dienste dieser Herren, ihre Ideale schienen verraten und verloren. In der Schule Ahrensburger Straße fand Koedukation seit September des letzten Jahres nicht mehr statt, Jungen und Mädchen wurden wieder getrennt unterrichtet. Lina hätte gern die Brocken hingeworfen, doch wovon sollten sie leben, wenn sie nach den Sommerferien nicht wieder antrat?

Lina kannte Moritz Jaffe nicht, von dem Lud vor vielen Jahren den Amethyst für ihr Medaillon aus Lindenholz erworben hatte. Den Weg nach Lodz in das Ghetto Litzmannstadt hatte Jaffe schon im Oktober 1941 angetreten. Der Mann, der die Deportationslisten für diese erste Welle erstellte, musste übersehen haben, dass Jaffe ein Frontkämpfer des Ersten Weltkrieg gewesen war und mit einem Orden ausgezeichnet. Darum hätte er erst einmal in Theresienstadt *zwischengelagert* werden müssen, bevor es in die Vernichtung nach Auschwitz ging.

Doch Moritz Jaffe hatte keinen Widerspruch erhoben.

Eine kleine Schar, die auf dem Ohlsdorfer Friedhof stand, als Karl zu seinen Söhnen gelegt wurde. Käthe und Anna. Henny, Marike und Else. Theo Unger. Der helle Sarg aus Kiefernholz kam in trockene Erde, es hatte lange nicht geregnet.

Jeder von ihnen hielt eine weiße Rose in der Hand, die Unger am Morgen im Vorgarten seines Hauses geschnitten hatte von einem Strauch der Sorte *Schneewittchen*, die nahezu ohne Dornen war.

Als sie vom Friedhof kamen an diesem 22. Juli, lagen vor den Häusern auf den Straßen Sandhaufen. «Der Sand muss auf die Dachböden. Zum Brandschutz. Befehl von der Ortsgruppe», sagte der Luftschutzwart des Hauses am Mundsburger Damm.

Was wussten die in der Ortsgruppe? Henny und Marike stiegen in den dritten Stock hoch und zogen die schwarzen Kleider aus, in denen sie geschwitzt hatten. «Dann werde ich mal schaufeln gehen», sagte Marike, «als ob Sand was nützen würde.» Die Dachböden waren leer geräumt, doch die trockenen Balken würden wie Zunder brennen.

Henny ging hinüber zur Finkenau. In den Bäumen sangen die Vögel.

Die Belanglosigkeit eines Sommertages. Die Geranien gießen. Die Bluse bügeln. An die Alster gehen. Eine Eiswaffel essen.

Marike war zur Staatsbibliothek gefahren, um die Klausur für den Herbst vorzubereiten. Die ersten drei Semester ihres Medizinstudiums hatte sie hinter sich, nach dem vierten kam das Physikum.

Henny war stolz auf ihre Tochter, es schien ihr der nächste Schritt einer neuen Generation zu sein, nachdem *sie* den zweiten gewagt hatte und nach der Ausbildung zur Krankenschwester damals Hebamme geworden war. Doch ihre kleine Marike würde Ärztin werden.

Später an diesem Sonnabend saßen sie beide auf dem Balkon, Henny las einen Brief von Klaus vor, der am Mittag gekommen war. Klaus hatte Heimweh, doch es ging ihm gut am Tegernsee.

Es war kaum kühler geworden, sie trugen ihre Unterröcke. Über den Häusern ein klarer Himmel. «Wollen wir in den Keller gehen, wenn es Alarm geben sollte?», fragte Marike. «Durchschlafen wäre schön.»

So oft hatte es Alarm gegeben und gleich wieder Entwarnung.

Eine erste Phase des Tiefschlafs, doch Henny schreckte hoch, diese schauerlichen Sirenen, die von den Hauswänden widerhallten. Waren es die Scheinwerfer der Flak, die hell genug schienen, um das Zifferblatt der Uhr zu sehen? Kurz nach Mitternacht. Was war anders? Hatte sie sich von den Gerüchten verrückt machen lassen?

Henny weckte Marike. Schnell die Kleider über den Kopf, nach den kleinen Koffern greifen. Das Luftschutzgepäck mit den Urkunden, den Lebensmittelkarten, Fotografien, das bisschen Schmuck.

Der Keller war voller als sonst. Der Luftschutzwart mit dem Stahlhelm aus dem letzten Krieg auf dem Kopf und der Feuerpatsche in der Hand trieb sie hinein. Feste Plätze, die sie selten eingenommen hatten in den vergangenen Wochen. Die alte Frau Dusig klammerte sich an den Käfig ihres Kanarienvogels, der Vogel schien zu schlafen. Der jüngere Sohn der Altmanns las ein Heftchen von *Tom Mix*, während seine Mutter strickte. Günter, der vierzehnjährige Bruder, hielt sein Koffergrammophon fest. Nur die Hände von Henny und Marike waren leer. Doch sie krampften sich zu Fäusten, als die ersten Detonationen zu hören waren.

«Nicht bei uns», sagte einer. «Ist weiter weg.»

Stimmengemurmel, als die Notbeleuchtung flackerte. Dann endlich Stille draußen, bis die Sirenen Entwarnung gaben.

Steine und Dachziegel auf den Straßen, Putz, der von den

Mauern gefallen war. Rauch in der Luft, es roch verbrannt, doch die Feuer schienen weiter weg zu sein.

Oben in der Wohnung einige Schäden. Die Verdunklungsrollos waren aus ihrer Halterung gerissen, Fensterscheiben zerbrochen. Marike holte Besen und Kehrblech hervor, fegte die Scherben zusammen. Henny hob den Hörer des Telefons von der Gabel und staunte, als sie das Tuten vernahm. Sie wählte Elses Nummer. «Bin gerade erst aus dem Keller», sagte ihre atemlose Mutter. «Viel doller als sonst.»

«Soll ich kommen?», fragte Henny.

«Du gehst mir nicht mehr vor die Tür. Ich find ohne dich ins Bett.»

Als sie aufgelegt hatte, versuchte Henny es bei Käthe und hörte dem Läuten zu.

«Scheint ja noch ein Telefon zu geben, das läuten kann», sagte Marike. «Mach dir keine Sorgen.»

Sie setzten sich auf den Balkon und sahen in den nächtlichen Himmel. Nahmen jede zwanzig Tropfen Baldrian, doch sie hätten die Flasche an den Hals setzen müssen, um ihre Herzen zu beruhigen.

Auf den roten Geranien lag grauer Staub.

«Ich bleib nicht hier», sagte Louise. «Nachher liege ich unter den Trümmern eines Hauses wie meine Mutter.»

«Die Nikolaikirche brennt», sagte Lina, «und die ganze Neustadt. Der Grindel und Hoheluft und Teile von Altona.»

«Ich sag es ja. Lass uns weggehen. Aufs Land.»

«Wohin denn?», fragte Lina. «In eine Ferienpension?»

«Warum nicht. Ich hab noch Geld von Kurt. Vielleicht an die Hohwachtbucht. Da war es immer schön.»

«In Hohwacht bilden sie die Flakhelfer aus. Da knallt es dir um die Ohren, wenn auch nur zur Übung.»

«Woher weißt du das?»

«Weil da Schüler von mir sind.»

«Ach herrje», sagte Louise und klang klein und verzagt.

Ein Sonntag, an dem die Glocken von St. Gertrud schwiegen, obwohl die Kirche keinen Schaden genommen hatte. An dem die Sonne blass blieb und eine unwirkliche Szenerie schuf, geisterhaft wie ein Bild von Willink. Doch ihr Haus war heil, die Stadtvillen aus der Zeit der Jahrhundertwende lagen noch friedlich am Eilbeckkanal. Für wie lange?

Vielleicht war es das ja gewesen, und die Bomber kamen nicht wieder.

Am frühen Morgen war Lina zu Henny und Marike gegangen, am Mundsburger Damm sah es schon anders aus. Auf den Straßen lagen Trümmerteile, viele zerbrochene Blumentöpfe und die Stanniolstreifen, die von den Flugzeugen abgeworfen worden waren. Bei einem zweiten Gang hatte sie Marike und Henny Bögen dicker Pappe gebracht, die sie im Kunstunterricht verwendete und die von Marike vor die leeren Fenster genagelt wurden.

In der Küche saß Else. Sie brachte Nachricht von Anna Laboe und Käthe, die die Nacht im Keller der Humboldtstraße überstanden hatten.

Als Lina in das Haus in der Eilenau zurückkam, war Louise dabei, einen Koffer zu packen. Ein zweiter stand leer auf dem Tisch vor dem korallenroten Sofa. «Pack für eine Woche. Bis die Ferien vorüber sind. Ich hab mit Guste telefoniert, und sie hat mir die Adresse von Mommes Mutter gegeben. Wir fahren nach Dagebüll. Ich hab noch Bezugsscheine für Benzin, ich will nicht im Bombenhagel sterben.»

«Und wie sieht es bei Guste aus?»

«Ziemlich gut. Doch jenseits der Rothenbaumchaussee ist es schrecklich. Der Grindel brennt und Eimsbüttel.»

Lina fing an, ihren Koffer zu packen. Das Haus würde leer sein, Frau Frahm war vor Tagen schon zu einer Cousine in die Heide gefahren.

Bevor sie losfuhren, ging Lina zum dritten Mal in den Mundsburger Damm und gab Henny die Schlüssel von der Eilenau. Für alle Fälle.

«Seid behütet», sagte sie. Half es, das zu sagen?

Tian stand vor dem Haus im Grindelhof, das nur noch eine schwelende Ruine war. «Da ist keiner rausgekommen», sagte ein Mann, schwarz vom Ruß. «Viele Tote haben sie aus dem Keller geholt.»

Ling konnte dem Feuer entkommen sein. Vielleicht hatte sie bei einer Freundin übernachtet. Doch Tian ahnte, dass er sich belog. Seine kleine Schwester war der Bombennacht zum Opfer gefallen.

«Wohin werden die Toten gebracht?», fragte er.

«Keine Ahnung. Geht alles drunter und drüber. Das Stadthaus soll auch in Flammen stehen.»

Das Eckhaus zur Bornstraße stand noch. Davor lagen verschmolzene Klumpen Gusseisen, die zu den Tischen der Eisdiele gehört hatten. Tians Augen schmerzten, er sah kaum noch etwas, die Tränen und der Staub wirkten wie eine Schmirgelmasse. Vielleicht war Ling nicht einmal in den Keller gegangen. Seit dem Tod der Eltern, die noch vor der Geburt von Florentine kurz hintereinander gestorben waren, schien sie ihm schwermütig. Er hatte sich zu wenig gekümmert um sie, war im Rausch seines Glücks über das Töchterchen gewesen. Den eigenen Eltern längst schon entfremdet, hatte er Ling mit ihrer Trauer zu sehr allein gelassen.

Eine Frau nahm ihn an die Hand, führte ihn weg von den Trümmern, vielleicht hielt sie ihn für einen Blinden.

«Herr Yan», sagte sie, «es tut mir leid, doch Ihre Schwester war in dem Keller. Ich war dabei, als sie die Leichen bargen.»

Tian versuchte vergebens die Augen zu öffnen, die Lider schienen aneinanderzukleben. Eine Flasche wurde ihm in die Hand gedrückt. Kühles Glas. Wasser. Er legte den Kopf zurück und ließ das Wasser über die Augen laufen, bis er sie öffnen konnte und sein Blick klarer wurde. Eine Nachbarin aus dem Eckhaus stand vor ihm.

«Wohin haben sie die Toten gebracht?»

«Es heißt, dass sie Sammelgräber auf dem Ohlsdorfer Friedhof ausheben. Es sind Tausende Tote.»

«Ich danke Ihnen», sagte er.

«Hat denn das Haus in der Johnsallee die Nacht überstanden?»

Tian sah sie erstaunt an.

«Ihre Schwester hat es mir erzählt. Auch von dem Töchterchen. Wir haben manchmal miteinander gesprochen.»

«Ich danke Ihnen», sagte Tian noch einmal. Die Frau war freundlich, doch es beunruhigte ihn, dass es fremde Menschen gab, die von Florentine wussten. Er verbeugte sich und trat die Rückkehr in die Johnsallee an, bahnte sich mühsam einen Weg zurück.

Unger hatte Dienst in dieser Nacht in der Finkenau. Elisabeth war zu seiner Mutter nach Duvenstedt gefahren, da draußen schien es ihnen sicherer zu sein, Lorenzen wohnte zum Glück nicht in Lottes Haus.

Vorgestern Nacht, nachdem es wieder ruhig geworden war am Himmel, hatten sie in der oberen Etage des Hauses in der Körnerstraße gestanden und auf der anderen Seite der Alster die Feuer wüten sehen. Eine Hölle, von der nur Harvestehude verschont geblieben war.

Elisabeth und er waren in keinen Keller gegangen und schon gar nicht in den Luftschutzbunker der nahen Dorotheenstraße. Im dunklen Salon hatten sie gesessen, zwei weitere Flaschen des Haut-Brion von 1921 getrunken. Was war das? Fatalismus? Da war keine Angst um das eigene Leben gewesen, nur die Sorge um Henny und um Käthe.

Henny war heute für den Nachtdienst der Hebammen eingeteilt. Er hatte ihr vorgeschlagen, Marike mit in die Klinik zu bringen. Bei ihnen im Entbindungsbunker saß die angehende Kollegin sicher.

Im Kasino hatte er erfahren, dass Hildegard Dunkhase ausgebombt war. Das Haus gegenüber dem Eppendorfer Krankenhaus stand nicht mehr. Ihm war nicht bekannt gewesen, dass sie dort noch immer wohnte. Warum war sie damals nicht geblieben beim famosen Professor Heynemann? Ihr war nichts geschehen, die Dunkhase hatte gestern Nacht Dienst gehabt, die Finkenau schien geradezu eine Überlebensgarantie zu geben.

Eine halbe Stunde vor Mitternacht kam Henny zu ihm in sein Sprechzimmer. «Vielleicht bleibt es wieder ruhig», sagte sie.

«Und im Kreißsaal?»

«Kaum etwas los. Viele der Hochschwangeren scheinen die Stadt verlassen zu haben. Wer immer Verwandtschaft auf dem Lande hat, geht.»

«Hast du keine?» Wie vertraut ihm das Du geworden war mit Henny und Käthe. «Ihre Lieblingshebammen», hatte Aldenhoven gesagt und die Brauen gehoben, als er das erste Mal hörte, dass sie sich duzten. Tatsächlich sah auch der Chef allzu große Vertrautheit nicht gern. Doch nach allem, was geschehen war und noch geschah, ließ Unger sich nicht aufhalten vom Gegurke um Hierarchien.

«Nein», sagte sie. «Ich werde hier gebraucht. Nicht nur in der Klinik, auch von Marike und Käthe und meiner Mutter.»

Der letzte Teil ihres Satzes ging unter im Geheul der Sirenen. Zwanzig Minuten vor Mitternacht. Das Tor zur Hölle hatte sich wieder geöffnet, und diesmal verschlangen die Feuer die östlichen Stadtteile jenseits der Lübecker Straße. Doch die Bomben fanden bis Hohenfelde und Eilbeck. Wie gut, dass Lina und Louise unter einem friedlichen Dach in Dagebüll schliefen, auch wenn das Haus am Kanal verschont bleiben sollte.

Die junge Frau war hochschwanger und, als sie in der Finkenau ankam, fast nackt. Nur noch verbrannte Fetzen von Stoff an ihrem Körper. Von Hamm über die Wartenau war sie durch die Feuer gelaufen, Unger trug sie auf seinen Armen in den Kreißsaal. Sie hatten gerade ihre Brandwunden versorgt, als die Geburt einsetzte. Eine Geburt, die der jungen Frau leicht erschien verglichen mit dem, was hinter ihr lag. Als ihr Junge um kurz vor vier geboren wurde, war der Angriff auf die Stadtteile östlich der Innenstadt seit zwei Stunden vorbei.

Ein Gottesgeschenk, dachte Unger, er sollte *Donatus* heißen. Er legte das Kind in Hennys Arme, die Mutter war in einen erschöpften Schlaf gefallen, wenn auch ihre Augenlider flatterten.

Eine endlose Zahl von Menschenkindern, die in der Nacht auf den 28. Juli in Bomben und Feuersturm umgekommen waren, doch davon wussten Theo Unger und Henny noch nichts.

Gespenstische Züge von abgerissenen Gestalten, manchmal nur im Nachthemd und mit verbrannten Haaren, Kinderwagen vor sich herschiebend, Reste von Gepäck tragend und oft nur sich selbst über die Vorortstraßen schleppend, bis sie ein Dorf erreichten, das schon überfüllt war von Armseligen.

Doch von denen, die in Hamburg blieben, zögerte keiner mehr, in die Keller zu gehen, besser noch in die Bunker, auch die Kühnsten nicht. Sie raunten sich das Grauen aus Hamm, Hammerbrook, Rothenburgsort zu, die ausgelöscht worden waren von kaum vorstellbaren Feuern.

Käthe hatte nicht in den Bunker hinter der Beethovenstraße gehen wollen, als Anna vorschlug, schon am Abend dort Einlass zu finden und sich einen Schlafplatz zu suchen. Käthe wollte zu Hause auf Rudi warten, der am Abend des 29. Juli eintreffen sollte.

«Versprich mir, dass du wenigstens in den Keller gehst, wenn es Alarm gibt», hatte Anna Laboe gesagt. Wie gut, dass Karl nicht mehr erlebte, dass Feuer und Schwefel vom Himmel fielen, dass er gestorben war, bevor er in Gefahr geraten wäre, auf seinem Kanapee zu verbrennen.

Käthe ging nicht in den Keller, als zwei Minuten vor Mitternacht die Sirenen heulten und Rudi noch immer nicht da war. Sie lief zum Bunker und war eine der Letzten, die man einließ, bevor die Stahltüren geschlossen wurden. Wer hatte ihr gewispert, doch noch zu Anna und Else in den Bunker zu gehen?

Zwanzig vor eins, als der Angriff begann, und diesmal galt er neben Eilbeck den Stadtteilen Barmbeck und Uhlenhorst.

Unger hatte Brandwache in der Finkenau. Zwei Nächte ohne Schlaf, doch es machte ihm nichts aus, er stand unter

Strom. Am Tag hatte er ein paar Stunden im Garten der Körnerstraße gesessen und gestaunt, dass der Sommer noch da war und die Hummeln und die Vögel.

Er hatte Henny vergeblich gebeten, mit Marike in den Klinikbunker zu kommen, er sorgte sich, sie könnten nicht sicher sein in ihrem Keller. Was konnten die Stempel aus Holzbalken, die die Kellerdecken stützen sollten, denn ausrichten, wenn das Haus getroffen wurde?

Diesmal war ihr Viertel gemeint, das wurde ihm klar, als eine Bombe das Direktorenhaus neben der Klinik traf. Von der Hamburger Straße schwerste Detonationen, ein Gerücht verbreitete sich, das große Karstadt sei getroffen worden.

Kleine Brände auf dem gewalmten Dach der Finkenau. Es gelang ihnen, sie zu löschen. Doch gewaltig waren die Flammen über der Hamburger Straße. Unger hatte nicht gewusst, wie laut Feuer schrie.

Viele fehlten im Keller des Hauses am Mundsburger Damm. Doch Frau Dusig und ihr Kanarienvogel waren da und auch Frau Altmann mit ihren Söhnen. Eine fremde Frau mit einem kleinen Kind auf dem Schoß saß bei ihnen, kaute auf einer kalten Zigarette herum.

Kurz vor eins brach die Hölle los. Kaum mehr ein Moment der Stille zwischen den Detonationen, die den Zementboden zittern ließen. Kalk fiel von der Decke, die zu glühen anfing. Das Haus brannte. Feuer fraß sich vom Dach durch die Stockwerke. Es konnte nicht mehr lange dauern, bis alles über ihnen zusammenbrach.

Den Keller verlassen, der Luftschutzwart schlug es vor.

Die Klinke der schweren Tür war ein glimmendes Stück Eisen, doch ihm gelang, sie zu öffnen, und da zog es ihn hinaus in ein jaulendes Feuer, ehe die Tür zufiel. Kein Entkommen. Ersticken oder Verbrennen. Hennys und Marikes Hände krampften sich aneinander fest.

Die Notbeleuchtung fiel aus. Die fremde Frau zog ein Feuerzeug aus ihrem Beutel, versuchte, es am Brennen zu halten. Da draußen tobten die Flammen und hier versuchten sie, ein Flämmchen zu päppeln, das ihnen einen Weg aus dem Keller weisen sollte. Doch es erlosch.

Günter sprang auf, warf dabei das Koffergrammophon um, das vor ihm stand, erinnerte sich seiner Taschenlampe. Ein kleiner heller Punkt Licht, der an den Ziegelmauern entlangwanderte zur markierten Stelle für den Mauerdurchbruch zum Nachbarhaus.

Sie schlugen auf die Ziegel ein mit den Kohlenschaufeln und einem einzigen Hammer. Das Loch war nicht groß. Doch drüben loderte kein Feuer, schien die Luft klarer. Günter schob seine Mutter durch, seinen Bruder. Gab ihm das Koffergrammophon und den Vogelkäfig von Frau Dusig. Günter schob die alte Frau durchs Loch. Die junge mit dem Kind. Von der anderen Seite wurde gezogen. Dann Marike. Henny. Die kleinen Koffer. Zuletzt kam Günter durch das Loch in der Mauer.

Als sie aus dem Keller des Nachbarhauses kamen, sahen sie, dass es dort auch schon brannte. Doch das Feuer hatte gerade erst den dritten Stock erreicht. *Ihr* Haus war dabei, in sich zusammenzusinken.

Die Gläser mit den eingemachten Kirschen. Jocko, der Affe. Luds Tischlereien. Und auch ein Hebammenkoffer. Alles dahin.

Rudis Zug hatte vor dem Bahnhof von Schwerin gestanden. Die Züge waren angehalten worden, keiner fuhr in dieser Nacht nach Hamburg weiter. Erst morgens um neun stand

Rudi vor dem Haus, in dem er und Käthe gewohnt hatten und das nun ein Trümmerhaufen war. «Ihre Frau lebt», schrie eine Frau hinter ihm. Vielleicht konnte sie nur noch schreien.

Rudi drehte sich um. Die Mutter der Zwillinge. Gab es die Jungen noch? Er hoffte es sehr für die beiden. «Wo ist sie?», fragte er.

«Bei ihrer Mutter», schrie die Nachbarin. Hörte sie nicht mehr nach dem Lärm der Nacht? Sie hielt eine angebrannte Seite Papier in der Hand. *Preßburger Nussbeugel* stand dort. Ein Rezept. Die Reste eines Wiener Kochbuches, das sie aus den Trümmern gerettet hatte.

Sein Blick wanderte über die Balken und Steine, die Kacheln, den geborstenen Beton, die zerbrochenen Möbel. Das blassrote Buch mit den Gedichten der Agnes Miegel blieb im Geröll verborgen.

Ein beinah unversehrtes Haus in der Humboldtstraße genau wie das Eckhaus gegenüber in der Schubertstraße. Anna und Else hatten noch Wohnungen zu ihren Schlüsseln, als sie am frühen Morgen des 30. Juli mit Käthe aus dem Bunker gekommen waren.

Rudi rannte beinah die Tür ein, um in den ersten Stock zu kommen.

Nie mehr getrennt sein, dachten die drei, als sie sich in der Küche vor Karls Kanapee in den Armen lagen. Anna. Käthe. Rudi.

OKTOBER 1943

Henny und Marike hatten die letzten Tage des Juli in Linas Mansarde verbracht, sich den Staub jener Nacht in zwanghafter Wiederholung von ihren Körpern gewaschen im weiß gekachelten Bad der Wohnung, in der nicht einmal das Glas in den Fenstern fehlte.

Am dreiflügeligen Fenster hatten sie gestanden und über den Kanal geblickt zu den zerstörten Häusern des Lerchenfelds. Das Verlöschen des Mundsburger Damms ließ sich hinter dem Bahnhof der Hochbahn erahnen, nur zwei Häuser vor der Mundsburger Brücke standen noch.

Lina und Louise waren am zweiten August zurückgekommen aus Dagebüll, da war Marike zu Thies' Eltern in die Armgartstraße gegangen und Henny zu Else in die Wohnung ihrer Kindheit. Sie waren nicht ohne Obdach, dennoch fühlte es sich so an.

Klaus blieb noch länger am Tegernsee, Ernst im Mecklenburgischen bis Ende August, die Schulklassen waren dort besser aufgehoben als im zerstörten Hamburg. Henny vermisste Klaus.

Ernst kam kurz nach den Tagen des Schreckens und besichtigte die Trümmer. Da hatte Henny schon das angesengte Schmuckkästchen aus Kirschholz daraus gerettet. Den Granatring legte sie hinein und Luds und ihre Eheringe, Schätze aus einem der kleinen Koffer.

Käthe drüben in der Humboldtstraße, sie hier in der

Schubert. Beinah wie vor zweiundzwanzig Jahren. Karl fehlte.

Schwierig wurde es, als Ernst zurückkehrte. Konnte die Fremdheit in wenigen Wochen entstanden sein? Lag es an der Selbstgerechtigkeit ihres Mannes? Ernst betrachtete es als eine persönliche Schmähung, Hab und Gut verloren zu haben. Erkannte er denn nicht, welch ein Glück es war, dass Marike und Henny lebten?

Henny brach immer früher auf zu ihren Diensten in der Finkenau, lief vorher noch durch die Straßen in der Hoffnung, Vertrautes zu finden. Vom großen Karstadt, auf dessen Dachterrasse sie oft gesessen hatte und der Tanzkapelle zugehört, stand nur noch die Rückwand und Teile des Treppenhauses. Kulisse eines bizarren Theaterstücks.

In einem der beiden Bunker des Kaufhauses waren in jener Nacht Hunderte Menschen erstickt, nachdem das Haus, von Sprengbomben getroffen, über quälende zwei Stunden lang in Etappen einstürzte.

Die Zugänge waren verschüttet worden, aus dem glühenden Koks in den Heizungskellern war tödliches Kohlendioxid entstanden.

Henny ging nicht mehr über den Mundsburger Damm. Wollte sie zum Kuhmühlenteich kommen, dann nahm sie den langen Weg über den Schwanenwik und die Armgartstraße, am Haus von Thies' Eltern vorbei und dann die Eilenau entlang, bis sie zu Lina und Louise kam. Sie war dankbar für jeden intakten Straßenzug und dafür, dass die Gertrudkirche mit ihrem Turm noch stand und sich im Teich spiegelte.

Eine tiefe Sehnsucht nach einer heilen Welt in ihr, doch noch war der Krieg nicht vorbei, noch standen Thies und Rudi in Russland an der Front, und sie lebten in Elses Wohnung und waren sich im Weg.

«Du bist undankbar», hatte Käthe gesagt. «Du hast ein Dach über dem Kopf, und dein Mann ist in keinem Himmelfahrtskommando.»

Ja, Henny war undankbar. Am Morgen wusch sie sich wieder in der Küche am Spülbecken statt in ihrem Badezimmer. Die Eisenstange, die ihr Vater kurz nach Hennys zwölftem Geburtstag angebracht hatte, war noch immer da, doch den Vorhang aus weißer Baumwolle mit der Lochstickerei hatte Else längst durch einen aus Wachstuch ersetzt, der schwerfällig fiel. Die Vorhangringe glitten nicht mehr so leicht über die Stange, doch wenigstens war eine kleine Privatheit gegeben.

Das Klappbett war aus dem Keller geholt worden, noch immer blieben die Dachböden leer, lag Sand auf den Böden, der keinen Brand hatte aufhalten können in den Julinächten.

Else schlief auf dem Klappbett, das wie damals im Wohnzimmer stand, sie hatte das Schlafzimmer mit dem Ehebett Henny und Ernst überlassen. Im nächsten Jahr war es vierzig Jahre her, dass sie eine Kriegerwitwe geworden war. All die vielen Jahre, in denen sie mit einer leeren Betthälfte neben sich geschlafen hatte. Sechsundsechzig Jahre war sie nun alt, Else würde bis zum letzten Tag eine Kriegerwitwe bleiben.

Wenn Klaus zurückkam vom Tegernsee, bliebe ihm nur das Sofa in der Küche. Doch hatte Käthe nicht noch mit einundzwanzig Jahren auf dem Kanapee geschlafen, das Karls letztes Lager geworden war?

Viele andere saßen in kalten und feuchten Kellern, die kaputten Häuser über ihren Köpfen.

Oft machte Henny sich zu Fuß auf durch die zerbrochenen Straßen, um die unbeschädigten Häuser in Harvestehude zu sehen, in die Johnsallee zu gelangen und in Gustes

Garten zu sitzen, den sie an einem Tag im September zum ersten Mal betreten hatte. Lud war damals noch nicht lange tot, dennoch schien das Leben beinah *ganz* gewesen zu sein.

Unger bog in die Oberaltenallee ein, die eine Trümmerwüste war wie die parallel laufende Hamburger Straße mit dem toten Koloss Karstadt. Faust kam ihm in den Sinn, den Goethe in anmutiger Gegend wieder zu Bewusstsein kommen ließ. Welch ein Glück für Faust.

Seltsam, dass ihn gelegentlich der Gedanke überkam, der Krieg sei in Hamburg schon vorbei, weil es doch schlimmer nicht kommen konnte.

Wenn es nur wirklich bald ein Ende hätte mit Nazis und Krieg. Doch die Deportationen gingen weiter, seit die Moorweide nicht mehr als Sammel- und Versorgungsstelle der Ausgebombten benötigt wurde. Die Gulaschkanonen waren verschwunden, und der Spuk hatte wieder begonnen.

Von einem Freund hatte er gehört, die braune Horde plane durchaus die Vernichtung der jüdischen Partner in *privilegierten Mischehen* und auch die der Kinder aus diesen Ehen.

Entwürfe sollten in der Schublade liegen, bis Februar 1945 alle zu eliminieren. Wer konnte die Nazis stoppen, wenn es nicht mal die Bomber taten, die ganze Städte sterben ließen?

An der russischen Front stand es nicht gut für die Wehrmacht, das war auch aus Rudis Feldpostbriefen zu lesen, obwohl die oft kryptisch waren und auf Zeilen in Gedichten hinwiesen, die von Zerfall und Jüngstem Gericht erzählten.

Elisabeth und er hatten am vergangenen Sonntag einen Spaziergang an der Alster gemacht, buntes Herbstlaub statt Schutt, von ihrem Haus aus über die Krugkoppelbrücke zum Harvestehuder Weg. Ein Pilgerpfad der Hamburger aus den angrenzenden Stadtteilen, die den Anblick der Häuser im kaum zerstörten Harvestehude einatmeten, alles schien dort gut zu sein.

So gut, dass sich auch der Gauleiter und Reichsstatthalter Kaufmann noch immer wohl fühlte in seiner Villa am Harvestehuder Weg 12, in der er seit den dreißiger Jahren residierte.

Nein. Die Nazis saßen noch fest im Sattel, in den ihnen zu viele hineingeholfen hatten.

Doch durfte er klagen mit dem luxuriösen Gehäuse in der Körnerstraße, der Idylle in Duvenstedt? Lotte schlug sich wacker, teilte Obst und Gemüse mit einer Familie, die in Wandsbeck ausgebombt worden war, eine Frau mit zwei Töchtern und einem Säugling. Elisabeth und er erwarteten längst eine Einquartierung.

Elisabeth sprach davon, nach England zu gehen, wenn der Krieg vorbei wäre. Er wusste nicht, was er davon hielt. Wie alt würden sie denn sein, wenn sie diesen Krieg endlich hinter sich hatten? Und galt es dann nicht erst recht, zu bleiben, hier in der Finkenau Kindern auf die Welt zu helfen, eine neue Generation wachsen zu lassen in einer Stadt, die wiederaufgebaut werden musste?

Er hätte gern Kontakt zu Garuti aufgenommen. Der Dottore hatte sicher gleich am 3. September die Koffer gepackt nach dem Bruch mit Italien durch den Waffenstillstand von Cassibile. Warum ließ sich Hitler so viel schwerer loswerden als Mussolini?

Auf Lottes Garten hatte noch wochenlang schwarzer Ruß gelegen nach den Bombennächten im Juli. Und das draußen in Duvenstedt.

Hamburg war trotz der paar wenigen Inseln der Glückseligen keine anmutige Gegend mehr.

«Zu Mutti kann ich nicht gehen», sagte Fritz.

«Und was willst du von mir?», fragte Anna Laboe. Die Tränen liefen ihr, sie setzte das Messer ab, um Wasser über die Hände laufen zu lassen, ehe sie die Zwiebeln weiter in feine Würfel schnitt. Mit einem Brühwürfel und etwas Grieß gab das dann eine Suppe, die auch Campmann aß.

«Das Messer ist doch scharf.»

«Soll ich dir das in den Bauch stecken?»

Fritz schüttelte heftig den Kopf. «Nur die Kuppe vom Zeigefinger.»

Er hielt ihr die rechte Hand hin und meinte es ernst.

Anna Laboe guckte zur Küchenuhr, um zu sehen, wann Campmann aus der Bank käme und dem Spuk in der Küche ein Ende bereitete. Noch zwei Stunden bis dahin. «Du bist verrückt geworden, Fritz», sagte sie. «Willst du denn dem Führer nicht mehr dienen?»

Fritz war mit achtzehn an die Front in Jugoslawien gekommen, vor gut einem Jahr. Doch so sehr er zu schätzen gewusst hatte, Neffe eines im Dorf gefürchteten Nazis zu sein und der HJ anzugehören, versetzte ihn das Soldatsein in Panik. Waren denn nicht beide Vettern gefallen, der eine genau in der Gegend, in die er abkommandiert worden war? Fritz hatte die Hosen voll vor Angst.

«Wenn ich die Brennsuppe fertig habe, kriegst du einen Teller voll, und dann bist du weg. Wie kannst du denken, dass ich dir helfe, dich zu verstümmeln? Bist du schon ausgebüxt, oder hast du Heimaturlaub?»

Fritz holte den Urlaubsschein aus der Hosentasche und legte ihn auf den Küchentisch. Anna warf einen Blick darauf. «Da hast du ja noch fast den ganzen Urlaub. Dann mal heim zu Mia.»

Fritz schüttelte den Kopf und starrte vor sich hin.

«Was glaubst du, was die machen mit dir und mit mir gleich mit, wenn ich dir ein Stück vom Finger abschneide, als sei der bester Tafelspitz? Glaubst du, unser Rudi will in Russland sein?»

Warum war der Junge bloß zu ihr gekommen? Hatte sie je große Sympathien für ihn gezeigt? Doch Anna schwante, warum. Auch in Wischhafen bei Lene und Mia wussten sie, dass Anna Laboe keine Freundin von Hitler und diesem Krieg war.

Fritz fing zu weinen an, ein Bild des Jammers.

Anna ließ ihn sitzen, bis die Suppe fertig war, die er still löffelte.

Er tat ihr leid, dieser dicke dumme Junge. Sie ging zur Speisekammer und nahm ein großes Stück Blockschokolade heraus.

«Hier. Das gebe ich dir noch mit. Ist gut für die Nerven.»

Fritz wischte sich den Handrücken über den Mund und stand auf.

«Fahr nun nach Wischhafen und grüße Mia von mir.»

«Danke», sagte er. Es klang, als ob er gleich noch mal weinen wollte.

Anna verabschiedete ihn an der Tür und trat an eines der vorderen Fenster, sah zu, wie Fritz mit gesenktem Kopf zur Haltestelle der Straßenbahn ging, die ihn zum Hauptbahnhof bringen würde.

Sein älterer Bruder hatte nie aufgehört, ihn Angelo zu nennen, noch heute spottete er darüber, dass Garuti sich für den zweiten der Vornamen entschieden hatte, als er in den diplomatischen Dienst eintrat. Alessandro war ihm einfach seriöser erschienen.

Er war nicht gern aus Berlin weggegangen, gerade zu einer

Zeit, wo ihn der Kontakt zu Elisabeth und Theo erfreute und der zu Rudi, seinem Sohn. Doch er konnte Badoglio gut verstehen, der den Waffenstillstand unterzeichnet hatte. Er war zwar kein Freund des Marschalls, der bei den faschistischen Eroberungszügen zu Ruhm und Titel gekommen war, doch das sizilianische Abkommen mit den Briten und Amerikanern war eine richtige Entscheidung gewesen.

Nun saß er hier am Ort seiner Kindheit auf dem Landgut in Terricciola und hatte nichts zu tun. Amadeo verwaltete das Gut seit vierzig Jahren, ihm war es eine Leidenschaft.

Angelo und *Amadeo*. Ihre Mutter war eine fromme Frau gewesen.

Seltsam, dass ihm die Fotografie sofort in die Hände fiel, als er sich an den Sekretär in seinem Jugendzimmer setzte.

Teresa und er waren in ein Atelier auf St. Pauli gegangen. Der Fotograf hatte Teresa in einen Korbstuhl gesetzt und ihn dahinter platziert. Hatte der Eindruck entstehen sollen, sie seien ein Brautpaar? Teresa hielt ein Bouquet aus künstlichen Rosen in der Hand und sah bezaubernd aus im dunklen Samtkleid mit Spitzenkragen. Die Aufnahme musste im Winter entstanden sein, kurz vor seiner Abreise. Da war Teresa wohl schon schwanger gewesen, ohne es zu wissen, obwohl ihre Taille so schmal war, dass er sie mit seinen Händen umfassen konnte.

Er steckte die Fotografie in ein Kuvert und hätte sie gern gleich an Rudi geschickt, nachdem er im August erfahren hatte, dass die Wohnung in der Bartholomäusstraße zerstört war und alles, was sie enthalten hatte. Auch das Foto von Teresa und Margarita.

Er hoffte nur, dass Rudi nicht verlorenging in diesem Krieg. *Rodolfo*. Hätte er diesem Namen zugestimmt? Dann doch eher *Domenico*. Der Tag des Herrn. Garuti lächelte. Das hätte gut zu Angelo und Amadeo gepasst. Der frommen Großmutter zu Ehren. Wenn sich nur eine Gelegenheit fände, das Foto auf den Weg nach Hamburg zu bringen. Der Post wollte er es nicht anvertrauen.

Vielleicht von San Remo aus. Dort würde er einen alten Freund besuchen, ehe ihn das Landleben zu langweilen anfing.

Tian quälte sich. Nur die Kleine heiterte ihn auf. Ida fing an, sich zu stören an seiner Trauer, die wie der Ruß der Julitage auf ihnen lag.

«Nimm diese Wohnung», hatte Ling gesagt, damals, als er ihr gestand, dass Ida schwanger war. «Sie ist groß und hell. Gut für eine Familie. Ich brauche nur ein Zimmer.»

Wäre er auf ihr Angebot eingegangen, würde sie noch leben, und vielleicht wären Ida, das Kind und er tot. Hätte er *das* gewollt?

Er saß in seinem Zimmer und sah in den herbstlichen Garten.

Der beste Platz, um ein Buch zu schreiben. Besser als mit Blick auf den Bornplatz, auf dem nun neue Trümmer lagen, die der Synagoge waren lange schon weggeräumt. Er hätte Zeit für ein Buch, das Kontor in der Großen Reichenstraße lag im Augenblick still. Nicht gerade ein Buch über die Handelsbeziehungen zwischen China und dem Deutschen Reich, vielmehr über die Liebe eines Chinesen zu einer Deutschen.

Die Gestapo war nicht mehr gekommen, auch Gustes Meldebuch hatten sie nach den Bombardierungen unangetastet gelassen. Seitdem ihnen das Stadthaus abgebrannt war und sie in der Feldbrunnenstraße saßen, schienen sie sich neu organisieren zu müssen.

Wenn doch dieser Krieg vorbei wäre und die Nazis mit sich nähme, so vielen Menschen war schon das Leben genommen worden.

Tian drehte sich um, als es klopfte. Er erkannte Momme erst auf den zweiten Blick unter dem Kopfverband. «Halb so schlimm», sagte Momme, ehe Tian auch nur den Mund öffnen konnte.

«Ich dachte, es sei friedlich in Dänemark für euch.»

«Nicht mehr, seit Herr von Hanneken die dänische Regierung abgelöst und das Standrecht eingeführt hat, weil es ihn erzürnte, dass Dänemark dem Deutschen Reich nicht länger die Hand lecken wollte.»

«Und dein Kopf?»

«Ein Streifschuss. Er wird mich nicht davor bewahren, noch einmal in diesen Krieg ziehen zu müssen, es sei denn, der Krieg ist im November vorbei.»

«Setz dich», sagte Tian.

«Nur kurz, Guste will mit mir die Vorratshaltung besprechen. Ich fahre heute noch nach Dagebüll.»

«Gibt es in Dagebüll noch zu essen?»

«Fisch immer. Ich wollte dir sagen, wie leid es mir um Ling tut.»

Da kamen sie schon wieder, die Tränen. Tian legte den Kopf in den Nacken und versuchte, sie wegzublinzeln. «Ich gehe Ida schon auf die Nerven mit meiner Heulerei.»

«Ida ist ein harter Hund», sagte Momme.

Tian setzte an, sie zu verteidigen.

«Ist nicht nötig. Ich mag sie ja», sagte Momme. «Doch du bist der sensiblere Teil. Ich hoffe sehr, dass nicht noch mehr aus unserer Runde sterben. Ich hab viel vor, wenn der braune Kack vorbei ist, und ich brauch euch alle.»

«Ich nehme an, es geht um Bücher», sagte Tian.

«Genau», sagte Momme Siemsen.

«Aber ich bin Kaufmann.»

«Ebendarum.» Momme grinste. «Ich denke, die Stadt wird neue Buchhandlungen brauchen.»

Die Nacht auf den 30. Juli hatte dem Leben des vierzehnjährigen Günter eine Kehrtwende gegeben. Er liebte das Koffergrammophon noch, doch es war nicht länger sein Lebensinhalt. Die Schule hatte er im Frühjahr nach der achten Volksschulklasse verlassen, ohne einen anderen Plan, als das Grammophon virtuos zu bespielen.

«Ich würde gern was besprechen», sagte er, als er Henny vor der Klinik abfing, vor der er lange gewartet hatte. «Was Berufliches.»

«Dann begleit mich ein Stück. Wo seid ihr denn untergekommen?»

«Bei meiner Tante in der Lübecker Straße. Ihr Haus ist ziemlich heil geblieben. Ich meine, ich kann ja schlecht Hebamme werden, aber vielleicht so ne männliche Schwester.»

«Krankenpfleger? Da könnte ich dir helfen», sagte Henny.

«Genau.» Günter strahlte. «Das meinte ich.»

So sollte aus dem Grammophonisten ein Krankenpfleger werden. Am Krater des Vulkans taten sich Wege auf, die vom Abgrund wegführten.

JANUAR 1945

Joachim Stein hatte Angst, es nicht zu schaffen. Bloß nicht müde werden und Louise ohne Schutz zurücklassen. 1933 hatte er gedacht, es sei ein Spuk, der schnell vorüberginge, doch die Nazis waren noch immer da, Köln und Hamburg lagen in Trümmern wie viele andere Städte auf diesem Kontinent, unzählige Menschen waren deportiert worden oder wurden auf beiden Seiten der Fronten getötet.

«Sieh mal zu, dass du mich am Leben hältst», sagte er zu einem alten Freund, der seit langer Zeit sein Hausarzt war. «Wenigstens bis wir Hitler hinter uns gelassen haben.»

«Deine Pumpe ist in Ordnung. Es ist mehr die Seele. Du hast keine Lust mehr in diesen Zeiten, die noch herrlicher sind als die des Kaisers.»

«Aber ich will doch leben. Ohne mich ist Louise Freiwild.»

Sein Freund gab ihm eine Injektion, die viel Eisen enthielt und unter den Ärzten als *Leberspritze* bekannt war. Vielleicht wäre Kokain gut gewesen. Wahrscheinlich hielten sich die braunen Herren damit über Wasser, oder war es doch nur Morphium und Wahnsinn?

«Hätten wir das geglaubt?», fragte Stein. «Anfang der Zwanziger?»

«Wir leben in einem interessanten Jahrhundert.»

«Ich könnte darauf verzichten.»

«Zu schade, dass Louise die Frauen bevorzugt, ein arischer Mann könnte sie unter seine Flügel nehmen.»

«Schweig», sagte Joachim Stein. Er wollte nicht, dass die eigenen Gedanken ausgesprochen wurden.

Louise versuchte gerade, einen Abend für fünf Frauen zu zaubern zur Feier von Linas sechsundvierzigstem Geburtstag.

Lina. Henny. Käthe. Ida. Louise.

Leichter Schneefall vor dem dreiflügeligen Fenster, der die Ruinen puderzuckerte. Louise trug die Bowlenkanne hinein und stellte sie auf den Tisch vor dem Korallenroten. Eine Dose Ananasstücke hatte sie noch gefunden aus einer verlorenen Zeit, als sie bei Michelsen gekauft hatte.

Dazu eine Flasche Rheinwein.

Was mochte wohl aus Hugh und Tom geworden sein? Seit Beginn des Krieges hatten sie nichts voneinander gehört. Louise hoffte, dass sie keine Bomben warfen über Köln und Hamburg. Und dass keine Bombe sie getroffen hatte in London.

Lina. Henny. Käthe. Ida. Louise.

Es musste doch bald vorbei sein mit diesem Krieg. Sie hoben die Bowlengläser und stießen darauf an.

Lina fing an zu husten. «Was ist denn da drin? Reiner Alkohol?»

Louise und Käthe tauschten einen Blick aus. Nur eine kleine Flasche, die Käthe in der Klinik geklaut hatte. Louise hatte gewusst, warum sie nicht Henny fragte, Konspiratives gelang mit Käthe leichter.

«Mit so einer alten Frau lebe ich», sagte Louise, die nur zwei Jahre jünger war. «Kann nicht mal eine schwache Kriegsbowle vertragen.»

Sie ging in die Küche, um den Glanzpunkt des Abends zu holen, die Russischen Eier mit Kaviarersatz. Louise hatte keine Sekunde gezögert, die Guldenring-Zigaretten aus dem Weihnachtspäckchen ihres Vaters unter die Ladentheke des Händlers zu schieben, bei dem ihre Lebensmittelkarten eingetragen waren. Ging doch noch was, wenn man an einen starken Raucher geriet, dem die Tabakkarte nicht ausreichte.

«Wie hast du das geschafft?», fragte Henny.

«Das kriegt meine Mutter nicht mal mehr in Campmanns Küche hin», sagte Käthe und guckte zu Ida, an der die Erwähnung abperlte.

In der Beletage im Hofweg-Palais waren erst im Oktober 1944 drei Familien einquartiert worden. Bis dahin hatte Friedrich Campmann seine Beziehungen erfolgreich spielen lassen, doch selbst er konnte in diesen Zeiten eine Achtzimmerwohnung, die ein einziger Mensch bewohnte, nicht länger freihalten von dieser *Belästigung*, wie er es nannte. Seit dem Oktober verschanzte er sich in seinem Arbeitszimmer und schlief auf dem Sofa.

Doch auch Anna Laboe war längst nicht mehr Herrin der Küche, die sie sich nun zu viert teilten, die drei ausgebombten Frauen und sie. Dazu kamen ein kriegsversehrter Mann und sechs Kinder. Viele Menschen, die zu ernähren waren, und wenig zu essen. Zu putzen hatte sie nur noch Campmanns Zimmer, die beiden Bäder, Flur und Diele. In den übrigen Zimmern sorgten die einquartierten Familien selbst für Sauberkeit und Ordnung. Jedenfalls hoffte Anna das.

Der Campmann'sche Haushalt war so sehr zu ihrer eigenen Sache geworden, dass es ihr hart ankam zu sehen, was daraus geworden war.

Ida bedeutete er gar nichts mehr. Offiziell war sie noch Gattin des Bankiers, der damit als Florentinchens Vater fungierte. Ein Schutz vor den Nazis und ihrem Rassenwahn. Nichts anderes.

Ihr Leben fand in der Johnsallee statt, gut organisiert von Guste, der es gelang, auch in diesen Zeiten ein Heim zu schaffen, in dem sich Ida, Tian, ihr Töchterchen und der alte Bunge geborgen fühlten und wer immer eines Obdachs bedurfte.

«Bedankt euch, dass ich Nichtraucherin bin», sagte Louise. Obwohl sie in den dreißiger Jahren mit dem Rauchen hatte anfangen wollen, als die Nazis Plakate kleben ließen, die den Frauen das Nichtrauchen nahelegten.

Die Deutsche Frau raucht nicht.

Doch Lina und sie hatten sich ja schon erfolgreich einer Ideologie entzogen, die Empfängnis und Geburt als Höhepunkte weiblichen Lebens sah. Von der arischen Lina, blond und lilaäugig, hätten die braunen Herren sicher gern Nachkömmlinge gehabt.

«Trinkt, ihr Lieben. Es ist noch da.»

«Ich werde vom Fahrrad fallen», sagte Ida.

Zwei kaputte Fahrräder, die ganz hinten in Gustes Gartenschuppen vergessen worden waren. Tian hatte sie gefunden auf der Suche nach Samen und Zwiebeln, die im Garten zu etwas Essbarem heranwachsen konnten. Einer der vier Schläuche war nicht mehr zu retten gewesen, doch schließlich war es ihm gelungen, einen neuen gegen chinesisches Porzellan zu tauschen.

«Notfalls schiebt ihr», sagte Lina. Tian hatte darauf gedrungen, Ida herzubegleiten und auch wieder abzuholen. Die Stadt war dunkel und leer.

«Viel zu gefährlich für dich allein», hatte Tian gesagt. Er hoffte, dass sich keiner mehr daran stören würde, eine deutsche Frau an der Seite eines Chinesen zu sehen. Die Menschen hatten andere Sorgen.

«Was werden wir tun, wenn es vorbei ist?», fragte Henny.

«Endlich leben», sagte Käthe und dachte an Rudi.

«Keine Lehrerin mehr sein», sagte Lina. Seit den Zerstörungen fand kein Unterricht statt in Hamburg. Ließe sich denn wieder eine Schule aufbauen, in der sie lehren wollte, mit der Ideologie des Tausendjährigen Reiches in den Köpfen der Kollegen?

«Vielleicht gründen du und ich ein Theater», sagte Louise.

«Das kommt auf die Liste der leicht umzusetzenden Ideen», lachte Lina. Noch mal neu anfangen mit Ende vierzig? Vom Theater verstand sie nichts. Kunst? Würde die gebraucht werden?

«Noch ist es nicht vorbei», sagte Käthe.

Als Käthe und Henny gemeinsam zurückgingen, hellte der Schnee die dunklen Straßen und Wege auf, in denen kaum ein Fenster verdunkelt werden musste. Es gab keine mehr.

«Wie geht es bei euch zu Hause?», fragte Käthe.

Zu Hause? War es das?

«Ernst sitzt den ganzen Tag herum und guckt aus dem Fenster.»

«Ihm fehlt seine Schule», sagte Käthe. Die Schule Bachstraße war zerstört worden in den Julitagen. Das Lerchenfeld und Linas Schule in der Ahrensburger Straße waren stark beschädigt.

«Er hofft, dass er bald Flakhelfer ausbilden kann.»

«Ich hoffe, dass wir bald keine Flakhelfer mehr brauchen.» Glaubte Ernst Lühr denn noch an den vielbeschworenen Endsieg?

Anna und sie lebten ganz gut miteinander, doch ihnen lag auf der Seele, zuletzt Ende November von Rudi gehört zu haben. Dauerte immer länger mit der Feldpost. Wenn sie nur nie die Nachricht erreichte, dass er für *Führer, Volk und Vaterland* gefallen sei. Dann würde sie sterben.

«Ein Glück, dass es in der Finkenau weitergegangen ist.» Wenn sie auch herumsäße, würde sie wahnsinnig werden.

«Hast du was von Rudi gehört?», fragte Henny.

Doch da kamen sie schon vor Käthes Haus in der Humboldtstraße an, und Käthe schüttelte nur den Kopf, bevor sie hineinging.

Was hätte sie tun sollen, als er vor der Tür stand, dieses Kind? Wäre einer ihrer Jungs wie er geworden? Ihr Vater war auch groß und dick gewesen und hatte rote Haare gehabt. Vielleicht wären ihre Söhne auf den Großvater gekommen, den Ewerführer, und nicht auf den eher schmächtigen Karl.

«Dann komm rein», sagte Anna Laboe.

Eigentlich müsste sie längst im Hofweg sein. Ein Sack Kartoffeln sollte angeliefert werden, von einem, der Campmann was schuldig war. All die Zufälle, die zu Unglück führten.

«Nur eine Nacht», sagte Fritz.

«Hast du denn deine Fingerkuppen noch?»

Mias Fritz hielt ihr die Hände hin wie ein Kind, das zeigen wollte, sie gründlich gewaschen zu haben. «Nur eine Nacht», sagte er noch einmal.

«Von woher kommst du?»

«Wischhafen. Heimaturlaub.»

«Wann war der zu Ende?»

«Gestern.»

«Du kannst sagen, dass du die Eisenbahn verpasst hast.»

«Ich fahr nicht zurück in den Krieg.»

«Hier ist auch Krieg.»

«Ich bin jetzt in Russland», sagte Fritz, «da ist es noch schrecklicher.»

«Warum versteckst du dich nicht bei deiner Mutter?»

«Sie hat mich doch auf die Fähre gebracht und geguckt, bis der Zug aus Glückstadt abgefahren ist.»

«Nur eine Nacht», sagte Anna.

Unerlaubtes Fernbleiben von der Truppe, auch Fahnenflucht genannt. Ihr war klar, dass sie in Teufels Küche kommen konnte. Käthe hatte einen Nacht- und einen Tagesdienst hintereinander. Die brauchte das gar nicht erst zu erfahren.

Das erste Mal fiel es ihm am Nachmittag auf, als es schon anfing, dunkel zu werden, und er die Verdunklungsrollos hinunterzog. Drüben stand ein Mann am Fenster. Dieser Rudi war es nicht, der war zwar auch groß, doch dunkelhaarig und sehr schmal, kaum anzunehmen, dass er in Russland dick geworden war.

Am nächsten Morgen blickte er dann schon ganz bewusst zur anderen Seite der Straße hin, sah, dass die Laboe das Haus verließ.

Ernst Lühr ging in die Küche zu Else, setzte sich an den Tisch, trank den Ersatzkaffee, den Else ihm hinstellte. Klaus war zu einem Freund gegangen, bei dem hielt er sich wohl lieber auf als bei ihnen. Dessen Haus am Winterhuder Weg war heil geblieben, eines der wenigen da.

«Wann hast du das Gespräch?», fragte seine Schwiegermutter.

«Übermorgen», sagte er.

«Bilden die denn überhaupt noch Flakhelfer aus?»

«Was soll das heißen?», fragte er. «Glaubst du, dass der Krieg verloren ist?» Er lenkte ein, als er Elses Gesicht sah. «Wenn sie da nichts für mich haben, will ich in die Verwaltung gehen. Die Schulbehörde muss doch den Unterricht neu organisieren. Das kann nicht so weitergehen, Kinder in die freiwillige Landverschickung statt Schule.»

Nach dem Kaffee stand er wieder am Fenster zur Straße. Da war er ja, der junge Mann. Ernst Lühr drehte sich um. «Weißt du, ob bei Hennys Freundin Käthe ein Mann eingezogen ist?», fragte er laut.

«Ist Rudi da? Hat der Heimaturlaub?»

«Nicht der Rudi», sagte Lühr und ließ vom Thema ab.

Beim nächsten Mal nutzte er Elses Abwesenheit, die mit ihren Bezugskarten losgezogen war, und holte das Fernglas aus dem Buffet im Wohnzimmer. Ja. Damit ließ sich in einen bestimmten Winkel der Küche drüben sehen. Dort, wo ein Tisch stand. Der junge Mann schien dabei zu sein, etwas zu zerschneiden. Ernst Lühr setzte Heinrich Godhusens Fernglas ab und noch mal an. Er hätte schwören können, dass das Messer durch den schweren Stoff einer Uniform schnitt.

«Bist du wahnsinnig geworden», hatte Käthe gesagt. Hielt sich gerade noch zurück, es zu schreien. Sich in höchste Gefahr bringen für den tumben Burschen von Mia, während ihr Rudi in Russland war.

«Nur eine Nacht noch», sagte Fritz. «Dann gehe ich. Vielleicht finde ich auf dem Land einen Schuppen, wo ich mich verstecken kann.»

Warum hatte er das nur nicht gleich getan?

Käthe dachte an Rudis Flucht nach Dänemark. An Landmann. Hätte er den Jungen auf die Straße geschickt? An einem kalten Januarabend?

«Nur diese Nacht noch», sagte sie. «Ich hab den Frühdienst, wenn ich am Mittag nach Hause komme, bist du weg.»

Doch er war noch nicht weg am Mittag.

«Wir sind für jeden dankbar, der hilft, die stark beschädigten Schulgebäude von Schutt frei zu räumen», sagte der Mann hinter dem Schreibtisch, der die Uniform eines Obersts der SS trug.

«Ich dachte an organisatorische Aufgaben. Das Schulsystem in Hamburg muss doch wiederaufgebaut werden.»

«Diese Aufgabe haben bewährte Kräfte bereits in Angriff genommen.»

Lühr schielte zu dem Parteiabzeichen an seinem Revers, das er eigens angelegt hatte.

«Ich sehe es. Dennoch habe ich nichts anderes für Sie.»

«Vielleicht habe *ich* eine Information», sagte Ernst Lühr.

Käthe wurde in der Klinik verhaftet. Da war Fritz schon auf dem Weg nach Berlin in das Gefängnis Plötzensee und Anna in Fuhlsbüttel. Wer hatte ihnen diesen Verrat angetan? Ein Augenblick nur, in dem Käthe allein im Verhörzimmer war, ein paar Sekunden zwischen Fragen wie Peitschenhiebe und tatsächlichen Schlägen, sprang sie vom Schemel auf, warf einen Blick auf das Schriftstück, das dort auf dem Tisch lag, und las den Namen des Denunzianten. Alle Kraft wich aus ihr. Als ihr Peiniger zurück ins Verhörzimmer trat, fand er die Kommunistin Odefey, die sich schuldig gemacht hatte und noch immer Widerworte gab, nicht mehr vor. Auf dem Schemel schien nun ein Häuflein Elend zu sein.

Als Fritz in Plötzensee ankam, waren Käthe und Anna schon im Konzentrationslager Neuengamme vor den Toren Hamburgs.

Henny erfuhr von Theo Unger, dass Käthe verhaftet worden war. Unger wäre beinah gleich mit abgeführt worden, als er den Gestapoleuten in die Arme fiel, sich vor Käthe stellen wollte, während Henny im Kreißsaal stand und nichts ahnte.

«Wo bleibt Ihr gesundes Volksempfinden?» Leise hatten sie das gesagt, eine Drohung, dieser Satz.

Kriegsverrat. Wehrkraftzersetzung. Hilfe bei Fahnenflucht.

Weder Henny noch Unger verstanden, um was es ging. War denn Rudi aus Russland gekommen? Hatte Käthe ihn versteckt, statt ihn zurück an eine mörderische Front zu schicken?

Die Dunkhase stand am Rand und sah Unger und Henny in das Sprechzimmer von Dr. Unger gehen. Sie war kleinlaut geworden, seit man ihr das Haus zerbombt hatte. Doch nun lächelte sie.

«Denkst du, die Dunkhase hat damit zu tun?», fragte Henny.

Unger hob die Schultern. «Ich gehe zur Gestapo», sagte er, «in die Feldbrunnenstraße. Anders können wir Käthe nicht helfen.»

«Du kannst nicht gehen. Denk an Elisabeth. Ich bin die Einzige, die sie nicht auf dem Kieker haben. Im Gegenteil. Mein Mann ist Parteimitglied.»

«Das ist beinah jeder, der im Dienst einer Behörde steht.»

«Du bist es nicht», sagte Henny,

«Ich bin ja auch jüdisch versippt.»

«Das ist es nicht allein. Ernst glaubt an die Nazis.» Henny stand auf. «Kann ich mir freinehmen? Ich will in den Hofweg. Vielleicht weiß Käthes Mutter es noch nicht.»

«Vielleicht hat sie eine Antwort für uns», sagte Theo Unger. «Und bitte lass uns miteinander sprechen, bevor du zur Gestapo gehst.»

Doch im Hofweg traf Henny nur drei fremde Frauen, sechs Kinder und einen kriegsversehrten Mann an, sie war schon bereit zu gehen, als ein aufgebrachter Friedrich Campmann die Tür seines Arbeitszimmers aufriss. «Können Sie mir sagen, wo die Laboe bleibt?», fragte er.

«Die Tochter ist verhaftet worden», sagte Henny. War Campmann die richtige Adresse für diese Information? Erzählte Ida nicht, er gehe ein und aus bei den Berliner Nazigrößen?

«Die Kommunistin», sagte Campmann, «das konnte nicht gutgehen. Hat sie sich selbst zuzuschreiben. Sollten Sie die Laboe sehen, sagen Sie ihr, sie habe sich gefälligst hier einzufinden. Sonst verkommt noch alles. Ist schon schlimm genug.»

Henny lief zur Humboldtstraße und klingelte lange. Ein Nachbar kam, warf einen Blick auf das Namensschild, dessen Klingelknopf Henny nicht losließ. Er schloss die Tür auf. «Die hat heute die Gestapo geholt», sagte er leise. «Die und einen jungen Mann.»

«Frau Laboe?»

Der Mann nickte. «Keine Ahnung, wer der Dicke war.»

Henny nahm Ernst kaum wahr, als sie zum Telefon ging und Unger anrief, um ihm von Annas Verhaftung zu erzählen.

«Halt dich da raus», sagte Ernst Lühr. «Oder willst du auch noch abgeholt werden?» Als Henny wieder aus der Wohnung stürzte, trat er ans Fenster und sah ihr nach. Wie wäre es, sich um die Wohnung drüben zu bemühen? So schnell würde von den Laboes keiner wiederkommen. Doch das war wohl weder Henny noch Klaus zu vermitteln. Tat er denn nicht alles für die Familie? Er nahm das Fernglas, das er noch nicht wieder zurückgestellt hatte. Heinrich Godhusens Glas für Reise und Theater.

Alles leer, da drüben bei den Laboes. Was auch sonst.

Nein. Das ginge auch ihm zu weit, sich um deren Wohnung zu bemühen. Lag nichts Gutes drauf.

Rudi war seit zwei Monaten in Kriegsgefangenschaft, als all das geschah. Er saß im Ural, fror, hungerte und arbeitete im Bergwerk. Abends las er Gedichte aus einem Band, den ihm ein Kamerad überlassen hatte.

Sein Wille zu leben ließ diesmal nicht nach, anders als damals im Danziger Werder. Er hatte kaum einen anderen Gedanken als den, endlich mit Käthe vereint zu sein. Für die Zeit, die von ihrer beider Leben übrig bliebe.

MAI 1945

Ein wässriges Licht, an diesem 3. Mai, als sei zu viel Wasser auf die Farben eines Aquarells gegossen worden. Zwei Tage zuvor, am späten Abend des 1. Mai, hatte seine Mutter angerufen und gesagt, Hitler sei tot. Ob er denn nicht den Reichssender Hamburg höre, die Klänge von Wagner und der siebten Symphonie Bruckners und die Stimme von Großadmiral Dönitz, der nun Hitlers Nachfolger sei?

Nein. Das tat Theo Unger nicht. Doch von anderer Seite wurde ihm vom angeblichen Heldentod Hitlers berichtet, im Kampfe gefallen. Erst später erfuhr er vom Selbstmord des Führers und der Eva Braun, die noch im letzten Augenblick Frau Hitler geworden war.

«Die Briten kommen», sagte er zu Elisabeth. «Der Krieg ist vorbei.»

Draußen in der Heide vor den Toren Hamburgs hatten der Gauleiter Karl Kaufmann und der Generalmajor Alwin Wolz am Vorabend des 3. Mai eine Kapitulationserklärung unterschrieben, Hamburg wenigstens den Häuserkampf und endgültige Vernichtung erspart.

Von Süden kommend, zogen die britischen Truppen um achtzehn Uhr in drei Marschlinien in das Hamburger Stadtgebiet. Polizisten waren an den Kreuzungen postiert, um ihnen den Weg zum Rathaus zu weisen.

Fünfundzwanzig Minuten später übergab Wolz dem britischen General Spurling die Stadt. *The entry was completely without incident*, würde der Brite notieren. Kein Aufbegehren der Unverbesserlichen, doch auch keine weißen Fahnen. Eine große Ambivalenz.

Theo Unger war ohne Ende erleichtert. Er öffnete die letzte Flasche des Haut-Brions und trank sie mit Elisabeth.

Noch am Abend des 3. Mai wurde die Ausgangssperre für den nächsten Tag aufgehoben. Das Leben begann.

«Ich danke dir für alles, was du für mich getan hast», sagte Elisabeth.

«Wir sind ein Ehepaar. Es ist Liebe», sagte Unger.

Elisabeth lächelte und hob ihr Glas mit dem Bordeaux.

Wer freute sich. Alle? Auch Ernst schien es zu tun. Die Dunkhase.

Frieden, Frühlingserwachen. Keiner mehr, der einen an die Front schickte, Judensterne anheftete, Grund gab, Bomben zu werfen.

«Was war das im Januar?», fragte Henny. «Else sagt, du hättest Käthes Haus beobachtet?»

Ernst Lühr schwieg. Wie sie alle schwiegen.

Keiner wusste, wo Käthe war und Anna. Lebten sie noch?

Die Tore der Konzentrationslager standen offen, Auschwitz war schon im Januar von den Russen befreit worden. Neuengamme war seit dem 20. April von der SS geräumt worden auf Himmlers Befehl. Kein Häftling sollte den Siegern lebend in die Hände fallen im Konzentrationslager der Stadt Hamburg. Die skandinavischen Gefangenen waren da bereits in Freiheit, seit März holten die weißen Busse sie aus den KZs und brachten sie nach Dänemark und Norwegen. Folke Bernadotte, der Vizepräsident des schwedischen Roten Kreuzes, hatte das mit Heinrich Himmler, dem Reichsinnenminister, höchstpersönlich ausgehandelt.

Doch für Käthe und Anna kamen keine Busse, und auch nicht für die anderen Lagerinsassen, die aus allen besetzten Ländern stammten. Völlig entkräftet wurden sie auf Todesmärsche geschickt, siebentausend von ihnen auf den Evakuierungsschiffen *Cap Arcona* und *Thielbeck* in der Lübecker Bucht bombardiert und versenkt. Ein tragischer Fehler der Briten, die glaubten, es seien die reichsdeutschen Truppen.

Keiner konnte sicher sein, dass Käthe und Anna im Lager Neuengamme gewesen waren, nicht Henny und nicht Unger. Vom Zuchthaus in Celle war in der Feldbrunnenstraße die Rede gewesen. Doch alle Spuren liefen ins Leere.

Henny tat den Verdacht gegen Ernst, der in ihr aufgekeimt war, als lächerlich ab. Nein. Das konnte nicht sein.

Garuti versuchte gleich nach der deutschen Kapitulation am 8. Mai, eine Telefonverbindung nach Hamburg zu bekommen, doch es gelang ihm nicht. Erst eine Woche später, als er den Hörer des Telefons in seiner Wohnung am Corso degli Inglesi in San Remo wieder einmal hob und erneut beim Fernamt ein Gespräch nach Germania anmeldete, machte ihm die Signorina Hoffnung, wenn es auch dauern würde.

Er wagte sich während des ganzen Tages nicht aus dem Haus, doch erst am späten Nachmittag klingelte das Telefon.

«La Sua telefonata, Dottor Garuti.»

Und dann kam Elisabeths Stimme.

«Elisabetta, ich bin überwältigt, Sie zu hören», sagte Garuti. «Wie geht es Ihnen? Leben Sie alle?»

Alessandro Garuti wurde entsetzlich bang ums Herz, als er hörte, dass Käthe und die Köchin Anna verlorengegangen waren und Rudis letzte Feldpost im November 44 gekommen war und er als vermisst galt. So spät von einem Sohn zu erfahren, der ihm gleich wieder genommen wurde? Was machte das Leben mit ihm und all den anderen?

Er stand am Fenster im ersten Stock der Jugendstilvilla, die seinem alten Studienfreund gehörte, und sann darüber nach, ob der Alfa Romeo es wohl noch nach Deutschland schaffte. Er würde sich erkundigen, ob es möglich war, die nötigen Visa bei den Franzosen, den Schweizern und den hohen Kommissaren in Deutschland zu bekommen. Wenn es jemandem gelang, dann einem pensionierten Diplomaten.

In der Körnerstraße im Hamburger Stadtteil Winterhude legte Elisabeth Unger den Hörer auf die Gabel des Telefons und sah in den Vorgarten hinaus, in dem die kleinen hellrosa Rosen als Erste angefangen hatten zu blühen. Sie stand auf, als sie den Jeep vorfahren sah, aus dem ein britischer Soldat stieg und auf ihr Haus zuging. Brachten sie die Genehmigung, nach Bristol zu telefonieren, persönlich vorbei?

Elisabeth öffnete die Haustür, noch bevor es läutete.

Theo Unger sah seine Frau mit einem britischen Soldaten bei den Rosen stehen, als er aus der Klinik nach Hause kam.

«Theo, darf ich dir Captain Bernard vorstellen. Er hat mir Nachrichten von Ruth und Betty gebracht. Es geht beiden gut.»

Unger begrüßte den gutaussehenden Captain, der in Elisabeths Alter sein mochte, herzlich und staunte zu hören, dass Bernard fließend Deutsch sprach.

«Captain Bernard ist mit seiner Familie 1933 nach England emigriert», sagte Elisabeth da schon.

«Ein Onkel von mir lehrte bereits seit den zwanziger Jahren an der University of Bristol. Zu unserem Glück», sagte der Captain. «So konnten wir Fuß fassen in England.»

Als sie im Salon saßen und Tee tranken, sprach Unger das Schicksal von Käthe und Anna an.

«Ich war bei der Befreiung des KZs Bergen-Belsen im April dabei», sagte Bernard. «Bilder, die ich nie vergessen werde.»

«Können wir über die britischen Kanäle erfahren, ob die beiden in Neuengamme waren? Da gibt es doch Listen.»

«Das Lager war leer, als wir dort am 4. Mai ankamen. Doch ich werde versuchen, die Listen mit den Namen der Häftlinge zu sichten.»

«Das wäre uns enorm wichtig, Captain. Ich habe viele Jahre mit Käthe Odefey zusammengearbeitet. Sie war eine meiner besten Hebammen.» Hatte er *war* gesagt?

«Ich hörte, Sie sind leitender Arzt an einer Frauenklinik?»

«Ja», sagte Theo und dachte nicht zum ersten Mal in diesen Tagen an Kurt Landmann, der vor ihm diese Stellung innegehabt hatte. «Und was tun Sie, wenn Sie nicht der britischen Armee dienen?»

«Ich bin Ingenieur bei der British Aircraft Corporation. Doch bei meiner Rückkehr werde ich in einen neugegründeten Zweig der BAC wechseln, der kleine, feine und schnelle Autos bauen soll. *Bristol Cars Ltd.*»

«Alles Schöne wird wieder möglich sein», sagte Elisabeth.

Was wäre schöner als das Überleben von Käthe, Rudi und Käthes Mutter, dachte Unger und gab Captain Bernard die Namen von Käthe Odefey und Anna Laboe, die der Captain in ein kleines safranledernes Notizbuch schrieb.

Momme kehrte schon im Mai zurück. Er verbrachte die ersten Tage bei seiner Mutter in Dagebüll und kam dann auf einer alten DKW nach Hamburg, die er auf dem Grundstück seines Großvaters gefunden hatte, der im Februar gestorben war. Sogar ein Kanister Benzingemisch hatte noch neben dem Motorrad in der Garage gestanden.

In Gustes Haus in der Johnsallee wurde der Heimkehrer mit Jubel empfangen, Guste war glücklich über jeden, der diesem Wahnsinn entrissen worden war. Sie gab Momme das Zimmer von Tian, der nun mit Frau und dem vierjährigen Töchterchen im großen Gartenzimmer lebte, ohne Angst haben zu müssen, dass die Gestapo kam.

«Bist du bereit, in den Buchhandel einzusteigen?», fragte Momme.

Tian lachte. Seine Absicht war, das Kontor wiederaufzubauen.

Doch Momme Siemsen hatte tatsächlich vor, seinem alten Arbeitgeber Kurt Heymann Konkurrenz zu machen. Er war zweiunddreißig Jahre alt, wann, wenn nicht jetzt, sollte er seine Buchhandlung gründen? Er sah sich leerstehende Ladenlokale in Häusern an, deren untere Stockwerke noch standen. Davon gab es viele in der Innenstadt.

«Wenn alles in Scherben liegt, ist die Zeit günstig», sagte er zu Louise an diesem friedlichen Frühlingstag in Gustes Garten. Eine kleine Feier zu Ehren seiner Rückkehr. Guste Kimrath hoffte, noch viele dieser Feiern ausrichten zu dürfen.

«Brauchst du Partner?», fragte Louise. Die Geistesblitze trafen sie wieder häufiger, seit die Nazis entmachtet und der Krieg vorbei war.

«Du und Lina?», fragte Momme.

An Lina hatte Louise noch gar nicht gedacht. Würde die tatsächlich keine Lehrerin mehr sein wollen, wenn die Schulen wieder öffneten?

«Was ist mit mir?», fragte Lina.

«Willst du Buchhändlerin werden?», fragte Momme.

Lina lachte, wie Tian gelacht hatte, doch dann dachte sie darüber nach. Sie hatte kein Kontor aufzubauen. Vielleicht war das die Chance, die sie ergreifen sollte mit ihren sechsundvierzig Jahren.

Joachim Stein fühlte sich erstarkt seit dem Ende der Nazis. Er hätte zu gern seine Tochter gesehen, doch eine Reise nach Hamburg schien kaum möglich. Zwischen linker und rechter Rheinseite verkehrten zwar Boote, seit die Hohenzollernbrücke für den Eisenbahnverkehr ausfiel, doch wie schlüge er sich dann weiter durch?

Der alte Hausarzt, sein Freund, riet ab. «Übertreib es nicht, Jo, auch wenn du jetzt wieder einigermaßen bei Kräften bist. Deine Tochter ist jedenfalls gerettet», sagte er. «Heidewitzka, Herr Kapitän. Mit dem Bötchen rüber ins Rechtsrheinische? Viel zu anstrengend, altes Haus.»

Doch wenigstens ein Telefongespräch war ihm und Louise gelungen.

«Buchhändlerin», hatte er gesagt, «warum nicht?»

So weit war dieser Beruf nicht von dem der Dramaturgin entfernt, letztendlich ging es immer um Wörter. Joachim Stein sah sich in seinem großen Haus in Lindenthal um und dachte, dass es auch in diesen Zeiten von einigem Wert sein könnte.

Warum nicht über kurz oder lang in Hamburg leben, der Tochter und diesem Buchhändler mit dem seltsamen Vornamen bei der Gründung einer neuen Existenz helfen? Ein vermessener Gedanke, wenn man achtundsiebzig Jahre alt war? Den Optimismus und die Spontanität hatte Louise zweifelsohne von ihm geerbt.

Im März hatte Ernst dabei zugesehen, wie fremde Leute in die zwei Zimmer der Laboes zogen. *Einquartierung von Flüchtlingen*, hörte er.

Nicht mal der Verrat hatte ihm geholfen, zu Privilegien zu kommen.

Er war erstaunt, dass die Behörden das durften, die Wohnung weggeben. Waren Käthe und ihre Mutter denn tot? Das hatte er nicht gewollt. Doch bis heute war weder die eine noch die andere zurückgekehrt, um die alte Wohnung zu beanspruchen. Ernst Lühr stand am Fenster des Wohnzimmers und sah nach drüben.

Die Nächte waren unerfreulich, er schlief nicht gut, und wenn er schlief, dann träumte er wirres Zeug von Schuld und Sühne. Ja. Er war gierig gewesen im Januar, gierig, Fuß zu fassen, Lehrer zu sein, aus den Ruinen aufzuerstehen. Doch den Tod anderer hatte er nicht einkalkuliert.

Henny durfte das nie im Leben erfahren.

«Tut dir nicht gut, das Nichtstun», sagte seine Schwiegermutter hinter ihm. «Auch nicht, dass du immer zu Laboes hinstarrst.»

Es waren ja nicht mehr die Laboes, sondern fremde Frauen, eine alte, eine junge, dazu drei Kinder. Schon im Winter seien sie aus dem Osten gekommen, hatte er gehört. Ein erster Flüchtlingstreck. Wieso wurden die Einheimischen nicht bevorzugt bei der Wohnungsvergabe?

«Ich hab einen Topf Schmalz für die Fettmarken bekommen.»

Das Wort Schmalz zog ihn in die Küche. Es war eher ein Töpfchen, das da auf dem Küchentisch stand. Eine Scheibe Brot hatte Else dazugelegt. Gut, dass Henny während ihrer jeweiligen Schicht ein Essen in der Finkenau bekam. Klaus war nur noch ein Hungerhaken.

Ohnehin hatte er den Eindruck, dass der Junge sich nicht richtig entwickelte. Henny nannte ihn feinsinnig, doch er fand ihn ein wenig verweichlicht, obwohl Klaus doch in der Hitlerjugend gestählt worden war. Wenn die Schwimmbäder wieder in Betrieb waren, würde er mit ihm mal schwimmen gehen. Ein Mann musste starke Schultern haben. Wenigstens den Stadtparksee könnten sie bald freigeben.

«Hast du noch eine Scheibe Brot?», fragte er. Else war die Hüterin des Brotlaibes, er war längst nicht mehr Herr im Haus.

«In der Schule Lerchenfeld suchen sie noch Leute zum Steineklopfen», sagte Else. «Das könnte dir guttun. Da gibt es auch Marken für.»

«Zerbrich dir nicht meinen Kopf.»

Else und er hatten sich bestens verstanden, bevor sie ausgebombt worden waren. Doch nun ging sie ihm auf die Nerven. Gut, dass Marike ihnen wenigstens aus den Füßen war, die wohnte bei den Eltern ihres Verlobten. Ob Thies lebte, wusste auch noch keiner. Seit April hatte Marike nichts mehr von ihm gehört. Ging ja alles drunter und drüber.

Doch er gab zu, dass ihm Marike imponierte. Dreiundzwanzig würde sie im Juli werden und war schon im klinischen Semester an der Universitätsklinik Eppendorf.

Ob aus Klaus was werden würde? Dreizehn Jahre alt und seit dem Sommer der verheerenden Angriffe keine Schule mehr. Er würde Klaus anbieten, ihm Unterricht zu erteilen. Jeden Tag vier Stunden. Ab morgen. *Das* täte gut. Im Augenblick trieb sich der Junge ja nur herum, um Essbares aufzutreiben. In den Vierlanden bei den Bauern. Für den Schwarzmarkt besaßen sie ja keine Tauschobjekte mehr.

Ausgebombt. Welch eine Niederlage. Wenn nur der

Schulbetrieb bald wieder losginge und er erneut damit anfangen könnte, einen kleinen Wohlstand zu erarbeiten.

Else kam in die Küche und warf einen Blick in das Töpfchen. «Viel hast du ja nicht dringelassen», sagte sie. «Na, vielleicht hat Klaus Glück mit seinem Beutezug.

Was man sich als Mann alles sagen lassen musste.

Der Kaiser tot. Hitler tot. Und nun bald auch er. Bunge spürte sein Ende kommen. Er fühlte sich alt und verbraucht, wenn ihm die ersten Tage des Friedens auch noch mal einen leichten Wind unter den Flügeln gegeben hatten. Doch das war vorbei. Einen letzten Mai genossen in Gustes Garten, dafür musste er dankbar sein.

Als der herrliche Mai zu kühl und nass überging, legte er sich ins Bett und blieb liegen. Auf schlechtes Wetter hatte er keine Lust mehr. Er bat erst Guste zu sich, die ihm das mit dem Sterben nicht ausredete, doch erst mal den Doktor aus der Rothenbaumchaussee holte.

Bunge sah darin wenig Sinn, er hatte sein Leben in Freuden gelebt trotz aller Berg-und-Tal-Fahrten. Nun war gut.

«Ich hätte gedacht, du wolltest den Frieden noch länger genießen», sagte Guste und klang resigniert. Doch sie war und blieb Pragmatikerin, bis in sein letztes Stündlein hinein.

Mit Ida war es schon schwieriger, obwohl das Verhältnis von Vater und Tochter doch über Jahre beschwert gewesen war durch diesen vermaledeiten Kredit, den er bei Campmann genommen hatte. Was wohl aus dem geworden war, seit die Engländer da waren? An Friedrich Campmann war eine Menge zu entnazifizieren. Wie an so vielen, die sich jetzt nicht schnell genug den neuen Mächten an den Hals werfen konnten.

«Paps, bitte bleib bei uns. Florentinchen ist doch erst vier.»

Seit die Kleine auf der Welt war, hatte Ida den *Paps* wiedergefunden. Doch lag es an ihm, wenn sie so spät mit dem Kinderkriegen anfing?

Er wollte ehrlich mit sich sein auf seinem letzten Lager, auch an ihm hatte es gelegen. Wer weiß, wie Idas Leben verlaufen wäre, hätte er in jenem unseligen Jahr 1921, in dem das Eichhörnchen so frühzeitig gestorben war, Ida nicht an Campmann verschachert.

«Ich bin froh, dich endlich glücklich zu sehen», sagte er, «jetzt wo du dein Kind hast und deinen Chinesen.» Ließ die Kraft seiner Stimme nach? Sie schien ihm leise. Ida kam schon ganz nah heran. «Dann kann ich dich doch jetzt zurücklassen.»

Bunge bat auch Tian hinein und legte ihm ans Herz, gut aufzupassen auf Ida und das Florentinchen.

Zwei Tage später starb er friedlich im Schlaf. Auch das hatte er sich einigermaßen leicht gemacht.

Captain Bernard kam zu Unger in die Klinik, um ihm von seiner Recherche zu erzählen. Er sah sich neugierig um und lächelte beim Geschrei eines Babys, das gerade vorbeigetragen wurde. Theo Unger bat ihn in sein Sprechzimmer.

«Ich habe die Listen der Lagerinsassen einsehen können», sagte Captain Bernard, als sie allein waren. «Beide Namen stehen darauf. Käthe Odefey. Anna Laboe. Es sieht so aus, als ob sie auf einen dieser Todesmärsche geschickt worden sind, die seit dem 20. April von der SS auf den Weg gebracht wurden, doch warum zwei Hamburgerinnen es nicht geschafft haben, zu fliehen und nach Hause zu kommen, scheint mir unklar. Vermutlich hat die SS diese Elendszüge schwerbewaffnet begleitet. Doch davon habe ich noch keine Kenntnis.»

«Aber sie haben im April beide noch gelebt?»

Der Captain nickte. «Die SS hat jedenfalls in der Liste kein Sterbedatum eingetragen. Da waren sie sonst gründlich.»

«Kann es sein, dass sie mit einem dieser unglückseligen Schiffe in der Lübecker Bucht untergegangen sind?»

«Auch da kann ich nur spekulieren», sagte Bernard. «Doch es ist wenig wahrscheinlich, dass sie bis nach Lübeck auf eines der Schiffe gerieten als Einheimische.»

«Ich danke Ihnen sehr, Captain. Hat es einen bestimmten Grund, dass Sie mich in der Klinik aufsuchen statt bei uns in der Körnerstraße?»

Captain Bernard zögerte. «Vielleicht wollte ich einmal eine Entbindungsklinik sehen und nicht nur Todeslager», sagte er.

Am Abend des vorletzten Maitages erfuhr Theo Unger den zweiten Grund, jedenfalls glaubte er, durchaus einen Zusammenhang zu erkennen.

Elisabeth bat ihn, im Salon Platz zu nehmen, und ging unruhig umher und zupfte an den Rosen in den Vasen.

«Ich werde nach Bristol gehen», sagte sie. «Wenn David im Juli nach England zurückkehrt, werde ich ihn begleiten.»

Unger lehnte sich tief in den Ledersessel und schwieg. «Seid ihr ein Liebespaar?», fragte er schließlich.

«Noch nicht», sagte Elisabeth. «Theo, ich danke dir für alles.»

«Das hast du schon am Anfang dieses Monats gesagt.»

«Und es ist wahr. Ich weiß, dass es abgedroschen klingt, doch ich bitte dich um deine Freundschaft.»

«Willst du bei deiner Mutter und Betty leben? Du weißt,

dass du eine vermögende Frau bist, ich werde dir das Geld wieder überschreiben. Wir sollten uns beeilen. Wer weiß, wie es mit der Währung weitergeht.»

Redete er so viel und schnell, um seine Traurigkeit wegzureden?

«Umarme mich einfach», sagte Elisabeth. Und das tat er.

Es war vorbei.

JUNI 1948

Die helle Sonne auf ihren Lidern verdrängte die Bilder des Traumes, Henny atmete tief durch, als sie die Augen öffnete. Die Julitage des Jahres 1943 würden sie ihr Leben lang nicht loslassen, und wenn ihr am Tag auch gelang, vieles zu verdrängen, im Traum kehrte es zu ihr zurück. Doch nicht nur die Bilder des Krieges quälten sie, auch die Erinnerungen an Käthe, Anna und Rudi.

Keiner von ihnen war wiedergekommen. Noch nicht. Daran klammerte sich Henny, sagte dieses *Noch nicht* vor sich hin wie eine Losung, die lebenswichtig war.

Im ersten Jahr nach dem Krieg war sie oft zur Moorweide gegangen, wo die Busse aus Theresienstadt ankamen, als könnten Käthe und Anna sich dorthin verirrt haben auf ihrem Todesmarsch, nachdem das Konzentrationslager Neuengamme aufgelöst worden war.

«Hirnrissig», hatte Ernst gesagt. Wie sollten sie in die Nähe von Prag gekommen sein? Doch Henny gab die Hoffnung nicht auf, ging auch zum Bahnhof, wenn ein Zug mit Kriegsheimkehrern angekündigt war. Tat das in Vertretung für Käthe, Ausschau nach Rudi halten, sein Name groß mit seinem Foto auf einem Schild, das sie an einer langen Stange hielt über alle Köpfe hinweg. Vielleicht kannte einer der Rückkehrer ihn und wusste von Rudis Schicksal zu erzählen, die erlösenden Worte zu sprechen, dass er lebe und eine Heimkehr nur eine Frage der Zeit sei.

Henny und Unger hatten sich an den Suchdienst des Roten Kreuzes gewandt, um den Soldaten Rudi zu finden, an den Suchdienst der VVN, der *Vereinigung der Opfer des Naziregimes*, um den Spuren von Käthe und Anna zu folgen. Nun war der Krieg seit drei Jahren vorbei, und die Hoffnung wurde kleiner.

Dabei schien dieser Sommer ein anderer zu sein, als sei alles neu koloriert worden. Empfand sie das so, weil Ernst aus ihrem Leben gegangen war, wenn ein Mensch überhaupt aus des anderen Leben gehen konnte, mit dem man ein Kind hatte?

Klaus war der Auslöser der Trennung gewesen, als er an seinem sechzehnten Geburtstag in Elses Küche stand, die Hände knetete, bis die Knöchel weiß waren, und ihnen stotternd gestand, dass er einer war, der Jungen liebte.

Die Verachtung in Ernsts Stimme, als er «Einhundertfünfundsiebziger» sagte. Weder Else noch sie verstanden, wovon er sprach, nur Klaus war weiß geworden und aus der Küche gestürzt, noch immer hatte er kein Eckchen in dieser Wohnung, in das er sich hätte zurückziehen können, und so war er aus der Tür gerannt in den nieselnden November hinein.

Auch Ernst hatte voller Zorn das Haus verlassen, und Else und sie hatten mit dem Geburtstagskuchen dagesessen, in dem eine Kerze stand, die noch auszupusten war. Vielleicht war es kein glücklicher Einfall von Klaus gewesen, sich diesen Augenblick auszusuchen für sein Bekenntnis.

Klaus lebte seitdem allein mit Else und ihr. Noch am Geburtstagsabend hatte Ernst seine Aktentasche gepackt und die Wohnung verlassen, vielleicht konnte er Henny so wenig ertragen wie sie ihn. Oder wollte er nicht länger in einer Wohnung leben, die der eigene Sohn zum *Sündenpfuhl* machen könnte, wie Ernst es nannte?

Die ersten Tage hatte er in einer Pension am Hauptbahnhof verbracht und danach ein möbliertes Zimmer in der Lübecker Straße genommen, in der Nähe der Angerstraße, wo die Volksschule war, an der er nun unterrichtete. Was hatte ihn so hart werden lassen? Der Verlust allen Hab und Guts? Die Schuld?

Erst nachdem er gegangen war, hatten Else und Henny ausführlich über die Januartage 1945 gesprochen, als Ernst die Wohnung der Laboes ins Visier genommen hatte. «Heinrichs Fernglas stand die ganze Zeit auf dem Fensterbrett», hatte Else gesagt. Keiner von ihnen konnte sagen, ob Ernst zum Verräter geworden war, doch lag es nicht nahe?

Henny schüttelte den letzten Schlaf ab an diesem sonnigen Morgen und stand auf. Elses Betthälfte war bereits gemacht, das Laken glatt gestrichen, Kissen und Plumeau aufgeschüttelt. Henny teilte wieder das elterliche Bett mit ihrer Mutter, vor bald dreißig Jahren hatte sie bei Else durchgesetzt, es nicht länger zu tun. Doch auf dem Klappbett im Wohnzimmer schlief Klaus, eine kleine Privatsphäre für den sechzehnjährigen Jungen.

Die Tür des Wohnzimmers war noch geschlossen, in der Küche war keine Else, die große Einkaufstasche fehlte, was hoffte sie auf Marken zu kriegen? Kaum noch Lebensmittel in den Läden, es lief das Gerücht, die Händler hielten Ware zurück für den Tag, an dem eine neue Währung kommen sollte.

Henny schob den Wachstuchvorhang zur Seite und wusch sich erst einmal das Gesicht. Im Hof quietschte die Schaukel.

Konnte es denn noch die Schaukel sein, auf der ihr der Vater Anschwung gegeben hatte? Nein. Vor Jahren schon war das Holzgerüst morsch gewesen, die Scharniere rostig, nur die Ketten seien noch dieselben, hatte Else gesagt.

Ein Wunder, dass die Schaukel die Verzweiflungstaten der Hamburger überstanden hatte. Alles hatte man getan, um Brennholz aufzutreiben in den eiskalten Wintern der vergangenen Jahre. Bäume und Sträucher waren geopfert worden und die Holzumrandungen der Sandkästen auf den Spielplätzen.

Damals kurz nach dem Ersten Weltkrieg hatte Gustav auf der Schaukel gesessen, der Sohn der Lüderschen. Er war in Frankreich gefallen.

Sie trat vom Fenster zurück und ging hinter den Vorhang, um sich nun von Kopf bis Fuß zu waschen, solange sie noch allein in der Küche war. Ihr Dienst fing um eins an. In der Klinik war eigentlich alles wie immer, die gleichen Abläufe, wenn es auch bei den Medikamenten große Neuerungen gab, allen voran das Penizillin, mit dem das Kindbettfieber endgültig besiegt zu sein schien.

Alles wie immer. Nur ohne Käthe.

«Kommst du mal in mein Sprechzimmer?», fragte Theo Unger, als sie ihn bei Dienstantritt auf dem Flur traf.

«Henny, es sieht aus, als ob Rudi noch lebt und in einem Lager im Ural ist. Friedrich Campmann hat mir eine Karte vorbeibringen lassen, die zu ihm in den Hofweg fand. *Zu Händen von Anna Laboe*. Ein Mann hat sie geschrieben, der wohl mit Rudi in dem Lager war. Im April haben sie ihn nach Hause entlassen. Wo sich das Zuhause befindet, hat er leider vergessen mitzuteilen, nur dass Rudi lebt, sich in Kriegsgefangenschaft befindet und in einem Bergwerk harte Arbeit verrichten muss.»

«Aber warum an Anna im Hofweg und nicht an Käthe in der Humboldtstraße?»

«Vielleicht hat Rudi ihn gebeten, zur Sicherheit noch eine

zweite Karte in den Hofweg zu schicken? In der Hoffnung, dass eines der beiden Häuser noch steht?»

«Hauptsache, er lebt», sagte sie und wagte es kaum zu glauben. Käthe, dachte sie, bitte sei am Leben. Für deinen Rudi. Für mich.

«Wir werden uns noch mal an das Rote Kreuz wenden. Jetzt, wo wir einen Ort nennen können. Was schaust du so düster?»

«Und wenn er lieber im Ural bleibt, als ohne Käthe zu leben?»

«Lass uns erst mal das Gute an dieser Nachricht sehen. Ich werde heute noch den Suchdienst informieren.»

«Und der Poststempel auf der Karte?», fragte Henny.

«Aus Essen», sagte er. «Und unterzeichnet ist sie mit Heinz Hoffmann. Das glaube ich jedenfalls zu entziffern.»

Nicht besser als Hans Hansen. Ein Name wie eine Nadel im Heuhaufen, hatte Kurt damals gesagt. Unger nahm die Postkarte von seinem Schreibtisch und gab sie Henny.

Ich bin beauftragt von Herrn Rudi Odefey, Sie in Kenntnis zu setzen, dass Obengenannter russischer Kriegsgefangener ist und sich in einem Lager im Ural aufhält und harte Arbeit in einem Bergwerk verrichtet. Ich habe mich bis April selbst dort aufgehalten. Gez.

«Heinz Hoffmann oder Haffmann ist kein Liebhaber der Worte», sagte Henny. «Er musste doch wissen, dass wir hier jede Silbe aufsaugen.»

«Immerhin hat er seine Pflicht erfüllt», sagte Unger. «Ich werde auch Alessandro Garuti in San Remo anrufen und ihm die gute Nachricht überbringen. Vielleicht weiß er noch Rat.»

«Wenn Rudi doch zurückkäme und Käthe und Anna auch.»

«Ich habe noch eine Neuigkeit», sagte Unger. «Elisabeth

hat mich um die Scheidung gebeten. Sie will ihren Captain heiraten.»

«Macht dich das sehr traurig?»

Theo Unger hob die Schultern. «Wir sind seit drei Jahren getrennt», sagte er. «Ich habe Zeit gehabt, mich daran zu gewöhnen. Am Sonntag wird meine Mutter sechsundsiebzig. Ich habe auf unsere Dienstpläne gesehen, wir haben beide frei.»

«Du willst, dass ich dich nach Duvenstedt begleite?»

«Ich bitte dich sehr darum.»

Er hätte Henny schon im Sommer 1921 in den Duvenstedter Garten einladen sollen, die Hühner zeigen, die Hasen, die Apfelbäume, heile Welt. Doch damals hatte er seine Chance verpasst und sie nicht mehr für sich gewinnen können nach dem Gelage mit Landmann.

Und dann war sie mit Lud Peters verheiratet gewesen und er mit Elisabeth Liebreiz. Seit Hennys Trennung von ihrem zweiten Mann dachte er über eine neue Chance nach.

«Ich komme gerne mit», sagte Henny. «Ich bin wohl die Einzige, die Lotte und ihren Garten noch nicht kennt.»

Thies war im Herbst 1945 aus Russland zurückgekommen. Ein Fieber, das ihn in der Kriegsgefangenschaft ereilte, hatte ihm die Freiheit geschenkt, hoch genug, um Angst vor einer Epidemie zu schüren, die russische Lagerärztin erstellte ihm den Entlassungsschein. Als er in Erfurt strandete und kein Zug nach Bebra fuhr, von wo er sich eine Verbindung nach Hamburg erhoffte, war ihm das Fieber unterwegs schon verloren gegangen.

Kaum Kriegszerstörungen in der Stadt, in der er stundenlang herumlief, der nächste Zug sollte Erfurt erst am Abend verlassen. Einen Kanten Brot hatte er noch, ein bisschen

Wasser in der Flasche, doch vor allem Angst vor den sowjetischen Soldaten, die Thüringen besetzt hielten.

War er noch als Angehöriger der untergegangenen Wehrmacht zu erkennen? Nur Lumpen, die er am Leibe trug.

Ein kleiner Platz, ein Brunnen darauf. Thies hatte gehofft, seine Wasserflasche füllen zu können, doch der Brunnen war trocken. Eine große Erschöpfung fühlte er, als er sich auf den Brunnenrand sinken ließ.

Was war das? Da oben am Fenster im dritten Stock. Es hatte sich geöffnet. Eine Frau winkte. Ihm? Thies sah sich um auf dem Platz, doch kein anderer war zu sehen. Er guckte zum Fenster hoch, tippte auf seine Brust. War tatsächlich er gemeint?

«Kommen Sie», rief die Frau am Fenster. «Kommen Sie zu mir hoch.»

Eine Falle? Unsinn. Was könnte es für eine Falle sein. Die Frau war vielleicht so alt wie seine Mutter. Sie sah nicht gefährlich aus.

Die Tür zu dem vierstöckigen Haus stand offen. Er stieg die Treppen hoch an Wänden mit senfgelbem Ölanstrich vorbei. Die Frau wartete in der Wohnungstür.

«Gehen Sie durch in die Küche hinten.»

Auf dem Tisch standen zwei Teller, zwei Löffel, zwei Gläser.

«Ich esse mit Ihnen. Erbsensuppe mit geräuchertem Speck. Ich hab den Speck ein Jahr in der Speisekammer gehabt, doch er ist noch gut.»

«Warum tun Sie das?», fragte Thies.

Doch die Frau schwieg und trug den Topf Suppe auf.

Thies zögerte, den Löffel zu nehmen, doch er hatte lange nichts so Verführerisches gerochen wie die Suppe in seinem Teller.

«Sie kommen aus der Gefangenschaft?»

Thies nickte.

«Essen Sie ganz langsam und auch nur einen Teller. Ich gebe Ihnen noch Brot mit auf den Weg.»

Thies löffelte und hätte sich gern noch mal den Teller füllen lassen, doch sie hatte recht. Für seinen entwöhnten Magen wäre es zu viel.

Ihm kam eine Ahnung, als sie ihn in ein kleines Zimmer mit einem großen Schrank führte und ihn bat, sich Kleidung auszusuchen.

«Haben die Sachen Ihrem Mann gehört?»

«Meinem Sohn», sagte sie. «Er sah aus wie Sie.»

«Er ist gefallen», sagte Thies.

«In den letzten Tagen des Krieges.»

Und so hatte Thies Erfurt in Richtung Bebra verlassen, in einem ordentlichen Anzug, Schuhen an den Füßen, die nur ein wenig zu weit waren, und einer großen Rührung im Herzen.

Warum kam Henny Thies' Erfurter Erlebnis in den Sinn, von dem er nach seiner Rückkehr aus der Gefangenschaft so eindringlich erzählt hatte?

Weil sie Rudi nun in russischer Kriegsgefangenschaft wusste?

Thies hatte der Frau in Erfurt geschrieben, doch sein Brief war ohne Antwort geblieben. Sie hatte es einzig für ihren Sohn getan.

Wäre Rudi doch ein wenig von dem Glück beschieden, das Thies reichlich hatte. Thies schien bei seiner Rückkehr eine Kraft zu haben, als hätte er keinen Krieg erlebt. Er hatte sich gleich bei dem neuen Sender NWDR beworben, den die Briten mit Hugh Greene gerade aus der Taufe hoben, und war als Redakteur eingestellt worden, obwohl er nichts anderes vorzuweisen hatte als das Abitur, danach war er an die Front gekommen.

Marike und er hatten im Dezember 1945 geheiratet. Eine Stunde später war er in den NWDR gegangen und Marike in die Uniklinik, wo sie ihr praktisches Semester absolvierte. Große Hochzeiten schienen nicht zu gelingen in ihrer Familie. Immer hatte es schnell gehen sollen.

Henny hatte einst von einer großen Hochzeit geträumt, die nach der Kirche im Uhlenhorster Fährhaus gefeiert werden würde. Das war lange her und das Fährhaus zerstört.

Käthe hatte nicht heiraten wollen und doch die glücklichere Ehe geführt. Wenn sie und Rudi nur die Chance bekämen, sie fortzusetzen.

Als Henny an diesem Tag nach Hause ging, blieb sie vor dem Haus in der Humboldtstraße stehen. Die Flüchtlingsfamilie lebte noch immer in der Wohnung der Laboes. Wie oft hatte Henny ihren Finger auf diesem Klingelknopf gehabt, zuletzt als sie dachte, dass Käthes Mutter da wäre und nicht von der Gestapo abgeholt.

Henny zögerte, dann klingelte sie und stieg über Stufen mit brüchigem Linoleum in den ersten Stock hoch. Eine Frau öffnete ihr, in der einen Hand eine Zigarette, in der anderen einen Glasaschenbecher. Henny kannte ihn. Ein Andenken aus Laboe an der Ostsee. Kein guter Einstieg für ihre Frage, ob eine Postkarte für Käthe Odefey oder Anna Laboe angekommen sei. Die Bewohner dieser Wohnung schienen sich wenig Gedanken zu machen, aus wessen Geschirr sie aßen und wem dieses Andenken gehörte, in dem sie ihre Zigaretten ausdrückten.

«Die Karte haben wir in den Ascheimer getan», sagte die Frau. «Die Familie ist doch unbekannt verzogen.»

Theo hatte recht gehabt, eine zweite Karte war zur Sicherheit in den Hofweg zu Campmann geschickt worden.

Eine Ruine am Rathausmarkt, der nicht länger Adolf-Hitler-Platz heißen musste. Nur das Erdgeschoss stand noch und so viel vom ersten Stock, dass es nicht hineinregnete in die kleine Buchhandlung, deren Inhaber Siemsen, Stein und Peters hießen, doch auf der Markise stand schlicht der Name *Landmann*. Darauf hatten sich Louise und Lina mit Momme geeinigt, der Kurt Landmann nicht gekannt hatte, doch Auge und Ohr besaß für einen griffigen Namen.

Die Buchhandlung war ein Provisorium, bald würde der Wiederaufbau gründlicher vorangehen, die Ruinen Ecke Rathausmarkt abgerissen und neue Mauern hochgezogen werden. Momme sah sich bereits um nach anderen Räumen und hatte den Gänsemarkt im Blick, wo ein paar alte Bauten so weit erhalten geblieben waren, dass sie wieder hergerichtet werden sollten.

Felix Jud würde mit seiner Buchhandlung aus den Colonnaden an den Neuen Wall ziehen, da taten sie einander nicht weh. Sie sorgten sich auch kaum mehr um Kosten und Kapital, sahen einer neuen Währung mit Zuversicht entgegen, die Zeiten waren glänzend, um Bücher zu verkaufen. Der Lesehunger würde noch lange nicht gestillt sein, das Interesse an ausländischen Autoren, deren Romane man so lange entbehrt hatte, war groß. Hemingways *Aus einem anderen Land* wurde ihnen aus den Händen gerissen. Doch auch die Bücher vertrauter und zwölf Jahre lang verbotener Autoren wie Heinrich Mann, Erich Kästner, Kurt Tucholsky, Jack London, Joseph Roth und Joachim Ringelnatz waren begehrt.

Das Heimkehrerdrama *Draußen vor der Tür* war im vergangenen November in den Kammerspielen uraufgeführt worden, der junge Autor einen Tag vorher gestorben, an den Spätfolgen des Krieges. Doch auch der schriftstellerische Ruhm Wolfgang Borcherts setzte sich posthum fort.

Eigentlich lebten sie gut in den Trümmern. In diesen Zeiten des Aufbruchs schien alles möglich zu sein.

«Kurt wäre zufrieden mit uns», sagte Louise. Lina und sie hatten das Gefühl, die glücklichste Zeit ihres Lebens erst vor sich zu haben.

«Die Russen werden ihn deswegen nicht eher in die Freiheit entlassen», sagte Unger. «Doch das Rote Kreuz hofft, dass sie einen Kontakt zu Rudi herstellen können.»

«Dann erfährt er, dass Käthe vermisst und vielleicht umgekommen ist, verliert allen Lebensmut und wird in Russland sterben», sagte Henny.

Theo Unger sah zu ihr hinüber. «Du schlägst also vor, den Kontakt zum Lager im Ural nicht zu forcieren?»

Henny seufzte tief. «Ja», sagte sie, «so schwer es mir fällt.»

Unger blickte auf die Landstraße, auf der er so viele Male in seinem Leben gefahren war mit dem alten 170er-Mercedes. «Du fängst an zu glauben, dass Käthe und ihre Mutter tot sind», sagte er.

«Wo sollen sie sein, Theo? Neuengamme ist vor mehr als drei Jahren geräumt worden. Entweder sind Käthe und Anna auf dem Todesmarsch umgekommen, oder sie waren doch auf einem der Schiffe.»

«Käthe war noch jung und kräftig genug, um diesen Marsch zu überleben», sagte Unger.

«Warum klopft sie denn dann nicht bei uns an? Steht bei Else vor der Tür oder in der Finkenau?»

Da lagen wieder all diese schwarzen Gedanken über dem schönen Sommertag. Konnte denn je zu einer Unbeschwertheit zurückgefunden werden? Da saß Henny neben ihm, so hübsch in ihrem hellblauen Kleid mit weißen Streublumen, die welligen Haare noch immer blond, und er hatte nur erste Spuren von weiß in seinem dunklen Haar. Doch ihre Seelen schienen uralt zu sein nach all dem Geschehenen.

Henny betrachtete das Päckchen, das in ihrem Schoß lag. Von Lina hübsch verpackt. Ein Gedichtband von Kästner, *Herz auf Taille*. Theo hatte gesagt, dass seine Mutter Kästner mochte.

Ob Lotte und sie sich mochten? War dieser Besuch mehr als endlich mal die Gelegenheit, den Garten zu sehen, dessen Früchte sie oft erfreut hatten? Henny sah zu Unger. Sie war sehr verliebt in ihn gewesen. Damals.

«Der Nachfolger von Lorenzen soll nett sein», sagte Unger, «noch ganz jung. Ich bin froh, dass wir diesen Nazi los sind.»

Doch die Nazis waren noch überall, wo sollten sie auch hin? Klaus und sie hatten Staudtes *Die Mörder sind unter uns* im Kino gesehen. War Ernst auch zum Mörder geworden? An Käthe und Anna?

Wie herzlich Henny empfangen wurde. Lotte Unger hatte den Tisch im Garten gedeckt. Mokkatässchen mit Gänseblumen und Klee auf dem weißen Tischtuch. Ein Apfelkuchen. Kirschstreusel. Die Gläser mit den eingemachten Kirschen kamen Henny in den Sinn, an denen keiner von ihnen mehr Freude gehabt hatte. Im Schutt untergegangen.

Sie saßen zu viert am Tisch. Lotte Unger. Ihr Sohn Theo. Henny. Der junge Arzt Jens Stevens. Doch eigentlich saßen auch noch Landmann da und Theos Vater und der alte Harms.

Als sie aufbrachen, bat Lotte ihren Sohn, endlich Landmanns Bilder an sich zu nehmen, sie aufzuhängen in seinem Haus oder einem anderen anzuvertrauen. Sie sei zu alt, um sie länger zu bewahren.

«Ich werde sie Louise und Lina geben», sagte er. «Sie sind doch die Erbinnen von Kurt.» Er war nur der Nachlassverwalter.

«Und noch etwas, Henny», sagte er, als sie auf dem Weg nach Hause waren. «Was hältst du davon, wenn ich deinem Sohn ein Zimmer in meinem Haus anböte? Ich staune noch immer, dass ich bislang an einer Einquartierung vorbeigekommen bin.»

«Ich nehme an, er wird begeistert sein.»

«Klaus wird doch bald Abitur machen.»

«Er ist erst sechzehn und hat zwei Jahre verloren. Das wird noch dauern. Willst du so lange einen Schüler aufnehmen?»

Unger hätte gern gesagt, dass er die Mutter des Schülers auch nur zu gern willkommen hieße. Doch er wollte nicht wieder Fehler machen im Werben um Hennys Liebe.

«Weiß er schon, was er werden will?»

«Am liebsten Journalist wie Thies und dessen Vater. Er schreibt gern. Kurzgeschichten und auch Gedichte.»

«Du bleibst dabei, dass wir keinen Kontakt zu Rudi herstellen, ehe wir nichts über Käthe wissen?»

«Ja», sagte Henny.

«Das fällt mir unsagbar schwer», sagte Unger.

Die Entnazifizierung hatte er schnell hinter sich gebracht, man brauchte Leute wie ihn, um das Land wiederaufzubauen. Auch im Hofweg ging es langsam voran, nur die beiden hinteren Räume waren noch besetzt von dem Einarmigen, seiner Frau und deren Tochter.

Die Haushaltsführung blieb unbefriedigend, wo nur diese Laboe geblieben war, sie hatten sich gut verstanden. Die jetzige Hilfe ließ sich nur als Putzfrau einsetzen, was sie auf dem Herd zustande brachte, war kaum zu genießen.

Idas Tochter sei eingeschult worden im April, hatte er gehört. Von wem? Er hatte gar keinen Kontakt zu der Pension in der Johnsallee. Gleich nach Bunges Tod hatte er die Scheidung eingereicht und Ida ganz offiziell die Schulden ihres Vaters bei ihm erlassen. Überhaupt war er äußerst rücksichtsvoll mit Ida umgegangen, hatte sich nicht scheiden lassen im Dritten Reich, um sie in keine Verlegenheit zu bringen, was den Kindsvater anging. Erst bei der Scheidung war auch das geordnet worden und der Chinese urkundlich als Vater bestätigt.

Campmann hatte sich nichts vorzuwerfen. Er fühlte sich gut. Aus seinem Leben konnte er durchaus noch etwas machen. Auch bei der Dresdner Bank ging es für ihn weiter.

Am kommenden Freitag würde über Rundfunk und Presse die Währungsreform dem Volke verkündet werden. Voran Deutschland.

Am besten fing er mal mit der Suche nach einer neuen Haushälterin an. Die konnte dann ja schon mit der D-Mark bezahlt werden. Bald würde auch wieder an der Frankfurter Börse gehandelt werden.

Ida und Tian lebten mit Florentinchen in der oberen Etage des Hauses in der Johnsallee. Guste hatte das Gartenzimmer im Erdgeschoss mit Freuden übernommen und Bunge in Gedanken Abbitte geleistet, dass sie ihn die Treppen hochgejagt hatte. Sie war nun einundsechzig Jahre alt und fing an, die Gelenke zu spüren.

Ihre Lust, eine Pension zu führen, hatte ebenfalls nachgelassen, sie sah ihr Haus in der Johnsallee als Gästehaus für Freunde an. War es das nicht schon seit langer Zeit? Eigentlich hatte sie sich mit der Pension doch einen Familienersatz geschaffen.

Jetzt lebte noch die dreiköpfige Familie bei ihr und Momme in zwei Zimmern unterm Dach. Von Jacki war keine Nachricht mehr gekommen, sie hoffte nur, dass er den Krieg überlebt hatte.

Schade, dass der Sonntag so verregnet war, dabei hatte es das neue Geld gegeben. «Guck es dir mal an, Florentinchen», sagte sie. «Es liegt auf dem Tisch.» Zwei grüne Scheine. Zwanzig Deutsche Mark. Wer waren denn die beiden Dicken links auf dem Schein? Sah irgendwie nach Walhalla aus. Wagner war doch gar nicht mehr angesagt und diese ganzen ollen Germanen.

«Morgen wechseln wir das Geld und kaufen ein Eis für dich», sagte Guste. Scheine im Wert einer Mark und von fünfzig Pfennig gab es. Noch fehlte das Metall für Münzen.

«Ich wette, dass morgen die Geschäfte voll sind», sagte sie zu Momme, der gerade durchs Bild ging. «Das wäre doch die Gelegenheit für ein Festessen. Lass uns mal eine Gästeliste machen.»

Guste war immer noch die Alte.

DEZEMBER 1948

So schlimm wie im vergangenen Winter würde es wohl nicht kommen, da waren schon im November die Temperaturen unter null gesunken, und bis März hatte es ständig neue Kälterekorde gegeben. Das alles musste von den Menschen in den Ruinen ihrer Städte ertragen werden ohne ausreichend Nahrung und Brennmaterial.

Und in diesem Dezember? Bisher waren die Temperaturen erträglich gewesen, und was seit der Währungsreform in den Geschäften auslag, darüber konnte Unger nur staunen. Er hörte von Elisabeth, dass es in England längst nicht derart viele Güter zu kaufen gab.

Die Berliner allerdings litten unter der sowjetischen Blockade, um derentwillen die Stadt nur über die Luftwege versorgt werden konnte, was die Amerikaner mit ihren Flugzeugen taten. Rosinenbomber nannten die Berliner die Maschinen, wie immer um keinen Galgenhumor verlegen.

Unger ging durch die Mönckebergstraße und blieb vor den Fenstern des im November eröffneten Karstadt stehen, eine Wiedereröffnung des Kaufhauses, das im Sommer 1943 ausgebrannt war. Doch das Gebäude war rettbar gewesen. Anders als das an der Hamburger Straße.

Der Weihnachtseinkauf machte ihm zum ersten Mal seit dem Krieg wieder Freude, was weniger am Angebot lag als an der Aussicht, Henny und Klaus beschenken zu können.

Wie gerne würde er das doch auch für Käthe und Rudi tun. Was für Schätze hätte er für Rudi in der Buchhandlung Landmann gefunden und die vielen Süßigkeiten, die er Käthe auf einen bunten Teller hätte legen können.

Er wollte sich nicht an den Gedanken gewöhnen, dass Käthe tot war, hoffte nur, dass Rudi endlich heimkehrte, damit er die schreckliche Nachricht nicht in russischer Kriegsgefangenschaft erfuhr und völlig am Leben verzweifelte, ohne dass sie die Chance hatten, ihn aufzufangen in seiner Trauer.

Durften sie das, sich an Weihnachten erfreuen, an Geschenken, wenn doch Käthe und ihre Mutter verlorengegangen waren und so viele andere auch, und Rudi noch in Kriegsgefangenschaft? Diese Scham, es besser zu haben als die, die einem nahegestanden hatten.

In der Körnerstraße verbarg nicht mehr das Ölporträt der Schwestern Ruth und Betty den Safe, der noch immer die Orientperle für Rudi hütete und für Käthe vierundzwanzig Silberlöffel. Das Porträt hatte Elisabeth mit nach England genommen.

Emil Maetzels *Stillleben mit Negerfigur* nahm nun dessen Platz ein. Lina und Louise hatten erklärt, Kurt hätte es gewollt, dass Unger eines der Bilder behielte.

Bei den beiden Frauen hing Hopfs *Badende am Elbstrand* über dem korallenroten Sofa, ein Motiv, das Lina und Louise mehr ansprach, und das Bild von Paul Bollmann.

Kurt hätte es gefallen, dass sie die Buchhandlung nach ihm benannt hatten. Und den Flakon *L'Air du Temps* hätte er ohne jedes schlechte Gewissen gekauft. Unger trat an den Tresen in der Parfümabteilung von Karstadt und kaufte für Henny das neue Eau de Toilette aus Frankreich, dessen Flasche eine gläserne Taube zierte als Friedenssymbol für diese Zeit, und im ersten Stock ein Hemd und eine seidene Krawatte für Klaus.

Und jetzt noch in die Fischbratküche von Daniel Wischer in der Spitalerstraße. Sich einen Backfisch mit Kartoffelsalat gönnen.

Er sollte Kurt viel öfter als Alter Ego einsetzen.

Campmann konnte es nicht fassen. Sah er Gespenster, oder saß da Mia in seiner Küche und schwatzte auf die neue Haushälterin ein?

Sie stand auf, als er eintrat, und rieb ihre roten Hände. Dick war sie noch immer, es war anzunehmen, dass die Versorgungslage nach dem Krieg auf dem Lande deutlich besser gewesen war. Sonst hätte sich die ganze Hamsterei der Stadtbevölkerung kaum gelohnt.

«Ich such eine Stellung», sagte Mia.

«Aber nicht bei mir», erwiderte Campmann.

«Bei meiner Schwester kann ich nich bleiben. Die hat jetzt einen neuen Mann, der das nich will.»

Was erzählte sie ihm da? Hatte er je Interesse am Geschick dieser plumpen Frau gezeigt?

«Fritz is ja auch tot.»

Oder ihrem Balg?

«Millionen Menschen sind tot», sagte Campmann. Gut, er gab zu, dass die Zahl an der individuellen Tragik des Einzelnen nichts änderte.

Friedrich Campmann tat das, was er mit der Karte des Kriegskameraden gemacht hatte. Er schickte Mia weiter zur Klinik Finkenau. Sollte sie doch da in der Küche arbeiten.

Henny hatte schon lange nicht mehr an Mia gedacht, doch sie horchte auf, als eine der Hebammen sagte, das neue Küchenmädchen habe sie auf Käthe angesprochen. Ob die noch hier arbeite?

Nach ihrem Dienst ging Henny in die große Küche und bat die Leiterin darum, Mia ein paar Minuten sprechen zu dürfen. Mia legte das Messer weg und tauchte ihre Hände in die Schüssel mit den schon geschälten Kartoffeln. Sie würde hier nicht alt werden, wenn sie diese rustikalen Gewohnheiten beibehielte.

Sie traten auf den Flur hinaus und setzten sich dort auf eine der Bänke. «Sie haben sich nach Käthe erkundigt?», fragte Henny.

«Die Laboe und ich haben im Haushalt bei Campmanns gearbeitet.»

«Sie meinen Anna, Käthes Mutter. Und was wollen Sie von Käthe?»

«Ihr erzählen, was mit meinem Fritz passiert is. Da hat sie ja auch dran Schuld, diese Kommunistin, dass der nun tot is.»

Henny glaubte, ihren Ohren nicht zu trauen. Doch was immer sie jetzt zu hören bekam, Theo sollte dabei sein. Vielleicht fand sie ihn in seinem Sprechzimmer vor um diese Uhrzeit.

«Kann doch länger dauern», rief sie in die Küche hinein und zog die widerstrebende Mia zu Ungers Sprechzimmer. Theo saß hinter seinem Schreibtisch und blickte überrascht auf, als sie Mia ins Zimmer zerrte. «Ich kenne gar nicht Ihren Nachnamen», sagte Henny.

«Mia Thöns», sagte Mia. «Ich weiß nich, was das hier für eine Behandlung is. Ich hab ja nur nach der Käthe gefragt.»

«Sie kennen Käthe?», fragte Theo Unger.

«Die hat Schuld, dass sie mir den Fritz gehängt haben in Berlin.»

Theo und Henny sahen sich an. Beide rangen um Fassung.

«Frau Thöns, setzen Sie sich und erzählen Sie uns bitte die ganze Geschichte», sagte Unger.

«Fritz wollte doch fahnenflüchtig werden, schon in Wischhafen, der hatte einen solchen Bammel vor der Front. Ich hab's ihm verboten, bin selbst mit ihm auf die Fähre drauf nach Glückstadt und dann zur Eisenbahn, dass er erst nach Hamburg und dann nach Russland fährt. Das hat er aber nich getan, wollte sich wohl verstecken, und bei der Laboe und der Tochter hat er es geschafft, und darum is die Gestapo gekommen und hat ihn nach Plötzensee gebracht.»

Henny schloss die Augen.

«Woher wissen Sie das alles?», fragte Unger.

«Das hat man mir vorgelesen. Stand drin in dem Schreiben, das die mir geschickt haben. Anlage zur Urteilsvollstreckung oder so.»

«Es tut mir leid um Ihren Sohn, Frau Thöns. Ich vermute, dass er Käthe und deren Mutter bedrängt hat, ihn aufzunehmen und die beiden durch ihre Gutmütigkeit nun auch ihr Leben lassen mussten.»

«Dann is ja Gerechtigkeit», sagte Mia.

Unger sprang von seinem Schreibtisch auf. «Raus hier. Gehen Sie mir aus den Augen.» Seine Stimme war heiser vor Wut. Alle Qual über den Verlust von Käthe entlud sich durch den luschig gesprochenen Satz dieser Mia Thöns.

Mia schien überrascht zu sein von dem Ausbruch des Arztes, doch sie schwieg und stand auf, um in die Küche zurückzukehren.

Henny öffnete die Augen erst, als die Tür zuschlug.

«Glaubst du die Geschichte?», fragte Unger.

«Ja. Als ich an dem Tag bei Anna geklingelt habe, sagte

mir ein Nachbar, zusammen mit ihr sei ein dicker junger Mann abgeholt worden.»

«Ich erinnere mich jetzt, dass du das erzählt hast.»

«Um Rudis willen hätte ich jeden Teufelsritt verstanden, doch für diesen Fritz, den Käthe überhaupt nicht kannte?»

«Vielleicht hat sie gerade an Rudi gedacht, dass er sich nach Dänemark retten konnte und Helfer hatte.»

«Aber doch Anna nicht. Die war nie eine Abenteuerin.»

«Ich fürchte, die Umstände der Verhaftung von Anna und Käthe haben sich heute aufgeklärt. Doch leider gibt es noch immer keine Antwort, wo sie geblieben sind.»

Und auch Ernst ist noch nicht zur Rechenschaft gezogen, dachte Henny. Doch dieses entsetzliche Geheimnis deckte sie nicht auf.

An einem der ersten Tage in der Körnerstraße hatte Theo Unger ihn darauf angesprochen und gefragt, ob er sprechen wolle über die Vermutung, homosexuell zu sein.

«Ich vermute das nicht, Dr. Unger, ich weiß es», hatte Klaus gesagt.

Er war dankbar gewesen über die Behutsamkeit, die Unger an den Tag legte, die Offenheit, mit der er an das Thema ging. Vielleicht hatte er sich noch nie so gut gefühlt wie in diesem kultivierten Haus, dessen Atmosphäre ihm einen Weg zu weisen schien für die eigene Zukunft.

Die Bücher, die der Doktor ihm gab, der bald schon bat, ihn Theo zu nennen, die Schallplatten, die er hörte, und dann das stete Angebot, über alles zu sprechen, was Klaus bewegte. Seit er bei Unger in der Körnerstraße wohnte, war er der beste Schüler der Klasse geworden, und die Lehrer sprachen davon, ihn ein Jahr überspringen zu lassen, damit er etwas von der im Krieg verlorenen Zeit aufholen konnte.

Am Nachmittag seines siebzehnten Geburtstages war er zu Henny und Else gegangen, hatte dort die Kerze im Kuchen ausgepustet, die im vergangenen Jahr noch gebrannt hatte, als er aus dem Haus gerannt war. Dennoch war ihm viel Gutes beschert worden.

Marike hatte ihm angeboten, dass er bei ihr und Thies in der neuen Wohnung leben könne, die sie nahe der Alster in der Hartwicusstraße bezogen hatten. Doch er wollte bei Theo bleiben, dem das auch guttat.

«Ich war wohl ein wenig vereinsamt in den letzten Jahren», hatte Theo gesagt. «Ich lebe gern in diesem Haus mit dir. Du bist der Sohn, den ich nicht gehabt habe.»

Seinen eigenen Vater hatte Klaus nicht gesehen seit dem Abend vor einem Jahr, und doch tat es ihm leid, eine Enttäuschung für Ernst zu sein. Vielleicht würde er im nächsten Jahr um Versöhnung bitten.

Lina war gekränkt gewesen, dass er sich ihr nicht offenbart hatte, glaubte, dass sie den Eklat hätte verhindern können, doch dann wäre der Zorn seines Vaters auch über seine Tante und Louise gekommen. Klaus hatte oft gehört, wie negativ Ernst sich über das lesbische Verhältnis der beiden Frauen ausließ.

Dass Theo in besonderer Weise an Henny hing, war ihm in den Gesprächen, die sie an den Abenden im Salon führten, klargeworden. Wenn er sich was wünschte, dann, dass die beiden Menschen, die ihm am meisten bedeuteten, zusammenfänden.

Er freute sich auf Weihnachten. Erst bei Henny und seiner Großmutter, dann später unten im Salon mit Theo. Am ersten Weihnachtstag bei Marike und Thies, der Doktor würde bei seiner Mutter in Duvenstedt sein.

Sein Vater bliebe alleine, das betrübte Klaus, doch vielleicht hatte sich Ernst getröstet mit einer anderen Frau. Wie bedrückend, dass sie nichts mehr voneinander wussten.

Klaus hörte den Schlüssel im Schloss der Haustür und klappte das Buch zu, um in das Erdgeschoss zu gehen und Theo zu begrüßen.

Unger legte Hut und Mantel ab und ging in den noch dunklen Salon. «Du kannst dich gerne hierhersetzen, wenn du zu lernen hast», sagte er und schaltete die Tischlampen an.

«Ist was Schlimmes geschehen in der Klinik?», fragte Klaus.

«Wie kommst du darauf?»

«Du wirkst so.»

«Magst du ein Glas Portwein, Klaus? Dann schenk uns eins ein.»

Klaus nahm zwei der kleinen geschliffenen Gläser aus der Vitrine und füllte sie mit dem Portwein, der auf einem der Silbertabletts stand.

«Du bist der feinfühligste Bursche, der mir je begegnet ist», sagte Theo Unger, und dann erzählte er von Käthe und von Fritz Thöns.

Henny hatte eine Schüssel Heringssalat zu Marike und Thies in die Hartwicusstraße gebracht, von Else am Nachmittag zubereitet. Heringssalat zu Silvester hatte schon Heinrich Godhusen gern gegessen. Eigentlich ließ sich gar nicht ins neue Jahr kommen ohne Heringssalat, doch es war das erste Mal seit fünf Jahren, dass sie ihn aßen.

Marike hatte Gäste an diesem Abend, Einweihung und Silvester zugleich sollte gefeiert werden. Schön war die Wohnung der Kinder, wenn die Fassade des Hauses auch noch sehr angekohlt aussah und im großen Zimmer die Dielen nur dürftig geflickt waren an der Stelle, an der eine

Brandbombe durch das Dach gefallen und von einem beherzten Menschen in den Hof geworfen worden war.

Das musste die Nacht gewesen sein, in der Marike und sie nicht weit von hier beinah erstickt wären in ihrem Keller. Hörte sich das nicht an wie eine Geschichte aus ferner Zeit? Nein. Die Bilder waren sofort wieder da und quälten.

Else würde heute Abend allein sein, die Einladung von Theo Unger hatte sie nicht angenommen, vielleicht in seltener Sensibilität, dass ihre Tochter allein sein wollte mit dem Doktor. Klaus war bei Marike und Thies eingeladen.

Das Leben ging einfach weiter. Wie erging es Rudi im russischen Gebirge? Dreißig Grad unter null sollte es da sein, hatte Theo gesagt.

War es nicht doch ein Fehler gewesen, keinen Kontakt zu ihm zu suchen, auch wenn er deswegen kaum früher entlassen werden würde von den Russen? Er hätte gewusst, dass sie da waren, auf ihn warteten. Sie hätten ihm ihre Liebe und Wärme vermitteln können.

Ein Schneeschauer setzte ein, als sie aus der Tür des Hauses in der Hartwicusstraße trat. Nur noch ein paar Schritte zur Haltestelle an der Mundsburger Brücke. Hier war vor zweiundzwanzig Jahren Lud von einem Opel überfahren worden. Gab es irgendeine Ecke in Barmbek und Uhlenhorst, an dem sie keine Erinnerungen vorfand?

Barmbek, das man nun ohne das C schrieb. Genau wie Eilbek. Und die Canalstraße schrieb sich jetzt mit einem K. Seit zwei Jahren war das so. Als würden solch kleine Änderungen auf der Suche nach einer neuen Zeit ohne Nazis helfen.

Henny schlug den Kragen des Mantels hoch. Kalt war es geworden, wenn auch weit entfernt von den Temperaturen im Ural.

Da kam die Straßenbahn, die stadteinwärts fuhr. Henny

musste auf die andere Seite zur gegenüberliegenden Haltestelle. Sie stand da und wartete, um nicht unter die Bahn zu geraten wie einst Lud unters Auto.

Das Gesicht im Fenster des Waggons der Linie 18. Die Augen, die ihren Blick suchten und fanden. Hennys Herz raste.

Vergeblich versuchte sie, noch einzusteigen in den Waggon. Das Klingeln zur Abfahrt war schon seit Sekunden in ihren Ohren. «Käthe», schrie Henny. «Käthe. Käthe. Käthe.»

Henny lief der Straßenbahn nach. Über glattes Kopfsteinpflaster.

Doch die Bahn mit Käthe darin war schon um die Ecke gebogen.

GLOSSAR

Adler
Die Adlerwerke waren ein deutsches Fahrzeug- und Maschinenbauunternehmen mit Sitz in Frankfurt am Main, das Autos, Motorräder, Fahrräder und Büromaschinen herstellte.

Alsterpavillon
Traditionsreiches Café und Restaurant an Jungfernstieg und Binnenalster. Im August 1799 eröffnet. Am 9. Juni 1914 fand die Neueröffnung des nun fünften Gebäudes statt. Während des Dritten Reiches war es bekannt für seine Swing-Konzerte, obwohl der Swing bei den Nationalsozialisten verpönt war. 1942 wurde der Pavillon bei einem Bombenangriff zerstört. Das heute existierende sechste Gebäude wurde 1952–1953 auf dem erhaltenen Sockelgeschoss erbaut.

Atlantic
Hamburger Luxushotel. Im Jahr 1909 als Grandhotel für die Passagiere der Hamburg-Amerika-Linie eröffnet. Seit 2010 steht das Gebäude unter Denkmalschutz.

Bangbüx
Plattdeutsch für Angsthase.

Bauke
Wilhelm Baukes Eckkneipe und Destille mit Clubzimmer in der Straße Kohlhöfen am Rande des Hamburger Gängeviertels. Treffpunkt von allen linken Gruppierungen, dem Kommunistenführer Ernst Thälmann, aber auch von Künstlern wie dem Theatermann Erwin Piscator und dem Dichter Joachim Ringelnatz. Nach Baukes Tod 1936 durfte seine Tochter die Kneipe noch weiterführen, bis sie 1941 von der Gestapo geschlossen wurde.

Birnen, Bohnen und Speck
Norddeutsches Gericht, das im Spätsommer und Herbst gegessen wird, wenn die kleinen festen Birnen gewachsen sind, die im Norden Bürgermeisterbirnen heißen.

Cölln's Austernstuben
Die Geschichte des Restaurants Cölln geht bis in das Jahr 1760 zurück. Es besteht aus dreizehn großen und kleinen Séparées. Der kulinarische Schwerpunkt lag auf Meeresfrüchten. In der Straße Brodschrangen der Hamburger Altstadt gelegen.

Colombina
Eine Figur aus der Commedia dell'Arte, dem klassischen italienischen Straßentheater.

Colonnaden
Die Colonnaden bezeichnen eine Straße in der Hamburger Innenstadt nahe der Binnenalster. Der überwiegende Teil der östlichen Straßenseite wird von einem Arkadengang gebildet.

Curio-Haus
Ein als Gesellschaftshaus errichtetes Büro- und Veranstaltungsgebäude in Hamburg an der Rothenbaumchaussee 11–17. Erbaut wurde es zwischen 1908 und 1911.

Danat / Nordwolle
Darmstädter- und Nationalbank (Danat)
Norddeutsche Wollkämmerei & Kammgarnspinnerei (Nordwolle)
Die Danat war neben der Dresdner Bank der größte Kreditgeber der Nordwolle, wurde bei deren Konkurs im Juli 1931 in eine Krise gestürzt und musste kurz darauf wegen Zahlungsunfähigkeit ihre Schalter schließen.

Ebinger, Blandine
Blandine Ebinger (1899–1993) war eine deutsche Schauspielerin und Chansonsängerin, die vor allem in bedeutenden Berliner Cabarets auftrat. In erster Ehe mit dem Komponisten und Liedtexter Friedrich Hollaender verheiratet.

Einhundertfünfundsiebziger

Abfällige Bezeichnung für Homosexuelle. Nach dem 1871 eingeführten Paragraphen 175 des Strafgesetzbuches zum Verbot von homosexuellen Handlungen zwischen Männern. Auch Schwulenparagraph genannt. Erst 1994 vollständig aufgehoben.

Ewerführer

Bezeichnung für den Führer einer Schute im Hamburger Stromgebiet. Der Name Ewerführer leitet sich vom Bootstyp Ewer, einem Elbsegelboot, ab.

Fliegender Hamburger

Erster Dieselschnelltriebwagen der Deutschen Reichsbahn und zugleich der erste Stromlinienzug in planmäßigem Einsatz. Mit ihm wurde ab 1933 zwischen Berlin und Hamburg die damals weltweit schnellste Zugverbindung hergestellt. Der Fliegende Hamburger bewältigte die 286 Kilometer lange Strecke zwischen dem Lehrter Bahnhof in Berlin und dem Hamburger Hauptbahnhof in 142 Minuten.

Franzbrötchen

Ein Franzbrötchen ist ein aus Plunderteig oder Hefeteig bestehendes süßes Feingebäck, das mit Zucker und Zimt gefüllt ist. Eine Hamburger Spezialität.

Fromms

Erstes Markenkondom der Welt. Kondome wurden früher häufig auch Präservative genannt. Julius Fromm erbaute 1912 in Berlin eine kleine Fabrik und startete eine erste Serienproduktion von Kondomen. 1919 entschloss er sich, eine Kondompackung unter seinem Namen als *Fromms Act* herauszubringen. Das Kondom sei so gut, dass er mit seinem Namen dafür bürge.

Gängeviertel

Als Gängeviertel wurden in Hamburg die besonders eng bebauten Wohnquartiere in einigen Teilen der Altstadt und Neustadt bezeichnet. Die Gängeviertel waren größtenteils mit Fachwerkhäusern bebaut, deren Wohnungen zumeist nur durch schmale Straßen, zum Teil verwinkelte oder labyrinthartige Hinterhöfe, Torwege und die namensgebenden Gänge zwischen den Häusern zu erreichen waren. Das letzte größere Gängeviertel wurde in den 1960er Jahren abgerissen. Einzelne Bauten sind bis heute erhalten.

Goi
Hebräisches Wort für einen Nichtjuden.

Gräfenberg-Ring
Instrument zur Empfängnisverhütung, eines der ersten Pessare, vom deutschen Mediziner Ernst Gräfenberg entwickelt. Es handelte sich dabei um einen mit Silberdraht umwickelten Ring, der in die Gebärmutter gelegt wurde und keine Verbindung zur Scheide hatte.

Greene, Hugh Carleton
Englischer Journalist. Im Auftrag der britischen Besatzungsmacht war er Organisator des Nordwestdeutschen Rundfunks (NWDR), den er nach dem Vorbild der BBC gestaltete. Greene (1910–1987) war der jüngere Bruder des Schriftstellers Graham Greene.

Hamburger Deern
Bezeichnung für ein Mädchen aus Hamburg.

Hamburger Oktoberaufstand
Versuch einer deutschen Oktoberrevolution. Am 23. Oktober 1923 kam es in Hamburger Arbeitervierteln wie Barmbek, Dulsberg, Hammerbrook zu einem kommunistischen Aufstand, bei dem Ernst Thälmann erstmals eine führende Rolle übernahm. Der Aufstand blieb isoliert und brach rasch zusammen, auch deshalb, weil die Berliner KPD-Zentrale zum Rückzug blies. Nach dem gescheiterten Aufstand wurde die KPD zeitweise verboten und verlor in vielen Betrieben an Unterstützung.

Hamburgische Sezession
Wurde 1919 als eine der letzten künstlerischen Sezessionsgruppen (Sezession = Abspaltung) gegründet. Die wichtigste Künstlervereinigung der Hansestadt hatte etwa 55 Mitglieder, vor allem Maler, aber auch Architekten und Literaten. Sie löste sich im Mai 1933 unter dem Druck des nationalsozialistischen Regimes selbst auf.

Heilbuth
Kaufhaus an der Hamburger Straße/Ecke Rönnhaidstraße (heute Adolph-Schönfelder-Straße). Mit einem großen Warenangebot und kleinen Preisen hielten sich die Gebrüder Heilbuth über zwanzig Jahre. 1927 wurde das Kaufhaus vollständig abgerissen. Bereits ein Jahr später eröffnete an gleicher Stelle Rudolf Karstadt sein neues großes Kaufhaus.

Helbings Kümmel
Kümmelschnaps (niederdeutsch: *Köm*) des Hamburger Spirituosenherstellers Heinrich Helbing.

Heymann, Kurt
Hamburger Buchhändler. Gründete 1928 eine erste Buchhandlung im Stadtteil Eppendorf. Heymann, noch immer ein Familienunternehmen, ist heute mit vierzehn Buchhandlungen in Hamburg und Umgebung vertreten.

Hofweg-Palais
Gilt als eines der schönsten Jugendstilgebäude in Hamburg. Es wurde 1912 erbaut und steht im Stadtteil Uhlenhorst. Hochrepräsentatives Mehrfamilienhaus.

Höllensteinlösung
Bezeichnung für Silbernitrat. Bis vor einigen Jahren wurde Neugeborenen eine einprozentige Silbernitratlösung in die Augen geträufelt, um eine gonorrhoische Augeninfektion zu verhindern. Die Geschlechtskrankheit Gonorrhö wird volkstümlich auch Tripper genannt.

Itzig
Jiddische Variante des Vornamens Isaak. Wurde auch als abwertende Bezeichnung für Juden benutzt.

Jud, Felix
Hamburger Buchhändler (1899–1985) und erklärter Gegner des NS-Regimes. Er gründete die Hamburger Bücherstube Felix Jud im November 1923 in den Colonnaden 104. 1948 zog die Bücherstube in den Neuen Wall 39 um. Dort ist sie noch heute zu finden.

KdF-Dampfer
Die drei Buchstaben standen für Kraft durch Freude, eine Organisation der Nationalsozialisten, die im November 1933 ins Leben gerufen wurde. Sie schien sich für die Belange der kleinen Leute starkzumachen, zumal für ihr Freizeitvergnügen. Mit dem Amt für Reisen, Wandern und Urlaub, das Land- und Seereisen veranstaltete, war KdF zugleich der größte Reiseveranstalter im Dritten Reich.

Kinderlandverschickung
Die Bezeichnung Kinderlandverschickung (KLV) wurde vor dem Zweiten Weltkrieg ausschließlich für die Erholungsverschickung von Kindern verwendet. Ab Oktober 1940 wurden bis Kriegsende Schulkinder sowie Mütter mit Kleinkindern aus den vom Luftkrieg bedrohten deutschen Städten längerfristig in weniger gefährdeten Gebieten untergebracht.

Kola-Fu
Abkürzung für das Konzentrationslager Fuhlsbüttel, ein KZ, das von den Nationalsozialisten ab März 1933 innerhalb des Gebäudekomplexes der Strafanstalt im Hamburger Stadtteil Fuhlsbüttel errichtet wurde. Es bestand bis April 1945. Heute eine Gedenkstätte.

Kranenberger
Volkstümliche Bezeichnung für Leitungswasser.

Krüsch
Hamburgisch für wählerisch. Vor allem in Bezug auf Speisen.

Lady Curzon
Schildkrötensuppe. Eine klare Brühe, die unter anderem mit dem Fleisch von Suppenschildkröten hergestellt wurde. Die Variante nach Lady Mary Curzon (1870–1906) wurde mit Curry gewürzt und mit einer Sahnehaube versehen.

Laeiszhalle
Traditionsreiches Konzerthaus in Hamburg am heutigen Johannes-Brahms-Platz. Zwischen 1904 und 1908 erbaut. Es ist mit der großen Orgel und der prachtvollen Architektur seit mehr als hundert Jahren Hamburgs erste Adresse für Konzertveranstaltungen. Benannt

wurde sie nach dem Hamburger Reeder Carl Laeisz (1828–1901), der den Bau durch eine großzügige testamentarische Verfügung möglich machte.

Leberspritze
Altmodische Bezeichnung für Aufbauspritzen mit den Vitaminen B1 und B6. Wurde bei Blutarmut und Erschöpfung injiziert.

Lessing-Theater
Lichtspielhaus am Hamburger Gänsemarkt. Das Gebäude gehörte seit 1918 der UFA.

Lichtwark, Alfred
Alfred Lichtwark (1852–1914) war ein deutscher Kunsthistoriker, Museumsleiter und Kunstpädagoge in Hamburg. Er gehört zu den Begründern der Museumspädagogik und der Kunsterziehungsbewegung.

Lübscher Baum
Ein beliebtes Tanzlokal an der Lübecker Straße. 1258 unweit der Zollstation «Lübecker Schlagbaum» als Wirtshaus gegründet. Auch als Hamburger Eheschmiede bekannt, die in den frühen zwanziger Jahren mit dem Slogan warb: «In Erfüllung geht dein Traum, wenn du tanzt im Lübschen Baum.» Das Gebäude wurde 1943 zerstört.

Lütt un Lütt
Plattdeutsch für *klein und klein*. Ein norddeutsches alkoholisches Getränk, das aus kleinen Gläsern getrunken wird und bei dem die beiden Komponenten Köm und Bier während des Trinkens miteinander vermischt werden.

Madame Dubarry
Jeanne Bécu (1743–1793), Mätresse des französischen Königs Ludwigs XV., die zur Madame Dubarry aufstieg. Ihr Leben diente als Vorlage für Romane und Operetten. Der Regisseur Ernst Lubitsch machte daraus 1919 einen Stummfilm unter dem Titel *Madame Dubarry* mit Pola Negri und Emil Jannings in den Hauptrollen.

Malakofftorte

Buttercremetorte mit Mandeln und Rum. Namensgeber ist angeblich der französische General Pelissier, der nach dem Krimkrieg von Napoleon III. ehrenhalber zum Duc de Malakoff benannt wurde.

Michelsen

Hamburger Feinkosthändler. 1814 gegründet. Eine der ersten Adressen Hamburgs für Speisen und Getränke.

Mudder Wisch

Liebevolle hamburgische Bezeichnung für eine Putzfrau.

Nagels Bodega

Traditionslokal in der Kirchenallee gegenüber vom Hamburger Hauptbahnhof. Eine der ältesten Bier- und Weinkneipen der Stadt.

Neuengamme, KZ

Wurde 1938 zunächst als Außenlager des Konzentrationslagers Sachsenhausen errichtet und ab 1940 als selbständiges KZ mit vielen Außenlagern geführt. Die Häftlinge mussten Zwangsarbeit für das auf dem Gelände eigens errichtete Klinkerwerk, in der Rüstungsindustrie und beim Bau militärischer Anlagen (Friesenwall) leisten. Von den ca. 100 000 Häftlingen stammten neun Prozent aus Deutschland, die anderen 91 Prozent kamen aus den besetzten Ländern. Mindestens 50 000 von ihnen starben an den unmenschlichen Arbeits- und Lebensbedingungen. Die SS begann ab dem 20. April 1945, das Lager aufzulösen. Bei den Todesmärschen unmittelbar vor Kriegsende starben viele der völlig entkräfteten Häftlinge. Am 3. Mai verloren annähernd siebentausend Häftlinge durch die Bombardierung und Versenkung der Evakuierungsschiffe Cap Arcona und Thielbek in der Lübecker Bucht ihr Leben. Am 4. Mai 1945 fanden britische Truppen das Lager geräumt vor.

Norag

Nordische Rundfunk AG. Wurde am 16. Januar 1924 von einer Gruppe von Kaufleuten in Hamburg gegründet und ging erstmals am 2. Mai 1924 mit vier Stunden Programm auf Sendung. Im November 1932 wurde sie in die Norddeutsche Rundfunk GmbH umgewandelt. Nach der Machtergreifung der Nationalsozialisten wurde der

Sender 1934 verstaatlicht und gehörte als Reichssender Hamburg ab 1939 zum Großdeutschen Rundfunk. Aus der Norag bzw. dem Reichssender Hamburg ging nach dem Krieg der Nordwestdeutsche Rundfunk (NWDR) und später der NDR hervor.

Nordwolle
siehe Danat/Nordwolle

Nürnberger Gesetze
Am 15. September 1935 von Adolf Hitler erlassenes Gesetz «zum Schutze des deutschen Blutes und der deutschen Ehre». Es wurde beim 7. Reichsparteitag in Nürnberg einstimmig beschlossen und verbot die Eheschließung sowie den außerehelichen Geschlechtsverkehr zwischen Juden und Nichtjuden. Es sollte der sogenannten «Reinhaltung des deutschen Blutes» dienen, einem zentralen Bestandteil der nationalsozialistischen Rassenideologie. Verstöße gegen das Gesetz wurden als «Rassenschande» bezeichnet und mit Gefängnis und Zuchthaus bedroht.

NWDR
Ab dem 22. September 1945 fungierte der NWDR als gemeinsame Rundfunkanstalt für die gesamte britische Zone. 1948 wurde der NWDR in deutsche Hände gegeben und in eine Anstalt des öffentlichen Rechts für die Bundesländer Hamburg, Niedersachsen, Schleswig-Holstein und Nordrhein-Westfalen umgewandelt. Im Februar 1955 fand die Teilung in zwei eigenständige Rundfunkanstalten statt – den NDR mit Sitz in Hamburg und den WDR mit Sitz in Köln.

Otto, Hans
Deutscher Schauspieler (1900–1933). Einer der ersten Künstler linker Gesinnung, die von den Nationalsozialisten ermordet wurden.

Pfeffersäcke
Spottname für wohlhabende hanseatische Kaufleute. Diese Bezeichnung entstand, weil der Reichtum einiger Kaufleute auf dem Handel mit Gewürzen aus Übersee beruhte, für die im Mittelalter zusammenfassend der Begriff «Pfeffer» stand.

Pfordte

Restaurant im Hotel Atlantic. Franz Pfordte (1840–1917) war ein bekannter deutscher Gastronom. 1909, als er schon als Grand Old Man seiner Zunft galt, übersiedelte er in das neueröffnete Hotel Atlantic, wo er als Restaurantdirektor agierte und zusammen mit seinem ersten Küchenchef, Alfred Walterspiel, für die Kochkunst in dem Haus an der Alster sorgte. Bis 1932 wurde das Restaurant im Atlantic unter dem Namen Pfordte geführt.

Plietsch

Pfiffig. Aufgeweckt. Schlau.

Rath, Ernst vom

Ernst vom Rath war ein deutscher Diplomat und Botschaftssekretär in Paris. Das Attentat, das Herschel Grynszpan am 7. November 1938 auf ihn verübte, diente dem nationalsozialistischen Regime als Vorwand für die folgenden Novemberpogrome.

Rote Hilfe

Hilfsorganisation für linke Aktivisten, die auch heute noch existiert. Ihr Vorläufer Rote Hilfe Deutschlands (RHD) war von 1924 bis zu ihrem Verbot nach der Machtübernahme der Nationalsozialisten 1933 tätig. Sie arbeitete unter erschwerten Bedingungen illegal weiter.

Rotfrontkämpfer (RFB)

Ein paramilitärischer Kampfverband unter Führung der KPD, der Kommunistischen Partei Deutschlands, in der Weimarer Republik.

Schute

Ein in der Regel antriebsloses Schiff, das dem Transport von Gütern dient. Oft wurde die Ladung aus Seeschiffen in Schuten umgeladen, um sie weiter zu den Lagerhäusern im Hafengebiet oder im näheren Umland zu transportieren. Antriebslose Schuten werden dabei von Schleppern gezogen.

Sektion Wasserkante

Regionaler Bezirk der KPD während der Weimarer Republik und der ersten Nachkriegsjahre. Er umfasste Hamburg, das heutige

Schleswig-Holstein sowie den nordöstlichen Teil des heutigen Niedersachsens.

Sie sollen ihn nicht haben (Lied)
1840 entstandenes patriotisch-nationalistisches Rheinlied, das sich gegen die Franzosen wandte.

Spökenkiekerei
Niederdeutsch. Bedeutet so viel wie Spuk-Guckerei. Die betreibt jemand, der an Geister und Übersinnliches glaubt und Ahnungen von Unheil hat.

Stadthaus
Entstand 1814 als Sitz der Stadtverwaltung und der Polizei in Hamburg zwischen dem Neuen Wall und dem Bleichenfleet. Nach der Reichstagswahl am 5. März 1933, bei der die Nationalsozialisten die Mehrheit errungen hatten, wurden bereits in der Nacht vom 5. auf den 6. März 1933 die Beamten der im Gebäude ansässigen Staatspolizei durch NSDAP-Mitglieder, SA- und SS-Angehörige ersetzt und das Stadthaus zum Hauptquartier und ab Dezember 1935 zum Gestapo-Hauptquartier. Zwischen 1933 und 1943 wurde das Haus mit seinen von der Gestapo eingerichteten Verhörkellern zu einem Ort der Folter.

Tellheim-Allüre
Nach dem Major Tellheim aus Gotthold Ephraim Lessings Lustspiel «Minna von Barnhelm». Tellheim hatte eine Kriegsverletzung, nach der sein rechter Arm gelähmt blieb. Darum glaubt er, seiner Liebe zum Edelfräulein Minna entsagen zu müssen.

Töffel
Ungeschickter Mensch. Tollpatsch.

Trattoria Italiana
Von Francesco Cuneo 1905 in der Davidstraße 11 gegründet. Italienisches Speiselokal mit «tutte la sere concerti», den ganzen Abend Musik. Noch heute unter dem Namen Cuneo im Besitz der Familie. Es wird geführt vom Enkel Franco Cuneo und der Urenkelin Franca.

Sehr beliebtes italienisches Restaurant, das viel von Künstlern und Journalisten frequentiert wird.

Udel

Hamburger Spottname für einen Polizisten. Im neunzehnten Jahrhundert entstanden, als Nachwächter für Schutz und Ordnung sorgten und «Ulen» (Nachteulen) genannt wurden. 1876 übernahm die Polizei ihre Aufgaben, und aus den Ulen wurden die Udels. Der Name hielt sich bis weit in das zwanzigste Jahrhundert hinein und wurde erst durch die abwertende Bezeichnung «Bulle» abgelöst.

Uhlenhorster Fährhaus

Hamburger Juwel mit Blick über die Außenalster. 1873 eröffnet. Viele Außenplätze mit Terrassen und Veranden und einem Musiktempel. In den Innensälen wurden Hochzeiten und andere große familiäre wie auch gesellschaftliche Ereignisse gefeiert. Kaiser Wilhelm II. dinierte hier. Die Bombenangriffe des Sommers 1943 bereiteten dem Fährhaus das Ende. Es wurde über Nacht zur Ruine und nicht mehr aufgebaut.

Vampir von Düsseldorf

Der Düsseldorfer Serienmörder Peter Kürten (1883–1931) wurde in den Zeitungen auch als «Vampir» bezeichnet, weil er in einigen Fällen das Blut seiner Opfer getrunken haben soll. Er wurde im Mai 1930 gefasst und im Juli 1931 hingerichtet.

Vereinigung Deutscher Hebammen

1885 in Berlin gegründeter erster Berufsverband der Hebammen. Ging 1933 nach der Machtübernahme des NS-Regimes im Rahmen der Gleichschaltung der Berufsverbände in die «Reichsfachschaft deutscher Hebammen» über, die 1945 aufgelöst wurde.

Vox-Haus

In Berlin in der Potsdamer Straße 10 im damaligen Bezirk Tiergarten gelegenes Gebäude, in dem im Jahr 1923 die Geschichte des Hörfunks in Deutschland begonnen hat.

Waffenstillstand von Cassibile

Waffenstillstandsabkommen zwischen dem Königreich Italien

unter der Regierung von Marschall Pietro Badoglio und den zwei Alliierten der Anti-Hitler-Koalition USA und Großbritannien im Zweiten Weltkrieg. Es wurde am 3. September 1943 in dem kleinen sizilianischen Ort Cassibile bei Syrakus unterzeichnet. Durch dieses Abkommen löste sich Italien aus dem Bündnis mit dem Deutschen Reich.

Walddörfer
So werden mehrere Stadtteile im äußersten Nordosten Hamburgs bezeichnet, die zum Teil seit dem Spätmittelalter zu Hamburgs Territorium außerhalb der Stadtmauern gehörten. Seit 1918 verband die Walddörferbahn sie mit dem Hamburger Stadtgebiet. Im Zuge des Groß-Hamburg-Gesetzes von 1937 kam auch die vormals holsteinische Gemeinde Duvenstedt zu Hamburg.

Winterhilfe
Zur Zeit des Nationalsozialismus eine Stiftung, die Sach- und Geldspenden sammelte und damit bedürftige «Volksgenossen» unterstützte.

Wohlfahrtshelferin
Assistentin in der sozialen Fürsorge zur Versorgung bedürftiger Familien oder Einzelpersonen.

DANKE AN:

Dirk Meyhöfer, der mir die Finkenau in den Kopf setzte.
Ulf Neumann von der Geschichtswerkstatt St. Gertrud, der mir zu vielen Informationen verhalf.
Christian Pfannenschmidt, der mir immer hilft.
Meine Lektorin Katharina Dornhöfer, die mir ihre Begeisterung schenkte und keinen Bissen aus den Zähnen ließ.
Meinen Mann Peter Christian Hubschmid und meine Kinder Maris und Paul, die der Wind unter meinen Flügeln sind.
Und an Petra Oelker, die das alles auf den Weg gebracht hat.

Weitere Titel von Carmen Korn

Jahrhundert-Trilogie

Töchter einer neuen Zeit

Zeiten des Aufbruchs